LEBEN IST MEHR

Dieses Buch wurde Ihnen überreicht von:

CLV

**Jesus spricht zu ihm:
Ich bin der Weg
und die Wahrheit
und das Leben.
Niemand kommt zum Vater
als nur durch mich.**

Johannes 14,6

**Ich bin gekommen,
damit sie Leben haben
und es in Überfluss haben.**

Johannes 10,10

2022

LEBEN IST MEHR

Impulse für jeden Tag

Leben ist mehr ist auch als digitaler Kalender (Windows) erhältlich.

Schauen Sie mal rein:

www.lebenistmehr.de

(Die Online-Version von **»Leben ist mehr«** verhält sich wie eine App und kann über eine Verknüpfung mit Mobil-Devices und Tablets genutzt werden.)

Ein Nachweis der verwendeten Bibelübersetzungen bei den Tagesversen befindet sich im Anhang des Kalenders.

Umschlag: Lucian Binder
Umschlagfoto: © by Illiya Vjestica / unsplash.com
Piktogramme: Johannes Heckl
Satz: EDV- und Typoservice Dörwald, Steinhagen
Lektorat: Peter Lüling, Joachim Pletsch, Elisabeth Weise
Druck: GGP Media GmbH, Pößneck
Anschrift der Redaktion:
»Leben ist mehr« · Am Güterbahnhof 26 · 35683 Dillenburg
www.lebenistmehr.de · E-Mail: info@lebenistmehr.de

ISBN 978-3-86699-758-5 Artikel-Nr. 256758 (CLV-Paperback)
ISBN 978-3-86353-737-1 Artikel-Nr. 272706022 (CV-Paperback)
ISBN 978-3-86699-655-7 Artikel-Nr. 256655 (CLV-Hardcover)
ISBN 978-3-86353-738-8 Artikel-Nr. 272707022 (CV-Hardcover)

Zum Gebrauch

Zum Gebrauch des Kalenders sind einige Hinweise zu beachten. Auf jedem Tagesblatt befinden sich insgesamt fünf Symbole, die folgende Bedeutung haben:

Der tägliche Leitvers aus der Bibel, der in der Regel durch den Begleittext erklärt wird. Eine Übersicht sämtlicher Verse befindet sich am Ende des Buches. Sie enthält auch jeweils ein Kürzel, das auf die verwendete Bibel-Übersetzung hinweist.

Dem Haupttext ist immer ein Symbol vorangestellt. Es stellt einen Themenbereich dar, dem der jeweilige Text zugeordnet ist. Am Ende des Buches sind alle Tage nach Themen und Symbolen geordnet aufgelistet. Das ermöglicht das gezielte Heraussuchen von Beiträgen zu einem bestimmten Themenbereich. Der Haupttext schließt jeweils mit einem Namenskürzel, das auf den Schreiber des Beitrags verweist. Sämtliche Mitarbeiter und ihre Namenskürzel sind am Ende des Buches aufgelistet.

Die Frage zum Nachdenken

Der Tipp fürs Leben

Die tägliche Bibellese

Im Anhang finden Sie außerdem: *Fünf Schritte zu einem Leben mit Gott* und eine *Bibellese*, nach der Sie in einem Jahr das komplette Neue Testament lesen können.

Vorgehensweise:
Es empfiehlt sich, zuerst den *Tagesvers* aus der Bibel zu lesen und anschließend den *Haupttext*. *Frage* und *Tipp* dienen zur Anregung, über das Gelesene weiter nachzudenken, müssen aber nicht unbedingt mitgelesen werden (zum Beispiel beim Vorlesen).
Die *Bibellese* ergänzt in der Regel den Hauptgedanken der Andacht.

Vorwort

Unsere Welt verändert sich – Gott nicht! Er ist unveränderlich im Wandel der Zeit.

Ist das für uns beruhigend oder stört uns das eher?

Als junger Mensch ist man gerne unterwegs und lässt sich nicht so ohne Weiteres auf etwas festlegen. Als älterer Mensch neigt man dazu, skeptisch gegenüber Neuem zu sein. Doch die Zeit der Aufbrüche zu neuen Ufern scheint definitiv ihrem Ende zuzugehen, denn was kann man in dieser Welt heute noch entdecken, was nicht schon gestern in den Schlagzeilen gewesen ist? Oder liegt es allein an unserer Kurzsichtigkeit, dass wir die Beengtheit und den Wiederholungszwang unserer Zeit nicht wahrnehmen?

Gott, der ewig Unveränderliche, ist für uns unergründlich. Er ist das wahre Abenteuer in unserer Zeit, denn er ist nicht auszurechnen, und doch hält er immer einen Ausweg, eine Wendung oder eine Überraschung für uns bereit – wenn wir uns für ihn interessieren. Was könnte unser Interesse an ihm wecken?

Vielleicht die gute Gewohnheit, an jedem Tag des Jahres 2022 diesen Kalender in die Hand zu nehmen und ein Wort dieses Gottes zu bedenken, der uns geschaffen hat, und uns wie kein anderer kennt und deshalb weiß, was wir bedürfen: Hoffnung in unseren Krisen, Liebe inmitten von Hass, Freude angesichts vieler trauriger Momente, Gemeinschaft in der Einsamkeit, Geborgenheit trotz aller Unsicherheit. Das und mehr können wir bei diesem Gott finden, und er will es uns in Jesus Christus gerne schenken.

So fern uns Gott auch manchmal erscheinen mag, er ist uns nahe gekommen in Jesus Christus, seinem Sohn. In ihm hat er gezeigt, wie sehr er uns liebt und dass er uns aus unseren Verstrickungen herausreißen und neues Leben schenken will. Das kann man mit diesem Kalender entdecken, danach greifen und es festhalten, indem man sich von Gott halten lässt. Dann fällt man nicht mehr ins Bodenlose, wenn im Leben jeder andere Halt wegbricht. Dann wird man gehalten und nie mehr losgelassen – von dem ewig unveränderlichen Gott!

Wir wünschen jedem Leser im Jahr 2022 den Mut, sich auf Gottes Liebe und Zuwendung einzulassen, und dranzubleiben, wenn die Durststrecken und Rückschläge kommen, die jedes Jahr unser Leben ebenso mitbestimmen wie die hellen Momente, die wir viel lieber mögen – leider oft ohne Gott dankbar dafür zu sein. Von ihm kommt alles Gute – machen wir stets das Bestmögliche daraus!

Die Herausgeber

**Glückselig sind die geistlich Armen,
denn ihrer ist das Reich der Himmel!**
Matthäus 5,3

Ein Kaiser erklärt, kein Gott mehr zu sein

Im Zuge der Kriegsniederlage Japans geschah auf religiöser Ebene etwas Ungeheuerliches: Der 124. »Tenno« (»himmlischer Herrscher«) Hirohito legte am 1. Januar 1946 seinen Status als Gott ab. Die Aufgabe des göttlichen Selbstanspruchs war jedoch kein Akt von demütiger Selbsterkenntnis, sondern geschah auf Drängen der Siegermacht USA. Diese betrachteten den Glauben an einen gottgleichen Kaiser in Verbindung mit einem politisch-überhöhten Selbstbewusstsein als Gefahr für den Frieden und die Demokratisierung Japans.

Traditionell stammten die »Tennos« angeblich in ununterbrochener Reihe von einer Sonnengöttin ab und waren als Himmelssöhne zur Herrschaft über das Götterland Japan bestimmt. In der Nachkriegsverfassung 1947 wurde den Kaisern jedoch lediglich nur noch eine symbolisch-repräsentative Rolle zugestanden, in etwa vergleichbar mit der Funktion der englischen Queen oder des deutschen Bundespräsidenten – eine klare Herabwürdigung.

Auch wenn sich wohl keiner von uns für einen Gott hält, so leben wir oft so, als hätten wir die Kontrolle: Wir begreifen uns als Herren unseres Lebens, alle Entscheidungen treffen wir und möglichst viele Mitmenschen sollen sich nach uns richten. Wir denken, uns stehen aufgrund unserer Abstammung, unserer Intelligenz oder unserer Leistungen bestimmte Rechte oder die Ehre und Anerkennung anderer zu. Wenn dann doch ein siegreicher Konkurrent über uns steht, fühlen wir uns in unserer Selbstwahrnehmung gedemütigt. Aus dieser »Götterfalle« führt die Erkenntnis, dass noch jemand viel Größeres über uns allen steht. Als Geschöpf Gottes brauche ich mich nicht größer zu machen, als ich bin. Denn in seinem Reich erhalten die Demütigen und Fehlerbewussten die besten Plätze. *slü*

? Wie wollen Sie das neue Jahr beginnen? Als Ihr eigener Herr oder in Demut vor Gott?

! Demut beginnt oft mit dem Eingeständnis eigener Schuld. Ein ehrliches Gebet kann zu einem Umdenken führen.

Lukas 14,7-11

Gott ist unsre Zuversicht und Stärke.
Eine Hilfe in den großen Nöten, die uns getroffen haben.
Psalm 46,2

Hoffnungen und Ängste

Am 1. Januar vor 20 Jahren mussten wir uns von der »guten, alten D-Mark« verabschieden. Haben Sie sich auch noch eine Sammlung der historischen Geldstücke als Erinnerung aufbewahrt? Vielleicht sogar eine Münze mit der Prägung »Bank deutscher Länder«, bevor 1950 die Bundesbank gegründet wurde? Die 50-Pfennig-Münze stellte eine kniende Frau dar, die den Setzling eines Eichenbaumes pflanzte. Dies drückte damals in dem vom Krieg zerstörten Deutschland die Hoffnung aus, wieder ein starker Baum zu werden. Und tatsächlich entwickelte sich die D-Mark als Symbol des Wirtschaftswunders, und bald wurde sie eine »harte« Währung, die auch im Ausland als Tauschgeld gern gesehen war. Deshalb gab die D-Mark ein Gefühl der Sicherheit. Entsprechend unsicher waren viele, sich auf den internationalen Euro einzulassen. Wie wird sich die neue Währung entwickeln? Zum einen schätzte man die Möglichkeit der grenzüberschreitenden Zahlungsmöglichkeit, zum anderen gab es die Angst vor einer Geldentwertung.

Nun stehen wir wieder an einem Neubeginn und fragen uns: Was wird das Jahr 2022 bringen? Hoffnungen vermischen sich mit Ängsten. Als begrenzte Menschen sind wir uns bewusst, dass wir nicht die Kontrolle haben. Brauchen wir aber auch nicht! Gott hat uns einen begrenzten Verantwortungskreis zugedacht. In der Bergpredigt fordert uns Jesus auf, die Vögel des Himmels zu betrachten, die nicht säen und ernten noch in die Scheunen sammeln, aber von Gott versorgt werden (vgl. Matthäus 6,26). Wir haben eher die Verantwortung, zu pflanzen und zu begießen. Aber letztendlich ist es doch Gottes Segen, von dem alles abhängt: »Gott aber hat das Wachstum gegeben« (1. Korinther 3,6). Auf ihn dürfen wir auch im vor uns liegenden Jahr vertrauen. *tp*

? Auf welche Sicherheiten vertrauen Sie?

! Wir dürfen uns Gott für das Jahr 2022 anbefehlen.

Psalm 11

3. Januar 22

Montag

**Was immer du zu tun vermagst, das tue!
Denn bei den Toten, zu denen du gehst, gibt es weder Tun noch Planen, weder Wissen noch Weisheit.**

Prediger 9,10

To do – auf morgen verschoben

Vor ein paar Tagen habe ich mir einen Kurzvortrag *(TedTalk)* mit dem Titel »Inside the Mind of a Master Procrastinator« angehört. Der Redner sagte (mit viel Humor), das Hirn vieler Menschen wäre recht einfach gestrickt: Es gibt ein Steuerruder, einen klugen Steuermann und den »Ich-mach-das-worauf-ich Bock-habe-Affen«. Ich kenne diesen Affen. Nur eine baldige Abgabefrist verdrängt den Affen manchmal. Die Idee fand ich simpel und gut.

Manche Menschen haben sämtliche Do-it-Yourself-Kanäle durchgeschaut, ohne auch nur eines der Projekte nachgemacht zu haben, ohne auch nur einen »Handmade-Sticker« aufgeklebt zu haben. Wenn es um den selbstgebauten Esstisch geht, ist das schade, aber nicht schädlich. Allerdings kann es auch eine Lebenseinstellung mit weitreichenden Folgen sein: Sie wissen, dass es eine OP gibt, um die Sie nicht herumkommen werden, die Sie aber nicht in Angriff nehmen wollen ... Wie gerne hätten Sie wieder eine intakte Beziehung zu Ihrem Sohn, aber das Gespräch kann ja auch nächsten Monat geführt werden. Momentan ist einfach zu viel los, hm?

Was haben Sie Wichtigeres zu tun, als Ihre Beziehungen und Ihre Gesundheit zu pflegen? Wie kommt es, dass Sie gute Entscheidungen in diesen Bereichen aufschieben? Gute rationale Gründe können Sie wahrscheinlich wenige finden. Wir Autoren schreiben hier, um Sie wachzurütteln. Und wenn es einen Gott gibt, wäre das noch so unendlich viel bedeutender als Ihre Gesundheit und Ihre Beziehungen. Wie oft wollten Sie der Sache schon mal auf den Grund gehen mit der Bibel und Jesus Christus? Was ist da dran? Verschieben Sie es doch nicht! Machen Sie sich einen Plan, nehmen Sie das Steuer in die Hand und machen Sie sich heute auf die Suche! Ich bitte Sie: Handeln Sie heute. *jsa*

? Was schieben Sie auf?

! Gehen Sie gegen Ihre Bequemlichkeit an!

Matthäus 25,1-13

4. Januar 22

Dienstag

Diesen ewigen Vorsatz hat Gott ausgeführt in Jesus Christus, unserem Herrn.
Epheser 3,11

Gute Vorsätze

Ich erinnere mich noch gut, wie es früher in der Schule war, wenn ich ein neues Heft anfangen konnte. Ganz sauber und weiß lag es vor mir. »Diesmal werde ich das Heft wirklich ordentlich führen, alle Zettel sofort einkleben, die Überschriften sauber unterstreichen, immer das Datum an den Rand schreiben und keine Ecken verknicken«, nahm ich mir vor. Doch schon nach wenigen Seiten ließ mein Eifer nach, und das Heft sah genauso mittelmäßig aus wie die vielen anderen davor.

Das Gefühl von »Jetzt mache ich alles besser!« überkommt mich auch immer Anfang Januar, wenn das Jahr noch frisch und unberührt vor mir liegt. Weniger Handy zwischendurch, tägliche Gymnastik am Morgen, mehr trinken ... doch mit den guten Vorsätzen ist es so wie mit dem Heft in der Schule: Schon nach wenigen Wochen ist auch das neue Jahr nicht viel anders als das alte auch.

Menschliche Vorsätze halten oft nicht lange. Überforderung, Trägheit, neue Ziele – es gibt viele Gründe, warum wir Menschen unsere einmal gefassten Vorsätze brechen. Wie froh bin ich, aus der Bibel zu lernen, dass Gott ganz anders ist! Auf ihn ist Verlass, seine Treue und Versprechen sind keinen Stimmungsschwankungen unterworfen. Gottes Vorsätze müssen niemals revidiert werden, er führt seine Pläne aus und erreicht seine Ziele. Immer.

Ich bin froh, dass mein Glück nicht an meinen eigenen schwachen Vorsätzen hängt, sondern dass ich mein Leben an Gott festmachen durfte. Auf sein Versprechen, dass er jedem, der an seinen Sohn Jesus Christus glaubt, ewiges Leben schenkt, ist absolut Verlass. Auch für das vor uns liegende Jahr sind seine Treue und Beständigkeit das beste Fundament.

eli

? Warum sind wir Menschen oft schwankend und unzuverlässig?

! Gott hält immer, was er verspricht.

Jesaja 46,9-13

Dies aber wisse, dass … schwere Zeiten eintreten werden; denn die Menschen werden selbstsüchtig sein, geldliebend, prahlerisch, hochmütig, Lästerer, den Eltern ungehorsam, undankbar, unheilig. 2. Timotheus 3,1-2

Begründete Hoffnung

»Ich bin der Überzeugung, dass die größten Gefahren, die dem kommenden Jahrhundert bevorstehen, folgende sind: eine Religion ohne den Heiligen Geist, eine Christenheit ohne Christus, eine Vergebung ohne Buße, eine Erlösung ohne Wiedergeburt, eine Politik ohne Gott und ein Himmel ohne Hölle« (William Booth, 1829–1912, Gründer der Heilsarmee).

Nun ist der gute Mann schon über hundert Jahre tot, doch seine Aussage könnte treffender nicht sein. Unsere Kultur ist mittlerweile fast »kreuzlos«, Gott spielt in unserem Alltag kaum mehr eine Rolle. Sollte es einen Himmel geben, kommen wir doch alle dahin, denn wenn Gott Liebe wäre, würde er ja niemanden in die Hölle werfen, wird behauptet. Wir haben unser Glück selbst in die Hand genommen, jeder auf seine Art und Weise. Ein schnelles »Es tut mir leid« hält keine Ehe mehr zusammen, weil unser Selbstwertgefühl kaum echte Reue, Buße und Umkehr zulässt. Unser Egoismus und unsere Selbstliebe haben uns einsam gemacht. Die großen Kirchen sind der großen Politik oft näher als dem einzelnen Menschen – wohin jetzt mit unseren Lebensfragen?

Der Himmel ist nicht verschlossen – das ist die gute Botschaft! Gott wartet immer noch auf uns, dass wir Buße tun und uns ihm wieder zuwenden. Das Heilsangebot Gottes in Jesus Christus steht jedem zur Verfügung, der ihn (wieder) zum Mittelpunkt seines Lebens machen möchte.

Wir müssen nur endlich respektieren, dass JESUS der einzige Weg zu Lebensglück und Vergebung ist. Das würde bedeuten, aufrichtig und ehrlich zu ihm zu sagen: »Es tut mir wirklich leid, dass ich mein Leben bisher ohne dich geführt habe. Ab heute sollst du der Mittelpunkt meines Lebens sein, und ich will tun, was du von mir möchtest.« *lü*

? Wie beurteilen Sie unsere Zeit?

! Weise ist, wer aus der Geschichte lernt.

2. Timotheus 4,1-8

6. Januar 22

Donnerstag **Dreikönigsfest**

**Denn unser Bürgerrecht ist in den Himmeln,
von woher wir auch den Herrn Jesus Christus
als Retter erwarten.**

Philipper 3,20

Ins Paradies? Nein danke!

In einem alten Buch las ich, dass auf der Eisenbahnstrecke von Großheringen nach Rudolstadt hinter Jena der Ort Paradies liegt. Eines Abends saßen ein Ehepaar und ein Soldat in einem Abteil dieses Zuges. Gelangweilt griff die Frau nach den dort herumliegenden Blättern verschiedener Firmen, die für ihre Produkte warben. Der Soldat bemerkte das und sagte: »Hier habe ich etwas Besseres zum Lesen!«; und reichte der Dame ein Blatt, in dem der Weg zum Himmel beschrieben wurde. Sie nahm es an und las es vom Anfang bis zum Ende. Dann gab sie es ihrem Mann, der aber schnell damit fertig war und bemerkte, dass man ihm als aufgeklärtem Menschen doch nicht solche alten Märchen erzählen dürfe. Damit war die Frau dann auch einverstanden. Warum sollte sie sich auch Gedanken über Sünde, Himmel und Hölle machen, das konnte einem ja den Spaß am Leben völlig verderben.

Als der Zug aus Jena abgefahren war, dauerte es gar nicht lange, und er hielt schon wieder. Und wie es früher bei Haltestellen der Eisenbahn üblich war, ertönte laut die Stimme des Schaffners: »Paradies!« Das Ehepaar blickte auf, doch dann sagte die Frau: »Paradies? Da wollen wir doch nicht hin!« – »Nein, ganz gewiss nicht« sagte der Mann, »jedenfalls jetzt noch nicht.« Dabei mussten beide lachen. Der Soldat saß in seiner Ecke und schüttelte traurig den Kopf. Hatte er eben nicht die klare Antwort der beiden gehört, die sie dem freundlichen Werben Gottes um ihre Seelen gegeben hatten? Wie jammerschade für die beiden!

Diese Geschichte ist rund 100 Jahre alt, und wir wollen hoffen, dass dieses Ehepaar noch rechtzeitig die Kurve gekriegt hat. Jetzt kommt es darauf an, was Sie Gott auf seine Einladung antworten. *gr*

Was bedeutet Ihnen das Paradies im Himmel?

Niemand weiß, ob das heutige göttliche Angebot das letzte an uns ist.

Lukas 23,32-43

Die Zeit ist begrenzt.

1. Korinther 7,29

Die Uhr tickt

Ich bin leidenschaftlicher Uhrenfan. Diese Zeitmesser faszinieren mich. Ein Uhrwerk ist doch etwas ganz Besonderes. Eine Einheit von verschiedenen Zahnrädern auf kleinstem Raum, die ineinandergreifen und alle aufeinander angewiesen sind. Sie bewirken, dass die verschiedenen Zeiger auf dem Ziffernblatt die genaue Tageszeit anzeigen. Ohne es ständig bewusst wahrzunehmen, haben wir am Handgelenk in gewisser Weise ein kleines Meisterwerk zur exakten Anzeige von Sekunden, Minuten und Stunden.

Woran wir oft nicht denken, ist, dass die Zeit immer weiter vorwärtsschreitet. Sie kennt nur eine Richtung: vorwärts. Umgangssprachlich sagt man manchmal: Die Zeit lässt sich nicht zurückdrehen. Man meint damit z. B. schöne Ereignisse, die viel zu schnell vergangen sind, oder negative Entscheidungen, die man im Nachhinein vielleicht gern anders getroffen hätte.

Unser heutiger Bibelvers weist uns darauf hin, dass die Zeit, die wir zur Verfügung haben, begrenzt ist. Egal, was wir in unserem Leben machen, alles ist der Zeit unterworfen. Jesus Christus fordert uns auf, die Zeit zu nutzen, aber nicht einfach nur für das tägliche Allerlei, sondern um den lebendigen Schöpfergott als unseren Herrn und Retter anzuerkennen. Gott ist der Schöpfer aller Dinge, auch der Zeit. Er gibt uns die Möglichkeit, von unserem eigenwilligen und selbstbestimmten Leben, das die Bibel Sünde nennt, umzukehren und Vergebung unserer Schuld zu erfahren.

Wenn unsere Lebenszeit einmal vorbei sein wird und wir die Ewigkeit betreten, wird es für eine solche Entscheidung zu spät sein. Deshalb nutzen Sie die Zeit, solange Sie sie noch haben, ehe sie abgelaufen ist. Ihre ewige Zukunft steht auf dem Spiel. *tl*

? Wo werden Sie die Ewigkeit nach der Zeit verbringen? Bei Gott oder getrennt von ihm?

! Denken Sie beim nächsten Blick auf die Uhr daran, dass Ihre Zeit abläuft.

Psalm 95

Der HERR segne dich und behüte dich! Der HERR lasse sein Angesicht über dir leuchten und sei dir gnädig! Der HERR erhebe sein Angesicht auf dich und gebe dir Frieden!

4. Mose 6,24-26

Und Tschüss!

Zum Abschied grüßt man sich in Deutschland regional sehr unterschiedlich. Im Norden lautet der überwiegende Abschiedsgruß »Tschüss«, im Süden ist es eher ein »Ade«, »Servus« oder »Pfüati«. Aber wer hätte gedacht, dass *Tschüss, Ade* und *Pfüati* so ziemlich das Gleiche bedeuten? Darüber machen wir uns kaum noch Gedanken. – Können Sie noch erkennen, was der Begriff *Tschüss* eigentlich besagt? Diese knappe Grußformel ist die Kurzform von »Gott beschütze dich!« Im Laufe der Zeit wurde der Wunsch verkürzt zu »schütz dich« und dann verstümmelt zum heutigen »Tschüss«. *Ade* ist die Verkürzung der lateinischen Grußformel »Ad Deus!« – »Geh mit Gott!«

Was mich dabei verwundert: Offenbar war bei unseren Vorvätern der Wunsch allgegenwärtig: *Möge Gott mit dir sein.* Er beschütze dich, wie es auch in unserem Tagesvers ausgedrückt wird. Es war früher ganz üblich, einen Segenswunsch für das Gegenüber mit in den Abschied zu packen! Denn es herrschte ein allgemeines Gottesbewusstsein. Und ebenso ein Bedürfnis nach seiner Bewahrung. Aber die Gegenwart Gottes in der Alltagssprache und die Bitte um Bewahrung wurden verhunzt und bis zur Unkenntlichkeit gestutzt. Somit wurde der Gottesbezug nach und nach eliminiert. Dennoch ist im »Tschüss« jedes Mal noch ein Rest davon enthalten, der aber nicht mehr ausgesprochen wird.

Es ist dem Abschiedswunsch genau so ergangen wie dem Tischgebet vor dem Essen: Aus »Gott segne diese Mahlzeit!« blieb nach »Gesegnete Mahlzeit!« nur noch das Rudiment »Mahlzeit!« übrig. Wahrscheinlich wird man sich der Ausklammerung Gottes erst wieder bewusst, wenn gar kein Essen mehr auf dem Tisch steht. Dann lehrt uns erst die Not, wieder nach Gott zu rufen. Wie schade! *fe*

Werden Sie heute irgendwo ein »Tschüss« oder »Ade« aufschnappen?

Dann trauen Sie sich, Ihrem Gegenüber die ursprüngliche Form zu erklären! Gott wird es segnen.

Hebräer 13,20-21

Denn »wer hat des Herrn Sinn erkannt, oder wer ist sein Ratgeber gewesen«?
Römer 11,34

Aus der größten Ideensammlung der Welt

Wer sich eingehend mit der Schöpfung beschäftigt, gelangt zu einer überwältigenden Erkenntnis: Die Schöpfung ist die größte Ideensammlung der Welt. Keine Wissenschaft wird je erfassen können, wie viel Wissen, wie viele Ideen und wie viele Konzepte in der Gesamtheit der Werke der Schöpfung enthalten sind. In Psalm 92,6 heißt es so treffend: »HERR, wie sind deine Werke so groß! Deine Gedanken sind sehr tief.« Wir greifen hier ein Beispiel heraus:

Der mit Kammern gefüllte Nautilus und der Tintenfisch benutzen Schwimmtanks, mit denen sie ungeachtet der Tauchtiefe den notwendigen Auftrieb erhalten. Sie tun dies wirkungsvoller als unsere modernen U-Boote. Außerdem können Tintenfische per »Düsenantrieb« durch die Luft fliegen, und sind dabei noch schneller als der Supersprinter und jamaikanische Olympiasieger Usain Bolt (* 1986). Die 100-Meter-Strecke durcheilte er in sagenhaften 9,58 Sekunden. Seine Höchstgeschwindigkeit von 44,72 km/h erreichte er bei der 54-Meter-Marke. Diese Geschwindigkeit überbietet der Tintenfisch über dem Wasser durch seinen Antrieb. Er schafft dabei einen über 30 Meter weiten Bogen durch die Luft.

Als Antrieb dient den Weichtieren der Sipho, ein trichterähnliches Organ, aus der sie Wasser per Muskelkraft aus ihrer 30 bis 40 Zentimeter langen Mantelhöhle pressen. Mit diesem »Düsenantrieb« erreichen verschiedene Tintenfischarten eine Flughöhe von bis zu sechs Metern. Fliegende Fische schaffen bei einer Geschwindigkeit von über 20 Metern pro Sekunde Flugweiten von mehr als 300 Metern. Der Schnellste in der Welt der Flossen und Schuppen ist aber der Segelfisch: Bei der Flucht oder Jagd kommt er auf über 30 Meter pro Sekunde, das sind 110 Kilometer pro Stunde. *gi*

Meinen Sie, die Evolution könne so etwas hervorbringen?

Wenden Sie sich dem zu, der auch Ihr Schöpfer ist!

Hiob 36,26-33; 37,1-24

10. Januar 22

Montag

Denn dies ist der Wille meines Vaters, dass jeder, der den Sohn sieht und an ihn glaubt, ewiges Leben habe; und ich werde ihn auferwecken am letzten Tag.

Johannes 6,40

Willenserklärung

Im deutschen Recht spielt die Willenserklärung eine zentrale Rolle: Sie stellt die Äußerung eines rechtlich erheblichen Willens durch jemanden dar, der am Rechtsverkehr teilnehmen und eine Rechtsfolge herbeiführen will. Mit Rechtsfolge ist besonders häufig die Begründung eines Rechtsverhältnisses gemeint. Und Rechtsverhältnisse sind vor allem Verträge. Für einen Vertrag benötigt man nun zumindest zwei Parteien, die miteinander korrespondierende Willenserklärungen abgeben. Das nennt man Angebot und Annahme und sieht in der Praxis oft ganz einfach aus: »Willst Du mein Auto für 2000 € kaufen?« (Angebot). »Ja, das will ich.« (Annahme). Werden sich beide auf diese Weise einig, kommt ein Vertrag über ebendieses Auto zu einem Kaufpreis von 2000 € zustande, der beide Seiten bindet.

Im Alltag reden Verhandlungspartner aber leicht aneinander vorbei. Deswegen ist es wichtig, den eigenen Willen möglichst deutlich zum Ausdruck zu bringen, damit der andere weiß, worauf er sich einlässt, wenn er das Angebot annimmt.

Im Verhältnis Gott-Mensch ist das durchaus ähnlich. Gott will den Menschen nicht im Ungewissen darüber lassen, was er vom Menschen erwartet und was er ihm anbieten möchte. Deswegen hat Jesus Christus, Gottes Sohn und dadurch vollumfänglich vertretungsberechtigt, den Willen seines Vaters ganz eindeutig auf den Punkt gebracht: *Jeder* (!), der in diesem Jesus wirklich Gottes Sohn *sieht* und daran *glaubt*, dass dieser für seine Sünden am Kreuz bezahlt hat, bekommt *ewiges Leben*. Diese Rechtsfolge ist ganz sicher. Allerdings ist es mit Gottes Angebot wie im Rechtsleben. Um in den Genuss dieses ausgesprochen klaren und unmissverständlichen Angebotes zu kommen, muss ich es annehmen.

mm

Was hindert uns, das Angebot Gottes anzunehmen?

Nie war jemand zuverlässiger als Gott!

Johannes 1,1-18

11. Januar 22

Dienstag

**Alle aber seid gegeneinander mit Demut fest umhüllt;
denn Gott widersteht den Hochmütigen,
den Demütigen aber gibt er Gnade.**

1. Petrus 5,5

Hochstapelei oder Demut?

Gert Postel hatte als einzige Ausbildung die zu einem Postboten. Mittels gefälschter Dokumente gelang es ihm jedoch sechsmal, eine Anstellung als Psychiater zu bekommen. Unter anderem nahm er den Decknamen Dr. med. Dr. phil. Clemens Bartholdy an. Das sächsische Kabinett bot ihm sogar eine Professur in der Forensik an. Bei der Bewerbung um eine Oberarztstelle hielt er einen Fachvortrag über die »Lügensucht im Dienste der Ich-Erhöhung« und stach damit 38 Mitbewerber aus. In einem Expertengespräch gebrauchte er einen in sich widersprüchlichen psychiatrischen Fantasiebegriff, »weil ich ausreizen wollte, wie weit ich gehen kann«. Ohne mit der Wimper zu zucken, nahm der ärztliche Direktor einer Universitätsklinik den Begriff auf und bemerkte, eine »bipolare Depression dritten Grades« komme mitunter vor, sei aber sehr selten. Da dämmert dem Schwindler: »Ich bin als Hochstapler unter Hochstaplern gelandet.« 1999 wurde Postel zu vier Jahren Haft verurteilt, von denen er zwei Jahre absaß.

Vermutlich faszinieren Hochstaplergeschichten deshalb, weil sie uns einen Spiegel vorhalten. Nur zu gern wollen wir mehr scheinen, als wir sind. Diese Neigung ist jedoch nicht nur im Umgang miteinander ein Problem, sondern auch in unserer Beziehung zu Gott. Nur sehr widerstrebend gestehen wir ein, dass wir ganz von ihm abhängig sind und ohne ihn keinen Atemzug tun könnten. Noch schwerer fällt es uns zuzugeben, dass wir moralisch aus Gottes Sicht Egoisten sind, uns ständig gegen ihn empören und ihm den Respekt und die Loyalität verweigern, auf die er als unser Schöpfer Anspruch hat. Demut im biblischen Sinn bedeutet keine neurotische Selbstverzwergung, sondern vielmehr, vor Gott alle Hochstapelei fallen zu lassen und uns in seinem Licht zu sehen. *ga*

Wie definieren Sie Demut?

Echtheit und Transparenz sind sehr gute Vorbilder für die nächste Generation.

2. Korinther 10,12-18

So lehre uns bedenken unsere Lebenszeit, damit Weisheit unser Herz erfüllt.
Psalm 90,12

»Gleich sterbe ich«

... teilt der Mittfünfziger seinen Familienangehörigen abends aus dem Notarztwagen heraus per Videonachricht mit, gibt Infos zu offenen Geschäftsvorfällen ... und lacht dabei kurz. Obwohl er erblich vorbelastet ist und auch bereits den einen oder anderen »Schuss vor den Bug« gekriegt hat, hat er die Gesundheit nie wirklich ernst genommen. Übergewicht, Diabetes, fettfreieres Essen – all das interessierte ihn nicht wirklich. Im Gegenteil: Wenn er eine fettige Kalorien-Bombe genoss, postete er das genüsslich in sozialen Medien. Nach einem kürzlichen Herzinfarkt verlangte er schon recht bald die vorzeitige Entlassung, um sich im Krankenhaus nicht der Gefahr einer Corona-Infizierung auszusetzen und um das Ganze auch nicht überzubewerten.

Weil er – wie wohl nicht zum ersten Mal – derart mit dem Tod kokettiert, reagieren Angehörige auf seine Nachricht entsprechend lässig. Erst am nächsten Morgen erfahren sie, dass später am Abend notwendig gewordene Reanimationsversuche fehlgeschlagen sind ... Das leichtfertig Dahingesagte ist eingetreten.

In Lukas 12,16 erzählt Jesus von einem Großbauern, der die Optimierung seines Gewinnes und seiner Versorgung derart im Fokus hatte, dass er dabei die Endlichkeit des eigenen Seins völlig aus dem Blick verlor. Über Nacht stirbt er. Deutlich bezeichnet ihn Jesus als »Narr«, weil er es versäumt hatte, sich um seine Seele, d. h. um sein ewiges Geschick zu kümmern. In Jakobus 4,14 heißt es: »Was ist denn euer Leben? Es ist nur ein Dampf, der kurze Zeit sichtbar ist und dann wieder verschwindet.« Deshalb sollten wir im Hier und Jetzt das Danach bedenken und dafür vorsorgen! Dazu gehört z. B., das Angebot der Vergebung unserer Schuld vor Gott zu anzunehmen, das er uns in Jesus Christus macht.

md

Warum versuchen wir allzu oft, den Gedanken an das Sterben zu verdrängen?

Weise und klug ist nur der, der auch die Ewigkeit in seinem Denken und Planen berücksichtigt.

Lukas 12,13-21

**Jesus aber sah sie an und spricht:
Bei Menschen ist es unmöglich, aber nicht bei Gott;
denn bei Gott sind alle Dinge möglich.**

Markus 10,27

Das Ei in der Flasche

Im Chemieraum herrscht gespannte Stille. Alle Blicke sind nach vorne gerichtet. Auf dem Pult steht eine Flasche und auf der Öffnung liegt ein gekochtes Ei. Der Lehrer hat angekündigt, dass sich das Ei gleich unversehrt im Inneren der Flasche befinden wird. ›Unmöglich!‹, denken die Schüler.

Vielleicht kennen Sie den Trick, mit dem man das gekochte Ei tatsächlich in das Innere der Flasche bringen kann: Zunächst füllt man heißes Wasser in die Flasche, gießt es wieder aus und legt dann das Ei direkt auf die Öffnung. Durch die heiße Luft in der Flasche entsteht ein Unterdruck, der das formbare Ei in die Flasche »saugt«. An diesem Beispiel wird deutlich, dass eigentlich Unmögliches durch Veränderung doch möglich wird. Das Ei verformt sich und gelangt so in die Flasche.

In der Bibel lesen wir von Saulus, der Christen verfolgte und reihenweise ermorden ließ. In Apostelgeschichte 9 steht: »Saulus, der die Jünger des Herrn noch immer mit großer Wut verfolgte und sie mit dem Tod bedrohte, erbat sich ein Schreiben.« Mit diesem Schreiben hatte er die Genehmigung in der Tasche, alle Christen, die er fand, gefangen zu nehmen. Doch Jesus selbst stellte sich Saulus auf seinem Weg entgegen. Der wurde nach dieser Begegnung komplett verändert: Aus dem Verfolger Saulus wurde der treue Nachfolger und Missionar Paulus.

Sicherlich haben viele Menschen damals gedacht, dass Saulus sich niemals ändern würde. Aber bei Gott sind erstaunliche Kehrtwenden möglich! Das gilt nicht nur für Saulus, sondern auch für uns. Veränderung durch Jesus ist möglich: Aus Feinden Gottes können Freunde Gottes werden!

acb

? In welchem Lebensbereich möchten Sie Veränderung erleben?

! Gott will Veränderung schenken. Lassen Sie diese zu!

Apostelgeschichte 22,3-16

Freitag

So wie unser Leib aus vielen Gliedern besteht und diese Glieder einen Leib bilden, so ist es auch bei Christus: Sein Leib, die Gemeinde, besteht aus vielen Gliedern und ist doch ein einziger Leib. 1. Korinther 12,12

Keine halben Sachen?

Nachdem Meghan und Harry im Januar 2020 unter großem medialen Aufsehen die britische königliche Familie verlassen hatten, wurde nach diese Entscheidung im Februar 2021 endgültig bekräftigt. Der Buckingham Palace bestätigte, dass insbesondere Harry mit dem Verlassen des Königshauses einige Positionen und Privilegien verlieren wird: Er muss seine Schirmherrschaften und militärische Ehrentitel abgeben, darf nun bei offiziellen Anlässen entsprechende Uniformen nicht mehr tragen und sich nicht mehr »Seine Königliche Hoheit« nennen lassen. Ebenso entfallen finanzielle Zuwendungen für royale Aufgaben. Über all dies sei Harry »verärgert«, berichteten verschiedene Zeitungen. Dabei waren diese Verluste die logische Folge der eigenen Entscheidung. Wer die Pflichten eines königlichen Lebens ablegen will, muss auch auf die Rechte verzichten, die damit verbunden sind, wie einige Analysten kommentierten.

Auch wenn dieser Zusammenhang offensichtlich ist, scheinen es manche Christen hinsichtlich ihrer Zugehörigkeit zur Familie Gottes dem Prinzen Harry gleichzutun: Man möchte ein intensives Gemeinschaftsgefühl, ohne jedoch verbindlich am Gemeindeleben teilzunehmen. Man möchte gut dastehen und Ansehen genießen, lehnt aber entsprechende Beteiligung an Aufgaben und Pflichten ab. Es soll gefälligst ein guter Gottesdienst geboten werden, aber die Arbeit sollen andere machen.

Paulus zeichnet ein anderes Bild von christlicher Gemeinschaft: Er beschreibt diese als einen Körper mit vielen wichtigen Teilen: Augen, Ohren, Hände etc. Jeder hat etwas beizutragen, ob in Beziehungen, in der Mitarbeit oder im Gottesdienst. Nur so kann eine Gemeinschaft dynamisch wachsen und Authentizität, Liebe, Hilfe und Annahme bieten. *slü*

Welche Erfahrungen mit (christlicher) Gemeinschaft haben Sie bisher gesammelt?

Begreifen Sie sich nicht als Konsument, sondern als Mitgestalter!

1. Korinther 12,12-30

Du schwemmst sie hinweg … Du hast unsere Ungerechtigkeiten vor dich gestellt, unser verborgenes Tun vor das Licht deines Angesichts. … Wer erkennt die Stärke deines Zorns und deines Grimms …? Psalm 90,5-11

Grote Mandrenke

Heute und morgen vor 660 Jahren (15./16. Januar 1362) gab es die sogenannte zweite Marcellusflut; sie war eine Kombination aus Sturm- und Springflut (das Springhochwasser ist besonders hoch). In Norddeutschland nennt man diese Flut deshalb auch »Grote Mandrenke« (= großes Ertrinken). Rund 100.000 Hektar Land gingen verloren. Die ursprüngliche Küstenlinie gab es nach dieser verheerenden Flut nicht mehr. Rungholt, damals größter Handelsort des Nordens und Synonym für Größe, Reichtum, Prunk und Gottlosigkeit, verschwand für immer. Zwischen Elbe und Ripen (älteste Stadt Dänemarks) kamen bis zu 200.000 Menschen ums Leben. Keine andere Flut hat sich so tief in das Gedächtnis der Menschen eingegraben.

Für diese Katastrophe kann man viele Ursachen nennen: Das Klima hatte sich geändert, hinzu kamen menschliche Ursachen (der Torfabbau bewirkte, dass der Boden absackte; die Deiche waren z.T. kaputt usw.). Damals haben Menschen diese verheerende Flut als Gericht Gottes gedeutet. Ihr Denken war noch von biblischen Deutungsmustern geprägt. War das etwa falsch? Warum ist das heute verloren gegangen?

Wenn heute Katastrophen passieren, gibt es auch viele Erklärungen. Aber Gott? Entweder weist man sein Mitwirken dabei entschieden von sich, oder es wird anklagend gefragt, wie Gott (wenn es ihn denn gibt) so etwas zulassen könne. Wir tun gut daran, Gott ernst zu nehmen und seine Größe und Allmacht anzuerkennen. Statt ihn anzuklagen, sollten wir uns vor ihm beugen, sein Gericht fürchten und sein Angebot der Rettung in Jesus Christus annehmen. Dem, der seine Sünden bereut und sie lässt, ist er gnädig; aber wer sie vor ihm verbirgt und daran festhält, der bleibt unter dem Zorn Gottes. *mtz*

? Wann will Gott uns gnädig sein?

! Wenn wir uns vor ihm beugen und sein Rettungsangebot in Jesus Christus annehmen.

2. Petrus 3,3-15

Vertraue auf den HERRN von ganzem Herzen und verlass dich nicht auf deinen Verstand.
Sprüche 3,5

Kindliches Vertrauen

Freudiges Jauchzen ist aus dem Kindermund zu hören, als der Vater seinen kleinen Jungen in die Luft wirft, um ihn kurz darauf wieder aufzufangen. »Nochmal, nochmal!«, ruft der kleine Kerl freudig und schaut seinen Vater erwartungsvoll an. Erneut hört man das Lachen des Jungen. Was für ein Vertrauen hat er in seinen Vater! Er ist sich absolut sicher, dass er wieder aufgefangen wird.

Mich fasziniert dieses kindliche Vertrauen, das keine Sorgen um die Machbarkeit oder eine Abwägung der Gefahr kennt. In wie vielen Situationen fehlt mir dieses unbeschwerte Vertrauen! Ich mache mir Gedanken, was mich morgen wohl erwartet, was ich in bestimmten Situationen sagen soll oder wie die Reaktion meines Gegenübers sein könnte.

Vielleicht geht es Ihnen mit Gott ähnlich? Sie haben Sorge vor den Veränderungen, wenn Sie ihm die Leitung Ihres Lebens überlassen. Oder Sie fragen sich, wie Ihre Frau oder Ihr Mann auf Ihre Entscheidung für Gott reagieren wird. Vielleicht fürchten Sie, dass Sie etwas falsch machen und am Ende alleine dastehen.

Doch Gott sagt in seinem Wort, dass alle, die an ihn glauben, seine »geliebten Kinder« sind (Epheser 5,1). Als seine Kinder dürfen wir ihm jederzeit voll und ganz vertrauen. Wie der Vater seinen Sohn sicher auffängt, so möchte Gott uns in unserem Leben auffangen. Er hilft uns durch schwierige Situationen hindurch. Er ist stark, hat den Überblick und ist das stabile Fundament, das sich nicht verändert.

Haben Sie den Mut, sich von Ihrem Vater im Himmel durchs Leben begleiten zu lassen! Und bringen Sie ihm kindliches Vertrauen entgegen – es lohnt sich! *acb*

? Was hindert Sie daran, Gott wie ein Kind zu vertrauen?

! Gott möchte Sie halten und durch Ihr Leben begleiten.

Johannes 1,12-13

17. Januar 22

Montag

**Ich bin ebenso in guter Zuversicht,
dass der, der ein gutes Werk in euch angefangen hat,
es vollenden wird bis auf den Tag Christi Jesu.**

Philipper 1,6

Nur eine Anschubfinanzierung?

»Bitte beachten Sie, dass wir die Fördermittel aus unserer Stiftung nur als Anschubförderung bereitstellen. Wir leisten diese finanziellen Zuschüsse maximal drei Jahre, danach muss sich das Projekt durch eigene Einnahmen selbst tragen!« Diese Botschaft übermittle ich als Vorstandsmitglied einer Stiftung an Initiativen, denen wir Spenden zusagen können. Die Stiftung betont dabei, dass auch ihre Finanzmittel begrenzt sind und zukünftig wieder für andere, neue Zwecke zur Verfügung stehen sollen. Darum müssen die geförderten Initiativen in einer überschaubaren Zeit unabhängig von diesen Zuschüssen werden.

Manche Menschen stellen sich Jesus Christus wie jemanden vor, der uns Menschen mit einer Anschubfinanzierung hilft. Sie glauben, dass Jesus am Kreuz für ihre Schuld bezahlt und ihnen damit einen Neuanfang ermöglicht hat. Aber nun versuchen sie, auf dieser Grundlage selbstständig ein Gott wohlgefälliges Leben zu führen.

Doch wenn ich ehrlich zu mir selbst bin, merke ich schnell: Auch als Christ gelingt mir kein sündloses Leben. Ich falle auf Versuchungen herein, verhalte mich lieblos oder sage Dinge, die mir anschließend leidtun. Wenn ich merke, wie oft ich versage, wird mir bewusst, dass ich Jesus auch in Gegenwart und Zukunft als meinen Retter brauche. Die gute Nachricht ist: Jesus hat denen, die an ihn glauben, nicht nur die Sünden der Vergangenheit vergeben, sondern ihnen auch zugesagt, sie sicher ans Ziel zu bringen. Statt unabhängig von Jesus zu werden, geht es beim Glauben darum, sich immer enger mit Jesus zu verbinden. Nicht meine Leistung ist entscheidend, sondern meine Beziehung zu Jesus. Wie wohltuend zu wissen, dass Jesus vollendet, was er beginnt. Auch in uns!

dr

In welcher Beziehung stehen Sie zu Jesus?

Wir brauchen nicht nur einen Anschub, sondern jemanden, der uns durchträgt bis zum Ziel.

Philipper 1,3-11

**Die Stimme des HERRN zerbricht Zedern,
ja, der HERR zerbricht die Zedern des Libanon.**
Psalm 29,5

Die Stimme des Herrn

Sie heißen Lothar, Dorian oder Doris. Aber das sind nicht etwa die beliebtesten Vornamen von Mädchen oder Jungen – Stürme bekamen diese Namen. Stürme, die in den letzten Jahren über Deutschland hinwegfegten. So wie der Orkan Kyrill, der heute vor 15 Jahren mit Spitzengeschwindigkeiten bis zu 220 km/h über weite Teile Europas hinwegfegte. Er forderte auf dem Kontinent 34 Menschenleben und richtete mindestens 8 Milliarden Euro Sachschaden allein in Deutschland an.

Mittlerweile wissen wir, wie Stürme entstehen. Wir können die Windstärke messen und vorhersagen, aus welcher Richtung uns in den nächsten Tagen der Wind ins Gesicht bläst. Trotzdem stehen wir immer wieder machtlos den Naturgewalten gegenüber und fühlen uns klein und hilflos. Wir spüren eine Grenze und erkennen: Den Stürmen, Erdbeben oder Flutkatastrophen sind wir mit all unserem Können und all unserer Technik nicht gewachsen. Diese Grenze zu erfahren, tut weh. Besonders in Europa sind es die Menschen ja gewohnt, alles zu regulieren und zu organisieren. Eine Fülle von Vorschriften und ausgefeilte Technik sollen das Leben sicher machen. Und dann kommt einfach ein Sturm und bläst alles weg – auch die Illusion, alles im Griff zu haben. Da zeigt Gott, der Schöpfer, wie mächtig er ist.

Für den Psalmdichter David war ein gewaltiger Sturm die Stimme des Herrn. Ein Sturm, der die Zedern des Libanon zerbrach. Manchmal muss Gott auf solch demonstrative Weise zu uns Menschen »reden« – bei all dem Lärm, der uns umgibt. Er will sich auf diese Weise Gehör verschaffen. Denn in der Not hat schon mancher sich an Gott erinnert. Dann findet man plötzlich wieder Zeit, auf das zu hören, was er uns sagen will. Auch dann, wenn es dann nicht mehr stürmt. *hl*

? Haben Sie jemals schon auf Gottes Stimme gehört?

! Warten Sie nicht damit, bis Gott sich auf die oben beschriebene Weise bemerkbar macht.

Psalm 107,1-31

Vergisst etwa eine Frau ihren Säugling, dass sie sich nicht erbarmt über den Sohn ihres Leibes? Sollten selbst diese vergessen, ich werde dich niemals vergessen. Jesaja 49,15

Mutterohren

Als man noch keine Musikkonserven kaufen konnte, mit deren Hilfe man in jeder Wohnstube Beethovens Neunte oder Wagners Lohengrin anhören kann, war es selbst in vornehmen Häusern etwas Besonderes, wenn man einen berühmten Sänger oder eine Sängerin einladen konnte, die dann, vom Klavier begleitet, ihre Arien sangen. An einem solchen Abend lauschten viele Gäste entzückt dem Gesang, als die Hausfrau plötzlich leise aufstand und hinausging. Sie hatte als Einzige das Weinen ihres Babys gehört und ging hin, um nach dem Rechten zu sehen.

Es ist immer wieder erstaunlich, wie fein Mütter auch bei lautestem Lärm und bei schönster Musik und bei interessantestem Gespräch das Weinen ihrer Kinder hören. In unserem Tagesvers nimmt Jesaja das als Beispiel für die Aufmerksamkeit des himmlischen Vaters, die er seinen Kindern entgegenbringt.

Ja, selbst wenn in dieser bösen und sündigen und herzlosen Welt sogar Mütter schwerhörig für die Nöte ihrer Kinder werden können, so wird das auf Gott doch niemals zutreffen. Allerdings ist dies gerade eine der Stellen, die den häufigsten Spott aller Gottesleugner auslöst: Sie sagen: Wie könnte ein Gott – wenn es denn überhaupt einen gibt – auf das Bitten und Flehen und Jammern von Millionen hören, die gleichzeitig weltweit zu ihm rufen? Und wie könnte er für jeden eine spezielle Hilfe bereitstellen? Nun, sie kennen Gott nicht, und noch viel weniger seine Allwissenheit und seine Liebe zu seinen Geschöpfen.

Gehen wir dagegen mit all unseren Schwierigkeiten, Schmerzen und Bedürfnissen vertrauensvoll zu dem Vater im Himmel, werden wir erleben, dass er uns gibt, was gut für uns ist. Seine Ohren sind feinfühliger als die der besten Mama der Welt. *gr*

? Zu wem gehören Sie, zu den Spöttern oder zu den gläubigen Betern?

! Längst nicht immer wäre die Erfüllung unserer Wünsche das Beste für uns.

Psalm 105

Vergib doch die Schuld dieses Volkes nach der Größe deiner Gnade …

4. Mose 14,19

Zum 80. Jahrestag der »Wannseekonferenz«

Seit Beginn der Herrschaft Adolf Hitlers liegt über Deutschland ein Schatten, der auch in Jahrzehnten noch nicht verschwunden sein wird, obwohl die aktiv und passiv Betroffenen längst in ihren Gräbern liegen. Schiller hat einmal in einem seiner Dramen gesagt: »Das Leben ist der Güter höchstes nicht, der Übel größtes aber ist die Schuld«. Die Schuld des Judenmordes wird Gott nicht vergessen, Vergebung nur bei denen, die vor Gott ernstlich Buße getan haben. Im Übrigen aber bleibt diese schwere moralische Last den Deutschen erhalten. Sie hat die Politik der BRD in der Nachkriegszeit bestimmt, sie hat das Bewusstsein der Nachgeborenen vielfältig geformt bis in unsere Tage hinein.

In den Diskussionen darüber hat häufig das sogenannte »Wannseeprotokoll« eine Rolle gespielt, ein Dokument aus dem Jahr 1942, das heute oft missverständlich als Beginn der Judenvernichtung verstanden wird. Diese war nämlich schon in vollem Gange. Die SS hatte mit dem Angriff auf Russland »Einsatzgruppen« gebildet, die hinter der Front alle Juden aufzuspüren hatten, um sie zu erschießen. Die Vergasungen setzten erst später ein und wurden durch den Vormarsch der Russen beendet.

Wie schrecklich wäre es, wenn solche Taten nicht ihre gerechte Strafe fänden. »Denn so spricht Jahwe der Heerscharen: … wer euch (Israel) antastet, tastet meinen Augapfel an« (Sacharja 2,12). Und doch darf auch angesichts größter Schuld von Vergebung gesprochen werden, denn Gott hat seinen Sohn unser aller verdiente Strafe tragen lassen, als er am Kreuz für unsere Vergehen starb. Schuld zu verheimlichen ist keine Lösung. Nur wer sie bekennt und um Vergebung bittet, wird frei, wenigstens etwas davon wiedergutzumachen – als Zeichen seiner echten Besinnung und Umkehr. *koh*

? Wie groß schätzen Sie Ihre Schuld vor Gott und Menschen ein?

! Auf die Schuld einer anderen Generation zu verweisen, befreit nicht von der eigenen.

Römer 2,1-11

**Und Gott schuf den Menschen in seinem Bild,
im Bild Gottes schuf er ihn; als Mann und Frau schuf er sie.**

1. Mose 1,27

Befreie-die-Welt-von-...-Tag

Jetzt mal ehrlich: Was für Aktionstage denken die Leute sich denn noch aus? Das wird ja immer skurriler und entwertet die wirklich wichtigen Tage wie den »Weltkindertag«, oder nicht? Zumindest war das meine erste Reaktion, als ich vom heutigen *Befreie-die-Welt-von-Modediäten-und-Werbetricks-Tag* las. Schnell gegoogelt, was der Quatsch soll: Ups! Das Ganze hat ja doch einen ernsten Hintergrund. Unter anderem soll auf die Gefahr hingewiesen werden, dass bearbeitete Model-Bilder junge Mädchen und Frauen dazu verleiten, einem unnatürlichen Schönheitsideal zu entsprechen. Dass man darauf aufmerksam macht, ist eine gute Sache.

Auch wir Männer dürfen uns angesprochen fühlen. Wie oft haben wir uns schon Frauen angeschaut, die es – ja, man muss es tatsächlich so deutlich sagen – in dieser Form gar nicht gibt? Hier ein Filter, da etwas retuschiert – schon entstehen Fantasiemenschen. Und diese lösen Fantasien aus: Wenn mein Partner doch nur so aussehen würde ... oder ich selbst! Wenn ich diese Konfektionsgröße, dieses Aussehen, diesen Körperbau hätte, würde man mich anerkennen.

Wie gut, dass Gott uns einen gänzlich anderen Blick für den Menschen gibt. Der Wert eines jeden Menschen liegt darin begründet, dass er im Bild Gottes erschaffen wurde. Er liegt darin begründet, dass Gott in seiner Genialität und Kreativität jeden von uns genau so einzigartig geschaffen hat, wie er es für richtig hielt. »Jeder Mensch steht auf dem Wunschzettel Gottes«, schreibt die Autorin Bärbel Wilde. Dieses Wissen warnt mich immer wieder davor, Menschen abzuwerten, die nicht der gesellschaftlichen Norm entsprechen. Mobbing, Hetze und Lästern entstehen da, wo jemand ignoriert, dass der Mensch im Bild Gottes erschaffen wurde.

tcb

? Welches Bild haben Sie von sich selbst und von Ihren Mitmenschen?

! Gott weist uns mit seinen Vorgaben in eine Richtung, die tatsächlich am besten zu uns passt.

1. Mose 1,27; 5,1-5

Wenn eure Sünden rot wie Karmesin sind, wie Schnee sollen sie weiß werden …
Jesaja 1,18

Faszination Schnee

Schnee begeistert Menschen auf der ganzen Welt. Wenn im Winter die ersten Schneeflocken fallen, leuchten die Augen der Kinder, und sie können es kaum erwarten, den ersten Schneemann zu bauen oder mit ihren Schlitten den Hügel hinunterzurasen.

Eigentlich dient der Schnee ja als Wärme- und Wasserspeicher. Die zwischen den Schneekristallen eingeschlossene Luft isoliert und schützt so Flora und Fauna vor Frost. Bei der Schneeschmelze wird das im Schnee gespeicherte Wasser dann nach und nach an den Boden abgegeben. Aber weil Gott ein *Gott der Freude* ist, hat er sich in seiner Genialität überlegt, dass man auf diesem weißen »Pulver« auch gleiten kann. Das genießen jedes Jahr Hunderte Millionen von Menschen mit ihren Skiern und Snowboards. Warum das so gut funktioniert, ist übrigens noch nicht wirklich geklärt.

Doch damit nicht genug! Offenbar wollte Gott auch seine Kreativität unter Beweis stellen. Bisher sind auf dieser Erde nämlich noch keine zwei exakt gleichen Schneeflocken gefallen. Sie weisen alle eine 6-eckige Grundform auf, und doch hat jede Schneeflocke ihre individuellen Verästelungen. Dieses Wunder wurde oft kopiert, aber nie erreicht. In 85 Jahren Forschung hat es der Mensch nicht geschafft, Pulverschnee zu erzeugen. Die Kunstschneekristalle, die wir produzieren können, sind rund wie Eiskörner.

Gott hatte aber noch etwas im Sinn, und das steht in unserem Tagesvers. Er selbst sagt, dass Schnee (denken Sie an frischen, reinen Pulverschnee!) ein Bild für die Vergebung der Sünden ist. Jesus hat am Kreuz unsere Sünden getragen. Wenn Sie darauf vertrauen, sind Ihre Sünden wie unter Schnee »zugedeckt«, und Gott sieht Sie so rein wie frischen Pulverschnee. *sh*

Wie denken Sie über Gott?

Durch den Schnee zeigt er uns, dass er ein Gott der Freude, Kreativität und Vergebung ist.

Hiob 38

Wenn dann jedoch der Geist der Wahrheit gekommen ist, wird er euch zum vollen Verständnis der Wahrheit führen.

Johannes 16,13

»Fake News« und »Alternative Fakten«

Diese beiden Begriffe wurden in den letzten Jahren zu Schlagwörtern für Aktionen, die Wahrheit zu vertuschen und sogar zu verdrängen. Wenn eine Lüge nur oft genug wiederholt wird, vor allem in den sozialen Medien, wird sie schließlich zur »Wahrheit« und von vielen geglaubt. Ein anderes Beispiel, wie verantwortungslos mit Wahrheit umgegangen wird, waren auch die vielfach widersprüchlichen Meldungen und Diskussionen um Covid 19 und deren Vakzine. Jede Seite behauptete von sich, die Wahrheit zu verkünden, bis man niemandem mehr trauen konnte. Das Resultat war der Verlust des Vertrauens in Regierungen und Experten. Was oder wem soll man noch glauben? Das fragen sich heutzutage viele Menschen und fühlen sich haltlos und verzweifeln.

In einem solchen Dilemma befand sich auch Pilatus vor 2000 Jahren als er Jesus beim Verhör fragte: »Wahrheit? ... Was ist das schon?« (Johannes 18,38). Jesus aber hatte die Antwort schon längst gegeben. Er selbst war die Wahrheit in Person (Johannes 14,6). Und an alle, die heute ratlos und verzweifelt nach der Wahrheit fragen, gibt Jesus in seinem Gebet zu seinem himmlischen Vater in Johannes 17,17 eine klare Antwort, wo und wie Wahrheit zu finden ist: »Dein Wort ist Wahrheit.« Hier sagt Jesus ganz klar, dass *Gottes Wort Wahrheit ist.* Und die Bibel ist Gottes Wort. Also sollten wir zur Bibel greifen, um dort eine Antwort und Wahrheit zu finden. Die Wahrheit über Gott, über den Retter der Welt und wie man zu ihm findet, ist weitaus wichtiger als alle wahren und angeblichen Fakten, die uns die Medien liefern. In Bezug auf seine Worte sagte Jesus: »Wenn ihr in meinem Wort bleibt, so seid ihr wirklich meine Jünger. Dann werdet ihr die Wahrheit erkennen und die Wahrheit wird euch frei machen.« *mgr*

? Wo suchen Sie die Wahrheit im Wirrwarr der verschiedenen Medien?

! Suchen Sie in der Bibel danach! Sie werden eine Antwort finden.

Johannes 14,6-17

Der Geist aber sagt ausdrücklich, dass in späteren Zeiten manche vom Glauben abfallen werden, … durch die Heuchelei von Lügenrednern, die in ihrem eigenen Gewissen gebrandmarkt sind. 1. Timotheus 4,1-2

Was ist ein gutes Gewissen?

Moderne Heizungen arbeiten heutzutage mit Reglern, die sie einschalten, wenn es im Haus zu kühl wird, und die sie ausschalten, wenn die gewünschte Temperatur erreicht wurde. Sie bewahren auch vor Brandgefahr usw. Wir Menschen haben auch einen solchen Regler vom Schöpfer eingebaut bekommen. Das ist unser Gewissen. Wenn es richtig funktioniert, vergleicht es unsere aktuellen Taten, Worte und Gedanken mit den vom Hersteller – also von Gott – vorgegebenen Werten. So können wir vor manchen Torheiten und bösen Handlungen gewarnt und bewahrt werden.

Leider haben wir Menschen uns sehr weit von Gott entfernt und an dem »Regler« so vieles verstellt, dass es selbst auf größte Gefahren gar nicht mehr aufmerksam macht. Darum können wir, ohne dass das Gewissen anschlägt, unsere Beziehungen dermaßen strapazieren, bis die Flammen aus dem Dach schlagen. Oder wir können, ohne uns zu schämen, die Konkurrenten auf der Karriereleiter mit spitzen Ellenbogen herabstürzen. Oder wir finden immer Ausreden, mit denen wir unseren übermäßigen Verbrauch an Genussmitteln entschuldigen können. Aber um welchen Preis tun wir das? Eines Tages müssen wir doch die gesamte »Anlage« mit allen vorgenommenen Manipulationen an den Hersteller zurückgeben, und wie wollen wir dann unsere Machenschaften rechtfertigen?

Zum Glück sagt uns die Bibel, dass Gott gut ist und uns um seines Sohnes willen alles vergeben will, was wir verdorben haben. Wir müssen uns nur zu unserer Schuld bekennen und aufhören, sie zu entschuldigen zu versuchen. Wäre es nicht wunderbar, wenn bei möglichst vielen Leuten ihr Gewissen wieder so funktionierte, wie es vom »Hersteller« vorgesehen war? *gr*

? Von wem lassen Sie Ihr Gewissen justieren?

! Um sensible Geräte zu reparieren, sollte man zum Hersteller gehen.

1. Thessalonicher 1

25. Januar 22

Dienstag

Doch wenn wir ihm unsere Sünden bekennen, ist er treu und gerecht, dass er uns vergibt und uns von allem Bösen reinigt.

1. Johannes 1,9

Lieblingsdinge und mehr …

Noah ist sieben Jahre alt. Er hat mehrere Wohnorte wechseln müssen. Mit vier Jahren vier Umzüge. Nun wohnt er schon seit drei Jahren bei uns. Er ist ein fröhlicher Junge. Er geht sehr gerne zum Kindergottesdienst. Dort liebt er die biblischen Geschichten und die Kinderlieder. Vor ein paar Wochen hat er in seinem Zimmer einen Bibelvers aufgehängt (siehe Tagesvers) und sagte dazu: »Das ist mein Lieblingsvers.« Man fragt sich, warum dieser Vers ein Kinderherz berührt. Seine Pflegeschwester, die ihm sehr viel nachmacht, hat sich ein Lieblingslied ausgewählt: »Auf dem Hügel Golgatha / drei Kreuze stehn …« Ich freue mich sehr, dass die Kinder eine Liebe für Gottes Worte und seine Erlösung für unsere Sünden entdeckt haben. Deshalb ist die Bibel unser Lieblingsbuch! Wir lesen täglich darin und freuen uns über den wunderbaren Inhalt!

Ich habe mir das zum Vorbild genommen und ebenfalls überlegt, was mein Lieblingsvers oder -lied ist. Und ich habe auch noch herausgefunden, was es sonst noch so an Lieblings-Dingen gibt, z. B. Lieblingsmenschen, Lieblingshobbys oder Lieblingsbücher … Aber dann fiel mir auf: Habe ich eigentlich auch schon darüber nachgedacht, dass Gott von mir geliebt werden möchte – und zwar vor allem anderen?

Warum ist das eigentlich so weit weg von uns? Gott hat doch so viel für uns getan. Er hat diese Welt geschaffen und uns das Leben geschenkt. Und er hat sogar für eine Möglichkeit gesorgt, damit wir ewiges Leben gewinnen können. Denn an dem einen von den oben erwähnten drei Kreuzen hing sein Sohn, den er für unsere Sünden dort sterben ließ. Und nur deshalb können sie uns heute vergeben werden. Und Kinder verstehen das offenbar besonders gut. Das berührt mein Herz, und das macht mich dankbar. *sa*

? Schaffen wir es, Gott in einer Weise zu lieben, die seiner Einzigartigkeit entspricht?

! Dazu brauchen wir seinen Geist und seine Worte, die täglich unser Herz berühren.

1. Timotheus 1,12-17

... denn einsam und elend bin ich.

Psalm 25,16

Eine Freundin kaufen

So war ein Artikel in einem bekannten Wochenmagazin überschrieben. Im Text hieß es dann: »Die weiße Spitze ihres Kleides so fein, ihr Gesicht so schön. Die Kulisse der alten japanischen Kaiserstadt Kyōto so malerisch. Tomoe Sawano schwelgt in der Erinnerung. ›Es war ein magischer Moment. Als ich perfekt geschminkt vor der Fotografin stand, kamen mir die Tränen‹, sagt die 39-jährige Japanerin. Es sei einer der schönsten Tage ihres Lebens gewesen. Es war der Tag, an dem sie heiratete.« Alles war perfekt, nur eines fehlte: der Mann. Sawano feierte ohne Bräutigam, seit Jahren lebt sie allein. Ein Anbieter von Single-Hochzeiten machte den Traum in Weiß trotzdem wahr – für 2100 Euro. Gegen Aufpreis hätte sie sogar einen Kurzzeit-Bräutigam aus einem Modelkatalog wählen können. In japanischen Restaurants werden Stofftiere als Tischnachbarn angeboten, sodass niemand allein sitzen muss. Und es gibt es Mietmütter, die z. B. putzen und das Frühstück servieren, oder »beste Freundinnen«, die mit einem das Hobby teilen und zum Geburtstag gratulieren. Die Post lässt gegen Gebühr bei allein lebenden Rentnern klingeln; der Postbote erkundigt sich dann nach der Gesundheit und wünscht einen schönen Tag.

Ist Einsamkeit für uns ein Thema? Kennen wir einsame Menschen – oder sind wir selbst einsam? Für alle Einsamen gibt es eine gute Nachricht: Gott nimmt sich der Einsamen an. In der Bibel steht: »Ein Vater der Waisen und ein Richter der Witwen ist Gott in seiner heiligen Wohnung. Gott lässt Einsame in einem Haus wohnen« (Psalm 68,6-7). Sicherlich braucht jeder auch ein menschliches Gegenüber, aber dass Gemeinschaft mit Gott möglich ist, das toppt wirklich alles. Jesus Christus hat den Weg zum Vater frei gemacht, weil er unsere Sünde – den Grund für unsere Trennung von Gott – beseitigt hat. *mtz*

Ist das nicht mehr als eine Hochzeit ohne Bräutigam?

Einsamkeit ist eine Chance, den, der nie enttäuscht, zu suchen und zu finden.

Johannes 14,1-14

27. Januar 22

Donnerstag

Es fürchte den HERRN die ganze Erde; …
Denn er sprach, und es geschah;
er gebot, und es stand da.
Psalm 33,8-9

Worte haben Macht

Neun Jahre war ich Schöffe am Amtsgericht. Da schauderte ich immer ein wenig, wenn dann nach einem Prozess das Urteil gesprochen wurde. Alle Anwesenden standen auf, und die Richterin oder der Richter begann mit den Worten: »Im Namen des Volkes ergeht folgendes Urteil.« Oft dachte ich, welche Macht können doch Worte haben. Worte, von einer Amtsperson gesprochen, können also Zustände ändern. So z. B. auch im Standesamt. Wenn bei einer Eheschließung der Beamte zum Brautpaar sagt: »Hiermit erkläre ich Sie jetzt zu Mann und Frau.« Doch am meisten Macht haben Gottes Worte. Deshalb bewundert ein Psalmdichter die Worte Gottes, durch die er die Schöpfung ins Leben rief: »Durch des HERRN Wort ist der Himmel gemacht und all sein Heer durch den Hauch seines Mundes« (Psalm 33,6).

Als Jesus, Gottes Sohn, auf dieser Erde lebte, sprach auch er mit Worten der Macht, und es änderte sich ein Zustand dramatisch, wenn er z. B. Kranke heilte oder Tote wieder ins Leben rief. Wie beispielsweise seinen Freund Lazarus. Seine Schwestern hatten Jesus rufen lassen, doch der kam erst nach vier Tagen. Vor der Gruft rief Jesus dann: Lazarus, komm heraus! Und Lazarus kam! Jesu Worte haben Macht, die Toten wieder ins Leben zu rufen. Das gilt auch für die Zukunft, denn er kündigte an: »Wahrlich, wahrlich, ich sage euch, dass die Stunde kommt und jetzt da ist, wo die Toten die Stimme des Sohnes Gottes hören werden, und die sie gehört haben, werden leben« (Johannes 5,25). Damit meinte er aber nicht nur solche, die ihn ihren Gräbern liegen, sondern auch die, denen er damals den Weg zum Leben verkündigte. Bis heute haben seine Worte die Kraft, uns vom Tod zum ewigen Leben zu führen. Letzteres können wir schon jetzt ergreifen – wenn wir ihm Glauben schenken. *hl*

Wo erlebten Sie bisher, dass Worte Macht und Kraft haben, etwas zu verändern?

Wo Glaube und Gottes Worte zusammenkommen, können Dinge von Grund auf neu werden.

Johannes 5,21-29

Freitag

28. Januar 22

Denn so spricht der allmächtige HERR, der Heilige Israels:
»Durch Umkehr und Ruhe könntet ihr gerettet werden.
Durch Stillsein und Vertrauen könntet ihr stark sein.«

Jesaja 30,15

In der Warteschleife

»Bitte haben Sie noch einen Augenblick Geduld, Sie werden gleich verbunden.« Diesen Satz höre ich nun zum zehnten Mal. Immer diese Warteschleifen! Jeder von uns kennt wohl das frustrierende Gefühl, in einer Service-Hotline festzuhängen und verzweifelt zu hoffen, dass endlich die Musik aufhört und sich ein kompetenter Mitarbeiter meldet. Es ist so schwer, wenn man nichts tun kann, außer zu warten!

Aus verschiedenen Gründen gibt es immer wieder Zeiten in unserem Leben, in denen wir nicht weiterkommen. Vielleicht sind wir durch eine Krankheit zum Stillliegen gezwungen, vielleicht stecken wir beruflich in einer Sackgasse. Wir befinden uns in einer Warteschleife, wir können nichts tun, als uns in Geduld zu üben. Es ist so, wie wenn man während einer eiligen Fahrt plötzlich gezwungen ist, vor einer roten Baustellen-Ampel zu halten.

Warteschleifen-Situationen frustrieren uns verständlicherweise, aber sie können auch etwas Gutes haben. Wie oft rennen wir von Termin zu Termin und nehmen uns nur wenig Zeit, über die wichtigen Fragen des Lebens nachzudenken. Wir lenken uns ab mit vielen Vergnügungen und Erlebnissen. Doch nun haben wir Zeit zum Nachdenken, worauf es im Leben wirklich ankommt.

Die gute Nachricht ist, dass wir in dem ganzen Schlamassel nicht alleine sind: Gott möchte an unserer Seite sein! In Jesus Christus streckt er uns seine Hand entgegen und möchte uns stärken, ermutigen und trösten. Menschen, die diese Hand ergriffen haben, wissen, dass sie nie alleine sind und auch die schweren Zeiten im Leben mit Gottes Hilfe meistern können. Nutzen wir doch die Warteschleifen-Zeiten in unserem Leben, um diesen Gott besser kennenzulernen! *eli*

? Warum müssen Menschen, die mit Gott leben, nie verzweifeln?

! Ergreifen Sie Gottes ausgestreckte Hand!

Josua 1,1-9

Darum, damit ich mich nicht überhebe, wurde mir ein Dorn für das Fleisch gegeben, ein Engel Satans, dass er mich mit Fäusten schlage, damit ich mich nicht überhebe.

2. Korinther 12,7

Schwäche wird zur Stärke

Nicht wenige unserer Mitmenschen leiden an körperlichen oder geistigen Behinderungen, unheilbaren Krankheiten oder Gendefekten. In der Regel kann niemand etwas dafür, wenn sein Leben durch unerwünschte Einschnitte belastet wird oder er bereits von Geburt an eingeschränkt ist. Manche Menschen haben in der Tat schweres Leid zu tragen – doch anstatt zu jammern, Selbstmitleid zu pflegen oder Gott und die Welt für sein Schicksal anzuklagen, ist es in jedem Fall besser, das Leid, das man nicht ändern kann, anzunehmen.

Es gibt viele Beispiele von Menschen, die mit oder gerade aufgrund ihrer Schwachheiten Großartiges geleistet haben. Denken Sie an Ludwig van Beethoven, der zum Ende seines Lebens fast taub war. Seine Kompositionen sind weltweit berühmt. Vincent van Gogh war stark depressiv, doch seine Bilder gehören heute zu den teuersten der Welt. Margarete Steiff war zeitlebens auf den Rollstuhl angewiesen, wurde aber dennoch zur erfolgreichen Geschäftsfrau. Es gibt auch eine ganze Reihe behinderter Sportler und Sportlerinnen, die beweisen, wie man trotz fehlender Gliedmaßen erfolgreich an internationalen Wettkämpfen teilnehmen kann.

Gott, der uns alle individuell geschaffen und eventuell schwerwiegende Veränderungen im Leben zugelassen hat, macht keine Fehler! Er weiß um alle Nöte und Schwierigkeiten, fühlt mit und hält dennoch nicht alles Negative von uns zurück. Es klingt vielleicht paradox, doch das tut er, gerade weil er uns liebt. Dies zu erkennen, führt dazu, Gott mehr zu vertrauen und sich ihm ganz auszuliefern. Eigene Schwäche und eigenes Unvermögen lehren uns, auf ihn angewiesen zu sein. Gott denkt ganz anders über Schwäche und Stärke als wir Menschen: Seine Kraft vollendet sich in der Schwachheit (2. Korinther 12,9). *dbe*

Wie gehen Sie mit Ihren Handicaps um?

Schwäche und Unvermögen sind keine Handicaps, sondern Gelegenheiten für Gott, seine Kraft zu erweisen.

Richter 6,11-16

**Wer sein Leben liebt, verliert es;
und wer sein Leben in dieser Welt hasst,
wird es zum ewigen Leben bewahren.**
Johannes 12,25

Mutter wirft ihre Kinder aus dem dritten Stock

Als ich diese Schlagzeile las, dachte ich sofort an eine der vielen Familientragödien, von denen man immer mal wieder liest. Was hatte die Frau dazu bewegt? Viele Fragen schossen mir durch den Kopf. Aber dann las ich die zweite Zeile, die den ersten Satz in ein komplett anderes Licht stellte: »... und rettet sie so.« Was war passiert?

In Istanbul hatte eine Mutter ihre vier minderjährigen Kinder vor einem Feuer gerettet, indem sie sie aus dem Fenster warf. Das Feuer hatte sich schnell in der Wohnung ausgebreitet und die Familie eingeschlossen: Mit der spektakulären Rettungstat hatte die Mutter für diese Schlagzeilen gesorgt. Sie warf ihre vier Kinder aus dem dritten Stock eines brennenden Wohnhauses. Diese wurden von Einsatzkräften aufgefangen, die ein Tuch aufgespannt hatten.

Das Handeln der Mutter erinnert mich an die unbegreifliche Tat Gottes, seinen Sohn »auf diese Erde zu werfen«, allerdings nicht, damit dieser gerettet würde, sondern damit wir Menschen gerettet werden. Das Prinzip, etwas loszulassen, um dadurch Größeres zu gewinnen, spiegelt sich auch in der Aussage von Jesus im Blick auf sein Sterben am Kreuz wieder: »Wenn das Weizenkorn nicht in die Erde fällt und stirbt, bleibt es allein. Wenn es aber stirbt, bringt es viel Frucht« (Johannes 12,24). Gott hat nicht um jeden Preis festgehalten an seinem Sohn, und sein Sohn hat ebenso nicht um jeden Preis festgehalten an seinem Leben. Denn sein Opfertod am Kreuz konnte Menschen von ihren Sünden retten, ihnen konnte durch den Glauben an ihn ewiges Leben geschenkt werden. So ist aus dem Sterben des Einen in unermesslichem Ausmaß Frucht für Gott entstanden; zahllose Menschen wurden seitdem zu Kindern Gottes. Wertvolles hingegeben und umso mehr dadurch gewonnen. Das lässt mich staunen und jubeln! *tk*

? Was halten Sie verzweifelt fest?

! Lassen Sie alles los, um das ewige Leben zu gewinnen!

Philipper 3,4-16

31. Januar 22

Montag

Ja freilich, Mensch, wer bist du, der du das Wort nimmst gegen Gott? Wird etwa das Geformte zu dem Former sagen: Warum hast du mich so gemacht?

Römer 9,20

Schicksal oder Fügung?

Durchforstet man das Internet nach »Schicksalssprüchen« wird man schnell fündig. Und diese Sprüche passen meist in unsere Lebenssituation. Zum Beispiel: »Manchmal fühlt es sich so an, als würde das Schicksal ausprobieren, wie viele Schläge ich brauche, um endgültig kaputtzugehen.«

Viele Menschen glauben eher an ein Schicksal als an Gott, der alles in der Hand hat. Sie klagen Gott an, wenn sie großes Unrecht empfinden oder viel Leid tragen müssen. »Warum lässt Gott das zu?«, hört man immer wieder. Aber ist es richtig, wenn man Gott, den Schöpfer des Himmels und der Erde, auf die »Anklagebank« setzt? Hat er als Schöpfer nicht das Recht, das zu tun, was ihm gefällt? Ihm liegt mehr an uns Menschen, als mancher denkt und sich vorstellen kann. Das bezeugt uns die Bibel, und insbesondere das Neue Testament. Dort wird davon erzählt, dass Gott seinen Sohn in diese Welt geschickt hat, um an allem Anteil zu nehmen, was uns Menschen bewegt. Ihm war nichts zu schwer, zu lästig und zu unbequem, um uns zu helfen und unseren Blick auf sich, den Retter, zu lenken, um uns zu Gott zurückzuführen. Am Ende starb er sogar für uns am Kreuz und bezahlte den Preis für unsere Schuld und Sünden.

Als Christ lebe ich in meinem Alltag mit meinem Herrn und kann aus persönlicher Erfahrung bezeugen, dass Gott mir beisteht und hilft. Diese Hilfe besteht nicht immer darin, dass alles sofort gut wird. Aber durch den Glauben an Jesus Christus wird mir Ruhe geschenkt im Blick auf das Jetzt und die Zukunft. Trotz aller erdenklichen Schwierigkeiten weiß ich: Jesus hat mein Leben vollständig in seiner guten Hand! Deshalb habe ich viele Gründe, Gott zu danken, ihn zu loben und ihn anzubeten, nicht nur dann, wenn es mir gut geht. *schn*

Welche Perspektive bietet Ihr Leben?

Es ist besser, auf Jesus zu hoffen, als an ein Schicksal zu glauben.

Hiob 42,1-6

**Ihr habt nicht mich erwählt,
sondern ich habe euch erwählt und euch dazu bestimmt,
dass ihr hingeht und Frucht bringt.**

Johannes 15,16

»Ich nehme die Wahl an«?

In Bayern, dem Bundesland, in dem ich lebe, findet jetzt gerade – während ich diese Zeilen niederschreibe – eine Kommunalwahl statt. Jeder Bürger ist aufgefordert, an der Wahl teilzunehmen. Die Kandidaten beschreiben ihre Leistung für die Gemeinde in der Vergangenheit und versprechen auch ihren weiteren persönlichen Einsatz. Es gibt öffentliche Werbe-Veranstaltungen und Gesprächsrunden. Alles natürlich verbunden mit der Bitte um Stimmabgabe für den werbenden Kandidaten. Vom gewählten Kandidaten erwartet man, dass er die Wahl annimmt.

Auch in Bezug auf unser Verhältnis zu Gott gibt es eine Wahlmöglichkeit. Nach dem Tagesvers geht es dabei aber nicht vorrangig um *unsere* Wahl, sondern um die Wahl, die Gott trifft. Heutzutage wird oft gepredigt: »Komm zu Gott – er liebt dich – gib ihm deine Stimme. Er meint es gut mit dir. Gestatte ihm, Herr über dein Leben zu werden!« Doch in der Bibel finden wir die Aussage: »Aus Gnade seid ihr errettet aus Glauben« (Epheser 2,8). Es hängt nicht von uns, sondern von Gott ab, ob wir gerettet werden. Nicht unsere Leistung (oder Wahl) zählt, sondern unser Glaube. Zwei Verse später heißt es dann: »Wir sind sein Gebilde, in Christus Jesus geschaffen zu guten Werken, die Gott vorher bereitet hat, damit wir in ihnen wandeln sollen.« Alles geht also von Gott aus, noch bevor wir selbst etwas damit zu tun haben.

Jesus hat zu seinen Jüngern gesagt: »Ich habe euch erwählt.« Längst bevor ich »wählen« konnte, hat Gott mich gewählt. Auf Gottes Wahlzettel steht ein Kreuz. Jesu Leben und sein Sterben am Kreuz, aber auch seine Auferstehung haben mit mir zu tun. In Jesus hat Gott seine Wahl für mich getroffen, und diese Wahl muss ich im Glauben annehmen. Nur dann wird sie gültig. *li*

Welche Wahl ist Ihnen wichtig?

Für die Ewigkeit ist das Ja zu Gottes Wahl von entscheidender Bedeutung.

Psalm 65,1-5

2. Februar 22

Mittwoch

Denn es ist kein Unterschied, denn alle haben gesündigt und erlangen nicht die Herrlichkeit Gottes und werden umsonst gerechtfertigt durch seine Gnade, durch die Erlösung, die in Christus Jesus ist. Römer 3,22-24

Der gute Mensch?

Christen wird manchmal vorgeworfen, dass sie das Gute im Menschen schlechtreden, anstatt es anzuerkennen. Ist dieser Vorwurf gerechtfertigt?

In Apostelgeschichte 10 wird ein Fall geschildert, der hier Aufschluss geben kann. »Deine Gebete und deine Almosen sind hinaufgestiegen zum Gedächtnis vor Gott« (Vers 4), wird dem Heiden Kornelius mitgeteilt. Und Petrus beginnt seine Predigt in dessen Haus mit den Worten: »In Wahrheit begreife ich, dass Gott die Person nicht ansieht, sondern dass in jeder Nation, wer ihn fürchtet und Gerechtigkeit wirkt, ihm angenehm ist« (Vers 34-35). Es macht also einen Unterschied, ob jemand Gott fürchtet und seinen Geboten gehorcht, auch wenn damit noch nicht alles »in trockenen Tüchern ist«.

Nun gilt schon im deutschen Recht das Prinzip, dass man für seine Verbrechen oder Vergehen bestraft wird. Zwar mildert sich das Urteil, wenn man bis dahin unbescholten war, aber aufheben kann das die Strafe für ein Vergehen nicht. So ist es auch bei Gott: Jede einzelne Sünde wird bestraft, egal, wie lange man sonst ohne Vergehen war. Die »Grundstrafe« für willentlichen Ungehorsam gegenüber Gott war von Anfang an der Tod, und jeder Mensch unterliegt genau dieser Strafe. Egal, wie viel Gutes man nun tut, die Strafe bleibt bestehen.

Man muss also nicht das Gute schlechtreden, sondern nur zeigen, dass das Gute nicht ausreicht, um alles Schlechte »aus der Welt zu schaffen«. Und so hat Gott seinen Sohn geschickt, damit dieser unsere Strafe auf sich nimmt, sodass jeder, der an ihn glaubt, freigesprochen werden kann. Bei Kornelius hat Gott dafür gesorgt, dass er genau dies erfuhr, um dann durch den Glauben an Jesus völlige Vergebung zu bekommen und innerlich ganz neu zu werden. *pj*

Halten Sie sich für einen »guten Menschen«?

Nur Jesus und sein Tod am Kreuz ist die »Leistung«, die wir brauchen, um von Gott vorbehaltlos angenommen zu werden. Diese wird dem zugerechnet, der glaubt.

Römer 7,22-25; 8,1-4

Gott aber sei Dank, der uns den Sieg gibt durch unseren Herrn Jesus Christus!
1. Korinther 15,57

In den Schoß gefallen

Meine drei Söhne haben dieselbe Lieblings-Fußballmannschaft. Häufig hörte ich den Spruch von ihnen: »Wir haben gewonnen!« Das kam übrigens früher öfter vor als heute – zum einen, weil sie inzwischen erwachsen und nüchterner geworden sind, zum anderen, weil ihre Mannschaft heute nicht mehr so häufig gewinnt. Natürlich hatten sie nichts zum Sieg beigetragen, nicht einmal als Balljunge oder Unterstützer im Stadion. Trotzdem fühlten sie sich als Sieger.

Ein Franzose kam einmal ganz schnell von einer Niederlage zum Sieg. Das geschah, als die Truppen Napoleons bei Waterloo die Schlacht gegen die Engländer und Preußen verloren. Flugs wechselte der Mann die Staatsbürgerschaft und stand so auf der Seite des Siegers, ohne überhaupt an der Schlacht teilgenommen zu haben.

Niemand kann ermessen, wie groß der Sieg ist, den Jesus Christus durch sein Sterben und seine Auferstehung errungen hat! Er hat über die bösen Mächte und Gewalten triumphiert. Den Satan hat er besiegt. Der Tod wurde von ihm überwunden. Jetzt hat er die ehrenvollste und mächtigste Position des Universums an der rechten Seite Gottes. Das bedeutet, er hat den höchsten Ehrenplatz von Gott bekommen.

Von Geburt an sind wir Untertanen des Bösen und stehen auf der Verliererseite. Aber wie der Franzose können wir die Seiten wechseln und an dem großen Sieg des Überwinders teilhaben. Zu seinem Sieg auf dem Hügel Golgatha konnten wir nichts beitragen. Aber der Herr möchte uns an den schönen und weitreichenden Folgen seines Sieges beteiligen. Wie geschieht das? Wir müssen die Seiten wechseln. Das bedeutet, wir müssen eine ehrliche und reuevolle Lebensbeichte über unser verlorenes Leben ablegen und unser Vertrauen auf Jesus als unseren Herrn und Erlöser setzen. *ga*

? Auf welcher Seite stehen Sie?

! In Jesus können Loser Sieger werden.

Offenbarung 5,1-10

4. Februar 22

Freitag

Sollte ich wirklich Gefallen haben am Tod des Gottlosen, spricht der Herr, HERR, nicht vielmehr daran, dass er von seinen Wegen umkehrt und lebt?

Hesekiel 18,23

»Every saint has a past and every sinner has a future«

Diesen Spruch (zu deutsch: Jeder Heilige hat eine Vergangenheit und jeder Sünder eine Zukunft) sieht man heute auf vielen Postkarten, T-Shirts und sogar Tattoos. Ursprünglich findet sich das Zitat aber nicht, wie man vermuten könnte, in einem religiösen Text. Es stammt vielmehr aus der Komödie »A woman of no importance« (»Eine Frau ohne Bedeutung«) des irischen Schriftstellers Oscar Wilde. Der Zusammenhang des Buches und des Dialogs, dem diese Aussage entnommen ist, macht deutlich, dass Wilde hier nicht etwa die Gnade Gottes hervorheben wollte. Er ironisiert damit vielmehr die – aus Wildes Sicht – Prüderie des viktorianischen Zeitalters in Großbritannien. Wilde denkt in seinem Leben wie in seinen Romanen den »Heiligen« eher als langweiligen und den »Sünder« eher als den eigentlich faszinierenden Typen.

Dennoch drückt dieser Satz, gewollt oder nicht, grundlegende biblische Wahrheiten aus, die der Wirklichkeit Gottes entsprechen: Einen Mensch, der Gott seine Sünden bekennt und für sich in Anspruch nimmt, dass Gottes Sohn die Strafe für seine Sünden getragen hat, den nennt die Bibel tatsächlich vollkommen gerechtfertigt und geheiligt. Und das gilt unabhängig davon, welche Vorgeschichte ein solcher Heiliger hat. Er kann die größte Schuld auf sich geladen haben. Doch Gottes Gnade tilgt die Sünden der Vergangenheit. Ein Mensch, der die Gnade Gottes erlebt, muss sich nicht mehr mit seiner Vergangenheit abmühen. Er kann ein neues, geheiligtes Leben beginnen. Damit verbunden ist die Zusage für jeden Sünder, der diesen Schritt noch nicht gemacht ist: Ganz gleich, wie dein bisheriges Leben war, wenn du dich heute für Gott entscheidest, dann hat dein Leben eine neue, ewige Zukunft. *mm*

Wie sehen Sie sich selbst? Eher als Sünder oder eher als Heiliger?

Heilig wird man nur, wenn man Gott seine Sünden bekennt und ihre Tilgung durch Jesu Tod in Anspruch nimmt.

1. Korinther 6,9-11

**»Er hat dir mitgeteilt, Mensch, was gut ist.
Und was fordert der HERR von dir, als Recht zu üben
und Güte zu lieben und einsichtig zu gehen
mit deinem Gott?«** **Micha 6,8**

Wohin soll das noch führen?

Neulich fand ich in einem Park einen Einkaufswagen von Lidl, der mitten auf dem Weg stand. Ich wollte ihn zurückbringen. Als mir aber eine Frau begegnete, meinte ich eine Erklärung dafür geben zu müssen und sagte: »Den fand ich unten im Park und bringe ihn nun zurück.« Sie sagte: »Das werden Jugendliche gemacht haben.« Dies pauschale Urteil über alle Jugendlichen gab mir zu denken. Hatte sie vielleicht selbst gesehen, wie eine Parkwiese am nächsten Tag aussah, nachdem dort viele Jugendliche ein Sonnenbad genommen hatten? Und hat sie vielleicht nie davon gehört, dass manche Jugendgruppen es sich zu Pflicht machen, alten und gebrechlichen Menschen behilflich zu sein? Pauschale Urteile sind jedenfalls immer verkehrt.

Aber woran liegt es, dass nicht nur Jugendliche immer rücksichtsloser mit der Natur umgehen, die zu bebauen und zu bewahren uns Menschen aufgetragen ist? Liegt es nicht daran, dass viel zu viele Menschen den Auftraggeber aus dem Blick verloren haben?

Gottes Zehn Gebote sind die Hausordnung, die der allmächtige Schöpfer uns Menschen auferlegt hat, damit es uns gut geht. Wenn das vergessen wird, kann man sich leicht verleiten lassen, schnell aus allem Schönen eine Trümmerlandschaft zu machen. Und weil leider mit jeder neuen Generation die Kenntnis über Gott abnimmt, wird wohl auch die gegenseitige Rücksichtnahme ebenfalls immer mehr schwinden.

Aus dem zuletzt Gesagten geht hervor, dass nicht die jungen Leute, sondern deren Elterngeneration die Hauptschuld an solchen Verhältnissen trifft. Hätte diese den jungen Menschen besser vorgelebt, was es heißt, sich vor Gott verantwortlich zu fühlen, würde der Niedergang jedenfalls verlangsamt werden. *gr*

Wie erleben junge Leute uns Ältere?

Es ist nie zu spät, Gott um Vergebung und um einen Neuanfang zu bitten.

Amos 8

**Wie oft wollte ich deine Kinder sammeln,
wie eine Henne ihre Küken unter ihre Flügel nimmt!
Aber ihr habt nicht gewollt.**
Lukas 13,34

Was mir an Hühnern imponiert

07:30 Ein Hobby unseres Sohnes ist die Hühnerhaltung. Ich war zuerst dagegen, aber dann gab ich nach, und das Projekt wurde angegangen. Schon fast zwei Jahre versorgt er nun zuverlässig und verantwortungsbewusst seine drei Hennen. Dabei bringt er ihnen nicht nur das Futter, mistet den Stall aus und kümmert sich um die gelegten Eier. Er redet mit ihnen, führt sie im Garten aus oder streichelt sie liebevoll. Für mich sehen die drei Hühner völlig identisch aus mit gleicher Form und Farbe. Aber unser Sohn kann sie voneinander unterscheiden, und er hat jedem Huhn einen Namen gegeben. Erstaunlicherweise zeigen die Hühner ihm gegenüber eine große Zutraulichkeit und teilweise schon zärtliche Verhaltensmuster.

Ja, Hühner können uns zum Staunen bringen. Wenn beispielsweise ein Huhn die Küken bei Gefahr um sich versammelt und sie schützend mit ihren Flügeln bedeckt, dann greift die Bibel dieses Bild auf, um etwas von der Zärtlichkeit und Fürsorglichkeit Gottes deutlich zu machen. Es gibt kaum eine bessere Symbolik für die Geborgenheit bei Gott.

Jesus wurde einmal sehr traurig über den Umstand, dass die Bewohner Jerusalems diese Zuflucht unter Gottes Schutz zum wiederholten Mal in ihrer Geschichte strikt ablehnten. Bis heute möchte Jesus uns rettungsbedürftige Menschen bei sich in Sicherheit bringen, sozusagen unter seinen Flügeln beherbergen, dicht an seinem Herzen. Nicht nur Kinder, sondern auch Erwachsene, die in Gefahr stehen, im Chaos der heutigen Zeit ewigen Schaden an ihrer Seele zu erleiden. Seine Einladung steht: »Kommt her zu mir, ruft er, und ich werde euch Ruhe geben« (Matthäus 11,28)! Doch der entscheidende Faktor wird auch bei uns sein: Wollen wir überhaupt zu Jesus kommen? *ap*

? Wo suchen Sie Geborgenheit?

! Suchen Sie an der richtigen Stelle eine Zuflucht bis in alle Ewigkeit!

Psalm 31,1-6.20-25

Montag

7. Februar 22

Schicke-einem-Freund-eine-Karte-Tag

Wenn wir jedoch im Licht leben, so wie Gott im Licht ist, sind wir miteinander verbunden, und das Blut Jesu, seines Sohnes, reinigt uns von aller Sünde.

1. Johannes 1,7

Freunde zu vermieten!

Der Japaner Ishii Yuichi verfolgt eine ungewöhnliche Geschäftsidee: Seine Agentur »Family Romance« bietet Schauspieler als »Lückenfüller« für soziale Situationen an. Wer nicht genügend eigene Freunde, Familienangehörige oder einen Partner hat, der kann sich über Yuichis Agentur »menschlichen Ersatz« mieten: So lächeln beispielsweise Statisten auf einer Hochzeit oder trauern scheinbare Familienmitglieder auf Beerdigungen. Trotz hoher Gagen boomt das Geschäft: Über 800 professionelle Schauspieler sind bereits angestellt. In einem Land, in dem 15 % der Menschen angeben, außerhalb ihrer Familie überhaupt keinen sozialen Austausch zu haben und gerade viele ältere Männer in einem Zeitraum von zwei Wochen keine einzige Konversation führen, scheint die Agentur ein großes Bedürfnis zu bedienen.

Auch wenn uns solch eine Freundschaftsvermietung bizarr erscheint, so verdeutlicht sie ein elementares Problem vieler Menschen heutzutage: die Einsamkeit. Schon vor der Corona-Pandemie stieg der Anteil der Menschen, die nach eigener Aussage ungewollt einsam sind, in vielen westlichen Ländern stetig an.

Die Überwindung von Einsamkeit ist nicht einfach. Sowohl äußere Faktoren wie beruflicher Stress oder die Wohnsituation als auch persönliche Aspekte wie Scham, Enttäuschung oder Bitterkeit können eine Rolle spielen, gerade wenn sie sich über Jahre verstetigen. Das Evangelium bietet einen Lösungsansatz, der sowohl das Äußere als auch das Innere berührt: In der christlichen Gemeinde teilen Menschen (idealerweise) nicht nur sonntags ihr Leben. Doch was noch wichtiger ist: Jesus möchte uns durch seine Vergebung und »Herzensarbeit« wieder beziehungsfähig machen – und das gratis und wahrhaftig. *slü*

? Was führt Ihrer Meinung nach Menschen aus der Isolation?

! Machen Sie heute einen mutigen Schritt Richtung Gemeinschaft! Fragen Sie Gott in einem Gebet, wie dieser aussehen kann!

Apostelgeschichte 2,42-47

Ertragt einander und vergebt euch gegenseitig, wenn einer Klage gegen den anderen hat; wie auch der Herr euch vergeben hat, so auch ihr!

Kolosser 3,13

Kann man das vergeben? (1)

Er hatte alles: Eine hübsche, fleißige Frau, zwei gesunde Mädchen, ein Häuschen im Grünen und Erfolg im Beruf. Doch dann kam eine neue Arbeitskollegin in die Abteilung, jung, dynamisch und attraktiv. Sie schätzte sein Fachwissen, seinen netten Umgang mit den Mitarbeitern. Sie machte ihm Komplimente. Bald war er regelrecht verliebt, auch zu Hause dachte er an diese Frau. Obwohl er wusste, dass seine Ehe auf dem Spiel stand, gab er sich der neuen Faszination widerstandslos hin. Nach ein paar Monaten kam es zu einer Affäre – der Mann war zum Ehebrecher geworden.

Als er seiner Frau nach einem halben Jahr schuldbewusst sein Vergehen beichtete und sie um Vergebung bat, brach eine Welt für sie zusammen. Wie sollte sie ihrem Mann je vergeben können?

Viele Menschen kennen den tiefen Schmerz, den diese Frau erlebt hat. Kaum etwas tut so weh wie Ehebruch. Man fühlt sich zutiefst enttäuscht, verraten und ausgenutzt. Kann es trotzdem Vergebung und einen Neuanfang geben?

Ohne Gott ist es fast nicht möglich, aus der Sackgasse von Bitterkeit und Schuldzuweisung herauszufinden. Doch es gibt einen Ausweg. Der Apostel Paulus fordert uns in Epheser 4,32 auf: »Vergebt einander, gleichwie auch Gott euch vergeben hat in Christus.« Wer weiß, dass er selbst ein Sünder ist und Jesus für seine Schuld am Kreuz sterben musste, der kann in allem Schmerz die Kraft zur Vergebung finden. Auch wenn die Wiederherstellung von Vertrauen ein längerer Prozess sein wird, sind Heilung und neue Liebe möglich. Das können viele Ehepaare bezeugen, die auch nach einem Ehebruch wieder zueinandergefunden haben. Sicher ist: Wer Jesus kennt, der braucht nicht zu verzweifeln! *hs*

? Wer hat Vergebung nötig?

! Jesus vergibt und hilft beim Vergeben.

Matthäus 6,14-15

**Glückselig der Mann,
dem der Herr Sünde nicht zurechnet!**
Römer 4,8

Kann man das vergeben? (2)

Die Frau, von der wir gestern lasen, war weiterhin verzweifelt wegen der Untreue ihres Mannes. Wie sollte sie ihm jemals vergeben können? Gab es noch Hoffnung für ihre Ehe? In dieser Zeit lernte sie Christen kennen, die sich regelmäßig zum Bibellesen trafen. Diese Leute luden sie ein, bei ihren Treffen dabei zu sein. Bald kam die Frau regelmäßig jede Woche. Die Person von Jesus Christus beeindruckte sie sehr.

An einem Abend ließen zwei Bibelverse die Frau nicht mehr los. In Matthäus 5,27-28 sagt Jesus nämlich: »Ihr habt gehört, dass zu den Alten gesagt ist: ›Du sollst nicht ehebrechen!‹ Ich aber sage euch: ›Wer eine Frau ansieht, um sie zu begehren, der hat in seinem Herzen schon Ehebruch mit ihr begangen.‹« Also war vor Gott nicht nur die Tat des Ehebruchs Sünde, sondern bereits schon falsche Gedanken und Fantasien! »Wenn das wirklich stimmt, dann bin auch ich eine Ehebrecherin«, sagte sie leise zu sich selbst, »dann brauche auch ich Vergebung.«

Sie erkannte ihre eigene Verstrickung in Sünde, aber auch die Lösung: Jesus Christus hatte ihre Sünden am Kreuz getragen. Wenn sie ihm ihre Schuld bekannte, konnte sie Vergebung erfahren. Das tat sie dann auch. Nun hatte sie Frieden mit Gott, und ihr Gesicht strahlte. Ihr Mann war überrascht über ihre positive Veränderung, konnte diese aber zunächst nicht zuordnen. Eines Tages nahm die Frau ihren Mann in die Arme und sagte herzlich: »Ich möchte dir von ganzem Herzen vergeben, weil Gott auch mir vergeben hat.«

Wie freute sich der Ehemann! Wenig später begann auch er, in der Bibel zu lesen, und setzte bald sein ganzes Vertrauen auf Jesus Christus. Die beiden erlebten, dass in ihrem Leben und ihrer Ehe alles neu wurde.

hs

? Kennen Sie die Freude über vergebene Sünde?

! Wem vergeben wurde, der kann auch anderen vergeben.

Psalm 51

Ich bin das Licht der Welt. Wer mir nachfolgt, wird nicht mehr in der Finsternis umherirren, sondern wird das Licht des Lebens haben.

Johannes 8,12

»Influencer« und »Follower«

Neulich ist mir etwas wirklich Peinliches passiert. Ich fuhr mit meinem Auto durch die Stadt und war anscheinend etwas abgelenkt. So bemerkte ich nicht, dass ich in einer Baustelle auf einmal in einen gesperrten Bereich geriet. Ich fuhr immer weiter, bis ich an eine Fräskante kam, die ich zum Glück noch rechtzeitig bemerkte. Hier war Schluss, es ging nicht mehr weiter! Also: Rückwärtsgang rein und zurück? Denkste! Ein Blick in meinen Rückspiegel offenbarte mir, dass ich leider einige Fahrzeuge mit in diese Baustelle genommen hatte. Anscheinend waren die mir einfach gefolgt und steckten jetzt genauso fest wie ich. Es dauerte natürlich etwas, bis wir alle wieder auf dem richtigen Weg waren. Im Nachhinein musste ich lachen, dass die Autos einfach blindlings hinter mir hergefahren waren. Sicher waren einige sauer auf mich, aber ich hatte ja niemanden gebeten, mir in die Irre zu folgen.

Ich war ein schlechter, unwissender »Influencer« gewesen. Und davon gibt es viele. In den sozialen Medien scharen Persönlichkeiten ihre Anhänger um sich und füttern sie mit Informationen, deren Wahrheitsgehalt sich häufig als sehr begrenzt herausstellt. Andere teilen dann – vielleicht unwissend – diese Fake News wiederum mit ihren »Followern«. Am Ende weiß niemand mehr, was überhaupt stimmt. Wer gibt da noch Orientierung? Was ist Wahrheit? Was ist richtig, was ist falsch? Gestern, heute, in 10 Jahren?

Jesus sagt, dass er das Licht der Welt ist. Wer ihm nachfolgt, wird nicht in der Finsternis herumtappen. Er gibt Orientierung. Er deckt auf, leuchtet in die hintersten Ecken. Seine Worte sind ewig und unveränderlich, seine Meinung und seine Persönlichkeit ändern sich nicht.

tcb

Wer gibt Ihnen Orientierung in unsicheren Zeiten?

Gottes Worte sind ewig, unveränderlich und verlässlich.

Jesaja 55,6-11

11. Februar 22

Freitag

Europäischer Tag des Notrufs

**Er wird deinen Fuß nicht wanken lassen,
und der dich behütet, schläft nicht.
Siehe, der Hüter Israels schläft noch schlummert nicht.**

Psalm 121,3-4

24/7

24/7 (»twenty-four/seven«) drückt ständige Bereitschaft aus. Im alltäglichen Leben kennen wir dies z. B. bei Feuerwehren, Krankenhäusern, bei der Polizei oder sonstigen wichtigen Einrichtungen. Hier ist rund um die Uhr, jeden Tag der Woche, jemand im Notfall erreichbar. Und dennoch ist selbst das beste Sicherheitsnetz nicht lückenlos: Auch der einzelne Polizist, Feuerwehrmann oder Arzt benötigen Schlaf. Sie sind nicht immer gleich fit. Notrufnummern können zudem überlastet sein, Sicherheitskräfte überfordert, Rettungswagen zu spät kommen usw. Und für manche Probleme bietet auch die kompetenteste Person keine Lösung.

Der 121. Psalm in der Bibel stellt dem eine ganz andere Hilfe gegenüber: Hier ist derjenige am Werk, der Himmel und Erde gemacht hat, also Gott selbst. Was könnte dem Schöpfer aller Dinge unmöglich sein? Von ihm wird gesagt, dass er nicht schläft, ja, noch nicht einmal kurz einnickt und schlummert. Und trotz dieses Schlafdefizits unterliegt er keinem Irrtum, keiner Fehleinschätzung der Lage oder Fehldiagnose. Schließlich macht der Psalm deutlich, dass sich die Fürsorge Gottes nicht nur auf bestimmte Phasen des Lebens beschränkt. Sie umfasst Anfang und Ende (Eingang und Ausgang) des Lebens und reicht bis in die Ewigkeit.

Fraglich ist nur: Wer kommt in den Genuss dieser allgegenwärtigen, allmächtigen und ewigen Fürsorge Gottes? Im Psalm wird er der »Hüter Israels« genannt, weil dieses Volk Gottes erklärtes Eigentum ist. Doch ist seine Liebe und seine Fürsorge nicht auf dieses Volk beschränkt. Sein erklärter Wille ist es, dass jeder Mensch Gott erkennt und ihm sein Leben anvertraut. Wer sich dazu entschließt, kann sagen: Der mich behütet, schläft nicht!

mm

? Welche Beziehung haben Sie zu dem, der für uns Menschen in »ständiger Bereitschaft« lebt?

! Es ist gut zu wissen, wohin wir uns wenden können, wenn wir keinen Ausweg mehr sehen.

Psalm 121

Und seid gewiss:
Ich bin jeden Tag bei euch bis zum Ende der Zeit!
Matthäus 28,20

Partnersuche

Während des coronabedingten Lockdowns fühlten sich viele Menschen einsam und haben online Partner gesucht. Die Gruppe »Civil Wars« besingt diese Sehnsucht und Suche nach einem Partner, einer Partnerin, den bzw. die es noch nicht gibt, wie folgt: »Du hast mir gefehlt. Aber ich bin dir noch nie begegnet. Doch das würde ich so gern. Liebe/Lieber wer-immer-auch-du bist, noch warte ich geduldig.«

Vor 2000 Jahren haben auch schon Menschen auf einen Beistand und auf einen »Partner« gewartet, der sie aus ihrem Dilemma befreien konnte: den Messias. Dieser war zunächst die »Hoffnung Israels«, dann aber auch die der Völker. Als dieser Messias tatsächlich kam, wurde er von den meisten abgelehnt, und nur wenige erkannten, dass mit ihm Gott selbst zu den Menschen gekommen war. Durch seinen Tod am Kreuz wurde er dann zum Retter aller, die an ihn glaubten und sein Opfer für ihre Sündenschuld in Anspruch nahmen. Doch das war erst der Anfang einer nun für immer bestehenden Beziehung zu Gott als Vater und zu Jesus als Herrn des Lebens. Das nennt die Bibel Nachfolge. Und wer immer sich einsam fühlt, dem wird in der Bibel mehrmals versichert, dass er nicht alleine ist. Denn Jesus Christus versichert allen, die ihm nachfolgen: »Ich bin jeden Tag bei euch bis zum Ende der Zeit.«

Dieser Satz hat mir schon in meiner Kindheit geholfen, wenn ich nachts in unserem Pfadfinder-Lager im Wald Wache schieben musste, und später im Militärdienst ebenso. Ich brauchte keine Angst zu haben – denn ich wusste, dass Jesus bei mir ist, deshalb fühlte ich mich auch nicht einsam. Ich wünsche, dass ihr alle, die ihr euch einsam und verlassen fühlt, dieses Gefühl von Jesu Nähe und Geborgenheit ebenso erleben könnt. Der Schlüssel dazu ist in der Bibel zu finden. *mgr*

Was tun Sie, wenn Sie sich einsam fühlen?

Nutzen Sie die Gelegenheit, eine lebendige Beziehung mit Jesus einzugehen!

Johannes 16,29-33

**Du nun, mein Kind,
sei stark in der Gnade, die in Christus Jesus ist.**
2. Timotheus 2,1

Gnade schlägt Edelmetall

Der Journalist Max Polonyi schreibt: »Die Benennung der Ehejubiläen funktioniert in Deutschland in etwa so: Je länger eine Ehe hält, desto härter und wertvoller das Material, nach dem sie benannt ist. Nach einem Jahr feiert man Papierhochzeit, nach fünf Jahren Ehe die hölzerne, nach 20 die porzellane, nach 25 und 50 Jahren erst die silberne, dann die goldene Hochzeit. Es ist, als wäre die Ehe eine Sportart, bei der diejenigen, die am längsten aushalten, gewinnen. Der 70. Hochzeitstag ist jedoch eine Ausnahme in der Reihe der Jubiläen. Man spricht nicht mehr von Gold oder Silber, sondern von der Gnadenhochzeit.« Die Gnade setzt allem die Krone auf.

Wir alle sind auf Gnade angewiesen, besonders in der Ehe. Heiraten sollte nur der, der gut im Vergeben ist. Kleinliches Aufrechnen erstickt die Liebe. »Ertragt einander und vergebt einander, wenn einer gegen den anderen zu klagen hat; gleichwie Christus euch vergeben hat, so auch ihr« (Kolosser 3,13).

Schwächeln Sie nicht im Gnädigsein!

»Wo sind meine Sünden? Sie lasteten schwer, / versenkt in der Tiefe, verschwunden im Meer, / im Abgrund der Liebe, Gott sieht sie nicht mehr. / Sie waren unzählig, doch Gnade ist mehr!

Halleluja! Gnade ist stark, stärker als Schwachheit, neu jeden Tag. / Staunt über Gnade und was sie vermag!

Wie kannst Du vergessen, allwissender Herr, / den Mühlstein versenken – mich nicht hinterher? / Barmherzigkeit folgt mir statt Tod und Gericht. / Dein Zorn ging vorüber, doch Gnade nicht!

Trotz Stolpern und Fallen, trotz all meiner Schuld, / ruht doch Dein Gefallen auf mir in Geduld. / Dein Sohn gab sein Leben als Preis für mich her. / Du siehst mich in Christus, denn Gnade ist mehr!« *fe*

? Wie wird das 100-jährige Ehejubiläum benannt?

! »Himmelshochzeit«, weil das Paar es nicht mehr erlebt – höchstens im Himmel.

Epheser 5,25-33

So erkenne denn, dass der HERR, dein Gott, der Gott ist, der treue Gott, der den Bund und die Güte bis auf tausend Generationen denen bewahrt, die ihn lieben und seine Gebote halten. 5. Mose 7,9

»Lifelong« – was Treue bewirkt

Seit 2020 ist die Beziehungs-App »Lifelong« auf dem Markt. Angesichts hoher Scheidungsraten erschien es den Machern wohl an der Zeit zu sein, eheliche Beziehungen nun endlich auch digital zu unterstützen. So ganz im Trend der Zeit. Mit einem Fragebogen (60 Fragen) und einer kostenlosen Basisanalyse kann man einsteigen in eine digital unterstützte Bereicherung des Beziehungslebens. Kommunikation sei der Schlüssel zum Erfolg. Ob der sich durch dieses Tool tatsächlich dauerhaft einstellen wird?

Worauf beruht eigentlich Treue? Bei Beziehungen, wie z. B. die Ehe, ist diese Frage höchst relevant. Denn je mehr sich zwei Menschen aufeinander einlassen, einander ihre Gefühle mitteilen, ihr Innerstes preisgeben, umso mehr ist Treue gefragt. Denn je enger die Verbindung, desto größer ist wohl der Trennungsschmerz. Treue entsteht in dem Maße, wie man bereit ist, sich selbst zu geben. Je mehr man in jemanden investiert, desto mehr hält man auch an ihm fest. Wenn das beiderseitig geschieht, wird die Beziehung schließlich unzerreißbar.

Das höchste Maß an Treue finden wir bei Gott. Warum? Weil er so viel in uns Menschen investiert hat. Er hat sogar seinen Sohn gegeben, der am Kreuz für uns starb. »Wie wird er uns mit ihm nicht auch alles schenken?«, fragt Paulus in Konsequenz daraus. Ja, ist denn ein größerer Beweis für die Liebe Gottes noch möglich? Wohl kaum. Dieser Beweis von Liebe, von Treue kann eigentlich niemanden kaltlassen, oder? Und doch ist es so. Während Gott alles investiert, investieren wir nichts. Zu einer untrennbaren Beziehung zu ihm gehört aber, dass auch wir uns auf Gott einlassen und in die Beziehung zu ihm alles investieren. Das bedingungslose »Ja« der Liebe allein ist dem angemessen, was Gott für uns tat.

pj

? Wollen Sie Gott dieses »Ja« nicht geben?

! Dann sind Sie nicht nur »lifelong«, sondern für ewig in Sicherheit.

Römer 8,31-39

**Wenn ich anschaue deine Himmel, deiner Finger Werk,
den Mond und die Sterne, die du bereitet hast:
Was ist der Mensch, dass du seiner gedenkst, und
des Menschen Sohn, dass du auf ihn achthast?** Psalm 8,4-5

Der Standpunkt wechselt mit dem Standort!

Ein kleiner Junge fragte seinen Vater: »Wie groß ist Gott?« Der Vater antwortete erst mal nicht, richtete den Blick zum Himmel, sah ein Flugzeug und fragte seinen Sohn: »Wie groß ist dieses Flugzeug?« Der Kleine antwortete, ohne zu zögern: »Sehr klein, Papa, kaum zu sehen!« – Einige Wochen später besuchte er mit seinen Sohn den Frankfurter Flughafen. Während sie auf der Besucherterrasse die geparkten Flugzeuge anschauten, näherte sich ein Airbus A380. Da fragte er seinen Sohn: »Und jetzt? Wie groß ist es jetzt?« Fasziniert antwortete der Kleine: »Es ist riesig, Papa, man könnte es nie übersehen!« Daraufhin sagte der Vater: »So ist Gott! Seine Größe ist abhängig von dem Abstand, den du zu ihm hältst. Je näher du ihm bist, desto größer wird Gott in deinem Leben!«

Irgendwie sind wir alle wie der kleine Sohnemann. Solange es um uns geht, ist Gott sehr klein, häufig nicht existent, unwesentlich. Doch kommen Krisen, Tsunamis, Katastrophen, Tod, Leid oder Ähnliches, erinnern wir uns an Gott und setzen ihn auf die Anklagebank mit dem Vorwurf: »Wenn du die Liebe bist, wieso konntest du das zulassen? Warum hast du es nicht verhindert? Warum musste es mich treffen?« Mit unserem Standort ändert sich auch unser Standpunkt.

Wenn man wirklich wissen will, wie groß Gott ist, und ihm das Herz öffnet, dann erlebt man ihn auf Schritt und Tritt. Am frühen Morgen wecken uns die Vögel mit ihrem Gesang, die Sonne scheint, der Darm funktioniert wundersam, die blutende Wunde schließt sich selbstheilend, der Kühlschrank ist gut gefüllt, die Arbeit oder Schule wartet, die Sinne funktionieren. Plötzlich sind das nicht mehr Selbstverständlichkeiten, sondern Wunder Gottes, die er in unserem Leben wirkt. Da wird Kleines groß, und scheinbar Großes klein. *lü*

Wäre hier nicht Dankbarkeit angesagt statt Gleichgültigkeit?

Kindliches Staunen über einen großen Gott steht auch Erwachsenen gut.

Psalm 8

Wenn wir aber unsre Sünden bekennen, so ist er treu und gerecht, dass er uns die Sünden vergibt und reinigt uns von aller Ungerechtigkeit.

1. Johannes 1,9

Desinfektion

Seit der Corona-Krise sind sie beinahe allgegenwärtig: Desinfektionsmittelspender. An meinem Arbeitsplatz finden sie sich an jedem Gebäudeeingang und auf jeder Etage. Zeitweise wurden bei uns sogar täglich Türklinken und Tastaturen sterilisiert. In Supermärkten finden sich im Eingangsbereich sogar Desinfektionsstationen, an denen man nicht nur seine Hände, sondern auch die Griffe der Einkaufswagen desinfizieren kann. Auch für den privaten Anwender boomt der Erwerb entsprechender Desinfektionsmittel. Beinahe jeder hat ein Fläschchen davon oder Reinigungstücher dabei, um sich jederzeit und an jedem Ort die Hände reinigen zu können. Desinfektion ist also das Gebot der Stunde. Dadurch wollte man insbesondere die Verbreitung des Corona-Virus vermeiden. Sollte man eine kontaminierte Oberfläche berührt haben, vermittelte der Einsatz solcher Mittel Sicherheit und Schutz.

Interessanterweise sind wir Menschen mit dem, was die Bibel *Sünde* nennt, nicht ganz so vorsichtig. Doch auch hier besteht eigentlich immer und überall das Risiko, dass man schädliche Einflüsse aufnimmt: Wenn mein Blick an einer verfänglichen Zeitschrift hängen bleibt, meine Gedanken ein Eigenleben entwickeln, meine Sehnsüchte sich auf Dinge fokussieren, die nicht gut für mich sind, wenn ich Worte sage, die andere verletzen, oder anderen gar Böses wünsche, usw. Hierfür finden sich in der Regel keine geeigneten Desinfektionsmittelspender, die einer Infektion oder gar einer Verbreitung vorbeugen könnten. Oder doch? Tatsächlich möchte Gott uns jederzeit vom Schmutz der Sünde reinigen. Sein »Desinfektionsangebot« gilt unabhängig von Ort und Zeit. Diese Reinigung bewirkt aber kein Händewaschen, sondern das einfache Bekennen unserer Sünden vor ihm. *mm*

? Wie halten Sie es mit dem Desinfizieren?

! Wer sorglos damit verfährt oder es gar unterlässt, muss mit schlimmen Folgen rechnen.

Psalm 51

**Und als Jesus ihre Gedanken sah, sprach er:
Warum denkt ihr Böses in euren Herzen?**
Matthäus 9,4

»Dein Mikrofon ist noch an!«

Seit der Corona-Pandemie kennt und nutzt fast jeder Onlinetools, die ein virtuelles Zusammensein ermöglichen. Waren *Zoom* und *Skype* davor nur ausgesprochenen Technikfans ein Begriff, sind sie heute aus unserem Alltag fast nicht mehr wegzudenken. Ob berufliche Meetings im Homeoffice oder virtuelle Schulveranstaltungen – innerhalb kürzester Zeit hat uns die Digitalisierung des Miteinanders überrollt und ganz neue Erfahrungen mit sich gebracht. So wurde »Dein Mikrofon ist noch aus« schlagartig zu einem der meistgesprochenen Sätze, der selbst aus den Konferenzschaltungen hochrangiger Politiker immer wieder überliefert wird.

Die Tücken der Technik bescheren aber noch ganz andere kuriose Momente im Miteinander mit oft ungefilterten Einblicken in die eigenen vier Wände, wobei plötzlich durchs Bild laufende Kinder oder Haustiere noch die harmlosesten sind. Peinlich wird es, wenn Sätze fallen wie »Dein Mikrofon ist noch an« oder »Dein Bildschirm ist noch sichtbar«. Dann haben Kollegen oder Freunde Dinge gehört und gesehen, die eigentlich nicht für sie bestimmt waren. Das Lästern über andere, den Streit in der Familie, die Webseiten, die man nebenbei im Internet besucht. Nicht wenige haben es bereut, für einen Augenblick vergessen zu haben, dass verborgen Geglaubtes offenbar war.

Selbst wenn es uns gelingt, solche digitalen Peinlichkeiten vor Menschen zu vermeiden – vor Gott sind ohnehin sogar unsere innersten Gedanken offenbar. Ganz ohne Kamera und Mikrofon kennt er uns durch und durch, ihm können wir nichts vormachen. Und spätestens am Tag des Gerichts wird verborgen Geglaubtes offenbar werden, und Gott wird Sünde richten. Wohl dem, der jetzt schon seine Schuld vor Gott zugibt und Vergebung erfährt. *kaa*

Was empfinden Sie bei dem Gedanken, dass Gott Sie durch und durch kennt?

Wer mit Gott versöhnt ist, braucht sich vor ihm nicht zu schämen.

Lukas 12,1-5

18. Februar 22

Freitag

**Aber die, die ihn lieben, sollen sein,
wie die Sonne aufgeht in ihrer Kraft!**
Richter 5,31

Marsmission oder »Himmelfahrt«?

Am 18. Februar 2021 landete ein menschliches Vehikel mit dem Namen *Perseverance* auf dem Mars. Nach 203 Tagen im All und 471 Millionen Kilometern drang es in die dünne Mars-Atmosphäre ein und setzte unbeschadet einen Mars-Rover ab – völlig auf sich allein gestellt, aber mit einem Programm »im Bauch«. Eine direkte Kontrolle ist nicht möglich, weil Signale von der Erde 11 Minuten benötigen. Die Mitarbeiter der NASA jubelten. Das Experiment war geglückt. Nun soll der Rover nach winzigen Spuren von Leben, d. h. längst vergangenem Leben, suchen.

Ist das etwa der erste Schritt zur menschlichen Besiedlung des Roten Planeten? Viele träumen vielleicht davon. Und doch sollte es eher ein Albtraum sein. Denn was erwartet jemanden »dort oben«? Alle Wüsten dieser Erde sind Paradiese gegenüber der lebensfeindlichen Umwelt, die dort anzutreffen ist. Und trotzdem zieht es offenbar Menschen dorthin. Unfassbar!

Was haben Menschen hier verloren, dass es sie an einen solchen Ort hinzieht? Etwa den Glauben, dass Gott uns Menschen diese wunderschöne Erde bereitet hat? Und selbst sie ist nur ein Bild von einer weit größeren und schöneren himmlischen Heimat, die denen verheißen ist, die Gott lieben und seinem Sohn Jesus Christus glauben und ihm ihr Leben anvertrauen. Wie schnell wird der Mensch entwurzelt, heimatlos, wenn er das vergisst, übersieht oder gar ablehnt. Aber dem Glaubenden hat Gott eine ewige Heimat zugesprochen. Jesus Christus sagt: »In dem Hause meines Vaters sind viele Wohnungen« (Johannes 14,2). Dorthin sollte es uns ziehen, denn es ist ein Ort, der alles übertrifft, was wir bisher erlebt haben. Dieses ewige Ziel zu erreichen, danach sollten wir uns ausstrecken. *ruk*

? Was wäre Ihnen lieber: ein Bunker auf dem Mars oder eine Wohnung im Himmel?

! Wir sollten Gott mehr vertrauen als solchen, die uns etwas Unmögliches versprechen.

Offenbarung 21,1-8

**Ist doch der Mensch gleich wie nichts;
seine Zeit fährt dahin wie ein Schatten.**

Psalm 144,4

Was uns die Schöpfung lehrt

Am verdorrenden Gras und an der verwelkenden Blume erkennen wir auch unsere eigene Vergänglichkeit: »Alles Fleisch ist Gras … Das Gras verdorrt, die Blume verwelkt; aber das Wort unseres Gottes bleibt ewiglich« (Jesaja 40,6-8). In Psalm 37,2 wird unser Leben mit dem grünen Gras verglichen, das nur eine kleine Zeitspanne wächst: »Denn wie das Gras werden sie bald abgehauen, und wie das grüne Kraut werden sie verwelken.« Auch bei anderen Vergleichen in der Bibel wird die Spanne unseres Lebens mit kurzwährenden, nicht kalkulierbaren Phänomenen aus der uns umgebenden Schöpfung in Zusammenhang gebracht, wie z. B. Wind, Dampf und Schatten.

In Hiob 7,6-7 heißt es: »Meine Tage sind schneller dahingeflogen als ein Weberschiffchen und sind vergangen ohne Hoffnung. Bedenke, dass mein Leben ein Hauch ist.« In Jakobus 4,14 wird ein anderes Beispiel aus dem Bereich der Schöpfung benutzt, um daran die kurze Spanne unseres Lebens zu demonstrieren: »Denn was ist euer Leben? Ein Dampf seid ihr, der eine kleine Zeit währt, danach aber verschwindet er.« Nur eine kurze Zeit bleibt der Dampf sichtbar, dann löst er sich in der umgebenden Luft auf und wird dadurch unsichtbar.

Manch einer ist fasziniert von der Lebensweise berühmter Leute. Allzu oft war ihr Leben allerdings allein vom Diesseitigen geprägt, aber in ihrem Denken fehlte der Bezug zur Ewigkeit. Der Schauspieler Curd Jürgens (1915–1982) z. B. galt als Weltstar, denn er spielte in mehr als einhundert internationalen Kinofilmen mit. Am Ende seines Lebens trieb ihn ein ganz anderer Gedanke um: »Manchmal denke ich schon, dass ich vielleicht ein anderes Leben hätte leben sollen. Dann befällt mich die Angst zu sterben, und ich zweifle, ob es richtig war, nicht an Gott zu glauben.« *gi*

Welche Konsequenzen haben Sie aus der Begrenztheit unseres irdischen Daseins gezogen?

Rufen Sie den Retter Jesus an, um Vorsorge für die Ewigkeit zu treffen!

Johannes 5,17-24

Ich bin gekommen, damit sie Leben haben und es in Überfluss haben.

Johannes 10,10

Das Ende einer »Mangelgeschichte«

Dass wir nicht in einer heilen Welt leben ist offenbar. Somit wurden wir auch nicht in eine heile Welt geboren. Die Umstände, in die wir hineingeboren wurden, konnten wir uns nicht aussuchen. So haben nicht alle Menschen die gleichen Startbedingungen ins Leben. Nicht alle haben ein Elternhaus erlebt, wo sich die Eltern wohlwollend und liebevoll um die Kinder kümmern, wo sie ermutigt werden und auf dem Weg ins Leben Sicherheit und Bestätigung vermittelt bekommen. Das Bedürfnis nach Liebe, Annahme und Wertschätzung bleibt bei vielen unerfüllt. So wird die Lebensgeschichte zur ganz persönlichen »Mangelgeschichte«. Vermutlich ist die Erfahrung und Geschichte der eigenen Eltern selbst bereits eine »Mangelgeschichte«. Hinzu kommen die Unterschiede in der Persönlichkeit. Das Bedürfnis nach Wertschätzung und Bestätigung durch die Umgebung kann unterschiedlich ausgeprägt sein und der Mangel unterschiedlich stark empfunden werden. So werden Menschen in eine »Mangelgeschichte« geboren und entwickeln selbst eine »Mangelgeschichte«.

Bei Jesus haben sich solche Menschen wohlgefühlt, deren Lebensgeschichte nicht geradlinig verlaufen ist bzw. deren Verhalten und Lebensstil gesellschaftlich nicht ganz konform war. Bei ihm erlebten sie, vielleicht zum ersten Mal, dass jemand sie akzeptiert, wie sie waren. Unerwartet haben diese Leute in Jesus das gefunden, was sie in ihrer »Mangelgeschichte« bisher noch nie erfuhren. Jesus kann auch das Ende meiner eigenen »Mangelgeschichte« werden. Am Kreuz stirbt er aus Liebe für mich und drückt aus: Du bist mir so wichtig und wertvoll, dass ich mein eigenes Leben für dich hingebe. Mit ihm soll und kann aus meiner »Mangelgeschichte« eine »Heilsgeschichte« werden, weil Jesus meinen Mangel ausfüllt und mich heil macht. *ht*

? Wo empfinden Sie Mangel in Ihrer Lebensgeschichte?

! Mit Jesus kann auch Ihre »Mangelgeschichte« eine »Heilsgeschichte« werden.

Joel 2,23-27

Der Herr ist voll Liebe und Erbarmen, voll Geduld und unendlicher Güte.
Psalm 103,8

Tim und der Präsident

Zehn Jahre lang unterstützte George H. W. Bush (1924–2018) einen philippinischen Jungen namens Tim. Unter dem Pseudonym »G. Walker« überwies der ehemalige US-Präsident nicht nur Geld an eine gemeinnützige Organisation, sondern er fing auch an, Tim persönlich zu schreiben. In seinem ersten Brief an den damals siebenjährigen Jungen heißt es: »Lieber Tim, ich möchte Dein neuer Brieffreund sein. Obwohl ich ein alter Mann bin, 77 Jahre alt, mag ich Kinder, und auch wenn wir uns noch nicht begegnet sind, liebe ich Dich bereits. Ich lebe in Texas und werde Dir von Zeit zu Zeit schreiben. Mach's gut, G. Walker.« Erst mit 17 erfuhr Tim, wer sein Sponsor gewesen ist. Er konnte es kaum fassen, dass der Mann, mit dem so er lange Briefkontakt hatte, Präsident einer großen Nation war.

Zu Recht hat diese Geschichte viele Menschen bewegt: Ein Mann, der einmal für das Wohlergehen von über 250 Millionen Amerikanern verantwortlich gewesen ist, interessierte sich für einen kleinen Jungen aus ärmlichen Verhältnissen, vierzehntausend Kilometer entfernt von ihm.

Doch es gibt etwas, was noch viel erstaunlicher ist: Gott, der »Herr des Himmels und der Erde«, hat Interesse an Ihnen. Auch ihn trennen Welten von Ihnen: Er ist heilig, du bist Sünder. Trotzdem gibt er dir »Leben und Odem und alles«. Und obwohl Sie ihm noch nicht begegnet sind, erklärt er Ihnen in seinem Wort: »Mit ewiger Liebe habe ich dich geliebt.« Als ob das nicht genug wäre, wird er in Jesus Christus, seinem Sohn, Mensch und stirbt an Ihrer statt. Jetzt spricht er zu Ihnen: »Siehe, ich stehe an der Tür und klopfe an; wenn jemand meine Stimme hört und die Tür öffnet, zu dem werde ich hineingehen und mit ihm essen und er mit mir« (Offenbarung 3,20). *pg*

? Werden Sie ihm aufmachen?

! Nur Gott hat die Macht, uns neues Leben zu schenken. Sein Reichtum ist unermesslich.

2. Petrus 1,3-11

22. Februar 22

Dienstag

Alle sind abgewichen,
sie sind allesamt untauglich geworden,
da ist keiner, der Gutes tut, da ist auch nicht einer.

Römer 3,12

Ein vernichtendes Urteil

Mit diesem Zitat aus dem Alten Testament untermauert Paulus das vernichtende Urteil, dass kein Mensch – ob Jude oder Heide – vor Gott bestehen kann. Gott ist heilig, das heißt absolut rein, absolut gut und gerecht. Wir Menschen sind sündig und ungerecht. Wir sind nicht so, dass wir von Natur aus zu Gott passen. Diese Nachricht hört niemand gern, ist aber Fakt.

Die Tatsache, dass es kein Volk auf dieser Welt ohne Religion gibt, beweist die Richtigkeit dieser Aussage. Denn in jeder Religion (lat. »religare« bedeutet »zurück-verbinden«) sucht der Mensch eine Verbindung zu Gott. Er versucht, die Gottheit gnädig zu stimmen, weil er weiß, dass er so nicht in die Nähe Gottes kommen kann. Das Wissen um die Richtigkeit dieses vernichtenden Urteils steckt also ganz tief drin im Menschen. Jesus selbst unterstreicht dieses biblische Menschenbild, indem er sagt: »Aus dem Herzen kommen die bösen Dinge hervor, die den Menschen verunreinigen« (nach Matthäus 15,19).

Nun – was ist zu tun? Zunächst dürfen wir feststellen, dass es in der Bibel nicht um Religion, sondern um das Evangelium geht. Beides steht sich einander genau entgegengesetzt gegenüber. In den Religionen wollen Menschen aus eigener Anstrengung zu Gott kommen. Sie versuchen es mit guten Werken, mit Opferzeremonien, mit dem Einhalten menschlicher Vorschriften u.v.m. Religion setzt auf Leistung, Evangelium auf Gnade. Evangelium spricht von Gottes Entgegenkommen. Denn er hat seinen Sohn Jesus Christus in die Welt gesandt. Durch den Glauben an IHN bekommen wir Vergebung unserer Schuld und neues Leben. Und dieses Leben hat Bestand vor einem heiligen Gott. Die gute Nachricht, dass Gott selbst einen Ausweg aus dem Dilemma geschaffen hat, darf uns auch heute Mut machen. *hj*

? Setzen Sie auf Gottes Gnade oder auf Ihre eigene Leistung?

! Wir sind nicht, wie wir sein sollten, um zu Gott zu passen. Deshalb brauchen wir Hilfe.

Römer 3,9-26

**Du bist gut und tust Gutes;
lehre mich deine Satzungen!**
Psalm 119,68

Gott ist gut!

Ist es nicht großartig, dass die erste, oberste und allem vorausgehende Eigenschaft des großen allmächtigen Schöpfergottes darin besteht, dass er gut ist? Stellen Sie sich einmal das Gegenteil vor! Wenn er von Grund auf boshaft, hinterhältig und rachsüchtig wäre, müssten wir auch damit fertigwerden, denn ändern können wir naturgemäß unseren Schöpfer nicht. Weil aber das Gutsein Gottes Wesen ausmacht, ist es nur logisch, dass auch alles, was er tut, gut ist. Und daraus folgen all die anderen Eigenschaften, für die seine denkenden Geschöpfe ihm allezeit danken sollten: seine Liebe, Treue und Fürsorge, seine unermüdliche Vergebungsbereitschaft, und noch vieles mehr.

Allerdings ließ Gott auch das Böse in die Welt kommen, durch das alle Menschen sich zur Rebellion gegen Gott verführen ließen, weil ihnen versprochen wurde, dem Schöpfer gleich zu werden. Warum tat Gott das? Ich denke, weil er uns den Unterschied zwischen Licht und Finsternis, zwischen Gemeinschaft mit ihm und Feindschaft gegen ihn erleben lassen wollte. Was können wir tun, um unsere Herzenshaltung Gott gegenüber zu ändern? Das Einzige, was wir tun können, ist unser Unvermögen vor ihm eingestehen, also der Wahrheit die Ehre geben und ihn um Begnadigung bitten. Wer das tut, wird oftmals schon hier auf Erden, ganz gewiss aber im Himmel erkennen, dass Gottes Absichten auch auf schwierigen Wegen nur gut waren.

Niemand sollte sich durch törichten Stolz oder durch die Verführung des Materialismus verleiten lassen, an der Ablehnung des Friedensangebotes Gottes festzuhalten. Denn was wird es einem Menschen helfen, an die Nicht-Existenz Gottes geglaubt zu haben, wenn er nach dem Tod vor ebendiesem Gott erscheinen muss? *gr*

? Was gefällt Ihnen – das Gute oder das Böse?

! Das Gute finden wir nur bei Gott.

Psalm 119,65-72

24. Februar 22

Donnerstag

Du reibst dich auf, sowohl du als auch dieses Volk, das bei dir ist. Die Aufgabe ist zu schwer für dich, du kannst sie nicht allein bewältigen.

2. Mose 18,18

Da mach ich es doch am besten gleich selbst!

Peter war viele Jahre Finanzdienstleister, ein fleißiger und fairer Typ. Er war in den Umsatzlisten seines Konzern-Partners über viele Jahre einer der Starken und Zuverlässigen. – Wir hatten uns angefreundet. Ich besuchte ihn manchmal in seinem Büro in einer westfälischen Kleinstadt. Zu seinem Team gehörten vier bis fünf Berater. Sie berieten Besucher freundlich und kompetent. Allerdings war da noch Peter, ihr Chef: Aus seinem Büro hatte Peter bei geöffneter Tür jeden Hereinkommenden sofort im Blick. Wie oft erlebte ich mit, dass Peter die Beratung höchstpersönlich übernahm. Aber ich machte mir Sorgen: Er wirkte abgespannt, unausgeglichen und überarbeitet. Wie konnte ich ihn darauf ansprechen? So fragte ich ihn einmal, wie denn sein Arbeitsalltag so laufe. Er stöhnte laut auf: »Ich komme zu nichts! Habe kaum Zeit für Telefonate. Dauernd werde ich unterbrochen, dabei habe ich doch Personal genug!« Tja, da waren wir schon beim Thema ...

Mose als Führer des Volkes Israel war ebenfalls in die »Qualitätsfalle« gegangen: »Dieses und das andere, alles kann ich selbst am besten überschauen und beurteilen. Ich habe die nötige Erfahrung, um Streit zu schlichten und Recht zu sprechen.« Gott selbst musste ihm erst durch seinen Schwiegervater klarmachen: Du zehrst dich kräftemäßig völlig auf. Du musst lernen, zu delegieren. Dein Fleiß ehrt dich, aber es gibt andere, die diese Arbeit tun könnten, wenn du sie ließest!

Welch weiser Rat! Eine nachdenkliche Analyse mit praktischem Ausblick! Und wie aktuell: Gott sieht deine Überarbeitung! Er sieht, wie kraftlos du dich manchmal fühlst. Er greift ein und öffnet dir die Augen. Schau doch mal: Du bist nicht allein. Es gibt andere, die mitmachen können, die lernen und übernehmen wollen. *sp*

? Wo könnten Sie in Bezug auf das Teilen von Verantwortung neu lernen?

! Ruhig mal auf den Rat anderer hören – warum nicht auch aus biblischen Berichten!

2. Mose 18

Wenn also jemand mit Christus verbunden ist, ist er eine neue Schöpfung: was er früher war ist vergangen, etwas Neues ist entstanden.

2. Korinther 5,17

Paulus' Briefe an mich

In Klöstern der Äthiopischen-Orthodoxen Kirche sind jahrhundertealte Handschriften der Heiligen Schrift erhalten geblieben, da diese Klöster oft auf schwer zugänglichen Bergen stehen oder sogar in Felswände gehauen sind. Darunter befinden sich auch Abschriften von Briefen das Apostels Paulus. Diese wurden von Paulus vor fast 2000 Jahren an Leute im damaligen Kleinasien geschrieben. Die Menschen lebten unter römischer Herrschaft und antiker Kultur, also unter ganz anderen Umständen als wir heute. Was können diese alten Briefe mir und Ihnen im modernen, dynamischen 21. Jahrhundert noch sagen, dachte ich – diese alten Schriftrollen betrachtend.

Sehr viel, wenn wir diese als persönlich an uns adressiert lesen. Vergleichen wir einmal den Einfluss der persönlichen Ansprache am Beispiel aus Paulus' Brief an die Römer in Kapitel 8, Vers 10, der im Original lautet: »Wenn nun also Christus in euch ist, bleibt der Körper zwar dem Tode verfallen aufgrund der Sünde, der Geist aber erfüllt euch mit Leben aufgrund der Gerechtigkeit, die Gott euch geschenkt hat.« Und jetzt lesen wir denselben Vers, den Paulus *an mich* geschrieben hat: »Wenn nun also Christus *in mir* ist, bleibt der Körper zwar dem Tod verfallen aufgrund der Sünde, der Geist aber *erfüllt mich* mit Leben aufgrund der Gerechtigkeit, die Gott *mir geschenkt* hat.« Das hört sich doch viel kraftvoller an!

Der Unterschied kommt noch stärker zum Ausdruck in unserem Leitvers aus Paulus' zweitem Brief an die Korinther: Wenn wir darin »jemand« und »er« mit »ich« ersetzen, spricht mich das viel direkter und persönlich an und liest sich wie folgt: »Wenn also *ich* mit Christus verbunden bin, bin *ich* eine neue Schöpfung: was *ich* früher war, ist vergangen, etwas Neues ist entstanden.« *mgr*

Wie lesen Sie die Bibel? Einfach als Buch oder als persönlichen Brief Gottes an Sie?

Die Bibel wird oft als »Liebesbrief Gottes« an uns beschrieben. Lesen Sie die Bibel als solchen!

Römer 8,10-14

26. Februar 22

Samstag

Er aber, der Gott des Friedens, heilige euch durch und durch und bewahre euren Geist samt Seele und Leib unversehrt, untadelig für das Kommen unseres Herrn Jesus Christus.

1. Thessalonicher 5,23

Ist unser Gehirn die Quelle der Information?

Heutzutage arbeiten die Forscher in allen biowissenschaftlichen Disziplinen (z. B. Biologie, Medizin) mit der Annahme: »Unser Gehirn ist die Quelle der Information.« Stimmt das? Dies wollen wir mithilfe zweier Naturgesetze der Information (NGI) prüfen:

NGI-1: Eine materielle Größe kann keine nicht-materielle Größe hervorbringen.

NGI-2: Information ist eine nicht-materielle Größe.

Unser Gehirn ist ein rein materielles Gebilde, wenn auch ein äußerst komplexes. Aber die Quelle neuer Information kann es nicht sein, denn Information ist eine nicht-materielle Größe (NGI-2) und kann darum nicht von einem materiellen Gebilde erzeugt werden. Das Gehirn kann zwar Information speichern und verarbeiten – also das, was auch die ausschließlich aus Materie bestehenden Computer können –, aber es kann nicht neue Information erzeugen.

Der Schluss, dass das Gehirn keine neue Information erzeugen kann, ist folgenschwer. Da wir alle in der Lage sind, neue Information zu kreieren, muss der Mensch noch unbedingt eine nicht-materielle Komponente haben, aus der die Information entspringt. Dieser nicht-materielle Teil ist unsere Seele. Mithilfe der Naturgesetze der Information konnten wir also den Nachweis erbringen, dass der Mensch nicht nur aus Materie besteht, sondern auch mit naturwissenschaftlicher Begründung eine Seele haben muss. Die Positionen des Atheismus und Materialismus, die alle Phänomene dieser Welt der Materie zuschreiben, sind damit widerlegt. Die Bibel unterscheidet ganz selbstverständlich zwischen Leib und Seele: »Wenn mir auch Leib und Seele vergehen, so bleibt doch Gott ewiglich meines Herzens Fels und mein Teil« (Psalm 73,26; SLT). *gi*

? Ist Ihnen bewusst, dass Sie eine kostbare Seele haben?

! Es ist unsere Seele, die sich freuen, aber auch leiden kann – und den Herrn zu loben vermag.

Psalm 25

Siehe, in meine beiden Handflächen habe ich dich eingezeichnet.
Jesaja 49,16

In die Hand geschrieben

Auf den allwöchentlichen Vokabeltest hatten sich einige Schüler und Schülerinnen offenbar wieder einmal nur wenig bis gar nicht vorbereitet. Kurz vor Beginn der Englischstunde schrieben sie sich jedenfalls noch schnell einige der nicht gelernten Vokabeln in ihre Handflächen. Nicht nur bei Tests muss die beschriebene Hand als Erinnerungsanker herhalten. Alles Wichtige, was Schüler und Schülerinnen nicht vergessen möchten, wird in die Handflächen geschrieben, um es vor Augen zu haben und so daran erinnert zu werden.

Gott greift dieses Bild auf, indem er sein Volk Israel über Jesaja wissen lässt, dass zwar mitunter sogar die Mutter ihr Kind vergisst, dass aber der himmlische Vater seine Kinder nicht vergessen wird, weil er sie in seine Handflächen eingezeichnet hat. Und dann, wie zum beruhigenden Beweis, öffnet Gott seine Hände und sagt: »Siehe!« – »Schau doch nur hin! Hier – in meine beiden Handflächen habe ich dich eingezeichnet.« Sogar in *beide* Handflächen, als wolle unser himmlischer Vater uns damit sagen, dass wir rundum in seinem festen Halt geborgen sind.

Vor dem Hintergrund des Neuen Testaments ist es das aus den durchbohrten Händen Jesu fließende Blut, das unsere Namen auf ewig in Gottes Handflächen eingezeichnet hat. Wer wird und wer könnte je in Gottes Handflächen greifen, um unsere Namen dort zu löschen? Jesus selbst bestätigt die absolute Sicherheit der Glaubenden in ihm, dem guten Hirten, und in Gott, dem himmlischen Vater: »Ich gebe meinen Schafen ewiges Leben, und sie gehen nicht verloren ewiglich, und niemand wird sie aus meiner Hand rauben. Mein Vater ist … größer als alle, und niemand kann sie aus der Hand meines Vaters rauben« (Johannes 10,28-29).

vdm

Wie viel ist Ihnen das wert?

Danken Sie Gott für seine unbegreifliche Liebe und Treue!

Johannes 10,14-18.27-30

Da ist kein Gerechter, auch nicht einer.

Römer 3,10

Eine Stadt ohne Böses?

Vor einiger Zeit sah ich einen Bericht über eine kleine Stadt in Indien. Auroville, die internationale Stadt des Friedens, wurde für 50.000 Einwohner geplant und wird »das Paradies« genannt. »Auroville möchte eine universelle Stadt sein, in der Männer und Frauen aller Länder in Frieden und fortschreitender Harmonie leben können, jenseits aller Bekenntnisse, politischer Überzeugung und nationaler Herkunft. Aurovilles Aufgabe besteht darin, die wahre menschliche Einheit zu verwirklichen«, so Mira Alfassa, die Gründerin Aurovilles. Es wurden Menschen gezeigt, die aus Wohlstandsgegenden in ein Dritte-Welt-Land zogen, um wahren Frieden zu finden.

Laut der offiziellen statistischen Erhebung vom Mai 2020 lebten zu diesem Zeitpunkt in Auroville 3218 Menschen (2546 Erwachsene und 672 Kinder). Insgesamt kommen die Bewohner von Auroville aus 59 Nationen. Dabei stellen die größten Bevölkerungsanteile die Inder (45 %), die Franzosen (14 %) und die Deutschen (8 %). Am 28. Februar 2018 feierte die Gemeinschaft ihren 50. Geburtstag. (Quelle: wikipedia)

Doch ist der Mensch wirklich in der Lage, das Böse dauerhaft zu überwinden? Die weltweite Realität zeigt überdeutlich, dass eher das Gegenteil der Fall ist. Der Grund dafür liegt ganz einfach darin, dass wir Menschen allesamt ungerecht sind, wie es uns der Tagesvers sagt. Unser Herz lechzt nach dem Zustand, den die Gründerin in ihrem Zitat beschreibt. Der Mensch sehnt sich nach Frieden, Harmonie und bedingungsloser Liebe. Aber all das können wir nicht selbst schaffen, einfach weil unser Herz mit seinen Taten, Worten und Gedanken von Natur aus böse ist. Die gute Nachricht ist, dass Jesus Christus jedem ein neues Herz schenken will, der ihm sein altes, böses Herz bringt. *gah*

Was müsste nach Ihrer Meinung geschehen, damit überall Frieden und Harmonie einkehren?

Der wahre Friede fängt mit Jesus an.

Jesaja 60

Als Gott dem Abraham die Verheißung gab, schwor er bei sich selbst … und sprach: »Wahrlich, wahrlich werde ich dich segnen, und sehr werde ich dich mehren.« Und so erlangte er, indem er ausharrte, die Verheißung. Hebräer 6,13-14

Wenn Gott ein Versprechen gibt … (1)

Abraham und Sara, eines der bekanntesten Ehepaare der Bibel, waren hochbetagt. Noch immer warteten sie auf ihr erstes Kind. Schon vor Jahren hatte Gott ihnen einen Nachkommen versprochen, aber bis jetzt war noch nichts passiert. Würde Gott sein Versprechen halten?

Warum gibt Gott Menschen eigentlich ein Versprechen? Versprechen sind wichtig, denn sie geben uns Aussicht und Hoffnung darauf, dass sich unsere Sehnsüchte und Wünsche erfüllen. Sie halten unsere Erwartung aufrecht, dass tatsächlich noch etwas passiert. Besonders bei Kindern spielen Versprechen eine große Rolle, sie sind ja viele Jahre ihres Lebens abhängig davon, dass sich andere um ihr Wohlergehen kümmern. Sie selbst sind zu schwach dafür. Und ein Versprechen ist dann etwas, was ihnen Hoffnung gibt.

Es hängt allerdings viel davon ab, wer uns ein Versprechen gibt und ob diese Person es auch halten kann. Da kommt dann das Vertrauen ins Spiel, das wir aufbringen müssen, um nicht die Hoffnung zu verlieren. Hoffnung und Vertrauen können aber auch enttäuscht werden. Wie viele Versprechen sind schon unerfüllt geblieben, z. T. durch Verantwortungslosigkeit, aber auch aus Unvermögen oder weil die Umstände es nicht mehr zuließen.

Wenn Gott ein Versprechen gibt, dann hält er es auch. Das haben Abraham und Sara dann erlebt. Ihr Glaube und ihr Vertrauen wurden belohnt. Ihr gemeinsamer Sohn, Isaak, wurde tatsächlich noch geboren. Das trug nicht nur zu ihrem persönlich Glück bei, sondern war auch gleichzeitig die Geburtsstunde eines ganzen Volkes, mit dem Gott etwas Besonderes vorhatte und das bis heute erhalten geblieben und damit eines der ältesten Völker der Geschichte geworden ist. *pj*

? Interessieren Sie sich für Gottes Versprechen?

! Viele davon gelten heute noch immer und warten darauf, auch an Ihnen erfüllt zu werden.

Hebräer 11,8-12.17-20

2. März 22

Mittwoch

Er spricht nicht: »und seinen Nachkommen«, wie bei vielen, sondern wie bei einem: »und deinem Nachkommen«, und der ist Christus.

Galater 3,16

Wenn Gott ein Versprechen gibt … (2)

Gottes Versprechen an Abraham, war von ungeheurer Tragweite. Denn in der Linie seines Sohnes Isaak sollte Jahrhunderte später ein weiterer Nachkomme geboren werden, der nun aber nicht einfach eine Familientradition fortsetzte, sondern ein ganz neues Volk begründete. Das ist in der Welt noch viel einzigartiger als das Volk Israel. Zu diesem Volk kann nämlich – unabhängig von seiner natürlichen Abstammung – jeder gehören, der sich Jesus Christus, seinem Begründer, im Glauben anschließt. Somit gilt das vor bald 4000 Jahren dem Abraham gegebene Versprechen nicht nur einem Einzelnen damals, sondern allen Menschen bis heute, wie Paulus nachweist.

Gottes Plan war es nämlich, seinen Segen allen Menschen zukommen zu lassen, und in seinem Sohn Jesus Christus erfüllte sich das – aber auf eine wundersame Weise: »indem er ein Fluch für uns geworden ist« (Galater 3,13).

Bevor der Segen kam, musste jemand zum Fluch werden. Warum das? Fluch und Segen gründen sich auf Gottes Gesetzgebung: Segen für den, der sein Gesetz erfüllt, Fluch für solche, die es übertreten. Und an Letzterem sind wir alle schuldig geworden, weshalb wir auch alle unter dem Fluch, d. h. Todesurteil stehen. Weil aber Gott seinen eigenen Sohn zum Fluch werden ließ und das Todesurteil an ihm vollstreckt wurde, ist nun der Weg zum Segen, d. h. ewigen Leben, frei für alle, die sein stellvertretendes Sterben für sich in Anspruch nehmen.

Im Gegensatz zu Abraham und Sara brauchen wir heute nicht mehr darauf zu warten, dass sich Gottes größtes Versprechen endlich erfüllt. Das ist nämlich schon vor 2000 Jahren geschehen. Allerdings müssen wir es noch persönlich in Anspruch nehmen. Und das geschieht ganz einfach im Gebet.

pj

? Worauf warten Sie noch?

! Den Segen Gottes in Christus sollte man sich nicht entgehen lassen.

2. Korinther 1,18-22

Der Herr wird gebieten dem Segen,
dass er mit dir sei in deinem Keller
und in allem, daran du deine Hand legst.
5. Mose 28,8

Wenn Gott ein Versprechen gibt ... (3)

Kann man Gott heute noch beim Wort nehmen? Bei welchen seiner Worte denn? Offensichtlich sind doch die Adressaten in der Bibel ganz unterschiedlich. Woher weiß man also, dass einem eine Verheißung, ein Versprechen Gottes wirklich gilt? Genauso falsch, wie Gottes Wort überhaupt nicht ernst zu nehmen, wäre, es ohne Berechtigung für sich in Anspruch zu nehmen.

Eine große Hilfe, das zu klären, war mir das Andachtsbuch »Kleinode göttlicher Verheißungen« von Charles H. Spurgeon. Darin stellt er für jeden Tag eines Jahres eine Verheißung Gottes vor und schreibt dazu: »Gottes Verheißungen sind der besondere Schatz der Gläubigen: die Substanz des Erbes des Glaubens liegt in ihnen. Alle Verheißungen unseres Gottes gehören uns, und wir können sie als unseren persönlichen Besitz behalten. Durch den Glauben empfangen und umarmen wir sie, und sie machen unseren wahren Reichtum aus.« Mehrere Jahre habe ich dieses Andachtsbuch fast täglich gelesen und dabei gelernt, Gottes Zusagen wirklich ernst zu nehmen.

Einmal erlebte ich – noch als Junggeselle – Folgendes: Nach längerer Zeit stand für mich ein Umzug an. Vieles, was sich über Jahre angesammelt hatte, musste aussortiert werden. Das konnte ich nur selbst tun, während ich beim Transport Hilfe hatte. Ganz zum Schluss stand mir noch der Keller bevor, und die Luft war schon ziemlich raus bei mir. Da las ich an genau diesem Tag in Spurgeons Buch den oben zitierten Tagesvers. Unfassbar! Gott hatte sogar für meine so spezielle Situation genau den Zuspruch, der mich froh machte und mir die Kraft gab, diese letzte Etappe auch noch durchzustehen. Ich war einfach nur dankbar, wieder einmal zu erleben: Gott lässt mich nicht im Stich – in welcher Lage auch immer ich bin.

pj

?
Wie denken Sie über Gott?

!
Ein Gott, der Versprechen gibt und hält, ist etwas Einmaliges und Unüberbietbares.

5. Mose 28,1-14

4. März 22

Freitag

Wenn wir unsere Sünden bekennen, ist er treu und gerecht, dass er uns die Sünden vergibt und uns reinigt von jeder Ungerechtigkeit.

1. Johannes 1,9

Wenn Gott ein Versprechen gibt … (4)

Schon wieder ein Flecken! Ob der wohl wieder rausgeht? Für meine Mutter waren solchen Flecken ein Albtraum, besonders wenn es sich um Kleidungsstücke handelte, die man seinerzeit nicht einfach in die Waschmaschine stecken konnte, weil sie dann nämlich ruiniert waren. Da blieb nur noch der Gang in die Reinigung, die die Garantie gab, dass man die Jacke, Hose oder den Rock unbeschadet wieder zurückerhielt. Was für eine Erleichterung, wenn man das Kleidungsstück dann »so gut wie neu« in Empfang nehmen konnte!

Kennen Sie das Versprechen Gottes im Tagesvers? Da geht es auch um Reinigung, allerdings um eine innere Reinigung. Es ist ähnlich wie mit den Flecken, vor denen meine Mutter kapitulierte, weil sie sie nicht selbst entfernen konnte. Das können wir auch mit unseren Sünden nicht. Da müssen wir zu dem gehen, der sie uns wegnehmen kann, damit wir dann tatsächlich wieder »wie neu« sind. Wo liegt denn unser Problem mit den Sünden? Wir können sie nicht ungeschehen machen. Und sie wirken nach, ob wir es wollen oder nicht. Die erste Lüge zwingt uns zu weiteren. Der Hass auf jemanden droht, über uns hinwegzurauschen und uns vollends mitzureißen. Die Gier nach mehr Erfolg, Reichtum, Ansehen und Glück verleitet uns zum Betrug, zum Diebstahl, zum Unrecht an anderen. Das werden wir nicht mehr los – oder doch?

Genau hier greift das Versprechen, das Gott uns gibt. Wenn wir ihm unsere Sünden bekennen, dann vergibt er und reinigt uns von aller Ungerechtigkeit. Können Sie sich das vorstellen? Alles loszuwerden, was Sie belastet? Nichts mehr verstecken oder übertünchen zu müssen? Was für eine Erleichterung, wenn man damit zu Gott gegangen und dann tatsächlich »so gut wie neu« geworden ist! *pj*

? Glauben Sie diesem Versprechen Gottes?

! Es gilt tatsächlich für jeden und zu jeder Zeit.

Psalm 65

5. März 22

Samstag

**Petrus aber antwortete ihm und sprach:
Herr, wenn du es bist, so befiehl mir,
auf dem Wasser zu dir zu kommen!**

Matthäus 14,28

Petrus und der Pinguin

Den Touristen bot sich ein spannendes Schauspiel: Bei einem Bootsausflug in der *Gerlache-Straße* in der Antarktis befanden sie sich plötzlich mitten in einer Verfolgungsjagd. Ein kleiner Eselspinguin wurde von Schwertwalen gejagt. Einige Urlauber filmten die Fluchtversuche des Pinguins, während andere ihn mit »Komm, Komm!«-Rufen zu den Booten lockten. Tatsächlich schwamm der Pinguin auf eines der Schlauchboote zu und hüpfte den Walen mit einem beherzten Sprung von der Speisekarte ins Boot hinein. Das Video war im März 2021 auf vielen Nachrichtenkanälen zu sehen.

Für einen Pinguin ist es ungewöhnlich, das gewohnte Lebenselement Wasser zu verlassen, um auf einem Boot Sicherheit zu suchen. Petrus, einem der Jünger von Jesus Christus, ging es genau umgekehrt. Als Fischer war er im Boot zu Hause. Doch dann beobachtete er, wie Jesus Christus auf dem Wasser ging. Statt in der Sicherheit seiner gewohnten Umgebung zu bleiben, bewegte ihn sein Glaube an Jesus zum ungewöhnlichsten Schritt, den er bis dahin gegangen war: Nachdem Jesus auf seine Bitte hin »Komm!« gerufen hatte, wagte er den Schritt über den Bootsrand auf das Wasser hinaus. Petrus zeigte damit, dass sein Glaube mehr als nur eine theoretische Annahme über die Macht von Jesus Christus war. Er war davon überzeugt, dass die Kraft von Jesus auch in seinem Leben wirken konnte. So wagte er im Glauben einen Schritt, der über alle seine bisherigen Erfahrungen hinausging.

Wenn ich die beiden Begebenheiten vergleiche, frage ich mich: Wem gleiche ich mehr? Dem Pinguin, weil ich mich nur »sprungbereit« an Jesus wende, wenn ich sonst keinen anderen Ausweg mehr sehe? Oder dem Petrus, weil ich täglich im Alltag damit rechne, dass er mir helfen will?

dr

Welche Schritte des Glaubens sind Sie bereits gegangen?

Jesus ruft Sie, zu ihm zu kommen – für Ihre ewige Rettung wie auch für konkrete Schritte im Alltag.

Matthäus 14,22-33

**Im Anfang war das Wort,
und das Wort war bei Gott, und Gott war das Wort.**
Johannes 1,1

Ist Jesus Gott?

Ob Jesus Gottes Sohn ist oder nicht, ist die bedeutendste Frage überhaupt, denn von ihrer richtigen Beantwortung hängt unser ewiger Verbleib ab. Nur die Bibel kann uns diese Frage beantworten:

1. Jesus hat die Macht, Sünden zu vergeben: Als man einen Gelähmten zu Jesus brachte und er ihn von der Sünde befreite, kritisierten einige Schriftgelehrte: »Wie redet der so? Er lästert Gott! Wer kann Sünden vergeben als Gott allein?« (Markus 2,7). Sie wussten in biblisch korrekter Weise, dass nur Gott Sünden vergeben kann. Daraus hätten sie schließen können: Der, der hier vor uns steht, muss Gott sein!

2. Die Autorität Jesu: Jesus erklärte in Johannes 5,19: »Der Sohn kann nichts von sich aus tun, sondern nur, was er den Vater tun sieht; denn was dieser tut, das tut gleicherweise auch der Sohn.« Wer kann alles tun, was Gott tut? Doch nur, wenn er auch Gott ist!

3. Die Anbetung Jesu: Nach der Bibel darf nur Gott angebetet werden – kein Engel, kein Mensch, auch nicht Maria und keine Heiligen! (Offenbarung 22,8-9). Auf viele Weise wird Jesus angebetet. Dies belegt, dass er Gott ist. Hier einige Belege: Bei der Steinigung des Stephanus betet dieser zu Jesus: »Herr Jesus, nimm meinen Geist auf!« (Apg 7,59). Nach Hebräer 1,6 betet die gesamte Engelwelt Jesus an: »Und es sollen ihn (= Jesus) alle Engel Gottes anbeten.«

4. Weitere Bestätigungen der Gottheit Jesu finden wir in Römer 9,5: »Christus ..., der da ist Gott über alles, sei gelobt in Ewigkeit. Amen.« In einem Loblied zur Ehre Gottes wird Jesus als der allmächtige Gott bezeichnet: »Und sie singen ... das Lied des Lammes: Groß und wunderbar sind deine Werke, Herr, Gott, Allmächtiger!« (Offenbarung 15,3; ELB).

gi

? Ist Ihnen bewusst, dass Jesus der einzige Weg zum Himmelreich ist?

! Wer Jesus annimmt, hat Gott gefunden.

Johannes 1,1-18

7. März 22

Montag

Da sprach Jesus zu den Juden, die an ihn glaubten: Wenn ihr in meinem Wort bleibt, so seid ihr wahrhaftig meine Jünger, und ihr werdet die Wahrheit erkennen, und die Wahrheit wird euch frei machen! **Johannes 8,31-32**

Ein gefälschter Lebenslauf!

Plötzlich fiel das ganze Kartenhaus zusammen: Die über Jahrzehnte aufgebaute Lebenslüge war aufgedeckt. Die SPD-Politikerin Petra Hinz hatte ihren Lebenslauf grob verfälscht: Das erreichte Abitur war erfunden, ebenso wie das darauffolgende Jura-Studium und ihre Arbeit als Anwältin. Die Bundestagsabgeordnete musste viel Häme und Kritik über sich ergehen lassen und gab schließlich ihr Mandat zurück. Ihre Lüge begann schon früh, wie sie in einem Interview sagte: »Ich habe meine Eltern und meine Familie angelogen, und dann hat sich das wie ein roter Faden weiter durch mein Leben gezogen.«

Was treibt einen Menschen an, jahrelang seine eigene Familie anzulügen die berufliche Karriere auf einer Unwahrheit aufzubauen? Leistungsdruck? Scham? Gerissenheit? Selbstbetrug? Was auch immer es ist, der Fall zeigt deutlich auf, wie gefährlich ein Leben in Unwahrheit und Lüge ist. Wer andere und womöglich sich selbst anlügt oder verbirgt, was man sich hat zuschulden kommen lassen, baut sein Lebenshaus auf wackligen Füßen. Irgendwann kommt die Wahrheit doch ans Licht, und bis dahin muss man immer fürchten, dass es bald so weit sein könnte.

Jesus bietet eine bessere Alternative: Er verspricht seinen Jüngern, dass sie »die Wahrheit erkennen werden«, die sie »frei machen« wird. Damit ist jedoch viel mehr gemeint als bloßes »Nicht-Lügen«. Ein Leben in Wahrheit meint, offen und ehrlich vor Gott und den Menschen zu leben und in der Beziehung zu Gott zu erkennen, wie man selbst ist und wie Gott ist und die Welt beschaffen ist. Selbst lange versteckte Schuld können wir dann ans Licht bringen in dem Wissen, dass Gott gerne vergibt und keinen perfekten Lebenslauf von uns erwartet. *slü*

?

In welchem Lebensbereich verbergen Sie etwas oder leben Sie nicht ganz ehrlich?

!

Lassen Sie sich auf ein Leben in Wahrheit ein! Ein guter erster Schritt kann der Blick in die Bibel sein, die uns viel über Gott und uns selbst verrät.

Johannes 4,1-30

**So lehre uns denn zählen unsere Tage,
auf dass wir ein weises Herz erlangen.**
Psalm 90,12

Die Uhr des Mr. Spock

Von Leonard Simon Nimoy (1931–2015), Sohn jüdisch-ukrainischer Einwanderer und besser bekannt als Mr. Spock aus den »Star-Trek«-Filmen, wird berichtet, dass er eine Uhr trug, die rückwärtslief. Auslöser war die von Nimoy in Auftrag gegebene Lebenserwartungsberechnung bei einer Lebensversicherung. Anhand der Daten zum Alter und Gesundheitszustand war das voraussichtliche Ende errechnet worden. In einem in der »Welt am Sonntag« veröffentlichten Interview im März 2015 sagte Nimoy dazu: »Das hat mir die Augen geöffnet. Es war eine Vergewisserung, wie schnell die Zeit vergeht und wie viel mir noch bleibt.« Fortan trug er eine Uhr, die ihm rückwärts tickend täglich anzeigte, wie viele Jahre ihm nach der Berechnung der Versicherungsgesellschaft noch blieben. Faszinierend! Zur Zeit der Veröffentlichung des Interviews war er dann bereits einen Monat tot.

Wir zählen unser Leben nach Jahren. Aber diese Sprünge scheinen zu groß zu sein, wenn man seine Vergänglichkeit nicht aus den Augen verlieren will. Gott empfiehlt im heutigen Tagesvers andere Zähleinheiten – nämlich Tage. Nicht »Lehre uns zählen unsere Jahre«, sondern »Lehre uns zählen unsere Tage«.

Das Zählen der Tage hat ein Ziel: »... damit wir ein weises Herz erlangen.« Das Zählen soll uns zu einem weisen Herz führen. Ein weises Herz, das danach fragt, was es mit den verbleibenden Tagen machen soll. Ein weises Herz, das begreift, dass das Zählen der Tage zur Erkenntnis der eigenen Vergänglichkeit führt und dass mit jedem weiteren gezählten Tag das persönliche Ende immer näher kommt. Ein weises Herz, das sich seines Verfallsdatums bewusst ist und deshalb aufhört, seine Zeit zu vergeuden, und vielmehr weise mit dem kostbaren Gut von Stunden und Tagen umgeht. *vdm*

Haben Sie so ein weises Herz?

Die Lebenszeit ist richtig genutzt, wenn man im Blick auf die Ewigkeit Vorsorge betreibt.

Psalm 90

Ich danke dir dafür, dass ich erstaunlich und wunderbar gemacht bin; wunderbar sind deine Werke, und meine Seele erkennt das wohl!

Psalm 139,14

Alles Ansichtssache?!

»Könntest du bitte dieses Foto bearbeiten? Ich vertraue darauf, dass du alles Notwendige tust, um mich möglichst schön aussehen zu lassen«, schrieb eine junge Reporterin im Jahr 2014 an 25 Grafikdesigner aus ebenso vielen unterschiedlichen Ländern. Die Ergebnisse waren erstaunlich: Es kamen 25 absolut verschiedene Fotos dabei heraus. Die junge Frau stellt resümierend fest, dass neben den vermeintlich »allgemeingültigen« Schönheitsidealen der persönliche Sinn für Ästhetik des Designers eine erhebliche Rolle spielte. Nach dem Lesen dieses Experiments wurde mir einmal mehr bewusst, dass Schönheit Ansichtssache ist. Was der eine schön findet, ist in den Augen des anderen nur durchschnittlich. Viele Menschen eifern also einem Schönheitsideal nach, das nicht eindeutig festzulegen ist – verrückt, oder?

In der Bibel können wir in Psalm 139 lesen, dass Gott uns erstaunlich und wunderbar gemacht hat. Der menschliche Körper in seiner Komplexität, Funktionalität und Ästhetik lässt uns über den Schöpfer staunen. Dieser Schöpfer scheint Vielfalt zu lieben, weshalb es eben große, kleine, blonde, dunkelhaarige und alle anderen möglichen Arten von Menschen gibt.

Allerdings sehen wir, dass die Sünde in vielerlei Hinsicht dieses wunderbare Werk Gottes beeinträchtigt. In unseren Herzen machen sich hässliche Dinge wie Hass, Neid und Ärger breit. Dazu nagt der Zahn der Zeit an unseren Körpern und es machen sich Abnutzungserscheinungen bemerkbar, die das Genmaterial betreffen. Wir bedürfen der Erlösung, innerlich wie äußerlich. Diese können wir bei Gott bekommen, der schon jetzt unsere bösen Herzen reinigen und uns in der Ewigkeit einen neuen, perfekten Körper schenken will. *acb*

Woran machen Sie Ihre Schönheitsideale fest? An innerer oder äußerer Schönheit?

Jesus Christus ist am Kreuz gestorben, damit unser Inneres »schön« wird.

Psalm 139,13-18

10. März 22

Donnerstag

**Die Welt vergeht mit ihrer Lust;
wer aber den Willen Gottes tut, der bleibt in Ewigkeit.**
1. Johannes 2,17

Ist guter Rat teuer?

07:30 Nach dem Gottesdienst treffen sich ein Rechtsanwalt und ein Arzt, um sich noch ein wenig zu unterhalten. Da fragt der Arzt: »Sag mal, wirst du in deiner Freizeit auch immer wieder um fachlichen Rat gefragt?« Der Anwalt antwortete: »Früher schon, aber das habe ich zwischenzeitlich abgestellt.« – »Wie hast du denn das gemacht?«, wollte der Arzt wissen. »Das war eigentlich ganz einfach. Ich habe jedem, der mich um Rat gefragt hat, eine Rechnung geschickt.« Der Arzt meinte darauf, »das ist ja eine brillante Idee, das werde ich auch versuchen.« Als der Arzt am nächsten Tag in seine Praxis kam, lag dort eine Rechnung vom Anwalt im Briefkasten.

Guter Rat ist teuer, sagt ein altes Sprichwort. Da ist etwas dran, und nicht nur dann, wenn man einen Rat bei einem Anwalt einholt. Dafür hat ein solcher nämlich viel investiert. Deshalb stellt er es in Rechnung, damit sich diese hohe Investition für ihn am Ende auch bezahlt macht.

Ich habe heute eine gute Nachricht für Sie. Wer einen guten Rat für sein Leben, für die Gegenwart und Zukunft braucht, bekommt diesen in der Bibel. Dort erhalten Sie den besten Rat für Ihr Leben und das – für Sie – völlig kostenlos. In Matthäus 11,28 steht: »Kommt her zu mir, alle, die ihr mühselig und beladen seid; ich will euch erquicken.« Jesus Christus rät Ihnen, zu ihm zu kommen, denn er kann Ihnen Ihre Sündenlast abnehmen. Sie dürfen zu ihm kommen mit allem, was Sie belastet, und neue Hoffnung schöpfen. Nicht nur dieser Rat ist für Sie kostenlos, sondern auch Ihre Errettung. Denn den Preis dafür hat der Ratgeber selbst bezahlt, und zwar mit seinem kostbaren Leben. Aber auch hier zahlt sich die Investition aus, denn am Ende sind Menschen für Gott gewonnen, die in Ewigkeit sein Eigentum bleiben. *rr*

? Bei wem holen Sie sich Rat?

! Es gibt nur einen, der wirklich helfen kann: Jesus Christus.

Psalm 32

11. März 22

Freitag

**Du wirst alle ihre Sünden
in die Tiefen des Meeres werfen!**
Micha 7,19

Endlager gesucht

Dieses Jahr ist es so weit: Die letzten Atomkraftwerke in Deutschland sollen endgültig vom Netz gehen. Abschalten, stilllegen, abreißen. Doch leider ist die Sache nicht ganz so einfach. Obwohl der allergrößte Teil eines Kernkraftwerks genauso leicht zu entsorgen ist wie eine Fabrikhalle, bleibt doch ein Rest von radioaktiv belastetem Material übrig. Die Experten sind uneins darüber, wie diese strahlenden Abfälle am geeignetsten entsorgt werden sollen. Während die einen ein Endlager im Salzbergwerk bevorzugen, sagen die anderen, dass es für Atommüll keine finale Lagerstätte gibt.

Fast so lange ich denken kann, gab es Atomkraftgegner, Proteste und Demos. Erst die Katastrophe von Fukushima 2011 führte in Deutschland zu einem Umdenken in der Energiefrage, und es ist immer noch keine Lagerstätte gefunden für den strahlenden Abfall. Zu Recht kann befürchtet werden, dass noch viele Generationen mit diesem Sondermüll zu tun haben werden.

Eine andere Sache lässt sich noch schwieriger aus der Welt schaffen: die Sünde. Sie bleibt auf ewig am Menschen haften, wenn sie nicht »fachgerecht entsorgt« wird. Das Endlager für Sünde wird im Tagesvers bildhaft beschrieben. Der Experte für Sünden-Entsorgung heißt Jesus Christus! Er hat am Kreuz von Golgatha die Sündenschuld der Welt auf sich genommen. Wer das im Glauben annimmt, der hat das Endlager für seine Schuld und Sünde gefunden. Dass dieses Endlager wirklich sicher ist, wird ebenso mit dem Tagesvers illustriert. Niemand von uns ist in der Lage, aus der Tiefsee etwas heraufzuholen. Genauso wenig wird Gott unsere Sünde hervorholen, weil sein Sohn bereits dafür bezahlt hat.

bo

? Wohin bringen Sie ihre Sünden?

! Laden Sie ihre Sünden bei Jesus ab!

Psalm 40,1-5.12-14.17-18

Übrigens, Brüder, alles, was wahr, alles, was ehrbar, alles, was gerecht, alles, was rein, alles, was liebenswert, alles, was wohllautend ist, wenn es irgendeine Tugend und wenn es irgendein Lob gibt, das erwägt! Philipper 4,8

Seelenspeise

Es ist nun schon viele Jahrzehnte her, dass in der alten Pariser Pferderennbahn, dem Hippodrom, zwei Brüder als Clowns ihre Possen trieben und dabei auch gefährliche akrobatische Kunststücke vorführten. Das Publikum war begeistert, als plötzlich einer der beiden Clowns abstürzte, der andere eilig vom Hochseil kletterte und sofort ein herzzerreißendes Geschrei anstimmte. Die Leute klatschten wegen des gelungenen Gags. Aber die Schreie waren echt, und der Abgestürzte war tot. – Als das bekannt wurde, schlichen die Leute betreten und stumm heim. Sie hatten ihr Eintrittsgeld für einen aufregenden Nervenkitzel bezahlt. Als sie jedoch persönlich dem Tod in dessen leere Augenhöhlen starrten, machten sie sich davon.

Meiner Tageszeitung liegt jede Woche eine Vorschau der kommenden Fernsehsendungen bei. Vorrangig geht es da um die ganze Bandbreite der Bosheiten, die sich Menschen gegenseitig antun mögen: Verrat, Hinterlist, Quälerei, Schikane, Treulosigkeit und Mord. Offensichtlich kommt das bei den meisten Zuschauern gut an. Krimis und Ähnliches scheinen eine ganz beherrschende Saite in ihren Herzen zum Schwingen zu bringen. Aber besonders die Kinder, die mit diesem Genre groß werden, sind herzlich zu bedauern, zumal die Hemmschwelle, etwas Derartiges selbst tun zu wollen, durch solche Bilder immer niedriger wird.

Sehen wir unseren Tagesvers an, so geht eine viel hellere Welt vor uns auf. Leider müssen wir uns darauf gefasst machen, dass die da vertretenen Werte nur noch als Schnulze und frommer Quatsch abgetan werden. Aber das sollte uns nicht davon abhalten, unsere Kinder im Lichtglanz dieses Verses aufwachsen zu lassen. Gott möge Ihnen dabei behilflich sein!

gr

Woraus besteht das geistige Futter, das Ihre Kinder täglich bekommen?

Die heile Welt gibt es nicht mehr; sie kann aber in jedem Herzen ein wenig wachsen.

Sprüche 3

Sonntag

13. März 22

**Eure Missetaten trennen euch von eurem Gott,
und eure Sünden verbergen sein Angesicht vor euch,
dass er nicht hört!**

Jesaja 59,2

Das Seenotspiel

Kennen Sie das Seenotspiel? Falls nicht: Achtung, Spoileralarm! Ich verrate Ihnen gleich fast die komplette Lösung. Sie befinden sich eintausend Meilen vom Festland entfernt auf einer großen Jacht. Das Schiff beginnt zu sinken, und Sie müssen überlegen, welche Dinge Sie mit auf ein Rettungsboot nehmen. Die 15 folgenden Gegenstände sollen Sie dabei nach Wichtigkeit priorisieren:

Angel samt Zubehör, 10 Liter Dieseltreibstoff, Harpune, 4 m^2 Kunststofffolie, Moskitonetz, Notrationen (Nahrung), 5 m Nylonseil, 2 Liter hochprozentiger Rum (80 %), 2 Kartons Schokolade, Schwimmweste, Seekarte, Sextant, kleiner Spiegel, Transistorradio (inkl. Batterien), 20 Liter Trinkwasser.

Na, wie sieht Ihre Antwort aus?

Angeblich haben erfahrene Seeleute der US Navy empfohlen, vor allem die Dinge mitzunehmen, mit denen man auf sich aufmerksam machen kann und die dazu dienen, möglichst lange zu überleben. Also z. B. Trinkwasser, Nahrung und den Spiegel. Alle Gegenstände, die der Koordination dienen oder gar dem Versuch, ans Festland zu kommen, sollte man auf der Jacht lassen. Der Weg wäre einfach zu weit.

Bei diesem Spiel denke ich oft an die Beziehung von uns Menschen zu Gott. Wir sind meilenweit von ihm entfernt, und jeder Versuch, aus eigener Kraft zu ihm zu kommen, ist vergeblich. Der Weg ist zu weit, unsere »Missetaten«, wie es der Tagesvers sagt, trennen uns von Gott. Unsere einzige Chance: Hilfe von außen! Wir brauchen jemanden, der uns rettet. Nicht wir überwinden die Trennung, sondern Gott. Jesus Christus kam, um zu suchen und zu erretten, was verloren ist. Wer sich retten lässt, dem werden die Sünden vergeben, und es beginnt eine vertrauensvolle Beziehung.

tcb

Was tun Sie, um die Trennung von Gott zu überwinden?

Jesus Christus hat sie längst überwunden und ruft uns zum Glauben auf.

Johannes 6,16-21

Er wird nicht ermatten und nicht zusammenbrechen, bis er auf Erden das Recht gegründet hat, und die Inseln werden auf seine Lehre warten.

Jesaja 42,4

So viel Leid

Angesichts der täglichen Nachrichten, in denen scheinbar nur die schlimmsten es wert sind, Erwähnung zu finden, wächst die Sehnsucht nach Gerechtigkeit und Frieden. Die Menschen sehen im TV, wie Kinder im Meer ertrinken, Erdbeben Familien in ihren Häusern verschütten, Politiker Morddrohungen erhalten oder tatsächlich ermordet werden, Synagogen angegriffen werden, Meere voller Plastikmüll, von Priestern missbrauchte Kinder, Kriege um Öl u. v. m. Nach den Nachrichten kommt der »Tatort«, und selbst schreckliche Filmszenen erscheinen gewohnt normal. Was ist bloß los mit dieser Welt?

Der heutige Tagesvers stammt aus dem Alten Testament (ca. 700 v. Chr.) und drückt eine der vielen Vorhersagen über den kommenden Messias, den »Friedefürsten«, aus. Da Jesus Christus, der Messias, bereits vor über 2000 Jahren auf der Erde gewirkt hat und die Ungerechtigkeit kein bisschen weniger geworden ist, könnte man sich fragen, was er denn erreicht hat: »Wo ist Gott bei all dem Leid? Warum lässt er das alles zu?«

Erstens denke ich, dass Gott uns sehen lassen will, wohin die Gottlosigkeit der Menschen führt, und zweitens müssen wir lernen, dass wir dermaßen verloren sind, dass auch größtes Leid die allermeisten Menschen nicht zur Umkehr anleitet, sondern die einen zum Machtmissbrauch, die anderen zu schlimmster Gleichgültigkeit und wieder andere zu zähneknirschender Wut verleitet.

Für sehende Augen ergibt sich daraus dann doch die Erkenntnis, dass wir Gott suchen müssen; denn sein Angebot besteht seit der Kreuzigung und Auferstehung seines Sohnes, Jesus Christus, immer noch. Jetzt kommt es nur noch darauf an, dass wir unseren Stolz überwinden und demütig um Gnade bitten. *dbe*

? Warum ist der Stolz des Menschen das größte Hindernis, in den Himmel zu kommen?

! Begegnen Sie Gott doch lieber als Ihrem Erlöser anstatt als Ihrem Richter!

Psalm 41

Dienstag

Wie viele sind deiner Werke, HERR!
Du hast sie alle mit Weisheit gemacht;
die Erde ist voll deiner Reichtümer.
Psalm 104,24

Kein Hammerhai – aber ein Schraubenei

Sie sind überall – im Auto und der Waschmaschine, in der Armbanduhr und im PC, im Bett und im Kleiderschrank. Weil sie so selbstverständlich sind, nehmen wir sie kaum wahr und bemerken sie erst, wenn mal eine fehlt oder locker ist. Schrauben sind aus unserem Alltag nicht wegzudenken. Das geniale Prinzip, dass ein Körper mit spiralförmigem Gewinde bei Drehung eine Vorwärtsbewegung mit großer Kraft erzeugen kann, wird milliardenfach genutzt. Eine brillante Erfindung menschlicher Ingenieure, oder?

Ich staunte nicht schlecht, als ich neulich mit meinen Kindern von Haien hörte, die schraubenförmige Eier legen. Tatsächlich gibt es im Südpazifik einige Haiarten wie den *Port-Jackson-Hai*, deren Eier von einer harten Spirale umgeben sind. Hin und wieder werden an australischen Stränden solche ungewöhnlichen Eier angespült und als kuriose Fundstücke gesammelt. Ansonsten bekommt man die Schraubeneier kaum zu Gesicht, da die nachtaktiven Haie ihre Eier in steinigen Unterschlüpfen und Höhlen in den Flachriffen des Pazifiks abseits menschlicher Zivilisation ablegen. Die Spiralschale hilft dabei dem Weibchen, das Ei in eine Felsspalte zu »schrauben«, damit es sicher und geschützt ist. Eine geniale Konstruktionsidee – aber von wem?

Ich finde es naheliegend, in diesem faszinierenden Detail der Natur Gott als Konstrukteur zu sehen, der das Schraubenprinzip schon in seiner Schöpfung in der Unterwasserwelt zum Einsatz kommen ließ, lange bevor es Menschen über Wasser verstanden haben und zu nutzen lernten. In seiner Schöpfung gibt es unzählige solcher genialen Konstruktionen, die jeden Ingenieur begeistern können. Wer mit offenen Augen die Natur studiert, kommt aus dem Staunen über den Schöpfer nicht mehr heraus.

kaa

Wann haben Sie zuletzt über ein Detail in der Natur gestaunt?

In der Natur lässt sich Gottes geniale Weisheit vielfach bewundern. Aber das größte Wunder ist, dass der Schöpfer persönlich erfahrbar ist.

2. Mose 33,17-23; 34,5-9

... dem Vater danksagend, der euch fähig gemacht hat zum Anteil am Erbe der Heiligen im Licht; er hat uns errettet aus der Macht der Finsternis und versetzt in das Reich des Sohnes seiner Liebe. Kolosser 1,12-13

Cloud Computing

Was ist eine *Cloud?* Darunter versteht man nach Wikipedia die internetbasierte Bereitstellung von Speicherplatz, Rechenleistung oder Anwendungssoftware als Dienstleistung. Wörtlich übersetzt bedeutet das Wort »Wolke« und erinnert damit an eine Ansammlung von »Teilchen« in einer »höheren Sphäre«, von der alle Zugangsberechtigten profitieren können. Ungefähr seit den 1990er-Jahren steht dieser Begriff für Teile einer Informationsarchitektur. An dieser *Cloud* kann man durch Datenaustausch mithilfe digitaler Technik von überall Anteil haben.

Das ist mit dem vergleichbar, woran Gott uns Anteil gibt, und was er uns in der Bibel mitteilt. Wir dürfen an seinen Gedanken Anteil haben. Hinter den Worten der Bibel steckt die ganze Realität der Gedanken und Pläne Gottes und seines himmlischen Reiches. Das alles will er uns nicht vorenthalten, sondern uns jetzt schon daran teilhaben lassen. Durch das Gebet können wir Kontakt zu ihm aufnehmen und jeder kann so Gott ganz individuell mitteilen, was ihn persönlich bewegt, bedrängt oder bekümmert. Diese Informationen verschwinden nicht irgendwo, sondern sie kommen tatsächlich bei ihm an.

Und wie funktioniert der »Datenfluss« andersherum? Mit der Mitteilung seiner Gedanken hat Gott schon vor Tausenden von Jahren begonnen. Und er hat dies durch Menschen unterstützt, die in seinem Auftrag gesprochen haben. Der Höhepunkt seiner Mitteilungen erfolgte, als er in Jesus Christus, seinem Sohn, als Mensch auf diese Erde kam. Und die Fortsetzung dessen geschah durch die Gabe seines Geistes an alle, die zu ihm umkehren und seinen Worten Glauben schenken. Das sorgt für eine bärenstarke Verbindung mit Gott, um an allem Anteil zu haben, was wir für unsere ewige Rettung brauchen. *pj*

? Wie läuft bei Ihnen der »Datenfluss«?

! Die »himmlische Cloud« ist für jeden, der an Jesus Christus glaubt, freigeschaltet und darf reichlich genutzt werden.

Kolosser 1,9-23

**Wir werden wir entfliehen,
wenn wir so eine große Errettung missachten?**
Hebräer 2,3

Wenn es endlich Rettung gibt

Gerhard Domagk (1895–1964) hatte als junger Soldat im Ersten Weltkrieg erschüttert miterlebt, wie viele Männer an infizierten Wunden starben, weil die Medizin noch kein Mittel gegen bakterielle Infektionen kannte. Er setzte es sich als Lebensziel, das zu ändern, und arbeitete zielstrebig und mit ungeheurem Fleiß. 1939 entdeckte er als Erster die antibakterielle Wirkung der Sulfonamide und erhielt dafür später den Nobelpreis für Medizin. Viele Jahre widmete er der Bekämpfung der Tuberkulose, an der wahrscheinlich die meisten Menschen starben – ehe Domagk erste wirksame Tuberkulostatika fand.

Sein Biograf beschreibt die eindrucksvolle Szene, als er seinem altgewordenen Hausarzt einen Besuch in Domagks altem Labor ermöglichte. Der Mediziner hatte selbst erlebt, wie durch die Forschung Domagks Menschen gerettet werden konnten, die vorher dem Tod geweiht gewesen waren. Fast ehrfürchtig blätterte er durch die Hunderte Seiten handgeschriebener Labornotizen, in denen Domagk seine komplizierten Versuche sorgfältig dokumentiert hatte. Mit Tränen in den Augen sagte der alte Arzt schließlich: »Die Menschheit wird nie ganz verstehen, was sie diesem Mann zu verdanken hat.«

Ein noch viel größerer Wohltäter der Menschheit ist Jesus Christus, denn dank seines Lebens und Sterbens können Menschen von den schrecklichen Folgen der Krankheit »Sünde« geheilt werden und wieder in Gemeinschaft mit Gott kommen. Wenn wir die Schritte seines Lebens in den Evangelien nachvollziehen, sollten wir da nicht auch Tränen in den Augen haben wie der alte Hausarzt beim Studium von Domagks Labortagebüchern? Ohne Jesus wären wir verloren. Auch wir werden wohl nie ganz verstehen, was wir seiner Hingabe und Liebe zu verdanken haben.

eli

Was empfinden Sie, wenn Sie über Jesu Lebenswerk nachdenken?

Wer weiß, dass er todkrank ist, wird jede Rettung dankbar annehmen.

Lukas 17,11-19

Wo ist nun meine Hoffnung?
Wer kann sie denn sehen?
Hiob 17,15

Wir sind Menschen, die hoffen!

07:30 Hoffnung ist etwas zutiefst Menschliches. Das fängt bereits in den Kinderjahren an: Vorfreude auf den Lieblingsnachtisch oder auf eine Geburtstagsparty. Später sind es Schulferien, das freie Wochenende und das Zusammensein mit Freunden. Hoffnung zielt nach vorne. Hoffnung gehört zu unserem Lebenselixier, sie ist der Sauerstoff unseres Lebens. Wenn wir keine hoffnungsvollen Ziele anpeilen, keine Zukunft vor uns sehen, führt uns das zur Resignation. Ohne Hoffnung kein Sinn.

Unsere ganze Sprache steckt voller Worte, die mit Hoffnung zu tun haben: Wunsch, Sehnsucht, Traum, Vorfreude, Verlangen, Erwartung, Ziel, Ehrgeiz, Absicht. Daran erkennen wir unzweifelhaft, dass Hoffnung ein zentrales Lebensthema ist. Und wir werden uns bewusst, wie oft sich bereits Wünsche oder Sehnsüchte in Luft aufgelöst haben: Der sehnsüchtige Wunsch nach einem Partner schien erfüllt zu werden, und plötzlich zerbrach die Beziehung. Ein Arbeitsplatz war in Aussicht. Man stellte sich bereits vor, wie erfüllend diese Arbeit sein würde, und dann bekommt man eine Absage. Die Vorfreude auf die Reise kehrt sich ins Gegenteil, weil man kurz davor erkrankt.

Ich kenne Menschen, die träumen einfach einen neuen Traum, wenn der aktuelle nicht in Erfüllung ging. Andere beschließen jedoch, dass es irgendwann reicht. Sie sind frustriert und beschließen, auf nichts mehr zu hoffen. Ihr Leben hat keinen Sinn mehr (Sprüche 13,12). Da ist es gut zu wissen, dass Gott für uns eine Hoffnung bereithält, die alles Irdische überragt. Er hat uns in Jesus Christus den Weg zu ewiger Freude, ewigem Trost, ewiger Gemeinschaft mit ihm eröffnet. Diese Hoffnung wird nicht enttäuscht werden, wenn wir uns von unseren egozentrischen Sehnsüchten abwenden und uns Gott und seinen ewigen Zielen zuwenden. *sew*

? Wo lösten sich Ihre Hoffnungen unverhofft in Luft auf?

! Suchen Sie diese eine Hoffnung, die von Gott ganz sicher erfüllt wird!

1. Petrus 1,18-21

Ich vergesse das Vergangene und schaue auf das, was vor mir liegt. Ich laufe mit aller Kraft auf das Ziel zu … Denn nach oben hat Gott uns durch Jesus Christus berufen.

Philipper 3,13-14

Wofür lohnt es sich zu leben?

Vor einiger Zeit unterhielt ich mich mit meinem jungen Physiotherapeuten über seine Ziele: das Studium erfolgreich abschließen, auf einer Hochschule unterrichten und mit der Partnerin ein Haus bauen – vorausgesetzt, er bliebe gesund, sagte er. Wir redeten darüber, dass das schöne Ziele wären, aber kein Ziel, welches das ganze Leben umfasst. Ein Lebensziel müsste größer sein.

Jeder von uns fragt sich irgendwann, was von seinem Lebenswerk bleiben wird. Wenn jemand weiß, wofür er lebt und ein klar definiertes Lebensziel hat, wird sein Leben sinnvoll und erfüllt sein. Viele Menschen lassen sich allerdings durchs Leben treiben, ohne darüber nachzudenken, worin ihr Lebensziel eigentlich besteht.

Eine zuverlässige Antwort finden wir nur, wenn wir uns an den Urheber des Lebens, an Gott, wenden. Die Bibel lehrt uns, dass Gott einen guten Plan für unser Leben hat: »Denn ich weiß, was für Gedanken ich über euch habe, spricht der HERR, Gedanken des Friedens und nicht des Unheils, um euch eine Zukunft und eine Hoffnung zu geben« (Jeremia 29,11). Gott hatte von Anfang an großartige Pläne für uns. Er hat die Welt geschaffen, damit wir sie bebauen, kultivieren und bewahren. Er wollte vor allem, dass wir in harmonischer Gemeinschaft mit ihm leben und für ihn da sind.

Nur wenn wir Gott kennen, verstehen wir, was das eigentliche Ziel unseres Lebens ist. Erst die Gemeinschaft mit Gott gibt unserem Leben eine tiefe Erfüllung. Unser Leben erhält einen Sinn, weil wir wissen, für wen wir leben – für Gott. Wenn Sie Ihr Leben auf Gott ausrichten, gewinnen Sie ein Lebensziel, das nicht durch Krankheit oder andere Schicksalsschläge erschüttert werden kann. Daher ist das höchste und beste Lebensziel ein Ziel, das in Gott verankert ist.

sew

? Haben Sie schon ein Lebensziel, das Sie durch Ihr ganzes Leben hindurchtragen wird?

! Richten Sie Ihr Leben auf Gott aus! Dann erreichen Sie das eigentliche Lebensziel.

Titus 3,3-7

Ihr wisst doch, dass fünf Spatzen für ein paar Cent verkauft werden. Doch nicht einer wird von Gott vergessen.
Lukas 12,6

Na, du kleiner Spatz!

Heute ist Welttag der Spatzen. Man sollte gar nicht glauben, für was es alles Gedenktage gibt. Allerdings hat ein Gedenktag für die Spatzen durchaus seine Berechtigung. Vielleicht ist ihnen auch schon aufgefallen, dass Sie viel weniger Spatzen sehen als früher. Früher waren Spatzen im städtischen Bereich quasi allgegenwärtig, besonders dann, wenn man im Freien gegessen hat. Das macht natürlich auch unsere Einschätzung des Wertes der Spatzen aus. Ein Spatz ist in unserer Vorstellung weit weniger bedeutsam als ein Rotkehlchen.

Jetzt hat sich die Lage allerdings deutlich gewandelt. Die Population ist stark zurückgegangen. Seit 2016 findet man den Spatz in Bayern sogar auf der Roten Liste der bedrohten Tierarten. Seitdem ist ein weiterer Rückgang von 20 % zu beobachten. Die Gründe dafür sind vielfältig. Besonders die Versiegelung von Hausfassaden zur Wärmeisolation hat den Spatzen die Möglichkeit genommen, dort ihre Nester zu bauen. Ebenso ist der Bewuchs mit Wildkräutern, die Lebensraum für Insekten bieten, zurückgegangen.

Nun würden wir vielleicht einen Rückgang der Spatzenpopulation nicht besonders tragisch finden. Schließlich haben wir ja ganz andere Probleme. Faszinierend ist allerdings, dass uns die Bibel sagt, dass in Gottes Augen ein einzelner Spatz nicht unwichtig ist. Keiner wird von ihm vergessen. Gott hat den Kleinen, Geringen genauso im Blick wie den Großen, Starken. Wenn Gott ein einzelner Spatz nicht unwichtig ist, so kann ich gewiss sein, dass ich selbst als einzelner Mensch ihm auch bedeutsam bin. Er sieht mich und hat mich im Blick. Keine Schwierigkeit und Not ist ihm unbekannt, und er ist gern bereit, mir da hindurchzuhelfen. Ich muss mich ihm nur anvertrauen. *vb*

? Fühlen Sie sich auch manchmal so klein und unbedeutsam wie ein Spatz?

! Gott sagt uns zu, dass wir für ihn wichtig sind und er um uns besorgt ist.

Lukas 12,22-34

Montag

21. März 22

Und vergib uns unsere Schuld,
wie auch wir vergeben unseren Schuldigern.
Matthäus 6,12

Noahs Ärger

Unser kleiner Pflegesohn kam eines Tages ganz glücklich von der Schule nach Hause. Er war zum Klassensprecher gewählt worden und sehr stolz darauf. Doch schon am nächsten Tag sagte er frustriert: »Es ist echt schwer, ein Klassensprecher zu sein!« Ich fragte: »Warum denn?« Da brach es aus ihm heraus: »Ich musste ständig Streit schlichten! Ein Junge sagte sogar zu mir: ›Ich hasse dich!‹ Und dann beschimpfte er mich als Affen. Das ist so ungerecht!«

Abends war seine Sicherung völlig durchgebrannt. Seine Pflegeschwester hatte gegen die Flasche gehauen, die er gerade trank, und ihm damit wehgetan. Er wurde richtig zornig, es war ein schlimmer Tag gewesen. Ich versuchte, ihn zu trösten. »Lass uns das Vaterunser beten«, schlug ich ihm vor. »Nein!«, sagte er entschieden. »Ich weiß schon, warum du das willst. Wegen dem Verzeihen. Aber ich will nicht verzeihen!« Wütend lief er auf seine Schwester zu und warf sie auf den Boden. Was natürlich alles nur noch schlimmer machte.

Ja, Vergebung ist eine Herausforderung. Sie ist keine natürliche Reaktion, weder für Kinder noch für Erwachsene. Wie schwer fällt es uns, unserem Nächsten all die Ärgernisse, die sich am Tage so ansammeln, zu vergeben! Aber nicht umsonst steht diese Zeile im Vaterunser. Vergebung ist wichtig. Ohne sie machen sich Bitterkeit und Zorn in unserem Herzen breit. Ein Mensch, der nicht vergibt, kann nur unglücklich werden. Jemand sagte einmal: »Vergeben heißt, die Gefangenen freizulassen – und dann zu entdecken, dass ich der Gefangene war.«

Die größte Motivation zur Vergebung ist allerdings, wenn man sich bewusst ist, dass man selbst Vergebung nötig hat. Denn wo wären wir, wenn Gott uns nicht seine Vergebung anbieten würde? *sa*

Hegen Sie Groll gegen Ihren Nächsten im Herzen?

Man vergibt nicht, indem man vergisst. Man vergisst, indem man vergibt.

Matthäus 6,5-15

**Als Jesus diesen daliegen sah und wusste,
dass es schon lange Zeit so mit ihm war,
spricht er zu ihm: Willst du gesund werden?**

Johannes 5,6

Diagnose

Maria aus Penzlin hatte vom Arzt die Diagnose bekommen: Krebs! Sie sollte noch etwa fünf Monate leben. Nach einigen Operationen und einer ersten Chemotherapie befand sie sich nun in der Reha. Dort lernte sie eine Leidensgenossin kennen, die ihr Vertrauen auf Gott setzte. »Meinst du nicht, dass Beten jetzt helfen würde?«, wurde sie gefragt. »Warum beten?«, antwortete Maria. »Es gibt keinen Gott, der mir helfen könnte.«

Martin Luther sagte einmal: »Ganz gewiss muss ein Mensch an sich selbst verzweifeln, um für den Empfang der Gnade Christi bereitet zu werden«. Das Grundproblem des Menschen hat sich seit der Reformation in keiner Weise verändert. Daher ist auch im 21. Jahrhundert den Menschen nach Zwingli »ununterbrochen einzubläuen, dass Reue, Missfallen und Scham über uns selbst nötig sind, um zur wahren Selbsterkenntnis, damit zur Gotteserkenntnis und schließlich zur Bekehrung zu kommen«.

Gott ist nicht dafür zuständig, unser Ego aufzupolieren, sondern er will uns aus unserer Rebellion und Gottlosigkeit herausholen und uns mit sich selbst versöhnen. Er will aus Feinden Freunde machen, aus Sündern Heilige, aus Fernen Nahe und aus Toten Lebendige! Gott möchte uns mit sich selbst versöhnen!

Wir sind »säkularisiert«, wir haben Gott aus unserem Alltag weitgehend verbannt. Er spielt in unserem Denken bis auf wenige Ausnahmen keine Rolle mehr! Schade eigentlich. Denn der Weltenlenker, der Schöpfer und Planer unseres Lebens hat Gedanken des Friedens mit uns. Wie gut wäre es für uns, wenn wir ihn doch wieder erkennen würden! Das würde uns stark machen! Und auch von manchem, an dem wir leiden, heilen. *lü*

? Zu wem gehen wir, wenn wir in einer echten Lebenskrise stecken?

! Gott ist nur ein Gebet weit entfernt.

Psalm 17

Denn alles, was wir jetzt sehen, vergeht nach kurzer Zeit. Das Unsichtbare aber ist ewig.

2. Korinther 4,18

Errungenschaften versus Errettung

Der *Thunderbird* war sein Traumauto. Übrig blieb davon nur Schutt und Asche. Beim Brand eines Garagen-Komplexes waren am 23. März 2021 in Dorsten (NRW) mehrere wertvolle Autos und Wohnmobile zerstört worden.

Für Michael G. (61) ein Desaster. Sein Oldtimer, ein Ford *Thunderbird,* Baujahr 1956, stand in *einer* der Hallen. Der Presse gegenüber beklagte der Autoliebhaber: »Der Wagen war unglaublich schön und top restauriert. Ich habe ihn mir vom Geld aus der Lebensversicherung gegönnt. Einen vergleichbar gut erhaltenen Wagen werde ich nicht mehr finden.« Dabei war G. noch rechtzeitig am Unglücksort angekommen; Freunde hatten ihn informiert. »Als ich da war, schlugen die Flammen aus den hinteren Garagen, aus meiner aber noch nicht. Ich flehte die Feuerwehrleute an, dass ich den Wagen herausholen darf. Doch sie erlaubten es mir nicht, weil die Gefahr explodierender Gasflaschen zu groß war.« So musste Michael G. mit ansehen, wie sein creme-weißes Cabriolet in Flammen aufging.

Nichts in dieser Welt hat bleibenden Wert. Wer daher seine Errungenschaften wichtiger nimmt als seine Errettung, wird am Ende mit leeren Händen dastehen. Kein Auto, kein Haus, keinen Cent können wir mitnehmen, wenn wir sterben. Am Rande der Beisetzung eines reichen Fabrikanten wurde gefragt: »Wie viel hat er hinterlassen?« Einer der Anwesenden antwortete treffend: »Alles.« Wenn wir also alles Materielle allenfalls für eine überschaubare Zeit besitzen, warum bewegt es dann die meisten Menschen mehr als Gott und sein ewiges Reich? Am Ende unseres Lebens wird nicht überprüft werden, ob wir unsere Besitztümer in Ordnung gehalten haben, sondern ob die Mitte unseres Lebens der Herr und Retter Jesus Christus war. *wä*

Wenn man in Ihr Herz hineinschauen könnte, was würde man dort sehen?

»Denn euer Herz wird immer dort sein, wo ihr euren Schatz habt« (Lukas 12,34).

2. Korinther 5,1-10

Hätte ich Böses im Sinn gehabt, dann hätte der Herr nicht gehört. Gott aber hat mich erhört, er hat mein Beten vernommen.

Psalm 66,18-19

Teurer Stillstand

Letztes Jahr um diese Zeit war eine der wichtigsten Handelsrouten der Welt eine Woche lang blockiert. Ein 400 Meter langes und 59 Meter breites Containerschiff mit Namen »Ever Given« hatte sich im Suezkanal quergestellt und war auf Grund gelaufen. In den darauf folgenden Tagen stauten sich vor beiden Einfahrten mehr als 400 Schiffe, die Tausende Tiere transportierten, verderbliche Lebensmittel, Computerteile, Rohstoffe; u. a. 25 Öltanker lagen an den überfüllten Ankerplätzen fest. Lieferengpässe und steigende Preise waren die Folge. Das Unglück kostete die weltweit betroffenen Unternehmen 400 Millionen Dollar – und zwar pro Stunde! Immerhin werden durch den Suezkanal etwa 30 Prozent des internationalen Containervolumens verschifft.

Bei uns sitzt manchmal etwas quer, was die Verbindung zu dem Geber aller guten Gaben beeinträchtigt. Gottvertrauen fällt schwer. Gebete scheinen nicht durchzudringen. Mancher meint gar, dass Gott ihm noch nie »jemals etwas gegeben« (= »Ever Given«) hat. Ein Grund kann unser vollgestopfter Alltag sein. Oder unsere Erwartungslosigkeit gegenüber Gott. Oft ist es unser Dickkopf: Da hat Gott uns klargemacht, dass wir etwas tun oder auch nicht tun sollen – und dann tun wir es doch nicht oder lassen bestimmte Sachen nicht.

Sollten Sie sich hier ertappt fühlen, dann bitten Sie Jesus Christus um Vergebung! Warten Sie nicht damit! Sechs Tage hatte die Blockade im Sueskanal gedauert, bis die »Ever Given« freigelegt werden konnte und der Kanal wieder befahrbar war. Wie viele Tage (oder Jahre?) sind es schon bei Ihnen? Fest steht, dass jeder Tag ohne die Gaben und »Güter«, die Gott uns so gerne zukommen lassen will, ein enormer Verlust ist.

wä

? Können Sie mögliche Gründe für eine in der Andacht beschriebene Blockade benennen?

! Lassen Sie den »Kanal« zu Gott von Jesus »freischleppen«!

Psalm 66

**Ich bin die Tür; wenn jemand durch mich eingeht,
so wird er errettet werden
und wird ein- und ausgehen und Weide finden.**
Johannes 10,9

Die Tür ist offen

Vor Jahren hospitierte ich in einer Justizvollzugsanstalt. Ich kann mich gut an das mulmige Gefühl erinnern, als sich die Gefängnistore hinter mir schlossen. Ich musste alles abgeben, mein Handy usw. Dann wurde ich zu meinem Ausbilder gebracht. Der gab mir etwas sehr Wichtiges: den sogenannten »Durchgänger«. Denn anders als die Gefangenen durfte ich mich frei bewegen. Dort, wo Türen waren, hatte ich nun den passenden Schlüssel. Ich musste nicht warten, bis mir jemand öffnete.

Bei den Gefangenen ist das anders. Wenn sie auf dem Weg zur Dusche oder zum Arzt eine Tür passieren wollen, müssen sie warten, bis sie jemand durchlässt. Für sie ist jede Tür zunächst einmal verschlossen. Diese Erfahrungen teilte ich mit jemandem, der als Zahnarzt zeitweise in der JVA gearbeitet hatte. Die Tür zu seinem Behandlungszimmer war in der Regel geschlossen, aber nie verschlossen. Ein Gefangener, der zum Zahnarzt wollte, konnte diese Tür ohne Weiteres alleine öffnen und eintreten, um seine Zahnschmerzen loszuwerden. Allerdings hatte sich, so erzählte der Zahnarzt, die Realität der verschlossenen Türen so im Verhalten seiner Patienten eingebrannt, dass diese oft vor der – unverschlossenen – Tür warteten und sogar trotz Aufforderung (»Herein«) erst eintraten, wenn man ihnen die Tür persönlich öffnete. Verrückt, oder?

Mit dem Glauben an Jesus Christus ist es ähnlich. Wir Menschen befinden uns natürlicherweise in einem Gefängnis, dem der Sünde. Die Tür zu Gott ist daher an sich für uns verschlossen. In Jesus Christus haben wir aber eine offene Tür zu Gott, weil er die Schuld der Menschen beglichen hat. Allerdings muss ich durch diese offene Tür auch eintreten, sonst kann ich Gott nicht erreichen. *mm*

Wie würden Sie Ihr Verhältnis zu Gott beschreiben: geschlossene oder offene Tür?

Heute sollten wir durch die geöffnete Tür zu Gott vortreten.

Apostelgeschichte 14,27–15,19

**Kommt her zu mir, alle ihr Mühseligen und Beladenen!
Und ich werde euch Ruhe geben.**
Matthäus 11,28

Gott hat vorgesorgt

Vor der walisischen Steilküste war in einer stürmischen Novembernacht des Jahres 1907 das Dampfschiff »Nether Holme« auf ein Riff gelaufen und gesunken. Die Besatzung bestand aus 14 Leuten, die sich schwimmend auf den schmalen Küstenstreifen retten konnte, der bei Ebbe zu sehen war. Sie wussten aber, dass sie alle bei eintretender Flut in der stürmischen See ertrinken würden, wenn sie nicht die 25 Meter steil aufragenden Felsen erklimmen konnten. Lange suchten sie vergeblich nach einer Aufstiegsmöglichkeit. Endlich entdeckten sie ein herunterhängendes Seil. Einer nach dem anderen kletterte daran hinauf. Alle meinten, die Küstenwache hätte sie bereits entdeckt und das Seil heruntergelassen. Doch oben war aber weit und breit niemand zu sehen. Das Seil hing schon seit dem vorigen Jahr dort, als man eine andere Schiffsbesatzung damit gerettet hatte. So war schon lange, bevor die Leute der »Nether Holme« in Seenot gerieten, für Rettung gesorgt.

Das ist ein schönes Gleichnis dafür, dass Gott schon lange, bevor wir unsere Hilfsbedürftigkeit erkannten, alles getan hat, was zu unserer Rettung nötig war. Die 14 Männer hätten nichts zu ihrer Rettung beitragen können. Keine Anstrengung hätte gereicht, die steile Felswand zu erklimmen, und auch kein Bitten oder Klagen und Rufen hätte ihnen helfen können.

Gott aber kannte unsere Not und sorgte für eine Rettungsmöglichkeit – für alle hoffnungslos verlorenen Sünder, die zum ersten Mal Gottes Gnade annehmen, genauso wie für jeden, der wie der »verlorene Sohn« in der Bibel wieder auf Abwege geraten ist. Das große Opfer des Sohnes Gottes ist für den himmlischen Vater so bedeutungsvoll, dass es zur Vergebung aller Sünden reicht. *gr*

? Warum sollten Sie Gottes Rettungsmaßnahme nicht in Anspruch nehmen?

! Für die »Nether Holme«-Leute gab es nur *eine* Möglichkeit. Das gilt auch für uns.

Psalm 107, 23-32

Haltet es für lauter Freude, meine Brüder, wenn ihr in mancherlei Versuchungen geratet.

Jakobus 1,2

Auf dem Prüfstand

Während ihres Missionsdienstes in Afrika (Kongo) erlebte die Engländerin Helen Roseveare in den 1960er-Jahren einen Bürgerkrieg. Das Land wurde von Zerstörung und Gewalt überflutet. Auch die Missionare bekamen das zu spüren, soweit sie nicht rechtzeitig, z. B. von einem »Außenposten«, evakuiert werden konnten. Auf so einem Außenposten geriet Helen in die Hände marodierender Rebellen. Sie wurde brutal vergewaltigt und musste eine fünfmonatige Gefangenschaft mit unvorstellbaren Entbehrungen und Unannehmlichkeiten durchleiden. »Warum hat der Herr das zugelassen?«, war natürlich ihre Frage. Und die Antwort darauf war: »Kannst du es für lauter Freude erachten und mir dafür danken, dass ich dir diese Erfahrung anvertraue, auch wenn ich dir niemals sage, warum?« Letztlich bewirkte dies bei ihr ein noch stärkeres Gottvertrauen und die Freude, zu allem, was ihr widerfuhr, ein Ja zu finden.

Wir können schon an den kleinsten Herausforderungen scheitern und den ganzen Tag missmutig darüber sein. Aber das zeigt nur, wie sehr wir auf uns selbst und unser Wohlergehen fokussiert sind, statt uns um das Wohl anderer zu bemühen. Dem Sohn Gottes widerfuhr am Kreuz das Schlimmste, was man als Mensch erleben kann. Es war so schlimm, dass er ausrief: »Mein Gott, warum hast du mich verlassen?« Aber weil diese Frage schon vorher geklärt worden war, als er sich bedingungslos dem Willen Gottes übergeben hatte, konnte er danach auch noch beten: »Vater, in deine Hände übergebe ich meinen Geist.« – Um unseretwillen erlitt Jesus diesen schrecklichen Tod. Und er schreckte nicht im letzten Moment davor zurück, sondern um der vor ihm liegenden Freude willen achtete er nicht auf die Schande und erduldete das Kreuz, weil er damit für Unzählige den Weg zu Gott freimachte. *pj*

? Wie viel würden wir für uns zulassen, damit andere den Weg zu Gott finden?

! Gott gefällt es, wenn wir dem Vorbild Jesu Christi folgen.

Lukas 22,39-46

**Preise den HERRN, meine Seele,
und vergiss nicht alle seine Wohltaten!**
Psalm 103,2

Mann sucht drei Wochen sein Auto

2020 suchten ein 62-Jähriger und seine Tochter Parkhäuser in ganz Osnabrück ab. Der Grund: Der 62-Jährige hatte Anfang Februar sein Auto in einem Osnabrücker Parkhaus abgestellt und es nicht mehr wiedergefunden. »Wo habe ich meinen Wagen nur abgestellt?« Diese Frage haben sich sicher viele Autofahrer schon einmal gestellt. Doch der Fall des Mannes aus Niedersachsen sticht dann doch heraus. »Ich weiß gar nicht, wie oft wir schon in Osnabrück waren und danach gesucht haben«, sagte die Tochter. Ein Parkticket mit dem Namen des Parkhauses gäbe es nicht – die Schranke sei geöffnet gewesen und der Parkscheinautomat funktionierte nicht. Ihr Vater sei wegen eines Termins nach Osnabrück gefahren, habe in aller Eile ein Parkhaus in der Innenstadt gesucht, sei hineingefahren – und habe sich hinterher nicht mehr erinnern können, wo das Parkhaus war, berichtete sie. Er sei dann mit dem Zug zurück nach Hause gefahren.

Wir Menschen neigen ja zum Vergessen: wo wir unsere Schlüssel hingelegt haben, Geburtstage, Telefonnummern, Namen oder auch den PIN der Kreditkarte. Wichtige Dinge zu vergessen, kann fatale Folgen haben. In der Bibel werden wir immer wieder aufgefordert, nicht zu vergessen. So auch in unserem Tagesvers. Wir sollen die Wohltaten des HERRN nicht vergessen, denn sonst fangen wir bald an, uns auf unsere Kraft zu verlassen, um schließlich in Sorgen zu ersticken, wenn wir feststellen, dass wir mit allem überfordert sind. Das Erinnern an die Wohltaten des HERRN aber stärkt unseren Glauben und führt zum Lobpreis. Je mehr wir uns an das erinnern, was der HERR für uns getan hat und jeden Tag für uns tut, desto mehr werden wir ihm vertrauen. Und seine größte Wohltat ist, dass er uns unsere Schuld vergibt, wenn wir ihn darum bitten. *tk*

? Sind Sie vergesslich?

! Täglicher Umgang mit der Bibel hilft, die Verbindung zu dem Gott aufrecht zu halten, der uns unendlich liebt.

Psalm 103

29. März 22

Dienstag

Es gibt jetzt also kein Verdammungsurteil mehr für die, die ganz mit Jesus Christus verbunden sind.
Römer 8,1

Leben auf Bewährung

Die Aussage »auf Bewährung verurteilt« begegnet einem im Alltag häufig, ob in den Nachrichten, in Fernsehserien oder in der Zeitung. Bei der Bewährung im Sinne des Strafgesetzbuches handelt es sich um die Aussetzung einer Freiheitsstrafe zur Bewährung. Dies bedeutet, dass das Gericht jemand zwar zu einer Gefängnisstrafe verurteilt, diese jedoch noch nicht vollstreckt wird. Konkret heißt das, dass der Verurteilte nicht ins Gefängnis muss, sondern sich über einen gewissen Zeitraum hinweg »bewähren« soll.

Im Blick auf den Glauben verhält es sich gemäß unserem Tagesvers etwas anders. Ein anderer, nämlich Jesus Christus, hat unsere Strafe auf sich genommen und für unsere Schuld gesühnt. Wer an ihn glaubt, darf das für sich in Anspruch nehmen und wird von Gott *vollständig* begnadigt, ja, sogar für vollkommen gerecht erklärt. Er ist nun frei für ein Leben ohne Schuldenlast – mit der barmherzigen Hilfe des Herrn und unter dem Schutz des Höchsten. Allerdings gibt es nun tatsächlich auch eine »Bewährungszeit« für Christen, nämlich die nun verbleibende Zeit ihres Lebens, in der sie ihren Glaube »bewähren« sollen. Konkret heißt das: Während unserer Lebenszeit schenkt uns der gütige, freundliche Gott viele Möglichkeiten, unsere Treue zu Jesus Christus zu beweisen. Und selbst wenn wir dabei einmal versagen sollten, bleibt Gott uns gnädig und spricht uns nicht erneut schuldig, sodass wir doch wieder um unser ewiges Heil fürchten müssten. Er vergibt uns gern, wenn wir zu ihm kommen, und ihm unser Versagen eingestehen. Dann können wir wieder froh weiter für den leben und dem dienen, der uns von unseren Sünden erlöst hat und zu einem herrlichen Ziel führen wird: die himmlische Herrlichkeit, wo alle willkommen sind, die ihm geglaubt und ihm treu gedient haben.

sew

? Haben Sie den Freispruch schon in Anspruch genommen?

! Dann nutzen Sie die Ihnen noch gewährte Lebenszeit zur Ehre Ihres Retters Jesus!

Römer 8,1-17

**… wer aber von dem Wasser trinken wird,
das ich ihm geben werde,
den wird nicht dürsten in Ewigkeit.**

Johannes 4,14

Sehnsucht nach Erfüllung

Da ist sie, die Männer nur aus toxischen Beziehungen kennt. Ihren eigenen Vater hat sie kaum kennengelernt, und ihr Kind wurde schnell selbst zum Scheidungskind. Alle Beziehungen danach hielten nicht lange und waren von Missbrauch und Abhängigkeit geprägt. Jetzt sehnt sie sich so sehr nach echter Liebe, dass sie viel mit sich machen lässt, bis sie es nicht mehr aushält und ein neuer Mann ihre Leere füllen muss.

Da ist er, durchtrainiert und beliebt, immer einen flotten Spruch auf den Lippen. Nach außen hin der Tausendsassa, doch niemand sieht die Leere in ihm, die der Sport, die Frauen und auch der gute Job nicht füllen können. Er fühlt sich oft einsam und sehnt sich nach einem Leben ohne krampfhafte Anerkennung, dem Haschen nach »Likes« auf Social Media und der ständigen medialen Verfügbarkeit.

Da ist die Frau am Jakobsbrunnen, der Jesus in Johannes 4 begegnete. Sie war eine Frau, die sich nach echter Liebe sehnte und sich für ihren bisherigen Lebensstil schämte. Eigentlich erwartete sie, in der Mittagshitze niemanden am Brunnen anzutreffen, und hatte deshalb genau diesen Zeitraum zum Wasserschöpfen gewählt. Doch dort saß Jesus und sprach sie an, obwohl sie eine Frau und dazu noch eine Samariterin war, mit der die Juden normalerweise keinen Umgang pflegten. Und dann traf Jesus mit seinen Worten genau ihre wunden Stellen, denn er kannte sie und verurteilte sie trotzdem nicht. Er bot ihr echte, bleibende Erfüllung an, die ihr Herz nicht nur kurzfristig froh machen, sondern ihr Leben grundlegend verändern würde.

Diese Frau hat erlebt: Bei Jesus Christus gibt es echte Vergebung, Frieden, den man sonst nirgendwo bekommt, und Freude, die alles verändert. *aco*

? Sehnen Sie sich nach bleibender Erfüllung, die bis in die Ewigkeit reicht?

! Jesus bietet wahre Erfüllung und einen Frieden, den die Welt nicht geben kann.

Johannes 4

Denn wovon das Herz voll ist, davon redet der Mund.
Matthäus 12,34

Verliebt

Verliebte Menschen können ganz schön nerven! Ständig reden sie von ihrer neuen Liebe, bei der es sich nicht immer um einen Menschen handeln muss. Manch einer verliebt sich auch in sein Auto und muss dann allen von seiner neuen Errungenschaft vorschwärmen. Ja, das kann wirklich nerven.

Solch eine Nervensäge war auch ich im Jahr 2002, und ich vermute, manchmal bin ich es immer noch. Am 31. März 2002, also heute vor 20 Jahren, habe ich nämlich Jesus Christus kennengelernt. Ich war restlos begeistert von ihm. Ich war erfüllt mit einer Freude, die ich nicht beschreiben kann. Für mich gab es nur noch Jesus. Ich konnte von nichts anderem mehr reden und mein größtes Ziel war, diesen Jesus immer besser kennenzulernen. So oft wie möglich las ich in der Bibel, weil ich einfach alles über Jesus wissen wollte. Für mein Umfeld war das oft befremdlich. Auch mein Mann konnte nicht verstehen, was da mit mir passiert war. Zumal ich zu diesem Zeitpunkt noch nicht einmal eine Kirche betreten hatte. Es ging mir ja auch gar nicht um eine Kirche, sondern um Jesus. Ein Jahr später war mein Mann dann allerdings auch Christ und konnte nun meine Begeisterung verstehen.

Wenn man andere davon schwärmen hört, was Jesus ihnen bedeutet, kann man das vielleicht nicht nachvollziehen. Doch wenn man selbst erlebt hat, wie Jesus das eigene Leben neu macht und einem Sinn, Vergebung und Freude schenkt, dann kann man gar nicht anders, als begeistert von ihm zu sein. Man liebt ihn, weil man zuerst von ihm geliebt wurde.

Wer das auch erleben möchte, kann einfach anfangen, mit Jesus zu reden, und ihn bitten, in sein Herz zu kommen. Ich bin sicher, das lässt er sich nicht zweimal sagen. *sst*

Kennen Sie Menschen, die »verliebt« in Jesus sind?

Fragen Sie sie nach dem Grund dafür!

1. Johannes 4,7-14

Ich gebe euch ein neues Herz und einen neuen Geist. Ich nehme das versteinerte Herz aus eurer Brust und schenke euch ein Herz, das lebt.

Hesekiel 36,26

Ein Herz aus Gold

In den 90er-Jahren landete die damals 15-jährige Jasmin Wagner unter dem Künstlernamen »Blümchen« einen Erfolg nach dem anderen. Mit Anfang 20 wurde es stiller um sie, da sie sich der Theater-Schauspielerei widmete. Im April 2021 wagte Jasmin Wagner einen Neustart als Sängerin. Ihr Songtext mit »Gold, ein Herz aus Gold, / hab ich immer schon gewollt. / Gold, dein Herz aus Gold, / hab ich immer schon gewollt« handelt von der neuen, wahren Liebe, die sie sich nach ihrer Scheidung von ihrem ersten Ehemann sehnlichst wünschte.

Doch ist es wirklich ein Herz aus Gold, das unsere Sehnsucht nach Liebe, Annahme und Geborgenheit stillen kann? Gold ist ja ein Metall, genauer gesagt ein Münzmetall. Es dient schon seit Jahrtausenden zur Herstellung von Schmuck und Statuen, aber auch als Zahlungsmittel in Form von Münzen. Darüber hinaus mag beachtet werden, wie viele Millionen Menschenleben die Suche nach Gold und der Abbau von Gold schon gekostet haben. Was also kann man sich von einem Herz aus Gold erhoffen? Auch wenn man dem Material Gold einen hohen Wert zumisst, bliebe dieses Herz nicht trotzdem ein lebloser Klumpen? Hart und unnachgiebig wie ein Stein?

Wie gut, dass wir in der Bibel eine andere Antwort finden. Gott verspricht uns nämlich nicht ein totes Herz aus Gold, sondern ein lebendiges Herz, erneuert von ihm. Darüber hinaus möchte er uns einen neuen Geist geben. Er möchte uns von innen heraus völlig verändern. Um das zu erleben, müssen wir Gott bitten, uns unsere Schuld zu vergeben. Dann werden wir erleben, dass er bei uns einzieht und seine göttliche Liebe in unser Herz ausgießt (Römer 5,5). Erst dann werden wir auch fähig, andere Menschen wirklich zu lieben. Und das ist letztlich mehr Wert als alles Gold dieser Welt. *ahe*

? Was bedeutet für Sie ein Herz aus Gold?

! Gott kann unser Herz komplett verändern.

Römer 5,1-5

**Darum schämt sich Gott ihrer nicht,
ihr Gott genannt zu werden …**
Hebräer 11,16

»Können Sie bitte jetzt für mich beten?«

Eigentlich war unser Sohn immer gegen ein eigenes Trampolin, aber weil unser zwölfjähriger Enkel Ben trotz Lockdown Bewegung brauchte, hatte er sich hinreißen lassen, doch eins zu kaufen. Kurz vor Ostern wurde es aufgebaut und machte einen Riesenspaß.

Einen Tag später war meine Schwiegertochter kurz einkaufen. Da passierte es. Als Ben nach einem Sprung wieder auf dem Trampolin aufkam, landete er so unglücklich auf seinem linken Arm, dass der Ellenbogen komplett ausgerenkt wurde und der linke Unterarm brach. Im gleichen Moment kam meine Schwiegertochter um die Ecke und sah das ganze Unheil mit an. Sofort wurde der Notarzt gerufen. Auch unser Sohn kam von der Arbeit und konnte Ben, der unendliche Schmerzen hatte, beruhigen.

Als der Krankenwagen kam, wurde klar, dass der verrenkte Ellenbogen sofort gerichtet werden musste, weil der Blutfluss in Unterarm und Hand unterbrochen war. Um den Eltern nicht zu viel zuzumuten, durften sie während des Eingriffs nicht mit in den Krankenwagen. Der Ellenbogen konnte gerichtet werden, und der Blutfluss kam wieder in Gang. Jetzt sollte es mit dem Krankenwagen ins Krankenhaus gehen, um eine weitere komplizierte OP am Unterarm durchzuführen.

Bevor Arzt und Sanitäter jedoch den Krankenwagen verließen, sagte Ben: »Können Sie bitte jetzt für mich beten?« Alle sahen sich einen Moment lang betreten an. Da begann Ben: »Lieber Herr Jesus, bitte hilf, dass die OP gut wird und alles wieder zusammenheilt. Amen!« Damit war dieser bewegende Moment auch schon vorbei.

Ben wurde ins Krankenhaus gefahren und operiert. Sein Gebet wurde erhört, und mittlerweile macht er schon wieder Riesensprünge. *bgr*

Wann haben Sie das letzte Mal in einer notvollen Situation gebetet?

Gott freut sich über kindliches Vertrauen.

Apostelgeschichte 12,1-17

3. April 22

Sonntag

Ihr wisst, dass in zwei Tagen das Passahfest beginnt. Dann wird der Menschensohn ausgeliefert und ans Kreuz genagelt werden.

Matthäus 26,2

Mit Laufschuhen Bilder malen

Die New Yorkerin Claire Wyckoffs brachte einen Trend hervor, als sie nach ihrem Lauftraining auf ihr Handy schaute. Denn die Abbildung ihrer über die GPS-Daten aufgezeichneten Laufstrecke sah wie der Umriss eines Hundes aus. Die Joggerin entdeckte, dass sie mit einer bewussten Planung der Laufstrecke Figuren auf den Stadtplan der App zeichnen konnte. Sie veröffentlichte die Bildschirmkopien ihres Lauftrainings in sozialen Netzwerken. Schnell verbreitete sich die originelle Idee, sodass »Figure Running« (Figurenlaufen) zu einem neuen Trend wurde. Dabei planen die Jogger anhand des Stadtplans genau, welche Wege sie laufen, damit am Ende z. B. das Bild eines Tieres oder einer Blume entsteht.

Auch Jesus Christus nahm eine bewusste Planung seines »Lebenslaufes« vor. In den letzten Kapiteln der Evangelien können wir nachlesen, dass er seinen Weg an den Stationen ausrichtete, die er für das angestrebte Ergebnis durchlaufen musste. Dreimal kündigte er seinen Jüngern sein Leiden, Sterben und Auferstehen an. Allein im 26. Kapitel des Matthäusevangeliums schilderte er neun Details im Voraus, z. B. den Verrat durch Judas, das Fliehen der Jünger, die Verleugnung durch Petrus und die bevorstehende Gefangennahme. Alle diese Stationen waren in dem Plan enthalten, den er vor ewigen Zeiten gemeinsam mit dem Vater im Himmel zu unserer Rettung entworfen hatte. Voller Liebe zu uns hatte er ein Zielbild vor Augen: uns mit Gott zu versöhnen, indem er an unserer Stelle für unsere Sünde bezahlte. Mit seinem Tod am Kreuz erfüllte er damit die wahre Bedeutung des den Israeliten so vertrauten (Vor-)Bildes, dass Gott Menschen, die ihm vertrauen, durch den stellvertretenden Tod eines Passahlamms rettet. *dr*

Warum ist Jesus nicht »weggelaufen«, wenn er vorher genau wusste, was auf ihn zukommt?

Malen Sie doch einmal beim nächsten Lauf oder Spaziergang die Konturen eines Kreuzes nach und denken Sie dabei daran, was der Lebenslauf von Jesus Christus für Sie bedeutet!

Matthäus 26,1-35

Montag

4. April 22

Ich, ich habe die Erde gemacht und den Menschen auf ihr geschaffen. Ich war es, meine Hände haben den Himmel ausgespannt, und all seinem Heer habe ich Befehl gegeben. Jesaja 45,12

Die Hände Jesu (1)

Die Hand ist wie der Fuß ein hochkomplexes Gebilde aus zahlreichen Einzelteilen: 27 Knochen, 36 Gelenke und 39 Muskeln sowie verschiedene Sehnen und Bänder fügen sich zu einem vielseitigen Werkzeug zusammen, das unser wichtigstes Greif- und Tastorgan darstellt.

Die Hände Jesu waren vermutlich ziemlich stark, rau und mit Schwielen, vielleicht auch Verletzungen, übersät. Als Zimmermann hatte er die meiste Zeit seines Lebens auf der Erde Häuser gebaut. Man nimmt an, dass sein irdischer Vater Josef früh gestorben ist und Jesus als ältester Sohn dann die Werkstatt übernahm. Jesus war also kein Theologe mit zwei »linken Händen«, der keine Ahnung vom Leben hatte. Er wusste, was es heißt, hart zu arbeiten, müde zu sein und die Familie im Schweiße seines Angesichts zu versorgen. Er kennt also das normale Alltagsleben und weiß daher, wie es uns geht.

Bevor er auf diese Erde kam, hat Jesus aber noch etwas ganz anderes »gebaut«. Es heißt in der Bibel, dass alles »durch ihn und für ihn« geschaffen ist (Kolosser 1,16). Im heutigen Tagesvers sehen wir, dass seine Hände die **Schöpferhände** sind. Seine Hände haben alles gemacht, auch Sie und mich! Und das hat gewaltige Auswirkungen: Wenn Jesus mein Schöpfer ist, dann kennt er mich durch und durch und weiß genau, was ich brauche. Dann bin ich kein Produkt des Zufalls, sondern gewollt und geliebt. Dann hat es einen Grund, warum ich hier bin und diese und jene Eigenschaften habe. Weil Jesus unser aller Schöpfer ist, können wir nichts Besseres tun, als uns ihm anzuvertrauen und mit ihm zu leben. Dann ist eine innige Beziehung zu ihm der Schlüssel zu einem erfüllten Leben! *sh*

? Warum wurde der Schöpfer Mensch?

! Im Laufe der Geschichte wollten viele Menschen Gott sein, aber nur *ein* Gott wollte Mensch sein.

Psalm 139

Und viele, die zuhörten, erstaunten und sagten: Woher hat der das? Und was ist das für eine Weisheit, die dem gegeben ist, und solche Wunderwerke geschehen durch seine Hände?

Markus 6,2

Die Hände Jesu (2)

Gestern haben wir gesehen, dass Jesus den Großteil seines Lebens Zimmermann war. Er war harte Arbeit gewohnt und kannte den ganz normalen Alltag auf dieser Welt. Mit ca. 30 Jahren begann Jesus dann, öffentlich zu lehren und Wunder zu wirken. Viele Wunderwerke geschahen durch seine Hände und wiesen ihn als Sohn Gottes aus, denn kein normaler Mensch kann solche Werke tun!

Da kommt z. B. ein *Aussätziger*, der jahrelang in völliger Isolation gelebt hat, zu ihm. Jesus ist innerlich bewegt und tut das Undenkbare – er rührt den Mann an! Wie muss das für diesen Mann gewesen sein? Nach so vielen Jahren wieder eine Berührung! Und dann passiert das Wunder: Jesus steckt sich nicht bei ihm an, sondern er hat »ansteckende Gesundheit«. Der Mann ist geheilt (Matthäus 8,1-4). Einmal bringen sie einen *Taubstummen* zu ihm. Jesus legt einfach seine Finger in dessen Ohren und berührt mit Speichel seine Zunge. Nach einem kurzen Gebet ist der Mann gesund (Markus 7,31-37). Ein anderes Mal stirbt der einzige *Sohn einer Witwe*. Wieder ist Jesus zu tiefstem Mitleid gerührt. Er rührt die Bahre an und erweckt den jungen Mann wieder zum Leben (Lukas 7,11-17). Bei einer anderen Begebenheit heilt Jesus einen *Blindgeborenen!* Er bereitet aus Erde und seinem Speichel einen Teig und streicht ihn mit seinen Händen auf die Augen des Mannes. Als dieser sich die Augen wäscht, kann er zum ersten Mal in seinem Leben sehen (Johannes 9,1-7). Bei der *Speisung der 5000* gehen fünf Brote und zwei Fische durch die Hände von Jesus, und 5000 Männer (plus Frauen und Kinder) werden gesättigt (Markus 6,34-44)!

Seine **Wunderhände** heilen, versorgen, trösten und erweisen Liebe. Was werden diese Hände wohl für all die Wunder und Liebestaten am Ende erhalten?

sh

Welche Reaktion würden Sie vorschlagen?

Morgen gibt es die Auflösung.

Johannes 20,30-31 und 21,24-25

**Denn Hunde haben mich umgeben,
eine Rotte von Übeltätern hat mich umzingelt.
Sie haben meine Hände und meine Füße durchgraben.**
Psalm 22,17

Die Hände Jesu (3)

Es ist unfassbar! Die Hände Jesu taten nichts als heilen, trösten, versorgen und Liebe erweisen. Trotzdem wurden sie schließlich »durchgraben«, indem man Jesus an ein Kreuz nagelte. Die gleichen Hände, die alles geschaffen und alle diese Wunder gewirkt hatten, wurden durchbohrt. Unvorstellbar! Wie kann das sein? Wie konnte dem Sohn Gottes so etwas zustoßen? Konnte Jesus das nicht verhindern, wenn er doch solche Macht hatte?

Jesus gibt die Antwort selbst und sagt, dass er gekommen ist, »um zu dienen und sein Leben zu geben als Lösegeld für viele« (Markus 10,45). Er *wollte* an diesem Kreuz sterben, weil das der einzige Weg war, um uns zu retten. Er nahm das, was uns von Gott trennt, auf sich: unsere Sünde. Und dann wurde er dort am Kreuz an unserer Stelle dafür gerichtet. Wie bei einem Blitzableiter wurde der gerechte Zorn Gottes über unsere Sünde auf ihn umgeleitet.

Seitdem streckt Jesus jedem Menschen seine **Retterhände** entgegen. Er lädt uns ein, unsere Sünden zu bekennen, Vergebung zu empfangen und ein neues Leben an seiner Hand zu beginnen. Bitte stellen Sie sich das bildlich vor: Der ewige Sohn Gottes, der Schöpfer des Universums und Vollbringer unzähliger Wunder, steht mit durchbohrten Händen vor Ihnen. Er zeigt Ihnen die Wundmale an seinen Händen. Und dann sagt er: »Ich habe es auch für dich getan, weil ich dich über die Maßen liebe und nicht will, dass du verlorengehst. Vertraue mir! Gib mir deine Sünden und dein Leben!«

Wie gut, wenn wir unsere Hand in seine legen, an dieser Hand durchs Leben gehen, sicher dem Ziel entgegen: Dem Wohnort Gottes, dem Himmel, wo wir ewig staunen werden über den, der auch mit seinen Händen so vieles, eigentlich alles, für uns getan hat. *sh*

? Wie sehr muss Jesus Sie lieben, wenn er *sein* Leben gab, um *Ihres* zu retten?!

! Wer Jesus nicht als Retter haben will, wird ihm eines Tages als Richter begegnen.

Johannes 20,19-29

Nicht die Gesunden brauchen den Arzt, sondern die Kranken. Ich bin nicht gekommen, um Gerechte zu rufen, sondern Sünder.

Markus 2,17

Bleiben Sie gesund!

»Bleiben Sie gesund«, ist während der Corona-Pandemie so etwas wie das neue »Auf Wiedersehen« geworden – sei es nach dem Einkaufen oder als Grußformel unter einem Brief. Ein nachvollziehbarer und freundlicher Wunsch, denn jeder von uns ist froh, wenn es ihm gut geht und er gesund sein darf. »Bleiben Sie gesund!« setzt allerdings voraus, dass man gesund ist, was leider nicht immer der Fall ist. Wer hat nicht gerade Zahn- oder Rückenprobleme, leidet unter einer Allergie oder einer Erkältung? Und was ist mit vielleicht unerkannten Krankheiten, die wir schon in uns tragen, obwohl wir noch symptomfrei sind? Und selbst, wenn unser Körper wirklich völlig gesund wäre, wie sieht es mit unserer Seele aus? Ist die nicht oft auch krank und verwundet? Wie viele Leute leiden unter psychischen Problemen und Nöten! Gesundheit wird immer relativer, je länger man über sie nachdenkt. Statt »Bleiben Sie gesund!« müsste man daher wohl oft »Werden Sie gesund!« sagen.

Wer krank ist, geht zum Arzt. Gefährlich ist es, wenn man sich gesund fühlt, aber in Wirklichkeit krank ist und keine Hilfe sucht. Die Bibel stellt die unangenehme Diagnose, dass alle Menschen krank sind. Und tatsächlich merken wir, dass wir nicht nur an körperlichen Krankheiten leiden, sondern auch an dem, was andere Menschen uns und wir ihnen antun: Lieblosigkeit, Desinteresse, Arroganz, Kritiksucht. Die Bibel nennt das Sünde. Und um diese »Krankheit« zu heilen, ist Jesus auf die Erde gekommen. Jeder, der anerkennt, dass er krank ist und Hilfe braucht, kann sich an diesen Arzt wenden und Vergebung und Heilung erfahren. Dazu ist nicht mehr als ein einfaches, aber ehrliches Gebet nötig. »Werden Sie gesund!«, ist daher heute mein Wunsch für jeden, der noch nicht zu Jesus gekommen ist. *eli*

? Was hindert Sie daran, zu Jesus zu gehen?

! Der große Arzt drängt sich niemandem auf.

Matthäus 9,9-13

Jesus von Nazareth, wie Gott ihn mit Heiligem Geist und mit Kraft gesalbt hat, der umerging und wohltat und alle heilte, die von dem Teufel überwältigt waren, denn Gott war mit ihm. **Apostelgeschichte 10,38**

Wohltäter oder Hardliner?

Gestern vor 45 Jahren, am 7. April 1977, wurde Generalbundesanwalt Siegfried Buback von Terroristen der »Rote-Armee-Fraktion« (RAF) in Karlsruhe auf offener Straße erschossen. Dies führte zur Verabschiedung des Anti-Terrorismusgesetzes im Februar 1978. Sein Nachfolger wurde Kurt Rebmann, der sich selbst als »Hardliner« bezeichnete und sich für die Verschärfung des Strafrechts im Umgang mit Terroristen einsetzte. Ich selbst war als junger Polizist im Objektschutz an seinem Wohnhaus in Stuttgart eingesetzt. Herr Rebmann war wohl in seinem politischen Amt unnachgiebig und streng, jedoch gegenüber uns Polizisten gab er sich stets sehr freundlich. Als ich ihn das erste Mal sah, kam er auf mich zu, gab mir die Hand und stellte sich höflich vor. Ein anderes Mal ging er mit seinem Hund spazieren, und auf seine Bitte hin begleitete ich ihn, in Uniform und mit Maschinenpistole bewaffnet.

Irgendwie muss ich heute in diesem Zusammenhang an Jesus denken. Wie war er doch in seinem Dienst unnachgiebig und streng mit den Pharisäern und Schriftgelehrten, die das einfache Volk ausnutzten. Egoistische und herrschsüchtige Menschen musste Jesus zurechtweisen. Doch wie sanftmütig und zuvorkommend war er gegen die, welche in aller Einfalt und im Glauben, dass er der Sohn Gottes war, zu ihm kamen. Niemanden hat er zurückgewiesen, für jeden hatte er ein offenes Ohr.

Jesus ist immer noch derselbe. Den Selbstgerechten, die ohne Gott leben wollen, drohen harte Strafen. Aber er nimmt die auf, die von Herzen einsehen, dass sie ohne ihn verloren sind. Jesus ist der »Wohltäter«, der gekommen ist, Menschen zu heilen, die an ihrer Seele erkrankt sind und dies vor Gott eingestehen und seine Hilfe annehmen. *schn*

Ist Jesus Ihr persönlicher »Wohltäter«?

Es ist ein Segen und keine Schande einzusehen, dass man krank ist und der Hilfe bedarf.

Lukas 6,1-11

**Aber wir rechnen fest damit und ziehen es vor,
fern von diesem Leib ganz beim Herrn zu Hause zu sein.**
2. Korinther 5,8

Nach Hause gehen

Fast 74 Jahre lang war er mit der britischen Königin Elisabeth II. verheiratet: Prinz Philip, Herzog von Edinburgh. Am 9. April 2021 endete sein fast 100-jähriges Leben. Fünf Wochen zuvor war er noch am Herzen operiert worden. Als er im März das König-Edward-VII.-Krankenhaus verlassen hatte, bekam die Öffentlichkeit den beliebten Prinzgemahl ein letztes Mal zu sehen. Noch einige Tage verbrachte er auf Schloss Windsor, dann verließen ihn die Kräfte. Nach Bekanntgabe des Todes von Prinz Philip titelte eine große deutsche Zeitung: »Er ging nach Hause, um zu sterben.«

Bei einem Christen kann man es andersherum sagen: Er stirbt, um nach Hause zu gehen. »Denn hier auf der Erde haben wir keine Heimat. Unsere Sehnsucht gilt jener künftigen Stadt, zu der wir unterwegs sind« (Hebräer 13,14). Heimweh zu haben nach diesem herrlichen Ort in der Gegenwart von Jesus Christus ist keine Lebensmüdigkeit. Es ist vielmehr das Wissen, wo man als Mensch hingehört. Nämlich nicht in diese kaputte Welt, in der man am Ende doch nur alt und gebrechlich wird. Menschen gehören in die Gegenwart Gottes. Christen leben in dem Bewusstsein, auf der Durchreise zu sein. Wer Jesus nachfolgt, zieht einst in die Wohnungen ein, die er für seine Jünger vorbereitet hat (Johannes 14,2-3).

Mein Vater starb nicht in seinem eigenen, sondern in einem Krankenhausbett. Und er hatte Frieden mit Gott. Kurz vor seinem Ableben zitierte mein Papa die Strophe aus einem Lied von Christian-Rudolf Flad (1804–1830): »Endlich kommt er leise, / nimmt uns bei der Hand, / führt uns von der Reise / heim ins Vaterland.«

Sterben, um nach Hause zu gehen, ist weit besser, als nur zu Hause zu sterben – selbst wenn es im Luxus auf Schloss Windsor wäre. *wä*

?

Wo, glauben Sie, gehören Sie hin?

!

»Ich gehe heim! Bin Fremdling nur hienieden. / Ich find nicht Heimat hier, noch find ich Frieden.« Carl Brockhaus (1822–1899)

Johannes 14,1-3

**Und von Mose und allen Propheten anfangend,
erklärte ihnen Jesus in allen Schriften das,
was ihn selbst betraf.**
Lukas 24,27

Woher wussten die Propheten das?

Ein starkes Argument für die göttliche Inspiration der Bibel sind die zahlreichen Vorhersagen, die sich präzise erfüllt haben. Einige Prophezeiungen, die Hunderte von Jahren zuvor gemacht wurden, beziehen sich auf das Leiden und Sterben von Jesus. Sacharja beschreibt den zukünftig nach Jerusalem kommenden König Israels als »gerecht und ein mit Rettung Begabter, elend und auf einem Esel reitend, und zwar auf einem Fohlen, einem Jungen der Eselin« (Sacharja 9,9). So geschah es zu Beginn der Passionswoche durch Jesus. Vom Verrat durch seinen Jünger Judas ist in einem Psalm die Rede: »Sogar mein enger Freund, dem ich vertraute und mit dem ich oft an einem Tisch saß, tritt mich mit Füßen« (Psalm 41,10). Judas bekam 30 Silberlinge für seinen Verrat. Auch das wird im Alten Testament vorausgesagt: »Sie wogen mir meinen Lohn ab – 30 Silberstücke« (Sacharja 11,12). Die Soldaten verlosten bei seiner Kreuzigung Jesu Kleider, angekündigt in Psalm 22,19: »Sie teilen meine Kleider unter sich und über mein Gewand werfen sie das Los.« In diesem Psalm mit vielen Details der Leidensgeschichte Jesu wird auch die brutale Hinrichtung durch Kreuzigung angedeutet: »Sie haben meine Hände und meine Füße durchgraben.« Nach seinem Tod wurde sein Körper von einem reichen Mann bestattet, beschrieben in Jesaja 53,9: »Man hat sein Grab bei Gesetzlosen bestimmt, aber bei einem Reichen ist er gewesen in seinem Tod.« – Es liegt nahe, dass auch die Auferstehung und triumphale Erhöhung Jesu prophezeit wird: »Darum teile ich die Vielen ihm zu und die Starken werden seine Beute sein, weil er sein Leben dem Tod preisgegeben hat und sich unter die Verbrecher rechnen ließ. Dabei war er es doch, der die Sünden der Vielen trug und fürbittend für die Verbrecher eintrat« (Jesaja 53,12).

ga

? Wofür sprechen die vielen eingetroffenen Vorhersagen?

! Stellen Sie sich darauf ein, dass alle anderen biblischen Prophezeiungen, deren Erfüllung noch aussteht, eintreffen werden!

2. Petrus 1,19-21

Dein Wort ist Wahrheit.
Johannes 17,17

Gelitten unter Pontius Pilatus (1)

Im Gegensatz zu den Schriften verschiedener Religionen zeichnet sich die Bibel dadurch aus, dass sie Wert auf den geschichtlichen Kontext legt. Sie erzählt keine Mythen, sondern hält ausdrücklich fest, dass sich die Ereignisse, die sie beschreibt, an einem bestimmten Ort zu einer bestimmten Zeit mit realen Personen zugetragen haben. Eine der bekanntesten Personen im Neuen Testament ist Pontius Pilatus, der römischen Statthalter, unter dem Jesus gelitten hat, wie es Christen seit Jahrhunderten im Glaubensbekenntnis ausdrücken.

»Pontius Pilatus? Wahrscheinlich hat er nie gelebt. Er ist ein Mythos, um der Passionsgeschichte mehr Dramatik zu verleihen!«, behaupteten Bibelkritiker. »Präfekt von Juda? Judäa war nie eine Präfektur. Da sieht man mal wieder, wie ungenau die biblischen Berichte sind!«, meinten andere. Dass römische Geschichtsschreiber wie Tacitus und Josephus den Pilatus erwähnen, konnte die Zweifler nicht überzeugen. Doch die kritischen Stimmen kamen 1961 zum Schweigen, als man einen Stein fand, von dessen teilweise verwitterter Inschrift die Worte Pontius Pilatus, Präfekt von Judäa (PONTIUS PILATUS, PREAEFECTUS IVDAEAE) noch sehr gut lesbar waren. Und 2018 wurde außerdem auf einem Siegelring die Inschrift »von Pilatus« identifiziert. Ein spektakulärer Fund! Dass Pontius Pilatus tatsächlich gelebt haben, daran kann es seitdem keinen Zweifel mehr geben.

Hinter der Frage nach der Historizität des Pilatus steht die Frage nach der Glaubwürdigkeit der Bibel und ob sie in dem, was sie über die Ereignisse rund um Jesu Tod und Auferstehung berichtet, die Wahrheit sagt. Schon oft hat die Archäologie die Bibel bestätigt und untermauert, dass Gottes Wort wahr und zuverlässig ist. Es lohnt sich, der Bibel in allem zu vertrauen. *eli*

Was bewirkt bei Ihnen die Einsicht, dass die Bibel historisch zuverlässig ist?

Wer der Bibel und ihren Worten glaubt, schenkt der Wahrheit Vertrauen.

Johannes 18,28-40

Alle Schrift ist von Gott eingegeben und nützlich zur Lehre, zur Überführung, zur Zurechtweisung, zur Unterweisung in der Gerechtigkeit.

2. Timotheus 3,16

Luther in Worms

Die Stadt Worms feierte in Jahr 2021 das Jubiläum »500 Jahre Reichstag« mit mehreren Veranstaltungen zum Reformator Martin Luther, der am 17. und 18. April 1521 vor dem Wormser Reichstag verhört wurde. Das Verhör fand im Bischofshof statt, in dem der 21-jährige römisch-deutsche Kaiser Karl V. wohnte. Einige Monate zuvor hatte Papst Leo X. den Kirchenbann über Luther verhängt. Bei diesem Verhör weigerte sich Luther, seine Aussagen über den christlichen Glauben und die Bedeutung der Heiligen Schrift zu widerrufen. Der Kaiser erließ daraufhin das Wormser Edikt. Damit waren Luthers Schriften verboten, und niemand durfte ihn beherbergen. Jedermann sollte ihn an Rom ausliefern.

Bei seiner Verteidigung sagte Luther folgende Worte von welthistorischer Bedeutung: »Wenn ich nicht durch Schriftzeugnisse oder einen klaren Grund widerlegt werde – derweil allein dem Papst und den Konzilen glaube ich nicht, da es feststeht, dass sie häufig geirrt und sich auch selbst widersprochen haben, so bin ich durch die von mir angeführten Schriftworte bezwungen. Und solange mein Gewissen durch die Worte Gottes gefangen ist, kann und will ich nichts widerrufen, weil es unsicher ist und die Seligkeit bedroht, etwas gegen das Gewissen zu tun. Gott helfe mir. Amen.«

Für Luther war klar, dass die Bibel die alleinige Grundlage des christlichen Glaubens ist und nicht die Dogmen einer Kirche oder die Autorität eines Kirchenführers. Deshalb stehen noch heute in Worms die Schilder mit der Aufschrift seines Leitspruches: *sola scriptura* (allein die Schrift). Sind wir 500 Jahre später noch bereit, die Bibel als Grundlage des Glaubens anzuerkennen und uns von ihr überführen zu lassen?

uhb

Was sagt uns heute unser Gewissen dazu?

Lesen Sie selbst in der Bibel nach, worauf Luther sich gestützt hat!

Römer 3

13. April 22

Mittwoch

Dann nun lieferte er (Pilatus) ihn (Jesus) an sie aus, dass er gekreuzigt wurde.

Johannes 19,16

Gelitten unter Pontius Pilatus (2)

»Was soll ich denn mit Jesus tun?«, war die verzweifelte Frage, die sich Pilatus stellte. Als er an jenem Passahfest in Jerusalem seine Gerichtsurteile fällte, stand für ihn einiges auf dem Spiel. In den politischen Intrigen Roms hatte er auf das falsche Pferd gesetzt: Sein Gönner Seianus saß vermutlich im Gefängnis, und dessen Anhänger wurden einer nach dem anderen nach Rom zurückbeordert; viele kamen ins Gefängnis oder wurden in den Selbstmord getrieben. Stand ihm dasselbe Schicksal bevor? Nur wenn es ihm gelang, dem Kaiser zu beweisen, dass er ein tüchtiger Statthalter war, der die unruhige Provinz Judäa im Griff hatte, konnte er auf seine Gunst hoffen.

Und so war es Pilatus ganz und gar nicht recht, dass eine aufgebrachte Menschenmenge lautstark Jesu Tod forderte. Es war sonnenklar, dass die Anklagen gegenüber Jesus haltlos waren und die jüdischen Führer ihn aus Neid überliefert hatten. Pilatus hätte Jesus somit freisprechen müssen, aber er wusste, dass die aufgebrachten Juden ihm dann keine Ruhe lassen würden. »Wenn du diesen freilässt, so bist du des Kaisers Freund nicht«, drohten die Hohenpriester und trieben Pilatus in die Enge. Wegen Jesus die eigene Karriere riskieren? So viel war dem römischen Beamten die Wahrheit dann doch nicht wert. Er opferte Jesus für einen vermeintlichen eigenen Vorteil. Sein symbolisches Händewaschen konnte ihn von seiner Schuld nicht reinwaschen.

Mit der Frage »Was soll ich denn mit Jesus tun?« wird jeder von uns irgendwann konfrontiert, ob uns das passt oder nicht. Sich dann zu Jesus bekennen? Was werden die Leute sagen? Ist er es wert, dass ich dafür Nachteile in Kauf nehme? Auch für uns steht viel auf dem Spiel. Und ob wir dann zu ihm stehen, hängt davon ab, ob wir erkannt haben, dass er zu uns stehen will.

eli

? Wie stehen Sie zu Jesus Christus?

! Bedenken Sie, dass Jesus sein Leben gab, um uns von unseren Sünden zu retten!

Johannes 19,1-16

Freut euch und jubelt,
denn euer Lohn ist groß in den Himmeln.
Matthäus 5,12

Maundy Money

Zu den weniger bekannten Ritualen des englischen Königshauses gehört die Gewohnheit, einmal im Jahr am Gründonnerstag (engl. *Maundy Thursday*) einen Geldbetrag an jeweils so viele Personen auszuzahlen, wie alt der jeweilige König oder die Königin ist: 1952 – Elisabeth war damals 25 Jahre alt – waren das 25 Pence an 25 Männer und 25 Frauen, die sich in ihren Kirchengemeinden für ihren engagierten Einsatz dafür empfohlen hatten. In diesem Jahr sind es – dem Alter der Königin entsprechend – immerhin stolze 96 Cent. Natürlich ist das nur eine symbolische Zuwendung, hängt doch das ehrenamtliche Engagement in Kirchen nicht davon ab, wie viel Gewinn für einen selbst dabei herausspringt. Aber es ist doch eine schöne Anerkennung, verbunden mit einer ebenso schönen Zeremonie, an der man gerne teilnimmt und sich darüber freut, wenn man dazu auserwählt wurde. Immerhin ist sie mit dem höchsten Amt des Staates und der Begegnung mit einer sehr berühmten und hochstehenden Person verbunden: Ihrer königlichen Majestät.

Auch Jesus hat bestimmten Menschen großen Lohn versprochen, den er ihnen einmal höchstpersönlich als König des Himmelreiches übergeben wird, verbunden mit größerer Pracht und Herrlichkeit, als es je ein irdisches Königshaus darstellen oder inszenieren könnte. Im Kontext des Tagesverses finden wir Hinweise, wer dazu auserwählt ist: Es sind solche, die um der Gerechtigkeit willen verfolgt, um Jesu willen geschmäht, verachtet und verleumdet wurden, weil sie sich zu dem bekannten, der hier auf der Erde verachtet und getötet wurde, obwohl er der von Gott gesandte Retter war. Und sie haben nicht nur an ihn geglaubt, sondern auch nach seinem Vorbild gelebt, wie schlimm es ihnen auch immer von den Feinden des Evangeliums vergolten wurde. *pj*

? Warum scheuen solche Menschen – Christen genannt – keine Mühe und Gefahr, um sich für andere einzusetzen?

! Sie wollen von der Liebe, die sie selbst von Gott erfahren haben, gerne und viel weitergeben.

Matthäus 5,1-16

Pilatus aber schrieb eine Überschrift und heftete sie an das Kreuz; und es stand geschrieben: »Jesus, der Nazarener, der König der Juden.«

Johannes 19,19

Prinz Philip, Duke of Edinburgh, ist gestorben

So hieß die erste Neuigkeit der Tagesschau am 9. April 2021. Es war die Headline, noch vor den Tragödien, Naturkatastrophen und Corona-Nachrichten an diesem Tag. Ich las es und frage mich, warum es dieser Mann auf die erste Seite der Schlagzeilen geschafft hat? Sein Ansehen und seine Beliebtheit müssen wohl sehr groß gewesen sein.

Ich kam noch mehr ins Staunen, als einige Tage später seine Beerdigung live übertragen wurde. Millionen Menschen, nicht nur aus Großbritannien, schauten zu. Weltweit, sogar auf YouTube, wurde das Ereignis gestreamt. Man las Beileidsbekundungen von prominenten Schauspielern und Politikern. Mich verwunderte, wie groß die Anteilnahme an diesem Mann war, der doch immer im Schatten der Queen stand. Er war eben ein Prinz.

Traurig denke ich an einen anderen Prinzen, den Sohn eines Königs, dessen Tod auch viel Aufmerksamkeit erregte, aber leider nicht im positiven Sinne. Beim Tod Jesu, des Sohnes Gottes, waren viele Menschen live dabei, aber sie nahmen nicht Anteil, sondern spotteten vielmehr. Trotzdem wurde sein Todestag später zu einem Feiertag – dem *Karfreitag*. Aber dieser Karfreitag ist heute kaum noch der Gedenktag an den Tod des Königssohnes. Es ist vielmehr ein Feiertag, an dem man ausschläft, im Garten arbeitet oder die Ostereier färbt. Wie kann der Tod des Herzogs von Edinburgh so viele Menschen aufwühlen und traurig machen, aber der Tod des Sohnes Gottes so viele vollkommen kaltlassen?

Ist es nicht an der Zeit, dem König aller Könige, der alles tat, damit wir Menschen ein ewig erfülltes Leben haben können, frei von aller Schuld und Krankheit, Krieg und Tod, die Ehre zu geben, die ihm zusteht?

tip

Wie ehren Sie Jesus in Ihrem Alltagsleben?

Jesus, der König, lebt und regiert!

Johannes 12,20-36

Aber das Blut soll für euch zum Zeichen an den Häusern werden, in denen ihr seid. Und wenn ich das Blut sehe, dann werde ich an euch vorübergehen.

2. Mose 12,13

Woher kommt das Osterfest?

Zu der Zeit, in der in Europa das Osterfest gefeiert wird, feiern die Menschen in Israel das Passahfest (Pessach). Von dem aramäischen Wort »Passah« ist auch in vielen Sprachen das Wort für Ostern abgeleitet. Es bedeutet auf Deutsch »vorübergehen«. Dieses Wort kommt auch in unserem Tagesvers vor. Es geht um die letzte der 10 Plagen in Ägypten, bevor das Volk Israel aus der Sklaverei in Ägypten auszog (der sogenannte Exodus). Gott hatte ein Strafgericht angekündigt, dass jeder Erstgeborene sterben musste. Wer verschont werden wollte, musste ein Lamm schlachten und dessen Blut von außen an die beiden Türpfosten und die Oberschwelle streichen. Wenn Gott das Blut sah, würde er an dieser Familie vorübergehen und keiner müsste dann sterben.

Zur Erinnerung an dieses Ereignis feiern die Juden seit Jahrhunderten das Passahfest, welches auch im Neuen Testament erwähnt wird. Genau zu diesem Zeitpunkt, als am Festtag das Opferlamm in Jerusalem geschlachtet wurde, starb vor ca. 2000 Jahren Jesus am Kreuz vor den Toren der Stadt, am »Karfreitag« um 15.00 Uhr nachmittags. Danach am dritten Tag, dem Ostersonntag, wurde er wieder lebendig, und viele Menschen haben ihn noch 40 Tage lang gesehen und gesprochen, bis er dann in den Himmel aufgenommen wurde. Von dort wird er wiederkommen, um die Menschen, die nicht an ihn glauben, zu richten.

Jesus ist das eigentliche Opferlamm, und nur sein Blut kann uns wirklich retten vor dem ewigen Tod. Unsere Sache ist es, an ihn zu glauben und zu akzeptieren, dass wir einen Retter brauchen, weil wir sonst verloren sind. Im Johannesevangelium steht, dass Gott seinen Sohn gab, damit jeder, der an ihn glaubt, nicht verlorengeht, sondern ewiges Leben hat (Johannes 3,16).

uhb

Was bedeutet Ihnen Ostern?

Lesen Sie in der Bibel die »Ostergeschichte« nach und wenden Sie sich im Gebet an den Herrn Jesus!

Lukas 22

Und wenn Christus nicht auferstanden ist, ist euer Glaube eine Illusion; die Schuld, die ihr durch eure Sünden auf euch geladen habt, liegt dann immer noch auf euch.
1. Korinther 15,17

Die Bedeutung der Auferstehung Jesu

Wer den Glauben an die Auferstehung aufgegeben hat, kann das nur noch als Totalverlust verbuchen. Ihm ist das Leben in Ewigkeit in der Herrlichkeit Gottes abhandengekommen. Wer aber an Jesus, den Auferstandenen, glaubt, der hat den Himmel gewonnen, und er weiß um die große Bedeutung der Auferstehung:

1. Mit der Auferstehung Jesu hat Gott das auf Golgatha erbrachte Opfer seines Sohnes bestätigt. Nichts anderes – weder eigene Werke noch irgendeine Religion – ist in der Lage, unsere Sünden zu tilgen. Nur das vergossene Blut Jesu am Kreuz auf Golgatha ist das einzig wirksame Reinigungsmittel (1. Petrus 1,19). **2.** Die Auferstehung Jesu ist die Basis für unsere Auferstehung und die Garantie dafür, dass auch wir durch ihn das ewige Leben erlangen, denn so hat er es versprochen: »Ich bin die Auferstehung und das Leben. Wer an mich glaubt, der wird leben, auch wenn er stirbt; und wer da lebt und glaubt an mich, der wird nimmermehr sterben« (Johannes 11,25-26). **3.** Ohne die Tatsache der Auferstehung wäre jegliche Verkündigung überflüssig: »Ist aber Christus nicht auferstanden, so ist unsere Predigt vergeblich, so ist auch euer Glaube vergeblich« (1. Korinther 15,17). **4.** Wer an Jesus glaubt, für den ist das Problem des Todes endgültig gelöst. Paulus beschreibt den Sieg Jesu über den Tod in 1. Korinther 15,54-55 und 57: »Der Tod ist verschlungen vom Sieg. Tod, wo ist dein Sieg? Tod, wo ist dein Stachel? ... Gott aber sei Dank, der uns den Sieg gibt durch unsern Herrn Jesus Christus!« **5.** Mit dem Geschehen der Auferstehung hat Gott uns eine Wirklichkeit gezeigt, die weit über unsere Erfahrungswelt von Raum und Zeit hinausgeht: Unsere dreidimensionale Welt ist nicht die ganze Wirklichkeit. Jesus hat uns die Realität der Ewigkeit bezeugt. *gi*

Können Sie das Wunder der Auferstehung fassen?

Wenden Sie sich an den Auferstandenen! Er möchte auch Ihnen das ewige Leben schenken.

1. Korinther 15

Sie aber gingen hin und sicherten, nachdem sie den Stein versiegelt hatten, das Grab mit der Wache.
Matthäus 27,66

Lockdown an Ostern?

Durch Corona ist dieses Wort heute für jeden ein bekannter Begriff. Aber was hat Ostern mit einem Lockdown zu tun?

Ein Lockdown ist im ursprünglichen Sinne des Wortes ja eine Ausgangssperre und teilweise auch mit einer Absperrung bzw. Versiegelung von Gebäuden oder einzelnen Bereichen verbunden.

Die Bibel berichtet uns diesbezüglich ein interessantes Detail des Ostergeschehens. Denn als Jesus von Nazareth gestorben war und man ihn in ein Grab gelegt hatte, verschloss man dieses mit einem schweren Stein. Weil aber die führende jüdische Elite Angst hatte, dass Jesus tatsächlich vom den Toten auferstehen würde, wie er vorausgesagt hatte, baten sie den römischen Statthalter Pilatus, das Grab noch zusätzlich zu sichern. Und dann berichtet die Bibel in unserem Tagesvers, dass das Grab noch zusätzlich versiegelt und gesichert wurde. Nicht, dass der Stein schon genug gewesen wäre. Nein, das Grab wurde zusätzlich noch versiegelt und von einer römischen Wache gesichert. Totaler Lockdown, vollständig abgeriegelt und versiegelt, könnte man sagen. Nichts ging mehr, nichts sollte mehr gehen.

Aber zum Glück endet Ostern hier nicht. Nach drei Tagen war das Grab, in dem Jesus gelegen hatte, leer. Der Tod konnte Jesus nicht festhalten. Jesus war auferstanden! Kein Lockdown konnte verhindern, dass er zu den Lebenden zurückkehrte. Alles Bemühen, dies zu verhindern, war vergeblich gewesen. Und wie freuen wir uns darüber! Denn es bedeutet, dass der Tod besiegt ist, und dass jeder, der an Jesus glaubt, an diesen Tod nicht mehr gebunden ist, sondern auferstehen und ewig leben wird. Und diese frohe Botschaft gilt auch heute noch. Jesus Christus lebt. Und er lässt sich finden von jedem, der ihn aufrichtig sucht.

wj

? Was bedeutet Ihnen Ostern?

! Der Lockdown für jedes Grab ist ein für alle Mal aufgehoben.

Johannes 11,17-27

Er ist nicht hier, sondern er ist auferstanden ...
Lukas 24,6

Das leere Grab – von Millionen besichtigt

Wenn man das Land Israel mit einer Gruppe bereist, gehört natürlich auch die Stadt Jerusalem dazu. Und innerhalb Jerusalems wird gewöhnlich das »Gartengrab« besichtigt. Zwar ist es unwahrscheinlich, dass es das Felsengrab ist, in das Jesus Christus nach der Kreuzigung gelegt wurde, aber so oder ähnlich könnte das Grab damals vor 2000 Jahren ausgesehen haben. Interessant ist u. a. eine Tür in diesem zu besichtigenden Felsengrab. An dieser Tür steht in englischer Sprache unser Tagesvers: »He is not here for he is risen.«

Viele Menschen besuchen Israel aus kulturellen Gründen oder machen dort Urlaub. Sie besuchen aber während dieser Zeit auch Jerusalem und dieses Gartengrab. Es kommen also viele Menschen, die vielleicht nur eine Bildungslücke schließen oder Sehenswürdigkeiten besichtigen wollen, unfreiwillig mit diesem Bibelwort in Kontakt. Man kann das Grab nicht betreten, ohne dass die Augen auf diese Worte an der Tür gelenkt werden. Doch wie viele Touristen lassen sich davon tatsächlich in ihrem Herzen ansprechen?

Wenn Jesus auferstanden ist und lebt, dann kann man ihm auch heute noch begegnen. Aber nicht in einem Grab oder sonst an einem Ort, sondern im Herzen, wo er durch den Glauben Wohnung genommen hat. Zu seinen Jüngern sagte Jesus: »Wenn jemand mich liebt, so wird er mein Wort halten, und mein Vater wird ihn lieben, und wir werden zu ihm kommen und Wohnung bei ihm machen« (Johannes 14,23). Viele Menschen sind nie in ihrem Leben in Israel gewesen, aber sie haben in ihrem Herzen erlebt, was Golgatha und die Auferstehung Jesu für sie persönlich bedeuten. Sie haben das leere Grab nicht gesehen, aber sie sind diesem Jesus begegnet und haben ihn als ihren Herrn und Retter in ihr Leben aufgenommen. *mtz*

Was ist wertvoller: das Felsengrab zu besuchen oder die Person kennenzulernen, die darin gelegen hat?

Ganz gleich, wo Sie leben: Suchen Sie den, der für Sie gestorben und auferstanden ist!

Lukas 24,1-12

Bist du der Einzige, der in Jerusalem weilt und nicht erfahren hat, was dort geschehen ist in diesen Tagen?
Lukas 24,18

Der unerwartete Wegbegleiter (1)

Kennen Sie die Geschichte der sogenannten »Emmaus-Jünger«? Sie gibt einen guten Einblick in die Gefühlswelt zweier Menschen, die ganz nah an den Ereignissen rund um Jesu Kreuzigung dabei waren und vermutlich auch viel vom öffentlichen Leben Jesu mitbekommen hatten.

Nachdem Jesus am Kreuz gestorben und ins Grab gelegt worden war, hatten die meisten Jünger alle Hoffnung verloren. Sie waren jahrelang dem Wanderprediger und »Wunderheiler« Jesus von Nazareth nachgefolgt und hatten viel aufs Spiel gesetzt. Und jetzt so viele zerplatzte Träume! Viele Juden wussten zwar, dass der Messias irgendwann kommen würde, aber ihre Vorstellung war, dass Jesus sie als König von den Römern befreien und dann auf der Erde regieren würde. Und nun war er tot. Was hatte das alles zu bedeuten?

So liefen am Ostersonntag diese beiden Jünger, die nicht zum engen Kreis der zwölf Jünger Jesu gehörten, niedergeschlagen zurück in Richtung ihres Heimatdorfes Emmaus, das etwa elf Kilometer von Jerusalem entfernt war. Auf dem Weg konnten sie über nichts anderes sprechen als über die letzten Tage und Wochen. Einige Frauen hatten zwar am gleichen Tag das leere Grab gefunden, aber sie konnten das nicht glauben. Der Weg zurück nach Hause erschien ihnen als das einzig Sinnvolle.

Diese beiden Nachfolger hatten noch nicht erfasst, wer Jesus *wirklich* war. Sie sprachen von ihm als einen »mächtigen Propheten«, doch als den Sohn Gottes, den der Tod nicht halten konnte, hatten sie ihn noch nicht erkannt. Seine vielen Aussagen über seine Auferstehung hatten sie auch nicht ernst genommen. Jetzt waren sie enttäuscht und tieftraurig. Doch dann näherte sich unerwartet ein Fremder … *aco*

? Wie hätten Sie reagiert, wenn Sie das alles miterlebt hätten?

! Ostern löst nur Freude aus, wenn wir wirklich begriffen haben, wer Jesus ist.

Lukas 24,13-35

**Und sie sprachen zueinander:
Brannte nicht unser Herz in uns, wie er auf dem Weg
zu uns redete und wie er uns die Schriften öffnete?**
Lukas 24,32

Der unerwartete Wegbegleiter (2)

Gestern haben wir uns über die Jünger auf ihrem Heimweg nach Emmaus Gedanken gemacht. Vielleicht war das ein bisschen so wie im vergangenen Corona-Jahr: Wie lange durften wir uns da nur mit einer Person draußen treffen! Wie oft waren wir niedergeschlagen, und unsere Gespräche haben sich hauptsächlich um Corona gedreht! Vielleicht können wir uns daher ein wenig in die beiden hineinversetzen.

Während die Jünger miteinander redeten, näherte sich ein Unbekannter, der wissen wollte, worüber sie miteinander sprachen. Ungläubig staunten sie über diese scheinbare Unkenntnis: Wie konnte es sein, dass jemand aus Jerusalem das alles nicht mitbekommen hatte? Das wäre so, als wenn heute jemand nichts von Corona wüsste! Sie erzählten also dem Mann von den vergangenen Ereignissen und vom leeren Grab. Da sagte der Fremde: »Ihr Unverständigen und im Herzen zu träge zu glauben!« Dann erläuterte er ihnen die alten Schriften, die auf Jesus hindeuteten. Doch erst abends, als die drei längst in Emmaus angekommen waren, erkannten sie endlich, wer die ganze Zeit bei ihnen gewesen war: der auferstandene Christus selbst! Wie hatten sie das übersehen können, obwohl ihr »Herz brannte«, während er ihnen die alten Schriften erklärte? Die beiden Männer wurden so froh, dass sie sofort zurück nach Jerusalem liefen, um den anderen Jüngern zu berichten, dass Jesus tatsächlich auferstanden war.

Ich wünsche uns, dass unser Herz anfängt zu »brennen«, wenn wir uns mit Jesus beschäftigen, weil er auch uns ermutigt, unser Innerstes trifft und wir dann mehr von ihm verstehen! Wenn wir in schweren Zeiten auf *ihn* hören und in der Bibel lesen, wird er auch uns am Ende froh machen und verändern, weil er auferstanden ist und lebt! *aco*

? Wenn Sie in der Bibel lesen und dort Jesus begegnen, was löst das in Ihnen aus?

! Jesus Christus lebt, kümmert sich um jeden, der ihm vertraut, und bringt Herzen zum Brennen.

Lukas 24,36-53

Gott … gebietet … jetzt den Menschen, dass sie alle überall Buße tun sollen, weil er einen Tag festgesetzt hat, an dem er den Erdkreis richten wird in Gerechtigkeit … **Apostelgeschichte 17,30-31**

Das Leben hat Sinn!

Sie war einige Jahre lang erfolgreich. Geradezu fesselnd. Dann begann sie nachzulassen. Die Handlung wurde immer unrealistischer. Sie wurde immer langweiliger. Willkommen zur fünften Staffel Ihrer früheren Lieblingsserie! – Für viele in der modernen westlichen Welt fühlt sich das Leben wie die fünfte Staffel an. Es ist nicht mehr klar, wohin die Reise gehen soll – falls es überhaupt irgendwohin geht. Wir gleichen dem Fisch am Ende von »Findet Nemo«. Den Einschränkungen des Aquariums in der Zahnarztpraxis entflohen, schwimmen wir im Hafen von Sydney. »Und jetzt?« Wer weiß das schon? – Die Annahme einiger Religionen (z. B. Buddhismus und Hinduismus) – »Wir waren nicht, dann waren wir, wir werden nicht sein« – ergibt das Sinn? Die Grundannahme einiger Philosophen, dass es vielleicht gar keinen höherer Sinn hinter dem Ganzen gibt, hat sich im Denken vieler Menschen eingenistet und festgesetzt.

Die Bibel ist da völlig anders. Ihre Geschichte hat einen Anfang, einen Höhepunkt und ein sinnvolles Ende: Die Dinge werden wieder in Ordnung kommen. Der Schrei der Witwe wird gehört werden, die Waise getröstet, die Unterdrückten verteidigt, die Armen erhoben. Die Bibel spricht von »einem neuen Himmel und einer neuen Erde«, vom Ende von Tod, Krankheit und Traurigkeit. Dazu war notwendig, dass Jesus als Retter in diese Welt kam. Er ruft uns zu: »Tut Buße!« Das bedeutet: Kehrt um! Geht in die andere Richtung. Wendet euch zu Jesus. Dann hat das Leben Sinn! Er wird Gerechtigkeit in diese Welt bringen. Die christliche Behauptung, dass Gott eines Tages die Welt richten wird, ist für viele anstößig. Aber das ändert nichts daran, dass er jeden Einzelnen richten wird. Mit Jesus Christus als Retter und Fürsprecher braucht man das allerdings nicht mehr zu fürchten. *sew*

Welchen Sinn hat Ihr Leben?

Der Schlüssel zum wahren Sinn des Lebens ist Jesus.

Apostelgeschichte 17,10-34

Seid gewiss, dass eure Sünde euch einholen wird.

4. Mose 32,23

Krimis und die Wirklichkeit

Man kann kein Verbrechen begehen und ungeschoren davonkommen. Jedenfalls wünschen wir uns das, wenn es um andere geht. Jeder Krimi greift diese Wunschvorstellung auf. Ein Bösewicht begeht eine gemeine Straftat. Bald ist der Arm des Gesetzes, verkörpert durch den Helden der Geschichte, ihm auf den Fersen. Trotz aller Raffinesse machen die Handschellen irgendwann »Klick« und der Übeltäter wird seiner gerechten Strafe zugeführt.

Auch in der gehobenen Literatur wird dieses Motiv aufgegriffen. Schillers Ballade »Die Kraniche des Ibykus« schildert, wie der bekannte griechische Dichter von zwei üblen Gesellen brutal ermordet wird. Die einzigen Zeugen sind vorüberfliegende Kraniche. Aufgewühlt durch eine Theatervorstellung in einer Open-Air-Arena ruft einer der Mörder angesichts der erneut auftauchenden Vögel: »Sieh da! Sieh da, Timotheus, die Kraniche des Ibykus!« Damit hat er sich selbst und seinen Kumpanen verraten. Nun sind wir realistisch genug, um zwischen Krimis, Schillers Erzählgedicht und der Wirklichkeit unterscheiden zu können. Dunkelfeldforschungen kommen zu dem Ergebnis, dass auf eine behördlich registrierte Straftat vier Delikte kommen, die unerkannt bleiben.

Im Gegensatz zur irdischen Justiz kann man Gottes Gerichtsbarkeit nicht entkommen. Sein Gerichtsthron ist machtvoll, weitreichend und gerecht. Einmal wird jeder Mensch vor Gott erscheinen, und alle Verstöße gegen sein Gesetz werden offengelegt. Unsere Geschichte mit Gott ist auch eine Art Krimi: Wir laufen vor ihm weg und denken, wenn er uns erwischt, dann werden wir für immer eingelocht. Aber hier endet die Parallele. Wenn Gott uns einholt, ist seine überraschende Aussage nicht: »Sie sind verhaftet!«, sondern: »Ich will dir vergeben!« *ga*

Scheuen Sie die Begegnung mit Gott?

Weil er bei aufrichtigem Schuldeingeständnis Vergebung gewährt, ist alles Weglaufen vor ihm nur töricht.

Psalm 86,1-5

**Und Jesus zog umher in ganz Galiläa, … und predigte …
Und sie brachten zu ihm alle Kranken, mit mancherlei
Leiden und Plagen behaftet, … und Gelähmte;
und er machte sie gesund.** Matthäus 4,23-24

Gelähmt

Gestern vor zwei Jahren starb der ehemalige deutsche Arbeits- und Sozialminister Norbert Blüm. Er wurde 84 Jahre alt. Am Ende seines Lebens war er nach einer Blutvergiftung an Armen und Beinen gelähmt. Seine Einschränkung beschrieb er so: »Ich fühle mich wie eine Marionette, der sie die Fäden gezogen haben, sodass ihre Teile zusammenhangslos in der Luft baumeln. Und so höre ich meinen Körper ab, auf der Suche nach den alten Gewohnheiten.« Norbert Blüm erging es tragischerweise wie vielen anderen, die an den Rollstuhl gebunden sind. Und genau dieses Leid konnte er so gut in Worte fassen.

Als der Sohn Gottes vor rund 2000 Jahren in Israel lebte, traf er auf sehr viele Menschen, die an Krankheiten litten. Als bekannt wurde, dass er Kranke heilen konnte, kamen viele zu ihm, um wieder gesund zu werden. Dennoch beabsichtigte Jesus mehr als das. Viel wichtiger als die körperliche Gesundheit war für ihn, dass die Menschen wieder zu Gott zurückfanden. Seine Botschaft, die auch heute noch gilt, war: Verlorene Menschen brauchen nicht länger verloren zu sein. Eine zu Gott unterbrochene Beziehung kann und soll wieder geheilt werden. Das ist weit mehr, als die Existenz Gottes zu bejahen. Das ist auch mehr als die Wiedererlangung der früheren, physischen Kräfte. Das Evangelium annehmen bedeutet: Einsteigen in ein Leben mit Gott.

Heutzutage gibt es viele Menschen, die ihre Krankheiten und Leiden bestens beschreiben können. Wenn sie einmal damit anfangen, können sie so bald nicht wieder aufhören. Noch wichtiger aber wäre es, dass wir vor Gott eingestehen, wie krank wir an unserer Seele sind, – und dann begehren, wieder gesund zu werden. Dazu müssen wir uns auch heute nur im Gebet an Jesus wenden und ihn als Heilmittel in Anspruch nehmen. *st*

? Was vermissen Sie, wenn Sie einmal körperlich krank sind?

! Heilung für unsere Seele können wir nur von dem erwarten, der allein dazu fähig ist: Jesus.

Markus 2,1-12

Und als Jesus an den Ort kam, blickte er auf und sah ihn und sprach zu ihm: Zachäus, steige schnell herab; denn heute muss ich in deinem Haus einkehren!

Lukas 19,5

Gott sucht Dich!

Die Geschichte des »kleinen« Zachäus ist in Kinderbibeln sehr beliebt. Da ist ein Mann, der unbedingt diesen Jesus sehen möchte. Allerdings ist er nicht der Einzige in Jericho, der das will. Die Menschenmenge drängt sich am Weg. Und da Zachäus ein kleiner Mann ist, bleibt ihm nur übrig, auf einen Baum zu steigen, wenn er etwas sehen will. Auf entsprechenden Bildern sieht man oft diesen klein geratenen Mann, der auf einem Ast über den Köpfen der anderen sitzt und lustig mit den Beinchen wippt.

Doch die Lebensrealität des Zachäus war ganz anders. Er war ein Zöllner, sogar ein Oberzöllner. Und das bedeutete: Obwohl er ein Israelit war, kollaborierte er mit der römischen Besatzungsmacht und zog Zölle für diese ein. Davon profitierte er reichlich selbst und nahm mehr, als recht war. Man könnte sagen: Ein korrupter, skrupelloser, geldgieriger Kriegsgewinnler. Man kann sich gut vorstellen, dass er nicht sehr beliebt war. Alle kannten und hassten ihn. Gut denkbar, dass man sich über seinen Kleinwuchs lustig machte.

Nun geht Jesus genau unter diesem Baum hindurch, auf dem Zachäus sitzt. Aber anders als die anderen wendet er nicht den Blick ab. Er blickt hoch, sieht ihn und spricht ihn mit seinem Namen an. Denn er kennt ihn ganz genau und sucht genau nach ihm. Jesus lädt sich nun selbst in das Haus desjenigen ein, den alle anderen meiden. Er sucht die Gesellschaft eines Mannes, der für alle anderen nicht gesellschaftsfähig war. Dieser Besuch bleibt nicht ohne Folgen. Jesus muss gar nicht viel sagen: Ganz von selbst sprudelt aus Zachäus heraus, was in seinem Leben nicht in Ordnung ist. Dadurch, dass Jesus in sein Leben tritt, wird dieses Leben neu geordnet und heil gemacht. *mm*

? Interessieren Sie sich auch für Jesus?

! Jesus ist kein »Promi« mit Eigenwerbung, sondern er interessiert sich für solche, die mit Gott ins Reine kommen wollen.

Lukas 19,1-10

**Denn alle haben gesündigt
und erreichen nicht die Herrlichkeit Gottes.**
Römer 3,23

Systemfehler

Haben Sie schon einmal versucht, auf einer Fensterscheibe einen Kratzer wegzuputzen, in der Hoffnung, es sei vielleicht doch nur ein Schmutzfleck? Man bemüht sich, rubbelt vorsichtig, nur um am Ende festzustellen, dass es tatsächlich ein richtiger Kratzer ist. Ärgerlich, da kann die Scheibe noch so makellos sein, sie bleibt doch an einer Stelle beschädigt.

In unserer Familie gibt es einen Gendefekt, der durch eine Mutation (d. h. einen Fehler) eines winzigen Buchstabens in der DNA ausgelöst wird. Als Folge funktioniert ein Protein nicht mehr, weil in der »Bauanleitung« für das Protein ein kleiner Fehler ist. Im menschlichen Körper gibt es sehr viele verschiedene Proteine. Damit alles reibungslos funktioniert, muss jedes von ihnen seine spezifische Aufgabe erfüllen. Doch im Falle einer Mutation funktioniert ein Protein häufig nicht mehr. In unserem Fall betrifft es ein Eiweiß, das für den intakten Aufbau der Haut notwendig ist. Die vielen anderen Proteine sind an ihrem »Platz«, nur das eine ist durch die Mutation gestört. Nun könnte man denken, das würde nichts ausmachen, weil es doch noch genügend Proteine gibt, die richtig angelegt sind. Doch dieses eine kaputte Eiweiß sorgt dafür, dass die Haut bei schwerem Verlauf der Erkrankung entstellt sein kann. Ein einziger kleiner Fehler hat gravierende Folgen.

Wissen Sie, mit der Sünde ist das ähnlich. Viele Menschen meinen, sie wären insgesamt eigentlich ganz okay. Doch bereits eine einzige Sünde macht die Gemeinschaft mit Gott unmöglich! Nur eine Verfehlung genügt, und wir sind nicht mehr passend für Gott. Eine Lüge, ein schlechter Gedanke oder ein böses Wort, und wir fallen unter Gottes Urteil über die Sünde. Doch genau deswegen kam Jesus. Er starb an unserer Stelle, damit wir sündige Menschen zu Gott kommen können. *aco*

Wussten Sie, dass eine einzige schlechte Tat reicht, um Gottes Vergebung nötig zu haben?

Niemand ist gut genug, um ohne Jesus in den Himmel zu kommen.

Römer 3,9-25

HERR, du erforschst mich und kennst mich!
Psalm 139,1

Unmaskiert

»Promis ohne Make-up« war die Überschrift eines Beitrags auf einer Internetseite. Das klang interessant. Also schaute ich mir das mal an. Und es war ziemlich aufschlussreich. Manche Gesichter überraschten. Ihre natürliche Schönheit war ohne Schminke erst richtig zu sehen und konnte sich auch »ohne« sehen lassen. Andere Gesichter zeigten, dass sie mit Make-up so arg verändert waren, dass man das natürliche Aussehen kaum mehr erkennen konnte.

Jeder Mensch trägt vermutlich in seinem Versuch, nach außen gut zu wirken, eine Art »Schminkschicht«. Andere sollen schließlich einen guten Eindruck gewinnen. Man will ankommen und akzeptiert sein. Man möchte beliebt sein. Deshalb versuchen wir, unser wahres Selbst lieber hinter einer »Maske« zu verbergen. Sollen wir uns aber »ungeschminkt« zeigen, dann wagen wir das nur unter bestimmten Voraussetzungen. Dazu brauchen wir Vertrauen, Gewissheit der Annahme, Sicherheit. Wir brauchen das Gefühl, nicht belächelt zu werden, sondern ernst genommen zu sein. Es tut uns gut, wenn wir erleben, dass uns jemand »unmaskiert« kennt und uns dann auch so annimmt und mag.

Wenn ich daran denke, wie Jesus mit den Menschen umging, dann freue ich mich. Denn bei ihm kann ich erleben, dass ich keine Maske brauche. Er nimmt mich an, wie ich bin. Ich muss ihm nichts vormachen, denn er kann auch hinter meine Maske schauen, und er nimmt mich trotzdem an. Andere Menschen mögen mich nicht akzeptieren können oder wollen, aber bei ihm kann ich sicher wissen, dass er es tut. Das zieht mich zu ihm hin, denn er befreit mich von meiner Schuld und trägt mir meine Fehler nicht nach, sodass ich ganz ohne Maske leben kann. Ich kann mich sogar den Dingen stellen, mit denen ich in meinem Leben noch nicht fertig bin. *ht*

Wo fällt es Ihnen schwer zu zeigen, wie Sie wirklich sind?

Vor Gott müssen wir keine Maske tragen, weil er uns so annimmt, wie wir sind.

Psalm 139,3-5.15-16.23-24

Glückselig der, dessen Übertretung vergeben, dessen Sünde zugedeckt ist.
Psalm 32,1

Rettung für jeden, der kommt!

Der französische Maler Paul Gustave Doré (1832–1883) beendete drei Tage vor seinem Tod sein Gemälde vom »Tränental«. Da sah man den unter der Last seiner Krone seufzenden König genauso wie den hungrigen Bettler und den ausgezehrten Aussätzigen, gefolterte Verbrecher und Mütter mit sterbenden Kindern. Und alle streckten ihre Hände Jesus Christus entgegen, der allein aus diesem Tränental zu führen vermag. Aber ist das in Wirklichkeit so?

Nein, denn die meisten Menschen, die unter eigener und fremder Schuld leiden, die Schmerzen erdulden und durch Schicksalsschläge ins Verderben geraten sind, suchen Rettung bei Menschen und deren Hilfseinrichtungen, bei Parteien und neuen Gesetzen. Die aber könnten im besten Fall nur äußerliche Schäden beheben, nicht aber das, was die Seele bedrückt an begangener Schuld, an versäumter Vergebungsbereitschaft und Liebeszuwendung an solchen, die bereits von uns gegangen sind und derentwegen jetzt alle Reue zu spät kommt. Gott allein weiß das alles, und er allein kann uns vergeben, wenn wir nur zu ihm kommen wollten. Immerhin hat er seinen Sohn für unsere Sünden sterben lassen und damit eine Grundlage geschaffen, aufgrund derer er uns alles so vollkommen vergeben kann, dass auch gar nichts an Selbstanklagen zurückbleiben muss.

Warum nehmen heutzutage nur so wenige dieses überaus großzügige Angebot an? Wenn es irgendwo etwas umsonst gibt, drängeln sich doch gewöhnlich die Leute danach. Die Bibel gibt zwei Gründe an. *Erstens* will der Teufel seine Opfer nicht freigeben und hält ihnen die Augen zu, dass sie nicht sehen können, und *zweitens* wollen wir Menschen unsere vollkommene Verlorenheit nicht gern zugeben. Unser Stolz ist uns im Weg.

gr

? Auf welche Weise wollen Sie einmal vor Gott bestehen?

! Auch mit dem schlimmsten Sündenbekenntnis kann man Gott nicht erschrecken. Er war stets Zeuge bei allem, was wir taten.

2. Samuel 12,1-15

29. April 22

Freitag

**Der Herr ist langsam zum Zorn und groß an Gnade;
er vergibt Schuld und Übertretungen.**

4. Mose 14,18

Umkehr möglich

Nach einem langen Urlaub kehren die zwei Geschwister nach Hause zurück. Sie wollen gerne für den Rückweg eine unbekannte Route nehmen, um einige neue Ausblicke zu entdecken. Nach vier Stunden Fahrt stellen sie aber erschrocken fest, dass sie die ganze Zeit in die falsche Richtung gefahren sind! Was nun? Die beiden werden wohl kaum mit den Schultern zucken und einfach in die falsche Richtung weiterfahren. Sie werden bei der nächsten Gelegenheit wenden und dann ihren Weg in die richtige Richtung fortsetzen.

Was uns bei der Autofahrt einleuchtet und immer wieder passiert, fällt uns im Bezug auf unsere Beziehung zu Gott nicht so leicht. Doch unsere schlechten Eigenschaften wie Lügen, Neid oder Hass bringen uns immer weiter weg von Gott. Jede einzelne Tat entfernt uns von ihm. Wie schnell kann man da das Gefühl bekommen, dass es zu spät für eine Umkehr oder der Weg zurück zu weit und zu lang sei!

Doch das stimmt nicht. In Psalm 103,8 steht: »Barmherzig und gnädig ist der Herr, langsam zum Zorn und groß an Gnade.« Sie können jederzeit umkehren zu Gott, Ihre Sünden bekennen, und er wird Ihnen vergeben! Auch wenn Sie sich weit entfernt fühlen, ist es noch nicht zu spät. Laufen Sie nicht noch weiter in die falsche Richtung, sondern haben Sie den Mut zu wenden. Nehmen Sie Gottes Angebot der Vergebung an.

Es mag sein, dass die Entscheidung, Jesus zu folgen, nicht immer leicht ist und uns vor manche Herausforderung stellt. Doch nur bei Jesus können wir echte Freude und Ruhe finden. Die Umkehr lohnt sich also. Nehmen Sie den Weg auf sich, kehren Sie um. Sie sind nie zu weit entfernt von Gott. Er wartet auf Sie! *acb*

Was hindert Sie, zu Gott umzukehren?

Gott vergibt gern und großzügig.

Lukas 15,11-24

Doch weil wir wissen, dass der Mensch durch Werke des Gesetzes nicht gerecht wird, sondern durch den Glauben an Jesus Christus, sind auch wir zum Glauben an Christus Jesus gekommen. Galater 2,16

So einfach und doch so schwer

Immer wieder begegnen mir Menschen, die mir erzählen, dass sie nach dem Tod in den Himmel kommen würden, weil sie doch so schlecht nicht seien. Sie hätten viele gute Werke getan und dazu noch reichlich Geld gespendet. Doch ist das wirklich so? Warum musste Jesus so qualvoll am Kreuz für unsere Sünden sterben, wenn wir doch selbst in der Lage sind, uns zu retten?

Der Weg zum ewigen Leben ist eigentlich nicht schwer. Wir brauchen nur Gottes Gnade, das Geschenk der Vergebung durch Jesu Tod, für uns persönlich anzunehmen. Sogar ein Kind, das noch nicht viel von der Welt versteht, kann das tun. Aber genau das fällt den meisten Menschen sehr schwer. Sie wollen sich lieber selbst retten und stolz auf sich sein anstatt auf das Erlösungswerk eines anderen. Sie wollen keine Gnade, sondern Leistung. Sie strampeln sich ihr Leben lang ab und verfehlen am Ende doch das Ziel. Ja, die einfachste Lösung ist für viele oft die schwierigste.

Genauso erging es auch dem aussätzigen Naaman, dem Hauptmann des Königs von Aram, von dem die Bibel in 2. Könige 5 erzählt. Auf der Suche nach Heilung war er zum Propheten Elisa gereist und erwartete nun, einen komplizierten und teuren Ritus durchführen zu sollen. Stattdessen wurde ihm gesagt, er solle sich einfach siebenmal im Jordan untertauchen. Aber das erschien ihm zunächst zu einfach. Er wollte unbedingt mehr für seine Heilung tun. Zum Glück ließ er sich letztendlich doch zu dieser einfachen Lösung überreden und wurde tatsächlich geheilt. Damit ließ er sich auf das biblische Prinzip ein, dass zur Rettung vor allem Glaube nötig ist. – So wünsche ich Ihnen, dass Sie ganz einfach auf das Erlösungswerk des Herrn Jesus vertrauen. Nur dann ist Ihre Zukunft in Ewigkeit gesichert. *sst*

Warum fällt es Menschen so schwer, auf Gottes Gnade und nicht auf die eigene Leistung zu vertrauen?

Zu Gott kommt nur, wer sich kleinmachen kann.

2. Könige 5

**Und der HERR, Gott, nahm den Menschen
und setzte ihn in den Garten Eden,
ihn zu bebauen und ihn zu bewahren.**

1. Mose 2,15

Unsere Arbeit – Last oder Lust?

Arbeit ist für viele Menschen ein lästiges Übel. Sie hoffen auf das Wochenende, den Urlaub, die Rente. Sie möchten mit möglichst wenig Mühe viel Geld verdienen. Es wirkt so, als wäre Arbeit eine Last, die man gerne loswäre. Aber Arbeit ist viel wertvoller und wichtiger, als es uns oft erscheint. Wir müssen zwar hauptsächlich arbeiten, um unseren Lebensunterhalt zu verdienen. Dennoch bedeutet Arbeit für unser Leben und unser Menschsein mehr als das.

Der Beruf kann Berufung sein. Wir finden die Aufgabe, in der wir unsere Fähigkeiten und Begabungen entfalten und einbringen können. Durch das, was wir tun, finden wir Bestätigung. Arbeit ist in irgendeiner Weise auch immer ein Beitrag zum Allgemeinwohl. Eine Lehrerin lehrt die Kinder vieler Leute, um ihnen einen guten Start ins Leben zu ermöglichen. Eltern leiten ihre Kinder an, dass sie zu Menschen werden, die einen Beitrag zum Guten in der Gesellschaft leisten. In der Coronakrise hat man festgestellt, dass es »systemrelevante« Berufe gibt, angefangen bei der Kassiererin im Lebensmittelmarkt, den Berufen in der Pflege und Medizin, den Leuten, die unseren Müll entsorgen, und dann auch Automechaniker, Bäcker, Verwaltungsangestellte … ein großes Heer an Menschen, die für das Wohl anderer arbeiten.

Gott hat uns mit Begabungen ausgestattet, damit wir in seiner Schöpfung sowohl Neues schaffen als auch das bewahren und pflegen können, was schon länger besteht und gut und bewährt ist. Wir können froh sein, über all die Berufe, die in irgendeiner Form zu unserem Wohl beitragen. Wir können unsere eigene Arbeit in einem besseren Licht sehen und ihr einen höheren Wert beimessen. Und wir können Gott dankbar sein – für unsere eigene Arbeit und die anderer. *ht*

? Sehen Sie Ihre Arbeit als Last oder als Erfüllung?

! Arbeit ist kein Fluch, sondern Arbeit soll für uns und andere zum Segen sein.

2. Thessalonicher 3,7-13

**Denn was ist euer Leben?
Ein Dampf ist es ja, der für eine kurze Zeit sichtbar ist
und dann verschwindet.**

Jakobus 4,14

Alles ist vergänglich!

Der Frühling ist schon etwas Feines. Die Tage werden wieder länger, es wird wärmer, und die Natur erwacht zum Leben. Im Garten unserer Nachbarin stehen zwei schöne Magnolien. Wenn diese Sträucher im Frühjahr blühen, sind sie ein echter Blickfang und beeindrucken mit wunderschönen Farben und einer tollen Blütenpracht. Das Ganze hat nur einen Haken: Diese Magnolien haben leider nur eine relativ kurze Blühdauer. Nach zwei Wochen ist alles schon wieder vorbei. Die Blütenblätter werden braun und fallen ab. Das, was eben noch so schön blühte, verfällt und verliert seinen Glanz. Alles ist eben vergänglich.

Die Bibel macht keinen Hehl daraus, dass auch unser Leben vergänglich ist. Trotz aller Bemühungen der Forschung und Wissenschaft, das Leben künstlich zu verlängern und das Lebensende hinauszuzögern, bleibt es eine Tatsache, dass jeder Mensch einmal sterben wird. Unser Leben ist wie das Gras, das heute blüht und morgen schon wieder abgemäht wird; wie ein Dampf, der für kurze Zeit sichtbar ist und dann wieder verschwindet. Nein, unser Leben hier auf dieser Erde ist nicht auf Dauer angelegt. Unser menschlicher Körper verfällt. Das nachlassende Sehvermögen, die fehlende Kraft und Energie und die schwächer werdende Gesundheit sind Zeichen davon.

Die Bibel macht jedoch – Gott sei Dank – auch keinen Hehl daraus, dass das Leben auf dieser Erde nicht alles ist. Wenn auch unser Leben auf dieser Erde endlich und vergänglich ist, verspricht Jesus Christus doch denen, die an ihn glauben, das ewige Leben. Dieser Blick tröstet und gibt Hoffnung – trotz allem Verfall. Denn Jesus selbst ist die Auferstehung und das Leben, und wer an ihn glaubt, wird leben, auch wenn er stirbt (vgl. Johannes 11,25). *wj*

Wie gehen Sie mit der Vergänglichkeit ihres Lebens um?

»Der ist kein Narr, der hingibt, was er nicht behalten kann, damit er gewinnt, was er nicht verlieren kann.« (Jim Elliot)

Johannes 11,1-45

3. Mai 22

Dienstag

Seine Mutter spricht zu den Dienern:
Was er euch sagen mag, tut!
Johannes 2,5

Großes Vertrauen

Kürzlich sollten wir bei der Ausgestaltung einer ländlichen äthiopischen Hochzeit mithelfen. Als dann anstatt der eingeladenen 300 Gäste das halbe Dorf kam, standen wir vor einer ähnlichen Situation wie die Gastgeber bei der »Hochzeit zu Kana«, aus deren Berichterstattung im Neuen Testament unser Tagesvers entnommen ist. Die Getränke gingen aus. Weil es eine gemischte christliche und muslimische Gesellschaft war, fehlte es bald nicht nur an Wein, sondern auch an Birs, einem alkoholfreien Honigwasser, das auch Muslime trinken dürfen. Zum Glück reichte unser Geld, um für Nachschub sorgen zu können, und Gott verlangte von mir nicht den großen Glauben an ein Wunder wie den von der Mutter Jesu damals in Kana.

Glauben heißt, auf das Nicht-Sichtbare zu vertrauen. Immerhin hatte Jesus Christus bis dahin noch kein einziges Wunder gewirkt, und trotzdem traute seine Mutter es ihm zu, weil sie wusste, dass er Gottes Sohn war. Und er stellte sie noch weiter auf die Probe, weil er ihr klarmachen musste, dass er auf der Erde nur etwas tun konnte, wenn sein himmlischer Vater es ihm sagte. Darauf musste er – und musste auch sie – warten. Wie groß Marias Glaube war, zeigt unser Tagesvers. Sie wusste nicht, *was* Jesus tun würde, nur *dass* er etwas tun würde und dass die Diener darauf zu reagieren hätten.

Dieses Beispiel zeigt, dass Gott durchaus für unser leibliches Wohl sorgt, wie auch die Speisung der 5000 und der 4000 Zuhörer zeigt, die Jesus nicht hungrig wegschickte (Markus 6,30-44 und 8,1-9). Das gilt auch für uns heute: Wir sollen mit dem, was Gott uns gibt, so umgehen, wie es ihm gefällt und anderen Menschen zum Segen gereicht. Dann werden wir selbst gesegnet, und Gott kann durch uns geehrt werden.

mgr

? Was haben Sie von Gott bekommen, das Jesus zum Segen anderer vervielfachen kann?

! Tun Sie dann aber auch alles, was er Ihnen aufträgt!

Johannes 2,1-11

Es ist besser für dich, einäugig in das Reich Gottes zu kommen, als dass du beide Augen behältst und in die Hölle geworfen wirst, wo die Qual nicht endet und das Feuer nicht erlischt. Markus 9,47-48

Wohlfühlgesellschaft?

Gegen Ende des Zweiten Weltkrieges war meine Mutter froh, wenn sie einmal an einem Sonntagabend ein bisschen ausruhen konnte, natürlich Strümpfe stopfend. Da saß sie also, und ich, auf dem Hocker vor dem Harmonium sitzend, fragte sie: »Was soll ich denn mal spielen?« Antwort: »Spiel mal Lied 10: Freund der Deinen, / bald dann weinen, / Gottes Kinder nicht mehr hier ...!« Das hab ich dann gelernt, in C-Dur und leicht gesetzt. Von einer Wohlfühlgesellschaft ist in diesem Lied nirgends die Rede.

Wir sollen uns heutzutage ständig wohlfühlen! Nach den Maßstäben der politischen Korrektheit von heute müsste die Bibel eigentlich verboten werden. Denn »sich wohlfühlen« ist eine der großen Botschaften unserer Zeit.

Wenn man aber das Neue Testament vor Augen hat, fällt schnell auf, dass von »Wohlfühlen« kaum die Rede ist, auch wenn »Evangelium« ja »Frohe Botschaft« heißt. Gott sandte seinen einzigen vielgeliebten Sohn, um nach dem Wohlergehen seiner verirrten Geschöpfe zu sehen, um sie aus der Versklavung der Sünde loszukaufen. Das beinhaltet, dass die Frohe Botschaft in eine Welt voller Mühsal getragen wurde.

Wenn einem Passagier auf einem sinkenden Schiff ein Platz im Rettungsboot angeboten wird, kann er es leicht als eine Unverschämtheit ansehen, ihn mitten im Abend-Diner zu stören. So geht es auch heute. Viele Menschen lassen sich nicht gerne abhalten – von allem nur Möglichem, das sie beschäftigt. Und nach dem Wohlfühlen kommt dann irgendwann die bittere Ernüchterung darüber, das Wesentliche für immer versäumt zu haben: ewiges Leben durch den Glauben an den Sohn Gottes. *koh*

Sind Sie eher aufs Wohlfühlen aus oder darauf, das ewige Leben zu gewinnen?

»Das Christentum ist eine Unverschämtheit, die wir nicht als Liebenswürdigkeit tarnen dürfen.« (N. G. Dávila)

Markus 9,42-50

Und es geschah, als sie es schwer hatte mit ihrem Gebären, da sagte die Hebamme zu ihr: Fürchte dich nicht, denn auch der wird dir ein Sohn!

1. Mose 35,17

Internationaler Hebammentag

»Hebamme im Dienst – auf dem Weg zu Mutter und Kind.« Mit diesem Schild unter der Windschutzscheibe fährt meine Frau jeden Tag zu schwangeren Frauen, Wöchnerinnen und deren Kindern. Auch heute am *Internationalen Hebammentag*. Dieser Tag wird seit 1991 am 5. Mai in mehr als 50 Ländern begangen. Es soll die Arbeit der Hebammen gewürdigt und auf ihre Rolle in der Gesellschaft hingewiesen werden.

Auch in der Bibel wird die Arbeit der Hebammen gewürdigt. Da riskiert bei Rahel, der Frau von Jakob, die Hebamme eine Steißlagengeburt. Ihr Sohn Benjamin wird geboren, doch Rahel stirbt. Eine Situation, die Hebammen immer wieder verkraften müssen. Bei Tamar, der Schwiegertochter von Juda, wagte die Hebamme sogar eine Zwillingsgeburt, allerdings mit erheblichen gesundheitlichen Folgen. Später zeichneten sich zwei hebräische Hebammen durch Gottesfurcht aus. Aus Angst vor der drohenden Übermacht der Israeliten befahl der ägyptische König den Hebammen, deren neugeborene Jungen zu töten. Nein sagten sie, das tun wir nicht. Wir fürchten Gott und wissen, dass kein Mensch einem anderen das Leben nehmen darf.

Gerade wenn es um den Anfang des Lebens geht, gibt es Entwicklungen, zu denen wir Christen Nein sagen müssen. Ein Beispiel ist der Gentest zur Früherkennung von Trisomie 21, auch Downsyndrom genannt. Ein positiver Test ist oft das Todesurteil für das ungeborene Kind. Noch viel problematischer ist die Tötung unzähliger Kinder durch Abtreibung. Wie konnte es so weit kommen, dass so vielen ihr Recht auf Leben verweigert wird? Unsere verlorene Welt braucht ein Zeichen der Hoffnung. So wie damals, als der Sohn Gottes Mensch und unscheinbar als Retter in unsere Welt hineingeboren wurde. *hl*

? Was bedeutet es Ihnen, dass Gottes Sohn als Mensch in unsere Welt geboren wurde?

! Der Sohn Gottes will auch für Sie ein »Zeichen der Hoffnung« sein.

Lukas 2,25-35

Weil du teuer, wertvoll bist in meinen Augen und ich dich lieb habe, ...
Jesaja 43,4

Prägung

Eines Tages kam Thomas Edison von der Schule nach Hause und gab seiner Mutter einen Brief. Er sagte ihr: »Mein Lehrer hat mir diesen Brief gegeben und sagte mir, ich solle ihn nur meiner Mutter zu lesen geben.« Die Mutter hatte die Augen voller Tränen, als sie dem Kind laut vorlas: »Ihr Sohn ist ein Genie. Diese Schule ist zu klein für ihn und hat keine Lehrer, die gut genug sind, ihn angemessen zu fördern. Bitte unterrichten sie ihn selbst.«

Viele Jahre nach dem Tod seiner Mutter – Edison war inzwischen einer der größten Erfinder des Jahrhunderts – blätterte er eines Tages in alten Familienunterlagen. Plötzlich stieß er in einer Schreibtischschublade auf ein zusammengefaltetes Blatt Papier. Er nahm es und öffnete es. Auf dem Blatt stand geschrieben: »Ihr Sohn ist geistig behindert. Wir können ihn hier in der Schule nicht unterrichten.« Edison weinte stundenlang und dann schrieb er in sein Tagebuch: »Thomas Alva Edison war ein geistig behindertes Kind. Durch eine heldenhafte Mutter wurde er zum größten Genie des Jahrhunderts.«

Wie wir unseren Kindern begegnen – es wird ihr Leben prägen. Machen wir sie stark, sehen wir ihre Chancen und Potenziale, fordern und fördern wir sie oder machen wir sie klein, entmutigen wir sie?

Was wir unseren Kindern sagen, kann für sie von größter Bedeutung sein. Vielleicht verändert es sogar ihr Leben. Worte können ermutigen, aufbauen, trösten und Leben schaffen. Schon ein kleines gutes Wort kann für sie ein richtiger Segen sein. Mütter spielen dabei eine Schlüsselrolle. Kinder sind uns nur geliehen, für eine Zeit können wir unser Leben in sie investieren. Sie werden uns ewig danken, wenn wir das segnend tun!

lü

? Was sehen Sie in Ihren Kindern?

! Kinder sind eine Gabe Gottes, die unser Bestes verdienen.

Sprüche 3,1-12

7. Mai 22

Samstag

Ein ewiger Gott ist der HERR,
der Schöpfer der Enden der Erde; er ermüdet nicht
und ermattet nicht, unergründlich ist sein Verstand.

Jesaja 40,28

Unergründlich

Johannes beschließt sein Evangelium mit folgendem Satz: »Es sind aber auch viele andere Dinge, die Jesus getan hat, und wenn diese einzeln niedergeschrieben würden, so würde, denke ich, selbst die Welt die geschriebenen Bücher nicht fassen« (Johannes 21,25).

Im Jahr 2019 sind über 70.000 Buchtitel auf dem deutschen Markt neu erschienen! Im Jahr 2020 wurden in Deutschland etwa 350 Millionen Bücher verkauft. Weltweit gibt es viele Hundert Milliarden Bücher – und Johannes hinterlässt uns mit seinem Evangelium nur 3 x 7 Kapitel – ein Heft mit etwa 40 Seiten! Gott hat es vorgesehen, diese wenigen, aber inhaltsschweren Seiten zu hinterlassen, damit wir ihn erkennen. Seine Selbstoffenbarung in der Bibel reicht aus für alle Menschen weltweit, in allen Erdteilen und unterschiedlichen Kulturen, um Gott kennenzulernen.

Die Schöpfung, im Mikro- wie im Makrokosmos, ist so geheimnisvoll, so wunderbar, so unglaublich, dass wir, je tiefer wir in jedes Detail eindringen, aus dem Staunen nicht herauskommen. Und je länger wir hinschauen, umso spannender wird es, und das Anerkennen unserer Unkenntnis erscheint umso mehr notwendig. Manchmal mag man wie Hiob zu Gott sagen: »So habe ich denn beurteilt, was ich nicht verstand, Dinge, zu wunderbar für mich, die ich nicht kannte. Höre doch, und ich will reden; ich will dich fragen, und du belehre mich! Mit dem Gehör des Ohres hatte ich von dir gehört, aber nun hat mein Auge dich gesehen. Darum verabscheue ich mich und bereue in Staub und Asche« (Hiob 42,3-6).

Wenn das angesichts der Schöpfung schon so ist, wie viel mehr beim Lesen der Bibel! Je länger wir hinschauen, je genauer wir forschen, sehen wir mehr und mehr, wie herrlich und großartig Gott ist. *lü*

? Welchen Stellenwert hat die Bibel für Sie?

! Bibelleser wissen mehr! Beginnen Sie heute, das Evangelium des Johannes zu lesen.

Johannes 1,1-28 (Fortsetzung siehe Bibellese im Mai am Ende dieses Kalenders)

**Meine Stärke und mein Lobpreis ist der HERR,
und er ist mein Retter geworden.**
Psalm 118,14

Nie dafür gedankt?

Warme Dankbarkeit schwang in der Stimme des alten Mannes, während er von seiner Mutter erzählte. Es war in der schrecklichen Zeit des Zweiten Weltkrieges gewesen, als die feindlichen Bomber ihre todbringende Fracht über deutschen Städten abwarfen. Der alte Mann war damals ein kleiner Junge, der nicht verstand, was um ihn herum geschah.

»Immer, wenn es nachts Fliegeralarm gab, hat meine Mutter mich schlafend in den Luftschutzkeller getragen, eingepackt in eine warme Decke. Dort im Keller stand eine Liege, auf der ich einfach weitergeschlafen habe. Manchmal tat Mutter das mehrmals in einer Nacht. Und ich habe von ihren ganzen Sorgen, der Lebensgefahr, in der wir alle schwebten, und von ihrer ständigen Müdigkeit nichts mitbekommen. Ich habe einfach nur selig geschlafen.« Unbekümmert und ruhig in dem Wissen, dass die Mutter da war und sich um alles kümmerte.

Uns Menschenkindern geht es eigentlich doch auch wie diesem Jungen. Wir sind von mehr Gefahren umgeben, als wir ahnen. Doch es gibt einen himmlischen Vater, der über unser Leben wacht und viele brenzlige Situationen zum Guten lenkt. Haben wir nicht schon oft seine Bewahrung gespürt und gemerkt, dass wir das Gute in unserem Leben nicht einfach nur dem Zufall verdanken, sondern dass da ein gnädiger Gott seine Hand im Spiel hatte?

Die Mutter des kleinen Jungen wäre sicher sehr enttäuscht gewesen, wenn er, als er älter wurde, ihr nie ihren Einsatz und ihre Mühe gedankt hätte. Doch wie oft gehen wir genauso mit Gott um, wenn wir seine Bewahrung einfach für selbstverständlich nehmen und ihm noch nicht einmal dafür danken. Doch jeder Mensch wird sich einmal dafür rechtfertigen müssen.

eli

Wann haben Sie das letzte Mal Bewahrung und Schutz erlebt? Haben Sie Gott dafür gedankt?

In wie viel Not / hat nicht der gnädige Gott / über dir Flügel gebreitet!

Markus 4,35-41

Denn unser Bürgerrecht ist im Himmel, von woher wir auch den Herrn Jesus Christus als Retter erwarten.
Philipper 3,20

Privileg »EU-Pass«

Der Schweizer Anwalt Christian Kälin gilt als der »Passport King«. Er vermittelt reichen Asiaten und Arabern die EU-Staatsbürgerschaft – gegen Bezahlung. Oligarchen und Ölscheichs können sich z. B. in Malta für sehr viel Geld eine EU-Staatsbürgerschaft kaufen. Ein blühendes Geschäft!

Den priveligierten Pass lassen sich die Superreichen bis zu 900.000 Euro kosten. Als man den Schweizer Anwalt fragte, ob er dabei keine Skrupel habe, sagte er: »Wieso? Das ist doch schon in der Bibel belegt. Wer genug zahlte, konnte Römer werden.«

Tatsache! Das steht in Apostelgeschichte 22: Paulus soll in Jerusalem gefoltert werden. Im letzten Moment erwähnt er dem Auspeitscher gegenüber: »Ist es euch erlaubt, einen Menschen, der Römer ist, zu geißeln, und noch dazu ohne ordentliches Gerichtsverfahren?«

Das wird dem Vollzugsbeamten zu heiß. Deshalb vergewissert er sich bei seinem Vorgesetzten: »Was sollen wir tun? Der Häftling ist angeblich römischer Bürger.« Da erschrickt der Kommandant und erkundigt sich persönlich bei Paulus: »Bist du wirklich römischer Bürger?« – »Ja«, antwortet Paulus ruhig. – »Wie das? Mich hat es eine Menge Geld gekostet, das Bürgerrecht zu erwerben«, sagt daraufhin der Beamte. Paulus erwidert umgehend: »Ich besitze mein Bürgerrecht durch Geburt!«

Es gibt ein sehr viel größeres Privileg, als damals ein Römer oder heute ein EU-Bürger zu sein: Es ist das »Bürgerrecht«, das Anrecht auf den Himmel. Doch den »Eintritts-Pass« kann man sich für kein Geld der Welt kaufen. In den Genuss dieses Vorrechts – der Himmelsbürgerschaft – kommt man nur durch eine neue Geburt! Lesen Sie in Johannes, Kapitel 3, nach, wie das geht. *fe*

? Erwarten Sie den Retter, der aus dem Himmel kommen wird?

! Nur der, der vom Himmel kam, kann uns auch in den Himmel bringen.

Johannes 3,1-18

**Ich bin der Weinstock, ihr seid die Reben.
Wer in mir bleibt und ich in ihm, der bringt viel Frucht;
denn getrennt von mir könnt ihr nichts tun.**
Johannes 15,5

Ohne Wurzel kein Leben

Letztens habe ich einen schönen Frühlingsstrauß Tulpen geschenkt bekommen. Ich stellte ihn in eine Vase mit Wasser und Mineralstoffen. Einige Tage waren die Tulpen wunderschön und wuchsen sogar. Dann aber fingen sie an, ihre Blüten abzuwerfen und zum Schluss waren sie komplett abgestorben. Sie hatten zwar eine Zeit lang genügend Wasser und Nährstoffe, jedoch keine Wurzel. Ohne Wurzel aber konnten sie nicht weiterleben.

Ist es nicht ähnlich mit uns Menschen? Gott hat uns erschaffen, er ist unsere Wurzel. Die ersten Menschen, Adam und Eva, haben sich aber von Gott getrennt, da sie das einzige Gebot, das Gott ihnen gab, nicht gehalten haben. Sie haben trotz Gottes Warnung von der verbotenen Frucht gegessen. Seither leben wir Menschen auf dieser Erde, als ob Gott gar nicht existieren würde. Losgelöst von ihm gestalten wir unser Leben ohne Wurzel und leben, wie wir wollen. Wir essen, trinken, wachsen, arbeiten, bauen Häuser, gründen Familien, vermehren unseren Reichtum. Manche von uns machen sogar außergewöhnliche Karrieren und werden berühmt. Schließlich aber werden wir alle – ohne Wurzel – sterben müssen, so wie die Tulpen.

Meine Tulpen hatten keine Chance, sich wieder mit ihrer Wurzel zu verbinden. Doch wir Menschen haben eine Möglichkeit, an unserer Wurzel – Gott – wieder anzuwachsen. Jesus kann uns mit unserem Schöpfer verbinden. Er ist gestorben und auferstanden, damit wir nicht sterben müssen. Wenn wir ihn als Herrn aufnehmen und an ihn glauben, werden wir wieder mit unserer Wurzel verbunden und nach unserem Tod ewig bei Gott leben. Unsere einzige Aufgabe ist dann, mit ihm verbunden zu bleiben, damit wir weiterwachsen und gute Früchte bringen können.

bwe

Möchten Sie ewiges Leben haben?

Verbinden Sie sich mit Ihrer Wurzel durch den Herrn Jesus.

1. Timotheus 2,1-7

11. Mai 22

Mittwoch

Es sei aber euer Ja ein Ja und euer Nein ein Nein.
Jakobus 5,12

I feel good (1)

15 Minuten vor dem geplanten Treffen kommt die WhatsApp-Nachricht: »Komme doch nicht, sorry!« Das haben Sie vielleicht auch schon erlebt – oder sogar selbst so getan. Es ist in unserer »flexiblen« Zeit salonfähig geworden, seine Meinung kurzfristig zu ändern: Wenn es mir doch nicht ganz hineinpasst, wenn es doch zu aufwendig oder mühsam ist, sage ich einfach kurzerhand ab. Das muss der andere doch verstehen, oder?!?

Diese »Feel-good«-Mentalität findet sich auch in vielen Beziehungen: Solange es sich gut anfühlt, passt es, andernfalls wird der Partner eben gewechselt. Man kämpft nicht mehr für eine Beziehung und arbeitet daran, sondern trennt sich einfach, wenn Probleme auftauchen. Wenn es sich gerade nicht gut anfühlt, dann kann es doch nicht richtig sein, oder?!? Aus dem »Ich will mein Leben mit dir verbringen« ist schnell ein »Wir haben uns einfach auseinandergelebt« geworden. Was zurückbleibt, sind gebrochene Herzen und die immer wiederkehrende Erfahrung, dass man sich auf nichts verlassen kann. Immer mehr Menschen werden in der Folge beziehungsunfähig. Einsamkeit ist die neue Volkskrankheit.

In der Bibel findet sich gegen diese »Seuche der Unverbindlichkeit« ein fast 2000 Jahre altes, aber höchst wirksames Rezept: »Es sei aber euer Ja ein Ja und euer Nein ein Nein.« Wir sollen also wohlüberlegte Entscheidungen treffen und dann zu unserem Wort stehen. Wie viel Kummer und Leid würden wir uns ersparen, wenn wir diesen einfachen Grundsatz beherzigen würden! Fangen wir doch wieder an, Menschen mit Rückgrat zu sein; Menschen, auf die man sich verlassen kann; Menschen, deren Wort zählt und die zu ihren Entscheidungen stehen – auch wenn es etwas kostet oder Nachteile mit sich bringt! *sh*

Was ist Ihr Wort wert?

Treue ist eine aussterbende, aber wunderbare Tugend.

Psalm 89

Donnerstag

12. Mai 22

**Denn der Sohn Gottes, Christus Jesus,
der unter euch durch uns gepredigt worden ist,
… war nicht Ja und Nein, sondern in ihm ist ein Ja geschehen.**

2. Korinther 1,19

I feel good (2)

Gestern haben wir festgestellt, dass das Wort vieler Menschen nichts mehr zählt. Wenn es zu anstrengend ist oder zu viel kostet, ändern sie ihre Meinung einfach. Dass es auch anders geht, hat – wie kein anderer – Jesus bewiesen.

Wie weit wäre Jesus eigentlich gekommen, wenn er so eine »Feelgood«-Einstellung gehabt hätte? Hätte er diesen Planeten dann überhaupt betreten? Und wenn, wo hätte er seine Mission abgebrochen, weil es zu viel kostete? Als er nach 40 Tagen Fasten vom Satan versucht wurde? Als seine Jünger darüber sprachen, wer der Größte von ihnen sei, während Jesus von seinem bevorstehenden Tod redete? Bei seiner Gefangennahme? Als sie ihm, dem ewigen allmächtigen Gott, ins Gesicht spuckten und ihn verhöhnten? Als sie ihm Nägel durch die Handgelenke und Fersenbeine trieben?

Jesus kannte die Kosten seiner Mission, bevor er auf die Erde kam. Ja, er kannte die Kosten, bevor er diese Erde und uns Menschen schuf. Er ist trotzdem gekommen und hat es durchgezogen. Er ging geradewegs nach Jerusalem, um dort an diesem Kreuz von Golgatha als Stellvertreter für uns Menschen zu sterben. Das hat sich nicht gut angefühlt. Jesus hatte zuvor unglaubliche Gebetskämpfe im Garten Gethsemane. Im Wissen, dass er die Last der Sünden tragen würde, war er zu Tode geängstigt und sprach: »Mein Vater, wenn es möglich ist, so gehe dieser Kelch an mir vorüber! Doch nicht wie ich will, sondern wie du willst« (Matthäus 26,39). Es war nur der Gehorsam gegenüber seinem Vater und die Liebe zu Ihnen und mir, die Jesus an dieses Kreuz gebracht haben. In ihm ist das Ja geschehen, in ihm sind alle Zusagen Gottes bestätigt. Vergebung und ewiges Leben sind für jeden Menschen möglich, weil Jesus es durchgezogen hat.

sh

? Was ist Ihre Antwort auf diese Liebestat von Jesus?

! Würde es einen anderen Weg zu Gott geben, hätte Jesus das alles nicht gemacht.

Matthäus 26,36-46

13. Mai 22

Freitag

Suchet den Herrn, solange er sich finden lässt;
ruft ihn an, solange er nahe ist!
Jesaja 55,6

Gelegenheit verpasst?

Vier Dinge kommen im Leben nicht mehr zurück: die Tage, die du gelebt hast; die Erfahrungen, die du gemacht hast; die Worte, die du benutzt hast; und die Chancen, die du verpasst hast.

Fast jeder kennt den Ausdruck »Die Gelegenheit beim Schopf packen«. Der stammt aus einer alten Sage der griechischen Mythologie. *Kairos* ist der »Gott der günstigen Gelegenheit« – ein Jüngling, dem eine Haarlocke in die Stirn fällt und der unablässig mit seinen geflügelten Schuhen umhereilt wie der Wind. Wenn du ihn ergreifen willst, musst du ihn an seinem Haarschopf packen. Denn sobald er an dir vorüber ist, ist es zu spät. Ich gehe davon aus, dass es Ihnen bereits ebenso erging wie mir. Da gab es einen Krankenbesuch, den ich hätte machen sollen – machte ihn nicht, und es war zu spät. Einmal zu lange gewartet mit der Einsendung zu einer Teilnahme – Chance vorbei. Zeit übersehen – Bus verpasst, usw.

Die Bibel sagt uns, dass es auch in Bezug auf Gott Chancen und verpasste Gelegenheiten gibt. Sie erzählt von Menschen, die nicht vorbereitet waren, zu lange gewartet oder einfach das Angebot Gottes ausgeschlagen haben. Das Angebot, das Gott uns macht, ist Vergebung unserer Sünden, Versöhnung mit ihm und ewiges Leben bei ihm im Himmel. Dieses Angebot hat er vor nahezu 2000 Jahren durch seinen Sohn Jesus Christus zu uns Menschen gebracht. Aber es ist zeitlich begrenzt. Es kommt ein Tag, an dem Gott seine »Himmelstür« verschließt. Gott klopft allerdings mehrere Male im Leben an unsere »Herzenstür«. Sehr oft ist keiner »zu Hause«. Deutliche »Warnschilder« wie Krankheit oder Unfall werden missachtet. Unzählige kleine Gelegenheiten wie Begegnungen mit Christen, eine Bibel oder ein christliches Buch als Geschenk verlieren sich im Getriebe des Alltags. *sew*

Bei welchen Gelegenheiten hat Gott bei Ihnen schon angeklopft?

»Die Gelegenheit beim Schopf packen« ist die einzig richtige Devise, wenn Gott anklopft.

Lukas 13,24-25

Was siehst du aber den Splitter im Auge deines Bruders, und den Balken in deinem Auge bemerkst du nicht?
Matthäus 7,3

Von Splittern und Balken

Seit einigen Jahren renovieren wir unser Eigenheim, und so nach und nach gehen wir die kleinen Baustellen an, die wir vor unserem Umzug noch außen vor gelassen hatten. Momentan ist unser Treppenhaus an der Reihe, das wir verkleiden und zum Keller hin abschließen wollen. Dabei haben wir mit langen Balken gearbeitet. Als mein Onkel neulich zu uns kam, um das Treppenhaus zu sehen, hielt er spontan einen der langen Balken in die Höhe. In der anderen Hand hatte er einen sehr kleinen Span, der beim Renovieren übrig geblieben war.

Das war ein sehr anschauliches Beispiel für den bekannten Vers aus dem Matthäusevangelium, den ich schon häufig gelesen habe, der mir aber in diesem Moment besonders deutlich wurde. Denn dieser Balken, lang, massiv und kaum mit einer Hand zu halten, war natürlich viel zu groß, um auch nur annähernd in ein menschliches Auge zu passen. Der Splitter dagegen könnte das sehr gut!

Wie oft bemerken wir Fehler an unserem Gegenüber und verurteilen diese Person. In unserem Hochmut fällt es uns leicht, schlechte Gedanken über andere zu pflegen. Aber sind wir uns bewusst, dass wir selbst genauso sündige Menschen sind, die Vergebung nötig haben? Jesus möchte deutlich machen, wie sehr wir in der Gefahr stehen, unsere eigene schlechte Natur zu übersehen und unsere Sünden, groß wie Balken, kleinzureden. Gleichzeitig blicken wir auf andere herab und verurteilen deren »Splitter«.

Wir benötigen die Vergebung Gottes, der unseren »Balken« entfernen kann, wenn wir ihn darum bitten. Wenn wir uns bewusst sind, wie gnädig Gott *uns* vergeben hat, werden wir auch viel milder mit anderen sein.

aco

Wann haben Sie das letzte Mal über Ihren Nächsten geurteilt?

Überlassen Sie Gott das Richten! Er ist vollkommen gerecht und kennt jedes Herz.

Matthäus 7,1-5

**Darum nehmt einander an,
wie Christus euch angenommen hat zu Gottes Ehre.**
Römer 15,7

Ich liebe dich, wenn ...

Es fällt Eltern nicht leicht, wenn ihr Kind so gar nicht den eigenen Erwartungen entspricht. Die Tochter will nicht Medizin studieren, obwohl das Ärzteehepaar die Nachfolge der eigenen Praxis innerhalb der Familie fest eingeplant hat. Der Sohn der Bauernfamilie hat gar kein Interesse an Landwirtschaft und will lieber eine Banklehre machen. Die Kinder der Pianistin sind völlig unmusikalisch. Dies ist für manche Väter und Mütter schwer zu akzeptieren, besonders wenn sie sehen, wie andere Kinder scheinbar völlig selbstverständlich den elterlichen Betrieb übernehmen. Schlimm für die Kinder wird es dann, wenn die Eltern ihre Liebe davon anhängig machen, ob das Kind ihren Erwartungen entspricht. Sind mehrere Kinder da, kann es leicht passieren, dass ein Lieblingskind auserkoren wird. Kinder haben ein feines Gespür für ungleiche Behandlung durch die Eltern und werden eifersüchtig auf den Bruder oder die Schwester. Ein Teufelskreis beginnt: Das Lieblingskind wird verteidigt, die Eifersucht verschlimmert sich – und die Geschwister vertragen sich immer weniger.

»Darum nehmt einander an, wie Christus euch angenommen hat zu Gottes Ehre«, ist Paulus weiser Rat an die Gemeinde in Rom. Einander annehmen heißt, den anderen so zu nehmen, wie er ist. Genauso nimmt Jesus Menschen an. Er liebt jeden Menschen gleich, unabhängig von dem, was er an Geld, Talenten oder guten Werken vorzuweisen hat. Wer zu Jesus kommt, muss keine besonderen Leistungen bringen. Christus nimmt ihn an, obwohl er ein Sünder sind. Die einzige Voraussetzung ist, dass wir unsere Schuld nicht verstecken, sondern bekennen und uns von Jesus verändern lassen. Wer diese Annahme erfahren hat, dem wird es auch nicht schwerfallen, seinen Mitmenschen ebenso zu begegnen – zuerst den eigenen Kindern. *dbe*

? Wo habe ich unrealistische Erwartungen an andere?

! Wer sich von Gott geliebt und angenommen weiß, wird entspannter im Umgang mit anderen.

1. Johannes 4,7-11

16. Mai 22

Montag

**Und wir haben gesehen und bezeugen,
dass der Vater den Sohn gesandt hat als Retter der Welt.**
1. Johannes 4,14

Wenn der Vater (nicht) hilft

»Autsch!« Die kleine Hildegard zuckte zusammen, sie hatte die Sticknadel statt in den Stoff in ihre Hand gestochen. »Komm doch raus und spiel Fußball mit uns!«, riefen ihre Brüder durch das offene Fenster. Sie rannte nach draußen und vergaß die Nadel in der Hand völlig. Irgendwann rutschte sie heraus, es blutete, Dreck kam in die Wunde. Als die Mutter die kleine Verletzung versorgte, machte sich noch niemand Sorgen. Aber dann wurde die Hand immer dicker, Hildegard bekam hohes Fieber und musste ins Krankenhaus. Der ganze Arm schwoll an, das Leben des Kindes war in Gefahr. Es war das Jahr 1935, man kannte bereits die Erreger von Hildegards Infektion, konnte aber nichts gegen sie tun. Der Arzt empfahl, den Arm abzunehmen, um das Leben des Mädchens zu retten.

Erschüttert trat der Vater ans Bett. Es war Gerhard Domagk, der seit einiger Zeit an einem Medikament zur Bekämpfung von Streptokokken arbeitete. Bei Mäusen hatte es bereits hervorragende Resultate erzielt, auch bei einigen wenigen todkranken Patienten. »Der Arm bleibt dran«, setzte sich Domagk durch. »Wir versuchen es mit meinen neuen Sulfonamiden.« Und tatsächlich: Bereits nach zwei Tagen sank das Fieber, der Arm schwoll ab und Hildegard konnte bald wieder mit ihren Brüdern Fußball spielen. Die Forschung und der Mut ihres Vaters hatten ihr den Arm und das Leben gerettet.

Als Jesus in Qualen am Kreuz hing, da blutete das Herz seines himmlischen Vaters. Aber er rettete seinen Sohn *nicht,* obgleich er die Macht und die Möglichkeit dazu gehabt hätte. Warum? Um uns Menschen durch den stellvertretenden Tod seines Sohnes die Möglichkeit zum ewigen Leben zu geben. Unvorstellbar, dass ein Vater so handelt. Wie tief muss Gottes Liebe zu uns sein! *eli*

? Wie ist Ihre Antwort auf Gottes Liebe?

! Dass Gott seinen eigenen Sohn für uns sterben ließ, ist immer wieder neu ein Grund zum Staunen.

Lukas 22,39-46

**Welttele-
kommuni-
kationstag**

17. Mai 22

Dienstag

**... und ihr werdet die Wahrheit erkennen,
und die Wahrheit wird euch frei machen.**

Johannes 8,32

Das Megafon der Medien

Medien sind unsere täglichen Begleiter. Wir alle werden von Smartphone, Fernsehen, Radio und Internet beeinflusst. Die Macht, die Medien ausüben, ist subtil und gleichzeitig allgegenwärtig. Die persönliche Ansichten der Medienmacher werden uns oft unterschwellig übermittelt. So kann bei uns eine Meinung entstehen, die vielleicht gar nicht unserer wahren Überzeugung entspricht. Dabei muss man niemandem eine gezielte Meinungsmache vorwerfen. Gezwungenermaßen müssen manche Themen ausgewählt und manche eben vernachlässigt werden. Man kann schließlich nicht immer über alles und jeden berichten.

Ein Beispiel: Der Krieg in der Ukraine war im Laufe des Jahres 2014 ständig aktuelles Thema in fast jeder Nachrichtensendung. Später redete kaum noch jemand über diesen Konflikt, und so geriet er auch bei den allermeisten in Vergessenheit, obwohl der er nach wie vor andauert. Die vielen Perspektiven in den Dutzenden von Nachrichtenmeldungen ergeben ein buntes Mosaik an unterschiedlichsten Auffassungen. Wer behält da noch die Übersicht? Und vor allem stellt man sich nicht nur einmal die Frage: Wem kann ich da vertrauen?

Die Bibel hat einen ziemlich steilen Wahrheitsanspruch inmitten der zehntausend Stimmen in unserer Welt. Gott spricht auf diesen Seiten aus seiner Ewigkeit in unsere Zeit. Und immer, wenn ich die Bibel lese, komme ich zur Ruhe. Ich spüre, wie die Bibel mir Gottes Wahrheit mitteilt und erklärt. Seine Wahrheit über unsere Welt, über ihn, über mich. Das ist die eine Wahrheit, die bis heute gültig ist, weil sie eben von dem Gott stammt, der den Überblick über alles hat. Eine Perspektive, von der jeder Journalist nicht einmal träumen kann! Und diese Wahrheit ist tatsächlich verlässlich, gestern, heute und bis in Ewigkeit. *schn*

? Auf welche Stimmen hören Sie?

! Die vertrauenswürdigste Stimme ist der Schöpfer selbst.

2. Korinther 4,1-6

Auch beim Lachen hat das Herz Kummer.
Sprüche 14,13

Suche nach Perfektion

»Der ideale Ehemann ist ein unbestätigtes Gerücht«, sagte Brigitte Bardot nach vier Ehen und zahlreichen Affären. Nichts im Leben ist vollkommen. Alles Lachen ist mit Kummer vermischt. Jedes Glück hat eine brüchige Grundlage, jeder Diamant irgendeinen Fehler. Es ist gut, ein perfektes Ideal zu haben. Aber es ist auch gut, realistisch zu sein: Wir werden niemals absolute Vollkommenheit unter der Sonne finden. Es ist leicht, von seiner Firma enttäuscht zu sein und zu glauben, in der auf der anderen Straßenseite wäre alles besser. Nicht selten werden hohe Ideale in Stars und Idole hineinprojiziert, näheres Hinsehen aber wird zu schmerzhafter Ernüchterung führen. Mancher ist sein Leben lang auf der Suche nach idealen Freunden und vergisst dabei, dass seine eigene Unvollkommenheit eine makellose Freundschaft unmöglich machen würde. Bei allen schönen Dingen dieses Lebens ist immer ein Wurm im Apfel. Das Paradies befindet sich nicht mehr auf dieser Erde.

Warum ist die Suche nach Perfektion so tief in uns verankert, obwohl diese offensichtlich unerreichbar ist? Kann es sein, dass sie ein Ausdruck der Sehnsucht nach einer makellosen Person ist? Nach dem, von dem es heißt: »Der Fels, vollkommen ist sein Tun und alle seine Wege sind recht. Ein Gott der Treue und ohne Falsch, gerecht und gerade ist er« (5. Mose 32,4)?

Gott hat eine Sehnsucht nach Vollkommenheit in uns hineingelegt, damit wir nach oben schauen und sie bei der einzigen vollkommenen Person, bei Jesus Christus suchen. Von ihm sagte sein Richter Pilatus trotz maximal kritischer Haltung dreimal: »Ich finde keine Schuld an ihm.« Und der Leiter seines Hinrichtungskommandos stellte erstaunt fest: »Tatsächlich, dieser Mensch war gerecht!« *ga*

? Warum suchen wir Menschen Perfektion, obwohl wir sie nicht finden?

! Nur Jesus Christus ist wirklich vollkommen.

Johannes 19,1-16

Und Gott sprach: Die Erde lasse Gras hervorsprossen, Kraut, das Samen hervorbringt, Fruchtbäume, die auf der Erde Früchte tragen nach ihrer Art, in denen ihr Same ist! Und es geschah so. 1. Mose 1,11

Eine sanfte Predigt

Monsieur Charney, ein einflussreicher Franzose, wurde von Kaiser Napoleon wegen Verdachts auf Hochverrat ins Gefängnis geworfen. Täglich durfte er hinter hohen Mauern eine Zeit lang umhergehen. Er schrieb an die Mauer mit großen Buchstaben sein Glaubensbekenntnis: Alles nur Zufall!

Gerade unter diesen Buchstaben entdeckte er am Fuß der Mauer eine winzige Pflanze. Täglich verfolgte er ihr Wachstum. Wo kam die Pflanze her? Warum war sie so hübsch gestaltet? Täglich beobachtete er sie und pflegte sie, so gut er konnte. Das Pflänzchen sprach nicht mit ihm, wusste auch nichts von den inneren Kämpfen, die sich in ihm abspielten, und doch wurde sie Charneys »Freundin« und predigte ihm in seiner Einsamkeit von dem von ihm tot gesagten Schöpfer. Als sie dann sogar noch zu blühen anfing, staunte er über dieses großartige Kunstwerk, und längst vergessene Wahrheiten wurden in ihm immer lebendiger: Gott, der Schöpfer des Himmels und der Erde, hatte ihm diese Blume geschickt, um ihn, den hartgesottenen Gottesleugner, zu sich zurückzuführen.

Schließlich wurde Charney durch die Fürsprache der Kaiserin Joséphine freigelassen. Vorsichtig grub er das Blümchen aus und pflanzte es in sein Gewächshaus. Es hatte ihn zu seinem Schöpfer zurückgebracht, den er seitdem in der Bibel immer besser kennenlernte.

Millionenfach wachsen die Zeugen der Genialität und Schöpferkraft Gottes rings um uns her. Jeder Grashalm kann mehr als alle klugen Menschen in der ganzen Welt. Er kann aus Wasser und Luft Nahrung für Menschen und Tiere machen; aber nicht nur diese, auch die Berge und Täler und Sonne, Mond und unzählige Sterne verkünden die Ehre ihres allmächtigen Baumeisters. *gr*

Was sagt Ihnen die Pflanzen- und Tierwelt?

Reale Tatsachen müssen eine reale Ursache haben, und zielgerichtete Geschöpfe bedürfen eines planenden Künstlers.

1. Mose 1

Sei mir ein Fels zur Wohnung, zu dem ich immer kommen kann! Du hast geboten, mich zu retten. Denn mein Fels und meine Burg bist du.

Psalm 71,3

Ungeplante Entdeckungen

07:30 Wie so oft war ich im Auto unterwegs. Nach einer Übernachtung in München war mein beruflicher Vormittagstermin schnell erledigt. Eher zäh dagegen zeigte sich der Autoverkehr in und rund um die bayrische Metropole. Als sich auch auf der Autobahn wenig daran änderte, verließ ich diese und fuhr – ein wenig genervt – auf einer Landstraße nach Norden ... Und dann – ganz plötzlich – sah ich über mir diese herrliche Burg. Was für ein Erlebnis! Schlagartig war mein Entdeckergeist geweckt. Ich war, ohne es zu geplant zu haben, auf der Romantischen Straße unterwegs. Bei dem beeindruckenden Bauwerk handelte es sich um die Harburg. Gewaltig! An sicherem Ort gebaut! Ich kann nun die Psalm-Dichter verstehen, wie sie zu ihren Aussagen über Burgen kamen und z. B. den Schutzcharakter einer Burg herausstellten als Zuflucht vor Verfolgung. Bei der Weiterfahrt wurde mir wichtig: Ich übersehe oft echte Schätze, besondere Entdeckungen, die man nur in der Stille wahrnehmen kann.

Zum Beispiel: Schätze aus der Bibel! In verschiedenen Ausführungen liegt sie in Wohnungen, Hotels und Büros griffbereit. Aber »Entdeckungen« mache ich nur dann darin, wenn ich mich in Ruhe mit einem Abschnitt daraus beschäftige und ihn wirken lasse. Dann verstehe ich z. B., was es bedeutet, dass Gott für mich wie eine Burg ist. David teilt hier nicht einfach gute Gedanken über Gott mit. Er stand zu diesem Zeitpunkt unter hohem Druck. Feinde wollen ihn überwältigen. In dieser Situation schreibt er, dass Gott zu seiner Burg geworden ist. In der Einsamkeit nach dem Tod eines geliebten Menschen sprang mir diese Aussage von David in Psalm 71 zuerst ins Auge, ging dann direkt ins Herz und ist bis heute in meinem Gedächtnis geblieben! Was für eine nachhaltige Entdeckung! *sp*

? Ist Gott für Sie wie eine Burg?

! Machen Sie selbst Entdeckungen in der Bibel!

Psalm 71

Ich habe zum HERRN gesagt:
»Du bist mein Herr; es gibt kein Glück für mich außer dir.«
Psalm 16,2

»Passt schon«

Freunde aus Deutschland imitieren uns Österreicher immer wieder auf lustige Weise mit dem Ausspruch »Passt schon«. Da sie unsere Mundart nicht beherrschen, hört sich das oft komisch an. Was bedeutet dieser Ausspruch eigentlich? Er kann für vieles stehen. Zum Beispiel: etwas ist okay, lass gut sein, etwas ist akzeptabel, halbwegs gelungen, nicht übel.

Wenn kleine Kinder ein Puzzle zusammensetzen, gehen sie manchmal sehr lustig vor. Sie nehmen es nicht so ernst, ob das Teil passt oder nicht. Wenn sie meinen, es ist am rechten Ort, wird es da hineingedrückt. »Passt schon«, sagen sie. In vielen Lebenssituationen machen es die Erwachsenen so wie die kleinen Kinder. Viele versuchen, ihren Lebensentwurf irgendwie den gegenwärtigen Umständen anzupassen. Auch wenn der Verlauf des Lebens nicht so richtig passt, sagen wir trotzdem: »Passt schon.« Aber wir müssen zugeben, dass unser Leben nur aus Fragmenten besteht. Man könnte sagen, dass aus der Schachtel unseres Lebenspuzzles einige Teile abhanden gekommen sind. So kommt es, dass viele Mitmenschen weder Zufriedenheit noch Erfüllung empfinden, weil sie ein unvollständiges Bild vom Leben haben.

Nur Gott kennt *alle* Puzzleteile eines gelungenen Lebens. Er allein weiß, wie unser Leben so zusammengesetzt werden kann, damit Gelingen, Harmonie, Freude und Erfüllung zustande kommen. Die Bibel zeigt uns die fehlenden Teile und auch, wie wir sie in unser Leben einsetzen können. Diese Tatsache bestätigt der Schreiber des 16. Psalms im Alten Testament. Er führte ein Zwiegespräch mit Gott und schrieb es auf: »Du zeigst mir den Weg, der zum Leben führt. Du beschenkst mich mit Freude, denn du bist bei mir; aus deiner Hand empfange ich unendliches Glück« (HFA).

sew

? Wie viele Puzzleteile Ihres Lebens fehlen Ihnen noch?

! Lesen Sie die Bibel! Dort finden Sie alle fehlenden Puzzleteile.

Psalm 16

Sonntag

22. Mai 22

... die ganze Zeit über,
in welcher der Herr Jesus unter uns ein- und ausging.
Apostelgeschichte 1,21

Spontaner Besuch

Darf man bei Ihnen daheim einfach so vorbeischauen und hereinkommen? Sind Sie für Spontanbesucher offen? Gehen Nachbarskinder bei ihnen ein und aus?

Die **elf Jünger** erinnern sich nach der Himmelfahrt daran, wie das war, als Jesus bei ihnen »ein- und ausging« (Apostelgeschichte 1,21). Was war das für eine fantastische Zeit! Er kam einfach, trat bei ihnen ein und gehörte zu ihrem Leben. Wie selbstverständlich. **Petrus** steht wegen Besuch vom Finanzamt an der Haustür. Währenddessen sitzt der Herr bei ihm drinnen – wie daheim (Matthäus 17,24-25). **Matthäus** gibt ein Abschiedsfest und Jesus befindet sich unter dubiosen Gästen in seinem Wohnzimmer (Lukas 5,29-30). Nach viel Stress im Tempel und Diskussionen in Jerusalem geht Jesus in das Nachbardorf Bethanien. Dort, bei seinen Freunden **Martha**, **Maria** und **Lazarus**, kann er unangekündigt abtauchen (Matthäus 21,17; Lukas 10,38).

»Wer von euch wird um Mitternacht zu seinem Nachbarn gehen und zu ihm sagen: Leihe mir drei Brote, da mein Freund von der Reise bei mir angekommen ist und ich nichts habe, was ich ihm vorsetzen soll« (Lukas 11,5-6). Das ist mitten aus dem Leben gegriffen. Die Apostel hatten tatsächlich so einen Freund. Wahrscheinlich haben die Elf öfters so etwas wegen Jesus erlebt, denn er war dauernd unterwegs. »Jesus, den von Nazareth ... der umherging, wohltuend und alle heilend!« (Apostelgeschichte 10,38). Er konnte ganz unvermittelt bei ihnen ein- und ausgehen. Unplanbar, unangekündigt, überraschend.

Diese Vertrautheit und Nähe zu Gott, wie sie die Jünger zu Jesus hatten, wünsche ich mir für meinen Alltag. Nicht in jedem Haus meiner Freunde gehe ich ein und aus. Nicht bei jedem wäre mir wohl, stünde er plötzlich bei mir im Zimmer. Bei Jesus immer? *fe*

? Wo stehen Ihnen alle Türen offen? Wer hat bei Ihnen selbst Zugang?

! HERR, sei zu Haus' in meinem Haus, zu jeder Zeit, in jedem Zimmer. Immer!

Johannes 20,19-29

… auch können sie dir das nicht beweisen, wessen sie mich jetzt anklagen.

Apostelgeschichte 24,13

Angeklagt? Welche Beweise?

In Deutschland gibt es unsagbar viele Gesetze. Viele dieser Gesetze ergeben Sinn, manche erscheinen recht willkürlich und wieder andere sind so schwammig formuliert, dass das Recht wohl so gelenkt werden kann, wie es der geübte Rhetoriker möchte. Manche Gesetzesübertretung liegt auf der Hand, und der Schuldige kann sehr leicht überführt werden. Manche Gesetzesübertretung ist aber auch extrem klug – wenn man das in dem Kontext so sagen darf. Zum Beispiel im Steuerrecht: Es müssen zuweilen Jahre investiert werden, bis man größere Fische an den Haken bekommt.

Die Bibel ist voll von Gesetzen – haben Sie schon einmal darüber nachgedacht, warum das eigentlich so ist? Warum gibt Gott überhaupt so viele Gebote? Die Antwort ist ziemlich einfach: Gott liebt das Recht, und der Mensch hat die Wahl zwischen Recht und Unrecht. Gott stellt klar, was Recht und was Unrecht ist, damit wir darüber nicht in Unkenntnis gelassen werden und dementsprechend handeln können.

In menschlichen Gerichten steht oftmals Aussage gegen Aussage. Ohne Beweise kann und darf niemand verurteilt werden. In einer Situation wird Paulus in der Bibel angeklagt. Er besteht darauf, dass er in der Sache unschuldig ist und deutet auf die schwache Beweislage hin. Auch in Gottes Gericht wird nicht ohne Beweise verurteilt. Allerdings steht hier Allwissenheit gegen unser Leben. Und seine Gesetze lauten nicht »Parkscheibe rauslegen« oder »Fluchtwege freihalten«. Seine Gesetze lauten vielmehr: »Belügt einander nicht!«, und: »Seid dankbar!« Es dürfte wahrscheinlich schwierig werden, Sie oder mich zu einer Gefängnisstrafe hier auf der Erde zu verurteilen. Aber glauben Sie der Bibel: Im Gerichtssaal Gottes werden wir auf 1000 Fragen keine Antwort finden.

jsa

Haben Sie schon über Gott als den Gesetzgeber nachgedacht?

Gott will nicht verurteilen, sondern gerechtsprechen.

Hiob 38

Am Abend, als es kühler wurde, hörten sie, wie Gott, der Herr, durch den Garten ging. Da versteckten sich der Mensch und seine Frau vor Gott zwischen den Bäumen.

1. Mose 3,8

Mit Gott (spazieren) gehen

In der Coronapandemie haben viele Menschen das Spazierengehen neu entdeckt. In unserem heutigen Vers geht Gott selbst spazieren. Stellen wir uns das einmal vor: Wir sind im Garten Eden mit saftigem Gras und blühenden Wiesenblumen. Große Bäume spenden angenehmen Schatten und bieten allerlei fröhlich pfeifenden Vögeln Unterschlupf. Viele Tiere grasen oder spielen friedlich miteinander, und es riecht würzig nach Harz. Und dann kommt Gott. Was muss das für ein unglaubliches Gefühl vollkommenen Glücks gewesen sein, mit Gott, dem Schöpfer der Welt, durch diese Idylle spazieren zu gehen!

Doch was machen Adam und Eva? Jetzt, wo ein wunderschöner Spaziergang hätte folgen können, sehen wir zwei Menschen, die sich aus Scham und Furcht vor Gott verstecken. Sie haben soeben von der Frucht gegessen, von der sie niemals hätten essen dürfen, und so die Gemeinschaft mit Gott mit Füßen getreten. Ja, Gott wollte Freundschaft mit den Menschen. Er wollte Beziehung, er wollte ausgedehnte Spaziergänge und richtig gute Gespräche. Doch der Mensch hat sich gegen ihn entschieden.

Das Spannende ist, dass Gott nicht so reagiert, wie ich reagiert hätte: Er zieht keinen Schlussstrich, um auf einem anderen Planeten neu anzufangen. Ja, der sogenannte Sündenfall hatte schwere Folgen für Adam und Eva und die gesamte Menschheit, aber Gott gibt nicht auf. Seine Bemühungen, die verloren gegangene Freundschaft mit uns Menschen wiederaufzubauen, ziehen sich wie ein roter Faden durch die ganze Bibel bis zum Kreuz. Jetzt liegt es an jedem Einzelnen von uns, ob wir uns weiter vor Gott verstecken, oder ob wir uns einlassen auf den schönsten Spaziergang, den man sich vorstellen kann. *spi*

? Versuchen Sie, sich vor Gott zu verstecken?

! Durch den Tod Jesu am Kreuz können wir Menschen wieder Gemeinschaft mit unserem Schöpfer haben.

1. Mose 3,8-18

Setze alles daran, dich Gott als bewährter Mitarbeiter zur Verfügung zu stellen, der sich für sein Tun nicht schämen muss und das Wort der Wahrheit klar und unverkürzt vertritt.

2. Timotheus 2,15

Gott zur Verfügung stehen

Mit einem entstellten Gesicht, überdimensionalen Füßen und anderen Einschränkungen wird im Kongo ein Junge geboren. Sein Name: Saba. Schuhe passen ihm nicht. Zeitlebens bewegt er sich barfuß fort. Wer mit ihm spricht, muss genau zuhören, da seine Aussprache undeutlich ist. Sein T-Shirt ist ständig nass, denn er kann seinen Speichel nicht kontrollieren. Auf eine Schule wird er nie geschickt – vermutlich, weil es sich bei ihm »nicht lohnt«. Und so wird Saba älter. Um einen kleinen Unterhalt zu bekommen, geht er betteln. In einer Kirchengemeinde findet Saba Anschluss. Er hört das Evangelium und beginnt ein Leben mit Jesus. Biblische Geschichten begeistern ihn. Obwohl er Analphabet ist, kann er viele Bibelstellen auswendig aufsagen und bringt ermutigende Bibelverse ins Gespräch mit ein. Da Saba sich ständig an Knotenpunkten seines Stadtviertels aufhält, lernen ihn viele Leute kennen. Sowohl Einheimische als auch Ausländer wissen, wer Saba ist.

Eines Tages verliert ein Autofahrer die Kontrolle über sein Fahrzeug und kommt an einer Hauswand zum Stehen. Auch Fußgänger trifft das Unheil. Unter ihnen befindet sich Saba. Saba überlebt diesen Unfall nicht und wird, wie in diesem Land üblich, am nächsten Tag beerdigt. Hunderte von Menschen kommen zu seiner Beerdigung. Das Kirchengebäude ist überfüllt, Trauernde müssen sogar draußen stehen. Auch die Chefs der Supermärkte und andere höhergestellte Persönlichkeiten nehmen von ihm Abschied. Alle sagen, dass Saba sie durch seine lebensfrohe Natur bereicherte: Kranke hatte er daheim oder in der Klinik besucht und sie mit Bibelversen ermutigt.

Wie viele von uns mögen wohlhabend, gesund und schulisch gebildet sein? Aber bei der Frage »Wie kann Gott mich gebrauchen?« werden sie traurig und ratlos.

st

Wie reagieren Sie auf die Frage, wie Gott Sie gebrauchen kann?

Wenn Gott einen Krüppel wie Saba zu seiner Ehre gebrauchen kann, dann doch einen gesunden Menschen erst recht.

Apostelgeschichte 3,1-11

Wenn nun ihr, die ihr böse seid, euren Kindern gute Gaben zu geben versteht, wie viel mehr wird euer Vater im Himmel denen Gutes geben, die ihn bitten!

Matthäus 7,11

Vaterlose Jugendliche

Ich kenne Matthias (Pseudonym) seit mehreren Jahren. Als Teenie kam er zu uns in den Jungenstreff. Regelmäßig haben wir uns getroffen: Sport gemacht, die Bibel gelesen und viel und lecker gegessen. Nicht kompliziert, aber mit Herz und Wärme. Immer wieder kam Matthias nach der Schule zu uns. Wir haben zusammen geredet, Playstation gespielt, Mathe gemacht. Manchmal hat er bei uns übernachtet. Wir haben ihn sehr gerne. Unsere Kids auch.

Inzwischen ist Matthias 17 Jahre alt. Neulich fahren wir zusammen im Auto. Es ist eine gute Zeit, mal ehrlich und etwas tiefer zu reden. Es ist dunkel draußen. Vielleicht ein Vorteil – so sehe ich nicht sofort Matthias' Tränen in den Augen. Irgendwann wird aus den Tränen ein richtiges Weinen. Mitten im Gespräch fällt ein entscheidender Satz, an den ich seitdem immer wieder mal denken muss: »Du weißt mehr über mich als mein Vater!« Sein Vater wohnt weit weg. Nur selten sehen sie sich. Soll ich mich über die anerkennenden Worte freuen? Oder soll ich heulen? Der Junge tut mir leid! Ihm ergeht es wie so vielen »vaterlosen« Jugendlichen die einfach mal ein anerkennendes »Hast du gut gemacht mein Junge!« oder ein »Ich bin stolz auf dich!« hören wollen. Ich könnte heulen ...

Ich wünsche Matthias, dass er in Gott einen Vater findet, der so ganz anders ist als ein natürlicher Vater. Er ist der perfekte Vater. Gott weiß ALLES über ihn, auch das, was Matthias nie einem Menschen sagen würde. Gott hat immer Zeit für ihn. Ihn interessieren seine Noten in der Schule, seine Hobbys, seine Fragen – und sein Herzschmerz und seine Tränen! Er ist nicht weit weg und hat immer ein offenes Ohr. Und er kann wirklich helfen, heilen, trösten, lieben. Der perfekte Vater eben! *wd*

? Kennst du Gott als deinen persönlichen Vater?

! Egal, welches Vaterbild du (erlebt) hast, Gott ist der perfekte Vater.

Matthäus 6,1-15

27. Mai 22

Freitag

Und er ist das Haupt des Leibes, nämlich der Gemeinde. Er ist der Anfang, der Erstgeborene von den Toten, auf dass er in allem der Erste sei.

Kolosser 1,18

Kopflos

Das Unheimlichste, was ich bisher in meinem Leben gesehen habe, ist ein geköpftes Huhn. Ich dachte, es wäre vorbei, als der Kopf des Huhns in der dafür gegrabenen Grube lag, aber da hatte ich mich getäuscht: Die Flügel begannen zu flattern, und das Federvieh rannte einfach fluchtartig los. Schnell wandte ich den Blick ab, da vor allem die von dem Huhn hinterlassene Blutspur mir erst einmal die Lust auf Chicken Nuggets verdorben hatte.

Es ist tatsächlich so: Bis zu 10 Minuten kann sich der Körper eines Huhnes noch bewegen, nachdem es geköpft wurde. Oft muss man aufpassen, dass das erhoffte Brathähnchen nicht nach seinem Tod noch davonläuft! Obwohl es natürlich nicht mehr dauerhaft lebensfähig ist, wirkt es für kurze Zeit völlig lebendig. Doch das Huhn wird nie wieder Eier legen, Körner aufpicken oder auch nur einen Mucks von sich geben.

Der Tagesvers sagt, dass Jesus das Haupt der Gemeinde ist. Das macht ihn nicht nur zu dem »obersten Chef« einer Zusammenkunft von Gläubigen, sondern es bedeutet auch, dass er der Herr über das gesamte Leben von jedem einzelnen Christen ist. Die Bibel verspricht denen ewiges Leben, die Jesus die volle Kontrolle anvertrauen. Das bedeutet, nicht mehr mit dem eigenen Kopf durch die Wand zu wollen, sondern sein Leben nach Christi Willen auszurichten. Wer Jesus nicht als sein »Haupt« annimmt, läuft völlig »kopflos« durchs Leben. Genau wie ein geköpftes Huhn nicht mehr wirklich lebt, hat ein Mensch das wahre Leben nicht, wenn Jesus nicht sein Herr ist. Natürlich wirken diese Menschen trotzdem lebendig, da sie ganz normal essen, sprechen und sich bewegen. Doch ihr Leben hat nicht die Perspektive, die Christus schenken möchte: ewig bei Gott im Himmel zu sein. *cn*

? Was hält Sie davon ab, Jesus noch heute die Kontrolle über Ihr Leben zu geben?

! Seien Sie nicht länger »kopflos«, sondern nehmen Sie Jesus Christus als Ihr Haupt an!

Epheser 1,15-23

28. Mai 22

Samstag

»Am Morgen säe deinen Samen
... denn du weißt nicht, was gedeihen wird:
ob dieses oder jenes ...«

Prediger 11,6

Lohnt sich das?

Mit einem christlichen Büchertisch die Menschen in der Fußgängerzone unserer Stadt während ihres Einkaufsbummels auf den Glauben anzusprechen, hat bei uns in Trier schon lange Tradition. Es kommen die unterschiedlichsten Menschen vorbei. Die einen nehmen voller Eile ein Traktat an. Andere bleiben kurz stehen, und wieder andere nehmen die Einladung auf eine Unterhaltung gerne an. Die meisten Menschen gehen jedoch eilig vorüber, weil sie uns gar nicht wahrnehmen oder sich fürchten, angesprochen zu werden. Das muss man gar nicht persönlich nehmen, denn selbst geht man an anderen Ständen in der Stadt ja auch oft uninteressiert vorüber.

Und doch wollen wir die Möglichkeiten, die wir haben, nutzen, um die einzigartige Botschaft der Erlösung durch Jesus Christus an die Menschen weiterzugeben. Da man die meisten Menschen nur dieses eine Mal sieht, weiß man natürlich nicht, was es in ihnen bewirkt hat. Manchmal fragt man sich schon, wie viel Sinn diese Arbeit wirklich hat.

Auf unseren Traktaten und Büchern haben wir immer die Adresse unserer Bücherstube aufgedruckt. Und so konnte mir mein Freund Christoph eines Tages in der Mittagspause eine Postkarte präsentieren, die etwa folgenden Inhalt hatte: »Liebe Freunde, ich komme aus Leipzig und war vor zwei Jahren als Tourist in Trier unterwegs, als ich von euch ein Traktat über Jesus Christus in die Hände gedrückt bekam. Ich habe es gelesen, und der Inhalt hat mich nicht mehr losgelassen, bis ich mein Leben Jesus Christus übergeben habe. Nun habe ich hier auch eine gute Gemeinde gefunden und bin ein sehr glücklicher Christ. Ich möchte euch an meiner Freude teilnehmen lassen, weil es in Trier seinen Anfang nahm. Liebe Grüße ...« *bgr*

Haben Sie auch schon diese lebensverändernde Wirkung der Botschaft von Jesus Christus erlebt?

Dieser Kalender möchte genau dazu beitragen. Dahinter steht die Liebe des Gottes, der Menschen von ihrer Sünde und Schuld retten will.

Apostelgeschichte 17,16-34

Denn es gefiel der ganzen Fülle der Gottheit durch ihn alles mit sich zu versöhnen – indem er Frieden gemacht hat durch das Blut seines Kreuzes – durch ihn, sei es, was auf der Erde oder was in den Himmeln ist. Kolosser 1,20

Den »Kernkonflikt« befrieden

Seit 2003 begeht die UN am 29. Mai den *Internationalen Tag der Friedenssicherungskräfte*. Die Geschichte dieser Friedenstruppen beginnt 1948 mit dem israelisch-arabischen Konflikt. Seitdem wurden mehr als 70 Missionen durchgeführt. Die zumeist multinationalen Einheiten dienen dazu, die Zivilbevölkerung zu schützen und Waffenstillstände abzusichern. Im wahrsten Sinne des Wortes standen die Blauhelme dabei oft zwischen den Fronten, und viele von ihnen haben den Kampf um Frieden mit ihrem Leben bezahlt. Ihre Einsatzgeschichte dokumentiert, wie viele Konflikte es seit ihrem Bestehen gegeben hat: Die Suezkrise 1956, die Krisen der 1980er-Jahre auf Zypern, im Jemen, im Kongo oder in Namibia, später in Bosnien und Ruanda usw. sind nur einige Beispiele dafür, dass trotz aller Anstrengungen Frieden nicht eingetreten ist. Bosnien und Ruanda dokumentieren auch in tragischer Weise, dass selbst die Anwesenheit der Friedenstruppen einen Völkermord oft nicht verhindern kann. Dass den Blauhelmen 1988, nach 40 Jahren unermüdlichen Einsatzes um Frieden in dieser Welt, der Friedensnobelpreis verliehen wurde, änderte am Entstehen neuer gewaltsamer Konflikte ebenfalls nichts. Denn das Grundproblem des Menschen seit dem Sündenfall ist, dass er aus eigener Kraft keinen dauernden Frieden schaffen kann. Er liegt im Krieg mit seinem Schöpfer und als tragische Folge auch mit seinen Mitgeschöpfen.

Um den Kernkonflikt zwischen Gott und Mensch zu befrieden, fehlen uns allerdings die Mittel. Hier musste Gott selbst eingreifen, unter Einsatz des Lebens seines Sohnes. Durch diese Friedensmission hat er die Tür des Friedens zwischen Gott und Mensch aufgestoßen. Wer diese Chance ergreift, hat echten und bleibenden Frieden. *mm*

Was bedeutet Ihnen persönlich der Frieden?

Frieden setzt Veränderung im Herzen voraus. Und diese geschieht durch ein JA zu Jesus Christus.

Römer 5,1-10

Der HERR aber sprach: Gesehen habe ich das Elend meines Volkes in Ägypten, und sein Geschrei wegen seiner Antreiber habe ich gehört; ja, ich kenne seine Schmerzen. 2. Mose 3,7

Schmerz

Er ist überall. Er gehört zum Leben und wirkt oft, als verfolge er uns permanent. Die Rede ist vom Schmerz. Krankheiten machen uns zu schaffen. Sie verursachen körperliche Schmerzen. Wie dankbar sind wir dann, wenn uns Schmerzmittel Erleichterung verschaffen. Bei schlimmen körperlichen Leiden gibt es Schmerzpflaster, die Linderung bringen.

Doch es gibt auch den seelischen Schmerz. Oft ist er größer und stärker als körperliche Beschwerden. Manche Ereignisse scheinen unser Inneres beinahe aufzuzehren. Der Tod eines geliebten Kindes versetzt uns in bitteres seelisches Leid. Tränen fließen, und das Herz zerspringt fast vor Kummer. Ebenso der Tod des Ehepartners. Depressive Verstimmungen zeigen, dass unsere Seele aus dem Gleichgewicht geraten ist. Verletzungen durch Dritte, Mobbing, Ablehnung und diverse andere zwischenmenschliche Grausamkeiten bringen uns an einen Punkt, an dem wir am Leben verzweifeln können. Schmerz umgibt und erfüllt uns wie die Atemluft.

Die Bibel spricht davon, dass wir in einer gefallenen Welt leben, in der Schmerzen an der Tagesordnung sind. Das Empfinden von körperlichen und seelischen Schmerzen lässt Gott zu, damit wir unser Elend erkennen und uns aufmachen, Gottes Hilfe zu suchen.

In Jesus kam Gott auf die Erde und ertrug Schmerz und Leid. Dadurch kann er sich in unseren Schmerz hineinversetzen. Er hat Mitleid mit uns. Wenn Sie diese Zeilen lesen und sich gerade inmitten einer schmerzvollen Situation befinden, dann ermutige ich Sie, sich an Jesus Christus zu wenden. Sagen Sie ihm aufrichtig Ihre Not. Er kann auch heute noch alle Schäden heilen, alle Verluste ausgleichen und alle Sünden vergeben. *tl*

Welchen besonderen Kummer sollten Sie Jesus bringen?

Wenn er helfen soll, muss man damit rechnen, dass er unseren Anteil an dem Dilemma zur Sprache bringt.

Hebräer 2,14-18

Du bist ein Gott, der mich sieht!

1. Mose 16,13

Wenn mich keiner sieht

Im vergangenen Jahr könnte das nachfolgende Gespräch in einer Online-Sitzung stattgefunden haben: »Sorry, ich habe leider keine Kamera!«, gefolgt von der geschriebenen Antwort: »Mein Mikrofon funktioniert heute nicht.« Die Reaktion darauf folgt prompt: »Einen Moment bitte, mein Telefon klingelt!«, während sich der Nächste sein Frühstück holt.

Schüler, Studierende und auch Erwachsene legen in Videokonferenzen ähnliche Verhaltensweisen an den Tag. Zunächst werden munter virtuelle Hintergründe getestet und verändert, bis dann nach einiger Zeit (oder auch direkt) alle Mikrofone und Kameras ausgeschaltet werden und so ein anonymer Raum entsteht. Man fühlt sich nun unbeobachtet und der Kampf gegen die Ablenkung beginnt: Schnell noch eine Mail schreiben, einen Anruf tätigen, nebenbei zu Mittag essen oder das neue Computerspiel testen. Vielleicht meldet sich das schlechte Gewissen. Aber eigentlich sieht mich doch keiner, oder?

Sobald wir meinen, nicht mehr gesehen zu werden, verändert sich unser Verhalten. Das gilt nicht nur für Online-Konferenzen. Auch in unserem täglichen Leben tritt dieses Phänomen immer wieder auf: der unerlaubte Video-Download oder die heimliche Weitergabe von digitalen Büchern. Doch bei Gott können wir uns nicht hinter einer ausgeschalteten Kamera verstecken. Er sieht unser Herz und jedes Fehlverhalten trennt uns von ihm. Aber weil Gott uns liebt, hat er seinen Sohn Jesus Christus am Kreuz für unsere Sünde sterben lassen, um allen, die daran glauben, ewiges Leben zu schenken.

Wie schade wäre es, wenn wir dieses Angebot nicht annehmen, sondern uns hinter unserer ausgeschalteten »Lebenskamera« verstecken und den Kontakt zu Gott nicht suchen würden! *acb*

Was hält Sie davon ab, Gott all Ihr Fehlverhalten zu nennen und die Beziehung zu ihm so wieder in Ordnung zu bringen?

Vor Gott können Sie die Kamera nicht ausschalten.

1. Mose 16,7-15

**Darum seid guten Mutes, ihr Männer!
Denn ich vertraue Gott, dass es so gehen wird,
wie es mir gesagt worden ist.**
Apostelgeschichte 27,25

Wenn Stürme toben ...

Die Worte des Tagesverses stammen aus dem Mund des Apostels Paulus. Mehrmals in der Apostelgeschichte wird uns berichtet, dass Gott den Paulus ermutigte und ihm beistand. Als er die oben zitierten Worte sagte, befand er sich auf dem Weg nach Rom. Er war mit dem Schiff unterwegs. Der Standard und die Sicherheitssysteme waren nicht vergleichbar mit den heutigen. Der Wind blies, und die Wellen schlugen an den Rumpf des Schiffes. Ein heftiges Unwetter tobte, und die ganze Besatzung war in Todesangst. Mitten in diesem tosenden Sturm bekam Paulus eine Zusage von Gott, dass er und alle anderen auf dem Schiff die Fahrt ohne Schaden überstehen würden. Paulus vertraute diesem Versprechen. Er wusste, wenn Gott etwas sagt, dann gilt dieses Wort, ungeachtet der Umstände.

Auch für uns ist diese Zuversicht enorm wichtig. Die Umstände sind oft alles andere als gut. Ein heftiger Wind entsteht oft ganz plötzlich, ohne große Vorwarnung. Gerade war alles noch in Ordnung, da ereilt uns eine erschreckende Nachricht. Oder ein anderer negativer Umstand entsteht plötzlich in unserem Leben. Der Sturm kann in unserem Alltag stark zu spüren sein. Haben wir dann kein festes Fundament, auf dem wir stehen, laufen wir Gefahr, weggeweht zu werden.

Deshalb will uns Jesus Christus ermutigen, an ihn zu glauben. Wenn wir unser ganzes Vertrauen auf ihn, den Sohn Gottes, setzen, können noch so starke Stürme in unserem Leben toben. Wir werden dann zwar nicht ohne Schwierigkeiten bleiben, aber wir werden durch die Stürme des Lebens hindurchkommen, weil wir an der Hand Gottes sind. Eine starke Zuversicht hat auch Einfluss auf die Menschen um uns her. Wir können in ihnen Hoffnung wecken, sich in scheinbar aussichtsloser Lage an Gott zu wenden und seine Rettung zu erfahren. *tl*

? Worauf setzen Sie in Schwierigkeiten Ihr Vertrauen?

! Wer Gott kennt und ihm vertraut, kann im Sturm standhalten.

Apostelgeschichte 27

2. Juni 22

Donnerstag

**Dies habe ich zu euch geredet, damit ihr in mir Frieden habt.
In der Welt habt ihr Angst; aber seid guten Mutes,
ich habe die Welt überwunden.**

Johannes 16,33

Planmäßig

Vorletztes Jahr konnten wir keinen Urlaub machen. Er war längst geplant, gebucht – aber er wurde abgesagt, wie so vieles in der Krise. 2021 war es auch kaum besser: **Der Rohbau** kam zum Erliegen, weil die Rohstoffe fehlten: Holz, Rigips, Styropor – vieles für den Bau war kaum verfügbar. Termine mit Handwerkern waren kaum noch zu bekommen, trotz bester Planung lief es nicht rund. – **Der Tempelberg** in Jerusalem wurde wieder zum Pulverfass. Das Nahost-Problem bleibt ein Laststein, der für die Diplomatie zu schwer ist. – **Das Volk** befolgte die AHA-Regel: A.lle H.aben A.ngst. – **Unsere Zeit** ist unruhig, unsicher, Gewohntes klappt nicht mehr richtig. Wir müssen vieles neu denken. Präsenz wurde Distanz und damit ziemlich kühl. Wir können *online* die Zwischentöne nicht hören, die Atmosphäre kaum wahrnehmen. Zwischenrufe sind nicht gut möglich.

Die Erde bebt, das Fundament wackelt, der Halt geht verloren. Doch Gott sitzt auf dem Thron, fest, sicher, und daher stimmt das alte Wort immer noch: »Erinnert euch an das Frühere von der Urzeit her, dass ich Gott bin, und sonst ist keiner, dass ich Gott bin und gar keiner wie ich; der ich von Anfang an das Ende verkünde und von alters her, was noch nicht geschehen ist; der ich spreche: Mein Ratschluss soll zustande kommen, und all mein Wohlgefallen werde ich tun; ... ich habe geredet und werde es auch kommen lassen; ich habe entworfen und werde es auch ausführen« (Jesaja 46,9-11).

Gottes Plan wird ausgeführt. Seine Zusage gilt immer! Wir sollten uns daher immer wieder neu ermutigen, Gottes Wegen und Zeitplänen zu vertrauen. Wir sollten sie kennen(lernen) und darin Trost und Zuversicht finden. Denn Gott ist treu, er wird ausführen, was er sich vorgenommen hat. *lü*

? Wie sicher empfinden Sie Ihr Lebensfundament?

! Nur bei Gott sind wir auf der sicheren Seite.

Jesaja 65,17-18; 66,1-2.22-24

Doch auf eine Weise redet Gott und auf eine zweite … und bestätigt die Warnung für sie, um den Menschen von seinem Tun abzuwenden … um seine Seele zurückzuhalten von der Grube. Hiob 33,14-18

Das ewige Leben gewinnen

Immer wieder lauschte ich als Kind den Geschichten, die meine Oma über ihren Sohn, meinen Onkel, erzählte. Er war Radrennprofi. Eine Begebenheit hat sich tief in mein Inneres eingebrannt: Es war ein langes Rennen, bestimmt über 150 km. Er hatte sich als Erster von der Gruppe abgesetzt und raste auf das Ziel zu. Es war nicht mehr weit, die Straßen wurden von Hunderten Zuschauern gesäumt. Ein dünnes Absperrband trennte die Fahrer von den Zuschauern. Im Windschatten dieser Menschenmenge raste mein Onkel dicht an diesem Band entlang auf das Ziel zu. Da passierte es: Ein Zuschauer trat über die Absperrung hinaus, um zu schauen, ob die Fahrer kämen. Er hatte nicht mit einem vorausfahrenden Fahrer gerechnet. Mein Onkel krachte mit voller Wucht gegen diesen Mann und stürzte schwer. Ein zufällig anwesender Arzt konnte ihm das Leben retten. Aber der Sieg war verloren und die Strapazen vergebens. Immer wieder dachte ich mit tiefem Mitgefühl daran zurück. So nah am Ziel! Solche Anstrengungen! Ein einzelner Zuschauer stoppte die Fahrt eines bärenstarken Mannes, der Hunderte Kilometer in die Pedale trat und atemberaubende Geschwindigkeiten mit dem Fahrrad erreichte …

Unglücke passieren. Das Leben ist voll davon. Und wir meinen, dass wir Gott nicht brauchen und unser Leben im Griff haben. Aber wir haben nichts im Griff! Eine unglückliche Situation, ein Unfall, eine Krankheit kann uns im Nu aus der Bahn werfen! Das können wir nicht beeinflussen und unsere Zukunft und Gesundheit daher nicht im Griff haben. Und genau zu dieser Einsicht möchte Gott uns führen, damit wir uns bewusst machen, dass wir seine Hilfe brauchen, besonders dann, wenn wir ihm einmal gegenübertreten werden. Jesus Christus, sein »Arzt« für Notfälle, kann uns retten. *mn*

Ist Ihnen die Gefahr bewusst?

Es geht um mehr als um unser tägliches Geschick, es geht darum, ob wir das ewige Leben gewinnen oder nicht.

Epheser 2,1-10

**Glücklich ist der,
dem der Herr die Sünden nicht mehr anrechnet.**
Römer 4,8

Was tun mit der Öko-Schuld?

»Ich habe der Umwelt erheblichen Schaden zugefügt«, lautet die drastische Erkenntnis, die Dirk Gratzel ereilte. Bis zu seinem Tod will der 54-jährige Aachener nun versuchen, seine Ökosünden wiedergutzumachen. Die Erde soll sagen können, »dass mein Leben hier nicht schlimm war«. Doch sind dem hohe Hürden gesetzt. Gratzel war für jährlich 27 Tonnen CO2 verantwortlich. Ein enormer Wert. Der Weltklimarat empfiehlt eine CO2-Emission von gerade mal zwei Tonnen pro Kopf und Jahr. Wenn auch durch Verzicht auf Flugreisen sowie durch Fahrradfahren, vegane Ernährung und maximal 45 Sekunden Duschzeit sich der CO2-Ausstoß deutlich verringern lässt, so muss er doch ernüchtert feststellen: »Meine Ökobilanz ist viel besser als die des Durchschnittsdeutschen, aber noch nicht neutral« – und weit entfernt von seinem Hauptziel, die Schulden der Vergangenheit abzubauen.

Noch viel aussichtsloser ist der Versuch, die moralische Schuld unseres Lebens abzutragen. Wir bestehlen unsere Mitmenschen, mogeln bei der Steuererklärung, machen Fehler in der Erziehung unserer Kinder, schädigen andere durch Un- und Halbwahrheiten und hinterlassen tiefe Wunden durch Untreue. Gott gegenüber leben wir in Rebellion und verweigern ihm den Respekt und die Loyalität. Anders als bei »Umweltsünden« kann man eine schlechte Tat oft nicht ausgleichen. Bei einem Bußgeldbescheid wegen überhöhter Geschwindigkeit kann ich mich nicht dadurch herausreden, dass ich vorher und nachher zehnmal die Regeln eingehalten habe. In Gottes Rechtssystem ist das auch nicht möglich. Es wird höchste Zeit anzuerkennen, dass wir unsere moralische Schuld Gott gegenüber selbst nicht abtragen können und ganz auf Gottes Vergebung und Wiedergutmachung angewiesen sind. *ga*

Haben Sie schon einmal Ihre Schuld bilanziert?

Bei Gott können Sie sie loswerden und sich »entschulden« lassen.

Lukas 7,36-50

**Denn die Gnade Gottes ist erschienen,
heilbringend allen Menschen …**
Titus 2,11

Vergebliches Warten?

In einer Kolumne einer Tageszeitung fand ich interessante Gedanken unter dem Titel »Nur der Hund kehrte zurück in die Heimat«. Inhaltlich geht es um die Flucht aus Ostpreußen 1944 vor den Truppen der Roten Armee. So musste auch eine Familie, deren Name nicht genannt wurde, Haus und Hof verlassen. Mit dabei auf dem Treck nach Westen war ein kleiner Dackel. Als die Menschengruppe eine Pause einlegte, ging der Hund seinem Jagdtrieb nach. Infolgedessen verpasste er den Anschluss, als der Treck weiterziehen musste.

30 Jahre später konnte die geflüchtete Familie ihren zurückgelassenen Hof und die neuen Besitzer besuchen. Dort erfuhren sie, dass 1945 ein halb verhungerter Dackel aufgetaucht war, der offensichtlich alles gut kannte und auf dem Hof zu Hause war. Er legte sich auf die Schwelle der Eingangstür und sah nach draußen und wartete sehnsüchtig – auf sein Herrchen bzw. auf seine »Familie«. Den Kopf auf der Schwelle hatte er fünfzehn Jahre später sein Hundeleben beendet. Wie schade, dass er die Rückkehr seines Herrn nicht mehr erleben konnte.

Irgendwie erinnert mich diese Geschichte an das Schicksal von uns Menschen und unsere Zugehörigkeit zu Gott. Auch wir sind ihm davongelaufen. Auch uns ist in Erinnerung geblieben, wo wir eigentlich hingehören und wo unser Zuhause ist. Aber anders als in dieser Geschichte hat sich Gott schon vor langer Zeit aufgemacht, um uns zu suchen und zu finden. Dazu hat er seinen Sohn gesandt, durch den wir ihm nun wieder begegnen können. Nun einfach nur den Kopf auf die Schwelle legen und abwarten, was weiter passiert, wäre nicht richtig. Wir dürfen ihm froh entgegenlaufen und seine dargebotene Hand ergreifen, um dann nie mehr von ihm getrennt zu sein. *mtz*

Wissen wir, wo wir hingehören? Warten wir immer noch auf Gott?

Das Warten hat ein Ende, weil er in Jesus zu uns gekommen ist.

Titus 2,11-14

Da ist ein Weg, der einem Menschen gerade erscheint, aber zuletzt sind es Wege des Todes.
Sprüche 14,12

Irren ist menschlich

»Irren ist menschlich«, sagten schon die alten Römer. Und tatsächlich: Wir Menschen neigen dazu, hier und da zu irren. Nicht selten müssen wir unsere Ansichten korrigieren und manches falsche Wort zurücknehmen. Da jeder wahrgenommene Irrtum aber ganz und gar nicht unserem Ego schmeichelt, fällt es uns nicht leicht, alle Sachverhalte immer wieder geradezurücken. Häufig passen wir unsere Ansichten in aller Stille an oder reden uns später ein: »So habe ich das die ganze Zeit auch gemeint.«

Am verheerendsten wird es allerdings dann, wenn wir auf Irrtümern bestehen und an diesen festhalten, weil wir für die Korrektur zu stolz sind. Der Anfang des Sprichworts von Cicero »Irren ist menschlich …« ist besser bekannt als dessen zweiter Satzteil. »… aber auf Irrtümern zu bestehen ist teuflisch!«, heißt es weiter. Problematisch wird es tatsächlich dann, wenn wir an den Irrtümern festhalten, selbst dann, wenn sie fatale Konsequenzen mit sich bringen.

In der Bibel ruft der Prophet Jeremia warnend: »Denn ihr habt um den Preis eurer Seelen geirrt!« (Jeremia 42,20). Die Juden hatten im Kampf gegen feindliche Aggressoren auf eigene Pläne und Ideen vertraut und Gott gänzlich ausgeklammert, obwohl sie mehrmals durch Jeremia zurechtgewiesen wurden. Entsprechend mussten sie die Konsequenzen ihres Irrtums tragen, sodass sie ihr Leben einbüßten.

Doch nicht nur Römer und Juden irrten, auch heute irren wir Menschen. Besonders schlimm ist dies, wenn wir in unserer Lebensführung Gott ausklammern. Wäre es nicht fatal, am Ende des Lebens feststellen zu müssen, dass man »um den Preis seiner Seele geirrt hat«? Es ist an der Zeit, Korrektur von Gott anzunehmen und vom Irrtum umzukehren.

str

? Von wem oder was lassen Sie sich beeinflussen?

! In Bezug auf unser Ende ist es lebenswichtig, auf Gott zu hören.

Jeremia 42,1-6

Dienstag

7. Juni 22

Es wird gesät verweslich und wird auferstehen unverweslich. Es wird gesät in Niedrigkeit und wird auferstehen in Herrlichkeit. Es wird gesät in Schwachheit und wird auferstehen in Kraft. 1. Korinther 15,42-43

Gewinner oder Verlierer?

Ist ein Christ Gewinner oder Verlierer? Der Tagesvers gibt uns in dreifacher Weise Aufschluss darüber.

Unverweslichkeit statt Verweslichkeit: In einem gesunden Körper zu wohnen, ist ein großes Geschenk. Aber leider ist das nicht von Dauer. Die unumstößliche Tatsache ist, dass wir alle auf den Tod und die Verwesung zugehen. So ist der Mensch! Doch haben Christen allen Grund zur großen Freude. Gott lässt uns durch den Apostel Paulus mitteilen, dass Menschen, die an Jesus Christus glauben, eine reale Auferstehungshoffnung besitzen. Der irdische Leib ist zwar verweslich, aber Christen erhalten am Tag der Auferstehung einen unverweslichen, unvergänglichen Körper für die Ewigkeit.

Herrlichkeit statt Niedrigkeit: Diese Welt hält eine Mischung von Freud und Leid für uns bereit. Bei einem großen Teil der Weltbevölkerung überwiegen Leid und Armut. Sollten wir das Vorrecht haben, auf der »Sonnenseite des Lebens« zu schwimmen, dann muss das trotzdem immer noch als armselig bezeichnet werden gegenüber der Herrlichkeit, die an Christus Gläubige bei der Auferstehung von den Toten erwartet. Die Freuden dieser Welt sind gegenüber der Herrlichkeit bei Gott wie der Genuss eines einzigen Tropfen Wassers, gemessen am Wasser aller Ozeane zusammen.

Kraft statt Schwachheit: Das größte Kraftwerk in unserem Sonnensystem ist die Sonne. Was die Sonne an einem Tag an Energie produziert, könnte die ganze Erde für eine unvorstellbar lange Zeit mit Energie versorgen. Gott hat die Sonne in einer Sekunde durch ein Wort erschaffen. So stark ist unser Gott! Er will, dass wir durch den Glauben an seinen Sohn Jesus Anteil an dieser Kraft erhalten. Wir sehen, Christen sind in jeder Weise Gewinner! *sew*

Sind Sie schon mit Jesus Christus auf der Gewinnerseite?

Setzen Sie Ihr Vertrauen auf das Himmlische, Unvergängliche, nicht auf das Irdische, Vergängliche!

1. Korinther 15,1-58

Eile zu meiner Hilfe, Herr, meine Rettung!
Psalm 38,23

Sekundenschnelle Hilfe

Im vollbesetzten Auto sind wir unterwegs zu einer Veranstaltung. Auf der Fahrbahn liegen 5 cm Schnee. Die Landstraße führt leicht abwärts und ist fast kurvenfrei. Mit 90 km/h fahren wir flott dahin. Zu flott, wie sich bald herausstellt, denn ich gerate ins Schleudern. Selbstbewusst lenke ich dagegen, doch das Schleudern steigert sich. Meine Frau erkennt die aussichtslose Lage und betet laut: »Herr Jesus, hilf!« Ich lenke wie verrückt, die Kinder kreischen. Bald muss ich bitter erkennen, dass ich keine Chance habe. In meiner Verzweiflung schreie nun auch ich ein Stoßgebet zu Gott. Dann kracht es fürchterlich, und wir landen in einem Bachbett. Ich befürchte das Schlimmste, komme aber aus dem Staunen nicht heraus: Alle meine Familienmitglieder samt mir können unverletzt durch das kaputte Heckfenster ins Freie steigen. Was für ein Wunder Gottes!

Ich kenne einige Menschen, die ähnliche Erlebnisse erzählen können. So wie ich haben auch sie voller Überzeugung gedacht, alles im Griff zu haben. »Hochmut kommt vor dem Fall«, sagt die Bibel. Offensichtlich brauchen wir manchmal solch haarsträubende Grenzerlebnisse, damit uns wieder bewusst wird, wer wirklich der »Chef« ist.

Es fasziniert mich, dass der gnädige Gott uns eine Notrufnummer für solche Fälle schenkt: 5015! Im Psalm 50, Vers 15, steht: »Rufe mich an am Tag der Not, so will ich dich erretten, und du sollst mich ehren!« Deshalb haben wir auch mit großer Freude Gott nach dem Unfall für seine Rettung gedankt.

Gott möchte, dass wir nicht nur in der Not zu ihm rufen, sondern jeden Tag nach ihm fragen. Und selbst, wenn er uns nicht immer vor schwerem Leid bewahrt, wird er doch den in Ewigkeit retten, der ihm vertraut. *hs*

Haben Sie schon einmal in Grenzsituationen zu Gott um Hilfe geschrien?

Gott tut heute noch Wunder.

Matthäus 8,23-27

Denn von ihm (von Gott) und durch ihn und für ihn sind alle Dinge; ihm sei die Herrlichkeit in Ewigkeit! Amen.

Römer 11,36

Ohne Gott wird's schwierig!

In der Französischen Revolution (1789–1795) wurde nicht nur ein ausbeuterisches Feudalsystem (Adelsherrschaft) beseitigt, durch das 95 % der französischen Bevölkerung in entsetzliche Armut gebracht waren. Man hatte sich auch gegen die mit dem Adel verbündete Kirche gewendet und alle Kathedralen Frankreichs zu Tempeln der Vernunft gemacht. Darin folgte man den Ideen der »Aufklärung«, die die menschliche Vernunft als höchste Instanz eingesetzt hatte. Das führte natürlich auch dazu, den Glauben an Gott einerseits als Torheit, andererseits als Unterdrückungsmethode gegenüber den armen, unwissenden Leuten anzusehen. Nachdem man, so gut man konnte, alle Hinweise auf das Christentum aus Kirchen und von Friedhöfen entfernt hatte, sagte damals ein alter Franzose: »Nun, die Sterne am Himmel werdet ihr ja vorläufig noch stehen lassen.«

Ja, Gott ist nicht auf unsere Kruzifixe und Heiligenbilder angewiesen, um seine Existenz zu beweisen. Und es sind auch nicht nur die Gestirne, die außerhalb unserer Reichweite liegen und uns Gottes Schöpferkraft zeigen. Jeder kleine Grashalm ist von seinem Schöpfer begabt, etwas tun zu können, was alle Professoren der Welt nicht fertigbringen, nämlich aus Luft und Wasser Nahrung für Menschen und Tiere zu produzieren.

Aber nicht nur in der Natur zeigt sich millionenfach die Allmacht Gottes. Wir erleben es täglich deutlicher, wie auch das menschliche Zusammenleben auf Gottes Vorgaben beruht und daher immer schwieriger wird, wenn wir Gottes Gebote mit Füßen treten. Darum wäre eine allgemeine Umkehr zu Gott auch heute das Gebot der Stunde. Die Menschheit steht wieder einmal an einem Scheideweg: zurück zu Gott oder vorwärts ohne Gott – und damit in den Untergang. *gr*

Wie schätzen Sie die Zukunft unserer Gesellschaft ein?

Wir können die ganze Welt nicht retten; aber wir können persönlich zu Gott umkehren.

Hiob 38,1-15

**Wo ist nun dein König, dass er dich rette
in all deinen Städten, und wo deine Richter,
von denen du sagtest: Gib mir einen König und Obersten?**
Hosea 13,10

900. Geburtstag von Friedrich I. Barbarossa

Wenn Sie vielleicht mal nach Thüringen kommen, dann fahren Sie doch einmal zum Kyffhäuser. Das ist ein kleineres Gebirge südlich vom Harz. Auf dem höchsten Berg, knapp 500 m hoch, steht ein Denkmal zu Ehren eines gewissen Barbarossa. Wer kennt ihn noch? In der Schule ist er heute wohl ein Nobody; vor hundert Jahren lernten viele Schüler, sogar Lieder über diesen »Kaiser Friederich« zu singen. Der Sage nach soll dieser Herrscher gar nicht gestorben sein, sondern sich in den Kyffhäuser zurückgezogen haben, um zu gegebener Zeit wieder aufzuerstehen und »das Reich« wiederherzustellen und zu neuer Blüte zu führen. Bis heute ist daraus allerdings nichts geworden, wie jeder Deutsche leicht erkennen kann. Glorreich waren damals im 12. Jahrhundert die Zeiten nicht, und so lässt sich leicht erkennen, dass die Sage aus den Sehnsüchten der damaligen Landsleute entstanden ist, die zur Kenntnis nehmen mussten, was alles in ihrer eigenen Welt so schieflief.

Es ist so eine Sache, auf das Irdische Hoffnungen zu setzen. Das taten auch viele schon damals nicht, denn es gab zu Barbarossas Zeiten auch Christen, die das Wort schon mal gehört hatten, das so lautet: »Wenn wir nur in diesem Leben auf Christus hoffen, so sind wir die elendesten unter allen Menschen! Nun aber ist Christus aus den Toten auferweckt; er ist der Erstling der Entschlafenen geworden« (1. Korinther 15,19).

Auch wir Christen heute setzen unsere Hoffnung nicht auf Barbarossa im Kyffhäuser, sondern wie Paulus auf den, der von den Toten auferstanden ist und lebt: Jesus Christus. Der wird einst tatsächlich ein ewiges Reich errichten und dann alle die dort hineinbringen, die ihn jetzt als ihren Herrn und Retter angenommen haben. *koh*

? Wie ernst nehmen Sie die Botschaft vom Auferstandenen?

! Sie spiegelt nicht einfach unsere Sehnsüchte wider, sondern ist Realität – in Vergangenheit, Gegenwart und Zukunft.

Matthäus 24,29-31

**Mag auch mein Leib und mein Herz vergehen –
meines Herzens Fels und mein Teil ist Gott auf ewig.**

Psalm 73,26

Das war knapp!

Der Verkehr lief einigermaßen ruhig. Ich war unterwegs von Österreich nach Hause, in den Schwarzwald. Ein langer Stau am Grenzübergang Kiefersfelden kostete mich fast eine Stunde Zeit. Danach lief es zunächst recht gut. Die wunderschöne Gegend im Chiemgau, der Chiemsee zur Rechten und auf der anderen Seite die herrlichen Berge. Doch danach stockte der Verkehr immer wieder. Die drei Fahrspuren auf der A8 reichten kaum noch aus. Zwischendurch lief es wieder hervorragend. Mein Herz war voll Dankbarkeit. Hatte ich doch einen schönen missionarischen Einsatz in Schladming hinter mir. Es gab gute Begegnungen und herzliche Gemeinschaft. Die Sonne schien, und ich war auf dem Weg zu meiner Familie. Der Verkehr wurde wieder dichter. Nur auf der Überholspur lief es einigermaßen. Auf der mittleren Spur wollte jemand auch nach links. Da ich nicht mehr ausweichen konnte, fuhr ich an ihm vorbei. Der andere Fahrer hupte und schimpfte sichtlich auf mich. Ich schaute kurz zu ihm hinüber und da, vor mir stand plötzlich alles still. Ich konnte gerade noch abbremsen und dann in eine Lücke auf der zweiten Spur ausweichen.

Das war knapp, äußerst knapp! Zuallererst dankte ich meinem himmlischen Vater dafür, dass ausgerechnet da, wo es brenzlig wurde, auf der Nebenfahrbahn eine Lücke war. Zuvor fuhr man dort fast Stoßstange an Stoßstange, und jetzt war da diese Lücke. Erneut wurde mir bewusst, wie schnell alles gehen kann und dass es nicht selbstverständlich ist, immer heil am Ziel anzukommen. Aber auch wenn alles anders verlaufen und mein Leben plötzlich zu Ende gewesen wäre, bin ich mir gewiss, dass ich dann bei Gott gewesen wäre. Denn Jesus hat versprochen, allen, die an ihn glauben, ewiges Leben zu geben und dass sie niemand aus der Hand seines Vater rauben kann (Johannes 10,28-29). *fr*

? Was passiert mit Ihnen, wenn Sie heute sterben müssen?

! Vertrauen Sie sich Jesus an, dann geht es weiter, auch wenn Ihr Leib vergeht.

Johannes 10,14-15.27-30

**Glaube an den Herrn Jesus,
und du wirst errettet werden, du und dein Haus.**
Apostelgeschichte 16,31

Lass dich fallen!

In der achten Klasse sollten wir im Sportunterricht eine Partnerübung machen: Der eine stellte sich hin, der zweite dahinter, mit etwas Abstand. Dann sollte der Erste sich einfach rückwärts fallen lassen (mit Körperspannung!). Der Erste musste darauf vertrauen, dass der Zweite ihn auffängt. Um diese Übung vorzuführen, suchte sich mein Sportlehrer, den ich wirklich mochte, ausgerechnet mich aus! So stand ich da und sollte mich einfach fallen lassen. Rückwärts! Nach einigem Zögern ging es los. Doch als mein Körper in eine aus meiner Sicht riskante Schieflage kam, zog ich schnell ein Bein nach hinten, um mich lieber selbst abzufangen. Das Ziel, aufgefangen zu werden, blieb aus. Dabei hätte er mich sicher aufgefangen. Mein Lehrer fragte mich nur: Vertraust du mir nicht?

Das griechische Wort des Neuen Testaments für glauben *(pisteuo)* kann man auch mit »vertrauen« übersetzen. Nun fordert uns Gott in der Bibel wiederholt dazu auf, an Jesus Christus zu glauben, d. h., ihm zu vertrauen, und zwar im Hinblick auf den entscheidenden Punkt des Lebens: Erlösung von Schuld und Rettung vor dem drohenden ewigen Tod! Gott fordert uns auf: Lass dich fallen. Vertraue allein darauf, dass es ausreicht, dass Jesus am Kreuz für deine Schuld bezahlt hat. – Wer das glaubt, ist vor Gott vollkommen gerecht.

Doch wie mir damals im Sportunterricht geht es vielen Menschen. Sie glauben nicht wirklich, dass diese Zusage belastbar ist. Sie glauben nicht, dass allein dieses Vertrauen wirklich ausreicht. Sie versuchen lieber, sich selbst aufzufangen. Doch anders als bei mir in der achten Klasse wird uns das in Bezug auf unsere ewige Rettung nicht allein gelingen. Ohne dieses Vertrauen an den einzigen Erlöser werden wir ewig fallen.

mm

? Vertrauen Sie lieber auf sich selbst?

! Eine sportliche Übung kann manchmal helfen, um etwas zu lernen, was überlebenswichtig ist.

Psalm 25

Sie streckt ihre Hände aus nach der Spinnrolle, und ihre Finger ergreifen die Spindel.
Sprüche 31,19

Ein nützliches und fähiges Werkzeug

Jedes Jahr am 13. Juni feiern die USA mit ihrem nationalen Tag der Nähmaschine die Erfindung dieses Alltagsgegenstands. Grund genug, diesen Anlass in den Kalender der kuriosen Feiertage aus aller Welt aufzunehmen. Thomas Saint erhielt für seine Erfindung dieser ganz aus Holz konstruierten Nähmaschine mit Gabelnadel, Vorstecher und Hakennadel am 13. Juni 1790 das britische Patent.

Unser Tagesvers aus dem Buch der Sprüche, der über den früheren Umgang mit einem »Faden« spricht, steht unter der Überschrift: »Eine tüchtige Frau – wer findet sie?« (Sprüche 31,10). Deshalb möchte ich meine »tüchtige« Ehefrau in die Überlegungen zum Tag der Nähmaschine einbeziehen. Sie erzählt: Mit acht Jahren durfte ich bei meiner Oma das Nähen lernen. Mit viel Geduld und großem Vertrauen erklärte sie mir ihre Singer-Nähmaschine. Dieser Vertrauensbeweis war für mich mit 13 Jahren der Anstoß, mein junges Leben Jesus Christus anzuvertrauen. Denn Oma erzählte mir, dass das Schiffchen die Zentrale der Maschine sei. Es dient beim Sticken und Nähen der Verknotung des Oberfadens mit dem Unterfaden. So geschah es dann auch in meinem Leben. Ich öffnete meinem Heiland meine Herzenstür, er wurde die Zentrale meines Lebens. Er wurde mein Herr, dem ich mich anvertraute und der fortan den Faden meines Lebens führte. Jesus Christus enttäuschte mein Vertrauen zu keinem Zeitpunkt.

Noch einen Gedanken möchte ich mit der Nähmaschine verbinden. Sie ist ein Werkzeug, mit dem ein schönes und nützliches Kleidungsstück gefertigt werden kann. Und so darf sich ein Mensch verstehen, der sich Christus anvertraut hat: als ein fähiges Werkzeug, mit dem sein Herr nun etwas Schönes und Nützliches zustande bringen kann – zur Ehre des Schöpfers, der uns gemacht hat. *jb*

? Wem vertrauen Sie Ihr Leben an?

! Vertrauen Sie Jesus Ihr Leben an!

Markus 4,35-41

**Ich beobachtete alle Werke,
die getan werden unter der Sonne, und siehe,
es war alles nichtig und ein Haschen nach Wind!**
Prediger 1,14

»Umsonst«

07:30 Der Geburtstag unserer ältesten Tochter stand an. Sie wünschte sich ein Fahrrad. Da ich auch gerne gute gebrauchte Dinge kaufe, machte ich mich auf die Suche. Als ich ein sehr gutes Angebot gefunden hatte, machte ich mich auf den Weg. Die halbe Stunde Fahrzeit nahm ich für das sehr gute Rad gerne in Kauf. Doch die Überraschung am Ankunftsort war groß. Der Verkäufer hatte die Radgröße falsch angegeben. Jetzt war ich völlig *umsonst* gefahren. Nicht einmal eine Entschuldigung kam vom Verkäufer – nur ein »Oh, da haben wir wohl die falsche Größe angegeben«. Auf dem Rückweg war ich wirklich ärgerlich. Eine Stunde umsonst gefahren, die Zeit war vertan. Ich dachte nach und fragte mich, was das nun für einen Sinn hatte. Meine ganzen Gedanken drehten sich um das Wort *umsonst*.

Sie kennen das bestimmt auch: Man wollte etwas einkaufen, der Laden hatte schon zu – *umsonst* gefahren. Ein Vorstellungsgespräch endete mit einer Absage – *umsonst* der ganze Aufwand und Stress. Als wir mit unserem Kollegium eine Kurzreise nach Rom machten, checkten zwei Kollegen zu spät ein und mussten wieder zurück nach Hause – *umsonst* gepackt und bezahlt. Das war schon bitter.

Aber noch viel schlimmer ist es, wenn Gott einmal über unser Leben sagen müsste: »Es war *umsonst* – eine Verschwendung!« Denn das eigentliche Ziel, das Gott mit unserem Leben verfolgt, ist, dass wir zu seiner Ehre leben – dafür hat er uns Menschen geschaffen. Wenn wir dieses Ziel verfehlen, dann haben wir unser Leben in den Augen Gottes vergeudet.

In Gottes Wort, der Bibel, zeigt uns Gott den Weg zu einem Leben, das nicht *umsonst*, also nicht nur ein »Haschen nach dem Wind«, ist. Lesen Sie darin! *za*

? Haben Sie schon einmal darüber nachgedacht, was das Ziel Ihres Lebens ist?

! Leben Sie nicht »umsonst«! Fragen Sie nach dem Willen Gottes für Ihr Leben!

1. Thessalonicher 4,1-8

Und es ist in keinem anderen das Heil; denn auch kein anderer Name unter dem Himmel ist den Menschen gegeben, in dem wir gerettet werden müssen.

Apostelgeschichte 4,12

Heil

Der Begriff »Heil« ist in Deutschland aufgrund seines Missbrauchs als Grußformel in der Zeit des Nationalsozialismus zwar belastet, findet aber auch heute noch in vielen Zusammenhängen Verwendung. So zum Beispiel in der Berufsbezeichnung »Heilpraktiker« oder auch unter Jägern mit dem Ausdruck »Weidmannsheil«. In der Grundbedeutung bezeichnet er den Zustand der Unversehrtheit.

In der Bibel findet sich dieser Begriff ebenso als Ausdruck für etwas Gutes, das bereitgestellt wurde. Wenn man so will, kann man ihn als Platzhalter für all das verstehen, was Gott dem Menschen an Gutem, an Heil, zuwenden will. Wie unser Tagesvers zeigt, ist das mit einem besonderen Namen verbunden, der alle anderen Namen in dieser Welt überragt und der deswegen eigentlich in aller Munde sein müsste: Jesus.

Warum ist gerade in diesem Namen das Heil für uns alle begründet? Dass es uns an diesem Heil mangelt, setzt voraus, dass wir nicht vollkommen, ja, sogar von Grund auf verdorben und ohne Aussicht auf ewiges Leben sind. Aufgrund unserer Sünde droht uns Unheil. Nur Gott kann es wenden. Das tat er, indem er Jesus, seinen gerechten Sohn, in diese Welt sandte und an ihm das Gericht über unsere Sünden vollzog. Nun können wir heil, d. h. wiederhergestellt werden. Es ist kein Reparaturvorgang oder eine therapeutische Maßnahme, sondern eine völlige Neuwerdung, indem Gott uns bei unserer Umkehr zu ihm an seinem heiligen und reinen Wesen Anteil gibt. Das Heil in Jesus Christus umfasst aber noch mehr: nicht nur die Bewältigung unserer Vergangenheit und Gegenwart, sondern auch die Eröffnung einer großartigen Zukunft, die über unseren Tod hinaus von ewiger Dauer ist: ein Leben ohne Leid, Trauer und Tod bei Gott. Eine Zukunft, in der tatsächlich alles heil ist.

pj

? War der Begriff »Heil« für Sie bisher nur ein frommes Wort?

! Die Bibel informiert uns umfassend über das Heil, das wir durch Jesus finden können.

Jesaja 49,6

Und du, Kind, wirst ... vor dem Angesicht des Herrn hergehen, seine Wege zu bereiten, um seinem Volk Erkenntnis des Heils zu geben in Vergebung ihrer Sünden ...

Lukas 1,76-77

Heilserkenntnis

Es gibt wohl kaum einen Menschen, der stärker um das Heil seiner Seele gerungen hat, als Martin Luther. Dafür war er sogar bereit, sich im Kloster ein strenges, frommes Leben aufzuerlegen, wo er sich – vergeblich – von morgens bis abends und sogar in der Nacht bemühte, inneren Frieden zu finden mit Gott. Ein Biograf (Ernst Haack) schreibt: »Fasten, Rosenkranz beten, die Heiligen anrufen, seinen Leib kasteien, beichten, Büßung leisten. Täglich verrichtete er die 7-8 Gebetsstunden, und jedes Mal hatte er 25 Vaterunser und Ave Maria zu sprechen. ... Er konnte es jedoch nicht mit dem Herzen fassen, dass solche Mönchswerke Gott angenehm seien, Sünde tilgen und den Menschen gerecht machen könnten. Er fühlte bei allem frommen Eifer das innere Widerstreben seiner sündigen Natur gegen Gott und das Göttliche. Seine Gebete kamen leer zurück.« Das brachte Luther fast zur Verzweiflung – bis er endlich zur bahnbrechenden Erkenntnis kam: Nicht seine Mühen und Werke konnten ihm Frieden schenken, sondern allein die Erkenntnis, dass Jesus am Kreuz schon alles getan hatte, damit Menschen vor Gott gerecht werden können. Er stieß auf das Wort des Paulus, »dass der Mensch aus Gnade gerecht wird durch den Glauben«. Dieses Wort schlug in Luthers Seele ein.

»Mit einem Male verstand er, was Paulus meint, wenn er in Römer 1,17 sagt, dass im Evangelium geoffenbart wird die Gerechtigkeit, die vor Gott gilt, die aus Glauben kommt, wie geschrieben steht: ›Der Gerechte wird aus Glauben leben.‹ Es fiel ihm wie Schuppen von den Augen und er erkannte, dass die Gerechtigkeit, die vor Gott gilt, nicht eine menschliche Gerechtigkeit ist, die wir mit Werken schaffen und erwerben könnten, sondern Christi Gerechtigkeit, die Gott dem Glauben zurechnet aus Gnade, ohne Verdienst ...« *pj*

Begehren Sie das Heil? Begehren Sie wahre Gerechtigkeit, die vor Gott gilt?

Dann bitten Sie Gott um Heilserkenntnis! Gerade aus einer echten inneren Not wird der Blick geschärft für das, was unserer Seele endlich Frieden gibt.

Apostelgeschichte 9,10-18

In ihm seid auch ihr, nachdem ihr das Wort der Wahrheit, das Evangelium eures Heils, gehört habt und gläubig geworden seid, versiegelt worden mit dem Heiligen Geist der Verheißung. Epheser 1,13

Heilserfahrung

Im Alltag macht man manchmal Erfahrungen, die einem verdeutlichen, worum es auch beim Glauben geht: Unser Sohn brauchte ein neues Fahrrad, weil er dem bisherigen entwachsen war. Im Lockdown gab es nur die Möglichkeit der Besorgung übers Internet. Nach tagelangen Recherchen, Checks und Prüfung der Fakten kam der Moment, verbindlich den Kauf abzuschließen. Ich musste mich per Tastendruck definitiv auf die Zuverlässigkeit des Angebots einlassen und mein Vertrauen auf die Angaben des Anbieters und den Bestellungsvorgang setzen, um dann die Bestätigung zu erhalten, dass alles ordnungsgemäß abgewickelt werden würde. Wie groß die Freude und Erleichterung, als das Fahrrad dann geliefert wurde und sich herausstellte, dass es unseren Erwartungen voll und ganz entsprach!

Nach der Heilserkenntnis muss es auch zur Heilserfahrung kommen, indem jemand im Glauben annimmt, was ihm durch Gottes Geist klargemacht wurde. Nicht nur Verstand und Logik sind hier gefragt, sondern letztendlich auch ein völliges Sich-Einlassen auf die Zusagen und Verheißungen, die uns der Urheber ewigen Heils gibt: »Wer mein Wort hört und glaubt dem, der mich gesandt hat, der hat ewiges Leben und kommt nicht ins Gericht, sondern er ist aus dem Tod in das Leben übergegangen« (Johannes 5,24). Auch hier entscheidet ein definitiver innerer »Tastendruck«, ob wir das Heil in Christus tatsächlich erfahren oder nicht. Im Unterschied zum Interneteinkauf brauchen wir nicht einmal etwas zu bezahlen, weil der Preis schon beglichen wurde. Es geht nur darum zu vertrauen. Und die Bestätigung erfolgt dann auch sofort – ebenso durch den Heiligen Geist, der uns bezeugt, ja, der es besiegelt, dass Gott nun unser Vater ist (vgl. Galater 4,6). Und über alle Vorstellung hinaus werden sich unsere Erwartungen erfüllen! *pj*

? Wann drücken Sie die »Taste« Ihres vorbehaltlosen Vertrauens?

! Erst dann kehren Jubel und Freude ein.

Apostelgeschichte 3,1-11

Denn Gott hat uns nicht zum Zorn bestimmt, sondern zum Erlangen des Heils durch unseren Herrn Jesus Christus, der für uns gestorben ist, damit wir … zusammen mit ihm leben. 1. Thessalonicher 5,9-10

Heilsbesitz

Vom Kauf eines Produkts im Internet kann man zurücktreten, z. B. wenn man feststellt, dass die Ware beschädigt ist oder nicht den Erwartungen entspricht. So erging es mir im Vorlauf des gestern geschilderten Erlebnisses. Ich hatte zuvor bei einem anderen Anbieter bestellt, doch das gekaufte Fahrrad kam beschädigt an. Da ich den Schaden nicht selbst beheben konnte, beantragte ich die Rückgabe und habe den Artikel dann – nach Genehmigung – genau nach Vorschrift wieder zurückgesandt. Der bereits gezahlte Betrag wurde nach einigen Tagen in voller Höhe zurücküberwiesen. Außer einer zeitlichen Einbuße und einer gewissen Enttäuschung war kein größerer Schaden entstanden. Aber wir standen nun immer noch ohne Fahrrad da.

Das Heil, das Gott für uns bestimmt und uns »geliefert« hat, weist keinerlei »Beschädigung« oder einen Mangel auf. Eine »Rückgabe« unsererseits oder gar eine »Rücknahme« durch den »Anbieter« steht daher völlig außer Frage. Wir sind nach Annahme des Heils unwiderruflich mit Gott verbunden durch Jesus Christus, der für uns am Kreuz gestorben ist, um das Heil für uns erreichbar zu machen. Wenn wir es im Glauben an ihn angenommen haben, ist es schon jetzt unser Besitz, auch wenn es uns erst eines Tages im Himmel dann endgültig und im vollem Umfang zugewiesen werden wird. Gott kann es uns schon zusprechen, weil er seine Zusage garantiert wahr macht.

Täglich können wir also von unserem Heil Gebrauch machen, indem wir mit und für Jesus leben. Wir sind mit Gott versöhnt, er hat uns begnadigt und ist unser Vater geworden und nun darauf bedacht, dass wir das Ziel des Glaubens, die ewige Geborgenheit bei ihm, auch tatsächlich erreichen. Dazu wird er uns alles bereitstellen, was nötig ist. *pj*

?
Denken Sie etwa an eine »Rückgabe«, oder fürchten Sie gar eine »Rücknahme«?

!
Informieren Sie sich über das Heil und seine Schönheit und Tragweite in der Bibel. Gebrauchen Sie es täglich, dann werden Sie immer dankbarer dafür.

Hebräer 6,9-12

19. Juni 22

Sonntag

**Denn ich schäme mich des Evangeliums nicht,
ist es doch Gottes Kraft zum Heil jedem Glaubenden,
sowohl dem Juden zuerst als auch dem Griechen.**
Römer 1,16

Heilsgewissheit

Mein Sohn hat nun sichtlich Freude an seinem neuen Fahrrad. Man sieht es ihm an, wenn er damit bei uns auf dem Parkplatz seine Runden dreht oder mit mir zusammen auf Tour geht. Es passt genau zu ihm und ist optimal auf seine Größe abgestimmt. Ein Zukauf weiterer Teile ermöglichte den optimalen Einsatz auf der Straße, im Gelände und überall, wo man unterwegs sein möchte. Keine Frage, dass er auch ein bisschen stolz war, es in der Öffentlichkeit präsentieren zu können. Er hat es definitiv in Besitz genommen. Es ist nun sein Fahrrad, und keiner zweifelt daran, am wenigsten er selbst.

Können wir ernsthaft glauben, Gott würde uns etwas wegnehmen, was er uns einmal geschenkt hat? Das würde ich als Vater nie tun, denn ich würde mich damit selbst der Freude berauben, die mein Sohn an dem hat, was er von mir beschenkt bekam. Seine Freude ist nämlich auch meine Freude. Und Gott möchte keinesfalls, dass wir in Zweifel über das Heil geraten, dass er uns geschenkt hat. Im Gegenteil, seine ganze Kraft legt er durch das Evangelium dahinein, dass wir durch Glauben das Heil empfangen und – behalten!

Ein anderer Aspekt ist, dass dieses Heil nicht für mich allein bestimmt ist, sondern für alle Menschen. Wenn ich also mein Heil gebrauche und täglich zeige, dann vor allem deswegen, um es auch anderen schmackhaft zu machen. Es ist für sie nicht in weite Ferne gerückt oder unerreichbar wie manches irdische Gut, nein, es liegt für alle bereit, die es nur nehmen wollen. Und so kann das, was wir als Christen ergriffen haben, auch für andere »begehrlich« werden. Und es ist kein »Raubgut«, an dem wir um jeden Preis nur für uns selbst festhalten, sondern wir geben es gerne weiter, ohne selbst dabei einen Verlust in Kauf nehmen zu müssen.

pj

? Noch einmal: Begehren Sie jetzt das Heil?

! Ergreifen Sie es, indem Sie dem Beispiel derer folgen, die es bereits erlangt haben!

1. Timotheus 1,12-17

20. Juni 22

Montag

**Wenn nun der Sohn (Jesus Christus)
euch frei machen wird,
so werdet ihr wirklich frei sein.**

Johannes 8,36

Leben in Freiheit

Während ich diese Zeilen schreibe, kämpft unser Land mit Corona. Im Zuge der Maßnahmen gegen die Pandemie haben viele die Sorge, dass dabei das Grundrecht auf Freiheit dauerhaft auf der Strecke bleibt. Wikipedia beschreibt Freiheit als die Möglichkeit, ohne Zwang zwischen unterschiedlichen Möglichkeiten auszuwählen und entscheiden zu können. Freiheit wird gleichgesetzt mit der Unabhängigkeit des Menschen. Um die geht es auch im biblischen Gleichnis vom verlorenen Sohn, das uns im Lukasevangelium überliefert wird. Ich will kurz schildern, wie ich diese Geschichte verstehe:

Der Sohn lebt in der Geborgenheit und in der Fürsorge bei seinem Vater (Gott). Die angeblich einengende Erziehung des Vaters stört ihn. Er sucht die Selbstverwirklichung in der Freiheit. Auffällig sind die unterschiedlichen Freiheitsbegriffe. Der Sohn denkt: »Ich darf tun, was ich will.« Der Vater: »Der Sohn darf das werden, was er seinem Wesen entsprechend werden soll.« Deshalb schränkt er die Freiheit des Sohnes ein, damit er nicht Sklave seiner Leidenschaften und Begierden wird. Die vertrauensvoll steuernde und Grenzen ziehende Autorität des Vaters aber will der Sohn nicht anerkennen – es kommt zum Bruch. Der Sohn geht nun den Weg der Emanzipation, verbunden mit der Preisgabe der Bindung an die väterliche Autorität. Er gerät dadurch in immer tiefere Unfreiheit. Der Vater erlebt das als Verlust – daher die Bezeichnung »verlorener Sohn«.

Freiheit, losgelöst von der Autorität Gottes, führt erst recht in die Sackgasse. Jesus Christus aber kam, um uns von der Knechtschaft der Sünde zu befreien. Im Glauben an ihn wird der Mensch frei, die Beziehung zum Vater wird wiederhergestellt, und Gott schafft und erhält ihm die wahre Freiheit.

jb

? Welche Art von Freiheit wählen Sie?

! Der verlorene Sohn kehrte mit Reue zu seinem Vater zurück und wurde liebevoll aufgenommen.

Lukas 15,11-32

21. Juni 22

Dienstag

In seiner großen Barmherzigkeit hat er uns wiedergeboren und uns durch die Auferstehung von Jesus Christus aus den Toten eine lebendige Hoffnung geschenkt. Ein makelloses Erbe hält er im Himmel für euch bereit, ... 1. Petrus 1,3-4

Wenn Raupen wüssten ...

»Wenn Raupen wüssten, was sie einmal sein werden, wenn sie erst Schmetterlinge sind, sie würden ganz anders leben: froher, zuversichtlicher, hoffnungsvoller.« Dieser Satz auf einer Postkarte brachte mich ins Nachdenken: Während Schmetterlinge mit ihren wunderschönen Flügeln in die Lüfte steigen und ihre Freiheit genießen, kriechen Raupen mühsam auf dem Boden umher und verkriechen sich schließlich in ihrem Kokon, um dort starr zu verweilen. Irgendwann erscheinen sie wieder als wunderschöner Schmetterling.

»Wenn wir Menschen wüssten, wie es einmal sein wird, dann würden wir ganz anders leben: froher, zuversichtlicher, hoffnungsvoller.« Hoffnung scheint hier das entscheidende Wort zu sein. Aber worauf sollen wir Menschen heute hoffen?

Jesus Christus stellt sich in der Bibel als Hoffnungsträger vor, der den Tod überwunden hat und somit den Weg zu einem neuen, ewigen Leben ermöglicht. Vielleicht müssen wir aktuell, wie in 1. Petrus 1,6 steht, noch »mancherlei Prüfungen« durchstehen, zum Beispiel Leid oder Krankheit. Aber wir lesen im gleichen Kapitel auch, dass das wahre Leben in Fülle noch bevorsteht und Jesus ein »makelloses Erbe im Himmel« für uns bereithält. Ist uns wirklich bewusst, dass wir die Ewigkeit bei Gott verbringen dürfen, wenn wir an Jesu Tod am Kreuz glauben?

Doch auch schon hier und jetzt will Jesus Christus die haltende Hand, der stützende Arm und die belastbare Schulter sein, an der wir uns anlehnen können. Mit der Hoffnung auf eine ewige und bleibende Zukunft haben wir allen Grund zur Freude und können schon jetzt ein hoffnungsvolles Leben führen. Die Freude auf die Ewigkeit bei Gott soll uns heute bestimmen und mit großer Vorfreude erfüllen. *acb*

? Was hindert Sie, an einem hoffnungsvollen, frohen und zuversichtlichem Leben teilzuhaben?

! Jesus kann schon jetzt Ihr Leben hoffnungsvoll machen. Vertrauen Sie sich ihm an!

1. Petrus 1,3-9

22. Juni 22

Mittwoch

**Da kam auch eine arme Witwe
und legte zwei Scherflein hinein,
die einen Pfennig ausmachen.**
Markus 12,42

»Gott, ich vertraue dir!«

Der morgige Tag ist von den Vereinten Nationen (UN) den Witwen gewidmet. Damit soll auf die oftmals schwierige Situation von hinterbliebenen Ehefrauen weltweit aufmerksam gemacht werden. Denn mit dem Verlust des Ehemanns geht auch heute noch in vielen Ländern häufig der Verlust der wirtschaftlichen Absicherung einher, verbunden mit sozialem Abstieg.

Dieses Phänomen war auch zur Zeit Jesu bekannt. Viele sozialrechtliche Regelungen des jüdischen Gesetzes beschäftigten sich daher mit der Versorgung der Witwen. Trotz dieser Vorsorge war Witwenschaft auch damals schon regelmäßig verbunden mit Armut. Um so bemerkenswerter ist die Szene, die das Markusevangelium um den Tagesvers herum beschreibt: Jesus setzt sich an den Sammelkasten, in den die Menschen Geld für den Tempel einlegten. Viele, insbesondere Wohlhabende, spendeten hohe Beträge. Nun erschien eine »arme« Witwe (als ob es dieser Betonung noch bedurft hätte) und warf einen geringen Betrag ein. Nun lenkt Jesus das Augenmerk seiner Jünger auf ebendiese Gabe. Denn anders als die Reichen, die aus ihrem Überfluss (viel) gegeben haben, gab die Witwe vom dem Wenigen, was sie hatte, alles, ihren ganzen Lebensunterhalt.

Das kann man natürlich als wirtschaftlich unvernünftig bewerten. Doch der Sohn Gottes lobt diese arme Witwe. Denn aus ihrer Gabe spricht etwas ganz Besonderes: Wer viel hat, dessen (Über-)Leben wird auch von einer großen Spende nicht beeinträchtigt. Doch wer Gott alles gibt, was er hat, bringt damit zum Ausdruck: Gott, ich vertraue dir, dass du mich versorgst. Ich vertraue dir meine ganze Existenz an, denn ich weiß, dass du alles siehst und mein Vertrauen nicht enttäuschen wirst. *mm*

Wie weit geht Ihr Vertrauen auf Gott?

Gottvertrauen ist die beste Grundlage für ein soziales Gleichgewicht in der Gesellschaft.

2. Korinther 8,7-15

Donnerstag **23. Juni 22** Internationaler Tag der Witwen

Merkst du nicht, dass ich vor der Tür stehe und anklopfe? Wer meine Stimme hört und mir öffnet, zu dem werde ich hineingehen, und wir werden miteinander essen – ich mit ihm und er mit mir. Offenbarung 3,20

Wenn jemand Wichtiges abwesend ist

Stirbt nach langjähriger Ehe einer der Partner, erlebt der zurückgebliebene Teil die Tragik der Abwesenheit des anderen ganz stark. Durch dessen Abwesenheit sind nun andere Gefühle vorherrschend: Einsamkeit und Leere, Freudlosigkeit und Trauer. Wäre der Partner oder die Partnerin noch da, wäre alles anders. Man hätte jemanden zum Reden, jemanden, der einen wahrnimmt. Man wäre froh, wenn der andere in der Nähe ist, man könnte gemeinsam etwas unternehmen. Es scheint allgemein so zu sein, dass die Abwesenheit von etwas Gutem dem Unschönen Raum gibt: Dunkelheit ist die Abwesenheit von Licht. Hass ist die Abwesenheit von Liebe. Böses ist die Abwesenheit des Guten. Lüge und Täuschung sind die Abwesenheit von Wahrheit, usw.

In Bezug auf diese Welt und uns Menschen kann man alle Dunkelheit und Ungerechtigkeit, allen Hass, das Böse, Betrug und Täuschung auf die Abwesenheit Gottes zurückführen. Nicht, dass er allgemein abwesend oder fern wäre. Nein! Er ist abwesend im Leben und Handeln der Menschen, weil diese es so wollen. Auch im Blick auf existenzielle Fragen im Leben ist die Abwesenheit Gottes verhängnisvoll. Dann fehlt das, was nur Gott dauerhaft geben kann. Die Suche nach Wert und Bedeutung, nach Annahme und Geliebtsein bleibt unbeantwortet. Ist er abwesend, muss das, was er ist und gibt, in anderen Menschen, in Dingen und Beschäftigungen gesucht werden, was oft zu Enttäuschung führt.

Jesus steht an der Tür und klopft an. Ein einfaches Bild. Gott ist draußen und wartet darauf, eingelassen zu werden. Erst mit seiner Anwesenheit kommt Licht in unsere Dunkelheit, Hoffnung in die Trostlosigkeit. Auf unserer Suche nach Liebe entdecken wir dann, dass er uns völlig liebt. Aber er drängt sich uns nicht auf. *ht*

? Darf Gott in Ihrem Leben anwesend sein?

! Mit Gott kommen Licht und Liebe, Hoffnung und Wahrheit ins Leben.

Jesaja 45,18-24

Und dann werden viele zu Fall kommen und werden einander überliefern und einander hassen … und weil die Gesetzlosigkeit überhandnimmt, wird die Liebe der meisten erkalten. Matthäus 24,10-12

Zum 100. Todestag von Walther Rathenau

Die meisten Menschen heute werden mit dem Namen Rathenau kaum noch etwas anfangen können. Selbst die Abkürzung »AEG« wird vielen nichts mehr sagen. Dabei war die »Allgemeine Deutsche Elektrizitätsgesellschaft« als Elektrokonzern mal auf Augenhöhe mit Siemens. Walther Rathenau (1867–1922) war nicht der Gründer des Konzerns, das war sein Vater. Er selbst wollte eigentlich gar nicht in die Firma eintreten, aber sein Vater drängte ihn so stark, dass er schließlich nachgab. Unter ihm nun wurde die AEG schon vor dem Ersten Weltkrieg zu einem ökonomischen Schwergewicht in der nun durch Elektrizität bestimmten Weltwirtschaft. Als der Erste Weltkrieg ausbrach, organisierte er die Rohstoffversorgung. Nach dem Krieg übernahm er wesentliche Ämter der Weimarer Republik.

Deutlich sah er die Gefahren, die sich aus dem grassierenden Kapitalismus und dem entfesselten Materialismus ergaben. Seine kluge, verantwortungsvolle Haltung in der Weimarer Zeit, machte ihm aber sehr viele Feinde aufseiten der politischen Rechten. Deren Führer setzten ihn auf ihre Todesliste. Ein wesentlicher Grund für den tödlichen Hass der rechtsextremen Kreise war auch die Tatsache, dass Rathenau Jude war. Insofern war dieser Mord auch ein Vorzeichen für das, was seit 1933 planvoll angegangen wurde, nämlich der Massenmord an den Juden.

Schon 1916 schrieb er über die Anfeindungen gegen ihn: »Menschen, die einen Teil ihres Lebens auf Hass gestellt haben, denen ist dieser Hass ein Bedürfnis und eine Existenzbedingung, die kann man ihnen nicht nehmen. Warum sucht denn jemand sein Glück in der Verfolgung seines Nächsten? Weil es ihn tröstet und erhebt, sich über andere zu stellen. Glückliche Menschen sind das nicht.« *koh*

Wo stehen wir in Gefahr, uns in einen Sog der Verleumdung und des Hasses hineinziehen zu lassen?

Die Mahnung »Wehret den Anfängen!« reicht nicht, wenn man schon mittendrin steckt.

2. Timotheus 3

Samstag | **25. Juni 22** | **Welttag der Schulfreunde**

**Ein Freund liebt alle Zeit
und ein Bruder wird für die Not geboren.**
Sprüche 17,17

Freundschaften

Jeder wünscht sich einen guten Freund – doch es fällt uns nicht immer leicht, selbst ein guter Freund zu sein. Wie oft haben wir schon unserem Freund versprochen, zu ihm zu stehen und uns nicht von ihm abzuwenden? Wie oft haben wir uns als Kinder versichert, dass wir »beste Freunde für immer und ewig« sein würden? Doch leider haben wir diese Versprechen nicht immer gehalten.

Auch Petrus, ein enger Freund von Jesus, hatte vollmundig versprochen, dass er sich immer auf die Seite Jesu stellen würde. Das war in guten Zeiten auch leicht gesagt. Doch dann wurde Jesus gefangen genommen, die Jünger waren aus Angst geflohen, und weit weg waren auch die vielen Menschen, die Jesus zugejubelt hatten. Plötzlich war es lebensgefährlich, mit ihm in Verbindung gebracht zu werden. Und so passierte es: Petrus versicherte dreimal kurz hintereinander, dass er Jesus nicht kennen würde. Schon direkt danach wurde ihm sein Versagen schmerzlich bewusst, und er fing bitterlich an zu weinen: Er hatte seinen besten Freund verleugnet.

Jesus wurde kurz darauf gekreuzigt und stand nach drei Tagen von den Toten auf. Würde er Petrus nun seinerseits fallen lassen? Nein, als Jesus sich zwei Frauen zeigte, sagte er ihnen explizit, dass sie Petrus grüßen sollten. Später begegnete er ihm auch noch persönlich. Unfassbar! Petrus war Jesus immer noch wichtig, obwohl er so versagt hatte.

So ist es auch heute noch mit Gott und uns. Auch wenn wir Gott enttäuscht und verleugnet haben, hat er uns lieb und bietet uns seine Vergebung an. Dazu können wir einfach im Gebet zu ihm kommen. Nehmen Sie dieses Angebot an und lassen Sie sich auf eine lebensverändernde Freundschaft ein. *acb*

? Was hält Sie davon ab, eine Freundschaft mit Gott zu beginnen oder zu erneuern?

! Gott möchte Ihnen jederzeit der beste Freund sein.

Johannes 15,12-17

**Er heilt, die zerbrochenen Herzens sind,
er verbindet ihre Wunden.**
Psalm 147,3

Gott heilt die zerbrochenen Herzen

Es gibt so viele zerbrochene Herzen: Bei Eltern von Kindern, die sich mit Drogen ruinieren. Bei Angehörigen todkranker Patienten. Bei Menschen, die jemandem ihr Vertrauen, ihr Geld und ihre Hoffnung schenkten und enttäuscht wurden. Bei Kindern, deren Eltern sich getrennt haben oder die sogar missbraucht wurden. Schlechtigkeit, Gewalt, Selbstsucht, Neid, Unehrlichkeit und die damit verbundenen Leiden sind überall weit verbreitet.

Deshalb ist Jesus zu uns gekommen, um zerbrochene Herzen zu heilen. Aber er stellte auch klar: Sein Kommen war nur für diejenigen von Nutzen, die auch akzeptierten, dass sie krank waren. Innerlich krank. Sterbenskrank. Niemandem kann geholfen werden, wenn er nicht einsieht, dass er Hilfe braucht. Viele Menschen versuchen heute, sich ihre Wunden selbst zu heilen. Alkohol oder Tabletten dienen häufig als Unterdrücker für seelische Schmerzen. Religion als Trostpflaster für die Ungewissheit im Leben. Oder heldenhaftes Zusammenbeißen der Zähne und so tun, als sei alles in Ordnung. Andere versuchen, ihre Verzweiflung mit Wut und Rebellion zu bekämpfen. Für viele Menschen ist Verdrängung eine weitverbreitete Option. Für andere existiert Gott nicht, weshalb man mit seiner Hilfe erst gar nicht rechnet.

Unser Tagesvers bezeugt uns, dass Gott existiert und dass er die zerbrochenen Herzen heilen und die Wunden verbinden will. Vor allem aber will er den Menschen von der Sünde heilen, der »tödlichsten« Krankheit überhaupt. Wenn der Mensch erkennt und anerkennt, dass er an dieser Krankheit leidet und Heilung braucht und sich im Vertrauen an den HERRN wendet, wird er geheilt, also gerettet werden. Und diese Heilung kostet nichts, denn der Preis dafür wurde bezahlt, als Jesus für die Schuld der Menschen starb. *tk*

? Wo suchen Sie Heilung für Ihre Wunden oder gar für ein zerbrochenes Herz?

! Bei Jesus finden Sie alles, was dazu nötig ist.

Matthäus 14,34-36

27. Juni 22

Montag

Siehe das alles tut Gott zweimal, dreimal mit dem Mann, um seine Seele von der Grube zurückzuholen, damit er vom Licht des Lebens erleuchtet wird.

Hiob 33,29-30

Hören beim ersten Mal?

»Kommt bitte herein, es gibt Essen!« Die Kinder spielen weiter, der Ruf wird lauter. Eventuell wird noch eine Glocke eingesetzt. Als noch immer nichts passiert, schallt es energisch durchs Haus: »Ich zähle jetzt bis drei, wer dann nicht da ist, bekommt eine Strafe!« – »Eins« – »Zwei« – und wie der Blitz sind alle Kinder plötzlich eingetroffen. Warum muss man oft mahnen oder drohen, bis endlich Folge geleistet wird?

Gott geht es mit uns ähnlich. Er redet zwei- bis dreimal, vielleicht auch noch öfter, in das Leben eines jeden Menschen. Dabei geht es aber um etwas viel Ernsteres. Es sind diese eindrücklichen Erlebnisse, in denen plötzlich das ganze Leben infrage gestellt ist. Vielleicht am Grab eines lieben Verwandten, am Krankenbett, nach einem schweren Unfall, vielleicht durch eine Erzählung, einen Film oder ein anderes Erlebnis. Plötzlich merkt man, dass das eigene Leben und die Lebensplanung an einem seidenen Faden hängen. Hat man wirklich alles bedacht und die richtigen Ziele im Leben gesetzt? Hat man die richtigen Entscheidungen getroffen? Was wäre, wenn jetzt alles aus wäre? Solches Innehalten geschieht nicht häufig. Aber die Anstöße dazu kommen mit Sicherheit bei jedem. Gott redet in unser Leben hinein, ganz freundlich mahnt er: Das Leben ist endlich.

Haben Sie sich entschieden, wo Sie die Ewigkeit verbringen möchten? Gott will einen jeden Menschen »von der Grube«, d. h. dem ewigen Tod, der ewigen Gottesferne und der Hölle zurückzureißen. Oft übergeht man diese besonderen Augenblicke und lebt einfach weiter wie bisher. Bitte tun Sie das nicht! Treffen Sie ganz bewusst eine Entscheidung für Jesus, der alle Strafe für unsere Schuld auf sich nahm, damit wir frei ausgehen und ewig leben können. *mn*

? Wo werden Sie die Ewigkeit verbringen?

! Warten Sie nicht auf eine weitere Ansprache Gottes – übergeben Sie Jesus jetzt Ihr Leben!

Hiob 33,14-18.29-30

Der Gottlose flieht, auch wenn niemand ihn jagt, aber die Gerechten sind furchtlos wie ein junger Löwe.

Sprüche 28,1

Getriebene

Aus eigener Erfahrung weiß ich, wie schwer es oftmals ist, sich nicht von den Alltagspflichten hetzen zu lassen. Vielleicht, weil sie an ihrem Arbeitsplatz wohnen, sind häufig Hausfrauen und Mütter, die meistens sämtliche Termine aller Familienmitglieder organisieren, Getriebene, insbesondere dann, wenn sie zusätzlich zu ihrem Hauptberuf noch einer Teilzeitbeschäftigung nachgehen. Auch Berufstätigen, die ihre Arbeit mit nach Hause nehmen, ständig Überstunden machen oder auch zu Hause einfach nicht abschalten können, geht es oft so. Man benimmt sich, als wäre man unersetzlich, gönnt sich kaum Ruhezeiten und plant abends vor dem Schlafengehen schon den nächsten Tag, indem gedanklich aufgelistet wird, was alles morgen zu tun ist.

Zu meiner Schande muss ich gestehen, dass ich mich schon geärgert habe, wenn der nächste Tag ein Sonntag war; denn da haben die Geschäfte geschlossen, und arbeiten sollte man da auch nicht. Doch spätestens an diesem Punkt musste ich einen ganz bewussten Stopp einlegen! Die eigenen (in der Regel zu hohen) Ansprüche zu hinterfragen und sich klarzumachen, dass Gottes Prioritäten zunächst nicht in gepflegten Wohnungen, hohen Geschäftsgewinnen oder zufriedenen Kunden liegen, sondern darin, ihn zu ehren und zu lieben und Nächstenliebe zu praktizieren, war heilsam. Die Blickrichtung zu ändern und dabei zu erkennen, was Gott alles täglich für uns, für mich tut, lehrt Dankbarkeit und gibt Mut zum Loslassen des eigenen Stückwerks. Sich Zeit zur bewussten Stille vor Gott zu nehmen, unterbricht die Spirale des Getriebenseins, schenkt innere Zufriedenheit und lehrt, auf das Wesentliche zu sehen. Nämlich auf den Wert des Lebens, das durch den Herrn Jesus erschaffen und teuer am Kreuz erkauft wurde. *dbe*

? Fühlen Sie sich auch manchmal getrieben oder sogar gejagt?

! Es gibt so viele Dinge, die man nicht tun muss.

Hiob 11,13-20

Betet an den HERRN in heiliger Pracht! Erzittere vor ihm, ganze Erde! … Denn er kommt, die Erde zu richten; er wird den Erdkreis richten in Gerechtigkeit, und die Völker in seiner Wahrheit. Psalm 96,9-13

Gibt es gerechte Herrschaft?

Im Magazin FOCUS (Nr. 33/2016) las ich einen interessanten Artikel, in dem ein Historiker ausgehend vom italienischen Staatsphilosophen Niccolò Machiavelli (der im 15./16. Jahrhundert lebte) erklärt, wie man erfolgreich Politik machen kann. Unter anderem wird ausgeführt: »Ein guter Politiker muss täuschen und betrügen, zugleich Löwe und Fuchs und bei Bedarf mildtätig sein. Er muss das ganze Repertoire abdecken – ohne Rücksicht auf Moral.« Daran hält sich bis heute nicht nur so mancher Politiker, und in den Medien gibt es meist einen großen Aufschrei, wenn so ein Verhalten hin und wieder aufgedeckt wird. Kommt man denn nicht auch mit Redlichkeit zu guten Zielen?, möchte man hier fragen.

Wenn je einer absolut gerecht und treu gute Ziele verfolgt hat, dann war das Jesus Christus. In einem christlichen Lied aus dem 17. Jahrhundert wird er – als zukünftiger Herrscher – so beschrieben: »Er ist gerecht, ein Helfer wert, / Sanftmütigkeit ist sein Gefährt, / sein Königskron ist Heiligkeit, / sein Zepter ist Barmherzigkeit; / all unsere Not zum End er bringt, / derhalben jauchzt, mit Freuden singt: / Gelobet sei mein Gott, / mein Heiland groß von Tat!« Nun könnte jemand argumentieren, dass er mit solcher Sanftmut, Heiligkeit und Barmherzigkeit ja gescheitert sei, denn er endete am Kreuz und musste einen bitteren Tod erleiden. Aber zu unserem Glück hat er damals nicht seine Macht angewendet, um zur Herrschaft zu kommen. Dann würden wir nämlich alle unserer Sünden schuldig bleiben und verdientermaßen das göttliche Todesurteil über uns empfangen müssen. Sein schmachvoller Tod aber kann für uns zum Segen werden, wenn wir uns ihm anvertrauen. Dann werden wir nicht gerichtet, sondern dürfen an seiner gerechten Herrschaft Anteil haben. *mtz*

? Wie kann aus Ihrer Sicht eine gerechte Herrschaft hergestellt werden?

! Lernen Sie den gerechten Herrscher, der für uns ganz klein geworden ist, näher kennen!

Matthäus 2,2-12

30. Juni 22

Donnerstag

Er hat die Liste der Anklagen gegen uns gelöscht; er hat die Anklageschrift genommen und vernichtet, indem er sie ans Kreuz genagelt hat.

Kolosser 2,14

Entschuldigung

Vor 125 Jahren (1897) setzte in Augsburg der deutsche Ingenieur Rudolf Diesel mit Erfolg den von ihm erfundenen Motor in Gang. Diesel lebte von 1858 bis 1913. Bis heute trägt dieser Motor seinen Namen. Noch bis vor Kurzem dachte jeder bei dem Wort *Diesel* an einen robusten Motor für Autos, Lokomotiven und Schiffe. *Diesel,* das hieß für viele: lange Lebensdauer, hohe Laufleistung und sparsamer Verbrauch.

Aber heute denkt wohl jeder bei dem Wort *Diesel* zuerst an den Abgasskandal, den ein großer Autokonzern durch manipulierte Software ausgelöst hat. Mit weltweit weitreichenden Folgen. Wer war schuld? Wer hat den Einsatz dieser manipulierten Software freigegeben? Wer hatte die Idee zu diesem Betrug? Was war der Grund dafür? Diesen Fragen mussten vor Gericht geklärt und ein Urteil über die Angeklagten gesprochen werden.

Als nichts mehr zu vertuschen war, trat ein Verantwortlicher vor die Presse mit den Worten: »Ich entschuldige mich in aller Form bei unseren Kunden.« Aber geht das überhaupt? Kann ich mich denn tatsächlich selbst entschuldigen? Nein, entschuldigen kann mich nur der, dem ich den Schaden zugefügt habe.

Wir alle sind schuldig geworden. Und zwar gegenüber Gott durch unsere Sünden. Das wird beinahe täglich offenbar. Da gibt es auch nichts mehr zu vertuschen. Und nicht wir selbst, sondern nur Gott kann uns entschuldigen. Das tut er gerne, denn er hat durch seinen Sohn Jesus Christus die Grundlage dafür geschaffen. Jesus musste am Kreuz sterben. Dort hat er für unsere Schuld die Strafe übernommen. Unsere Anklageschrift wurde an das Kreuz genagelt, so drückte es der Apostel Paulus aus, als er den Christen in der kleinasiatischen Stadt Kolossä einen Brief schrieb, um sie zu ermutigen. *hl*

? Was machen Sie mit Ihrer Schuld vor Gott?

! Vertuschen können Sie vor Gott gar nichts! Bekennen Sie aber Ihre Schuld vor Gott, entschuldet er Sie.

1. Johannes 1,5-9

Freitag

1. Juli 22

Internationaler Witze-Tag

Mancher Weg erscheint einem Menschen richtig, aber am Ende für er ihn zum Tod.

Sprüche 14,12

Wie man sich täuschen kann

Als Ostfriese finde ich die meisten Ostfriesenwitze ziemlich flach. Aber einige gefallen mir, weil sie etwas über den Volkscharakter aussagen. Zum Beispiel dieser Klassiker: Ein Ostfriese fährt als Geisterfahrer auf der A31. Im Verkehrsfunk hört er: Achtung, zwischen Emden und Moormerland kommt Ihnen ein Falschfahrer entgegen. Der Ostfriese meint: Einer ist gut – Dutzende.

Nicht nur in der fiktiven Welt der Ostfriesenwitze gibt es Beispiele für Täuschungen über den richtigen Weg. Flugbegeisterte Menschen bekommen in ihrer Ausbildung erklärt, dass der Sauerstoffgehalt mit zunehmender Höhe abnimmt. Sauerstoffmangel führt zu einer Minderung der geistigen Leistungsfähigkeit, die von den Betreffenden unbemerkt bleibt und häufig mit einer Euphorie einhergeht. In der Pilotenausbildung kann das veranschaulicht werden, indem man Flugschüler einem verringerten Sauerstoffanteil in der Luft aussetzt und ihnen Mathe-Aufgaben gibt, die angeblich noch niemand richtig gelöst habe. Die meisten Probanden bearbeiten die Aufgaben dann in der festen Überzeugung, sie richtig zu lösen. Groß ist die Überraschung, wenn sie später die zahlreichen Fehler bemerken. Die Absicht ist natürlich zu demonstrieren, dass man bei einem Flug in großen Höhen ohne ausreichende Sauerstoffversorgung seinem Urteil nicht trauen kann und möglicherweise einer Katastrophe entgegenfliegt.

Die folgenreichste und häufigste Selbsttäuschung betrifft den Lebenssinn und den Weg zum ewigen Glück. Durch die Trennung von Gott haben wir die falsche Peilung und sind auf »Verkehrsfunk« und »Sauerstoffversorgung« von höherer Instanz angewiesen. Den richtigen Sender und die gesunde Quelle finden wir in der Bibel, in der uns Gott sagt: »Dies ist der Weg, dem folgt!« (Jesaja 30,21). *ga*

Wie schätzen Sie Ihre Urteilsfähigkeit bei dem »Flug« Ihres Lebens ein?

Die Informationen, die Gott uns in der Bibel gibt, bringen uns auf den richtigen Kurs.

Psalm 119,105-112

»Ich bin der Weg!«, antwortete Jesus.
»… zum Vater kommt man nur durch mich.«
Johannes 14,6

Vom GPS in die Irre geführt

Wir sind zu Besuch bei unseren Verwandten in Holland und wollen von einem Ausflugsort im Süden zurück in den Norden des Landes. Um mehr vom Land zu sehen, schlagen sie vor, über Nebenstraßen zu fahren. Als Führer und zur Orientierung wird das GPS eingestellt, und wir fahren los. Aber zu meinem Erstaunen dirigiert uns das Gerät in westliche Richtung. Ich stelle eine entsprechende Frage, aber man folgt trotzdem weiter der vom GPS vorgegebenen Richtung, bis wir irgendwo »in der Pampa« verloren sind. Nun nehme ich die normale Landkarte zur Hand, und wir finden – dieser folgend – sicher nach Hause.

Wenn wir uns in unserem Leben verirren, welchen Kompass können wir dann einsetzen um wieder zurückzufinden? Die Bibel ist ein sicherer Wegweiser für alle Lebenslagen, besonders wenn wir uns verloren fühlen. Und was unser endgültiges Ziel betrifft: Jesus ist der Weg dorthin, nicht ein Weg von vielen, sondern der Weg! Es gibt nur diesen einen Weg. Ja, Jesus setzt sogar voraus, dass seine Jünger, die mit ihm drei Jahre zusammengelebt haben, diesen Weg kennen: »… den Weg dorthin kennt ihr ja.«

Aber was ist mit mir? Ich war nicht dabei, ich lebe jetzt, 2000 Jahre später, wie komme ich zum Vater? Wie kann ich den Vater kennen, ich habe ihn doch nie gesehen? Jesus gibt auf diese Frage eine klare Antwort: »Wenn ihr erkannt habt, wer ich bin, dann habt ihr auch meinen Vater erkannt.« Damit habe ich heute sogar einen Vorteil gegenüber seinen Jüngern, denn ich stehe diesseits des Kreuzes und der Auferstehung Jesu. Und sein Leben und sein Wesen und Charakter sind mir in den vier Evangelien aus verschiedenen Sichtweisen überliefert. Zusätzlich erklärt und betont der Apostel Paulus die Liebe Jesu für mich in jedem seiner zahlreichen Briefe. *mgr*

Wie finden Sie auf den richtigen Weg zurück, wenn Sie in die Irre geraten sind?

Gottes Wort gibt Ihnen Antwort für jede Lebenslage, und Jesus ist auch für Sie der Weg zum Vater im Himmel, wenn Sie sich ihm anvertrauen.

Johannes 14,1-10

Dies ist mein Trost in meinem Elend, dass deine Zusage mich belebt hat.
Psalm 119,50

Paul Gerhardt: Lieder, die trösten

Er lebte in einer der schwersten Zeiten, die es je gab: Pest, Pocken und Ruhr entvölkerten ganze Landstriche. Dazu tobte 30 Jahre lang ein furchtbarer Krieg: Marodierende Soldaten zogen plündernd, mordend und vergewaltigend durchs Land und hinterließen Elend und Not. Auch Paul Gerhardt (1607–1676) erfuhr schon früh, was Leid bedeutet. Als er 12 Jahre alt war, starb sein Vater, zwei Jahre später die Mutter. Später erlebte er, dass seine Geburtsstadt von schwedischen Soldaten fast völlig zerstört wurde. Außerdem starben vier seiner fünf Kinder.

Wie kann man angesichts solchen Elends nicht verzweifeln? Was hält einen innerlich am Leben in dieser Not? Paul Gerhardt fand Trost und Kraft in seinem Glauben an Gott. Als lutherischer Pfarrer tröstete und ermutigte er viele Menschen, in allem Leid auf Gott zu vertrauen. Dazu nutzte er auch seine besondere Gabe, tiefgehende und persönliche Lieder zu dichten. Viele seiner Texte haben die Zeiten überdauert. »O Haupt, voll Blut und Wunden«, »Ich steh an deiner Krippe hier«, »Geh aus, mein Herz, und suche Freud« und viele andere Paul-Gerhardt-Lieder sind bis heute in den Gesangbüchern unterschiedlichster Konfessionen zu finden und wurden in zahlreiche Sprachen übersetzt. Viele Straßen, Schulen und Kirchen in Deutschland tragen bis heute Paul Gerhardts Namen.

Christen haben keine einfachen Antworten angesichts des Leids in der Welt. Auch werden sie selbst nicht von allem Schweren verschont. Aber sie können auf den Gott hinweisen, der die Welt so sehr geliebt hat, dass er seinen eigenen Sohn für sie sterben ließ. Immer wieder erfahren Menschen: Das Evangelium hat Kraft, trägt und gibt Hoffnung gerade in Zeiten der Not – und eröffnet den Zugang zum ewigen Leben. *eli*

? Wo suchen Sie Trost, wenn das Leben schwer wird?

! »Befiehl du deine Wege / und was dein Herze kränkt / der allertreusten Pflege / des, der den Himmel lenkt.«

Römer 8,28-39

Wer mein Wort hört und glaubt dem, der mich gesandt hat, der hat ewiges Leben und kommt nicht ins Gericht, sondern er ist aus dem Tod in das Leben übergegangen.
Johannes 5,24

Kann man sich einen Platz im Himmel kaufen? (1)

Der Reformator **Jan Hus** lebte in einer Zeit, die nicht einfach war (ca. 1369–1415). Nach dem Tod seines Vaters war die Mutter allein verantwortlich, den Jungen aufzuziehen. Eigentlich sollte er nach der Schule studieren, doch das nötige Geld fehlte. Ein reicher Mann, der der Familie wohlgesonnen war, erklärte sich bereit, sein Studium zu finanzieren. Also schnürte Jan seinen Rucksack und zog nach Prag, um an der dortigen Universität zu studieren. Überall standen Statuen. Jan kam wieder in Erinnerung, was ihm damals der Pater gesagt hatte: Er solle die Figuren anbeten, und sein Vater würde dann vielleicht in den Himmel kommen.

Gemeinsam mit einem Studienkollegen ging er einige Jahre später erneut durch die Straßen von Prag. Dabei bemerkten sie, dass sie Stadt in heller Aufregung war. Es war kurz vor Silvester 1399, an der Schwelle zum nächsten Jahrhundert. In der Stadt ging das Gerücht herum, dass die Welt am 1. Januar 1400 untergehen werde. Gleichzeitig verkündete die Kirche, dass sie Sonderspenden einsammelte, um für jeden einen festen Platz im Himmel zu reservieren. Die Leute hatten Angst vor dem Weltuntergang. Aber sie hatten noch mehr Angst vor dem drohenden Ende, ohne einen Platz im Himmel.

Kann man sich einen Platz im Himmel erkaufen? Vielleicht durch Leistung, durch Spenden, gute Taten oder eine christliche Taufe? Zu all den Dingen hat die Bibel ein eindeutiges Nein. Sie sagt vielmehr: Unsere Rettung ist ein Geschenk, das der lebendige Gott uns gibt. Sie sagt: Bekenne Jesus Christus deine Lebensschuld und bitte ihn um Vergebung deiner Sünden. Wer sich Jesus anvertraut, wird gerettet werden. Glauben Sie das? Nicht der Weltuntergang droht, sondern die ewige Verlorenheit aufgrund von nicht vergebener Schuld. *tl*

? Worauf vertrauen Sie in Bezug auf das Erreichen des Himmels?

! Glauben Sie dem Wort Jesu und verlassen Sie sich ganz auf ihn!

1. Timotheus 1,15; 2,1-7

**Denn das Gesetz wurde durch Mose gegeben;
die Gnade und die Wahrheit
ist durch Jesus Christus geworden.**
Johannes 1,17

Nur die Wahrheit rettet und befreit! (2)

Zur Zeit der Jahrhundertwende (1400) hatte **Jan Hus** sein Studium beendet und sollte als Priester der Kirche ordiniert werden. Zur gleichen Zeit hörte er von einem Engländer, namens John Wyclif. Der übersetzte die Bibel in die Sprache des Volkes. Dieser Wyclif behauptete, die Kirche lehre Dinge, die nicht in der Bibel stünden. Jan Hus erkannte dadurch, dass das Anbeten von Heiligenbildern falsch war und dass man direkt zu Jesus Christus beten sollte. Auch begann er nun zu predigen, dass die Bibel allein die Wahrheit enthielt. Der Erzbischof von Prag war außer sich vor Zorn, als er davon erfuhr. Wie konnte Jan Hus es wagen zu behaupten, dass der Papst nur ein normaler Mensch sei! Schließlich verbot er ihm das Predigen. Er ließ alle Schriften von ihm zusammentragen und verbrennen. Zuletzt wurde Hus sogar aus Prag verbannt.

Doch Hus ließ sich nicht einschüchtern. Er war von der Wahrheit der Bibel überzeugt und trat mutig für sie ein. Er predigte in den Dörfern rund um Prag und an den Flussufern Böhmens. Er konnte von der Wahrheit, die er selbst hatte erkennen dürfen, nicht schweigen. Er war von Jesus Christus vor der Strafe für seine Sünden gerettet worden. Seine Seele war zur Ruhe gekommen, und von diesem Glück musste er anderen nun weitersagen. Er konnte nicht anders, denn es war für ihn das Größte und Wichtigste, mit dem lebendigen Gott versöhnt zu sein.

Das ist auch heute noch das Größte und Wichtigste, was ein Mensch erfahren kann. Begreifen doch auch Sie, dass es Hoffnung und Freude bei Jesus Christus gibt. Wenn Sie ihn heute um Vergebung ihrer Schuld bitten und ihm fortan vertrauen, kann dieser Friede auch in Ihr Herz einziehen. Erst dann ist das Ziel, das Gott uns Menschen setzt, erreicht. *tl*

? Was ist Ihnen Wahrheit und ewiges Leben wert?

! In Jesus finden wir alles, was uns fehlt.

Epheser 4,17-24

Denn ihr wisst, dass euer Vertrauen, euer Glaube, euch die endgültige Rettung bringen wird.
1. Petrus 1,9

Fester Glaube bringt uns ans Ziel! (3)

Wie ging es mit **Jan Hus** weiter? Der Erzbischof von Prag und auch der Papst überlegten, wie sie ihn loswerden konnten. Im Jahr 1414 wurde er nach Konstanz gelockt und dort bald ins Gefängnis geworfen. Später brachte man ihn nach Schloss Gottlieben und kerkerte ihn dort in einem Turm ein. Der Winter war kalt, und ein eisiger Wind wehte durchs Gemäuer. Im Sommer wurde Jan dann von den Wärtern aus dem Turm geholt, die Treppen hinuntergestoßen und weggeführt. Er wusste, dass er nun umgebracht werden würde, und er sollte recht behalten. Jan Hus wurde an einen Pfahl gebunden. Um ihn herum wurde Holz zu einem Scheiterhaufen aufgeschichtet. Das Holz wurde angezündet und die Flammen schlugen ihm ins Gesicht. Bevor ihm das Feuer alle Kräfte und das Leben raubte, rief Jan Hus noch einmal mit ganzer Kraft in die zuschauende Menschenmenge: »Das Ziel meines Predigens und Schreibens war, die Menschen aufzufordern, ihren selbstbestimmten Lebensweg zu verlassen, und sie darauf hinzuweisen, dass Jesus Christus der Retter ist, der allein von Sündenschuld befreit.«

Jan Hus setzte sein Leben ein, um den Menschen zu sagen, dass sie Jesus Christus ohne Umwege über die Kirche und ohne Anbetung von Heiligenbildern nahen könnten. Er forderte die Menschen auf, nicht auf ihre Kirchenzugehörigkeit zu vertrauen, sondern allein auf Jesus Christus. Gleiche Wahrheiten gelten heute noch. Im Gebet kann jeder zu Gott kommen, Vergebung seiner Schuld bekommen und mit ihm ein neues Leben beginnen. An Jan Hus sehen wir, was ein fester Glaube ist. Ein Glaube, der bis zum Ende durchhält, was auch immer kommen mag. Die Kraft dazu kam nicht aus ihm selbst, sondern aus der Verbindung mit Gott, der seine Leute nicht vor allem Unheil, wohl aber zum ewigen Leben bewahrt. *tl*

? Wodurch konnte Jan Hus so standhaft bleiben?

! Wir sollten Gott täglich danken, dass wir in einem Land mit Glaubensfreiheit leben.

2. Petrus 1,3-11

Wer ist ein Gott wie du, der Schuld vergibt und Vergehen verzeiht ... Nicht für immer behält er seinen Zorn, denn er hat Gefallen an Gnade.

Micha 7,18

Vergebungsliebe

Jeder hat schon eine ähnliche Situation erlebt, sei es als Kind, Jugendlicher oder als Erwachsener: Man wurde sehr enttäuscht, verletzt oder verärgert und die Person will sich entschuldigen, aber man selbst tut sich schwer damit, diese Entschuldigung anzunehmen. Es fällt sogar dann besonders schwer, wenn Menschen etwas bereinigen wollen, die einem sehr nahestehen, wie z. B. der Partner, die Eltern, die Kinder oder gute Freunde. Denn mit ihnen hat man auch danach mehr Umgang als mit anderen, und die Verletzung sitzt eventuell tiefer und kommt dann wieder hoch. Wenn man immer wieder in sich hineinhorcht, dann ist schnell wieder ein Gefühl von Zorn, Ärger oder Wut zu spüren. Selbst wenn mein Gegenüber sagt: »Es tut mir leid«, »Entschuldigung« oder: »Bitte vergib mir!«, kann das negative Gefühl im Innern doch wieder Raum gewinnen. Vielleicht wollen wir es den anderen auch noch weiter spüren lassen, dass wir verärgert sind, weil unser Stolz verletzt wurde.

Dieses Wort »Ich vergebe dir«, das eigentlich nicht schwer auszusprechen ist, kann also zu einer richtigen Herausforderung werden. Wenn wir es aussprechen, muss es nicht heißen, dass es auch vom Herzen gemeint ist. Aber manchmal ist es der erste Schritt, dass es vom Mund ins Herz wandern kann.

Dieses Problem hat Gott nicht! Er liebt es, die Schuld zu verzeihen und die Bitte eines Menschen um Vergebung anzunehmen. Jesus sagte einmal, dass sich der Himmel über einen Sünder, der Buße tut, freut. Was zeigt uns das? Dass er ein Gott ist, der kein stolzes Herz hat und den Frieden verweigert! Gott vergibt Sünden gern, selbst wenn man denkt, dass bestimmte Sünden nicht zu vergeben sind. Doch jeder darf zu ihm kommen und für alles um Vergebung bitten. *gah*

? Haben Sie schon alle Schuld vor Gott und Menschen bereinigt?

! Unvergebene Schuld = Hass und Trennung bleiben.
Vergebene Schuld = Liebe und Frieden ziehen ins Herz ein.

Psalm 86

Darum hat Gott, als er den Erben der Verheißung in noch stärkerem Maße beweisen wollte, wie unabänderlich sein Ratschluss ist, sich mit einem Eid verbürgt.

Hebräer 6,17

Das ist aber nur ein schwacher Trost

Wenn ich in einer hoffnungslosen Situation bin, dann benötige ich wirksamen Trost. Allerdings ist es mit dem Trost oft nicht weit her. Bei manch gut gemeintem Hilfsangebot denke ich: Das ist aber nur ein *schwacher Trost!* Ich brauche etwas, worauf ich mich voll verlassen kann.

Nun widmet sich Gott im Zusammenhang mit dem Tagesvers etwas existenziell Wichtigem, nämlich der Frage des Menschen nach Hoffnung auf das ewige Leben, das Gott denen zusagt (verheißt), die ihm ihr Leben anvertrauen. Kann ich mich darauf verlassen? Kann ich für Gott *mein* Leben riskieren? Sind seine Zusagen hierzu belastbar, wenn es hart auf hart kommt? Bei dieser Frage kann es keine billigen Antworten geben, denn die letzte große Frage lautet: Was kommt danach, nach diesem Leben? Es ist die Frage nach dem ewigen Halt.

Genau auf diese Frage geht Gott hier ein. Er verspricht nicht nur, dass der, der ganz auf ihn setzt, ewiges Leben hat (also Erbe der Verheißung wird). Er leistet sogar noch einen Eid dazu, mit dem er sich persönlich verbürgt. Schon im menschlichen Rechtsverkehr soll der Eid verdeutlichen, dass der Beeidende unverbrüchlich zu seinem Wort steht. Wie viel mehr gilt das bei Gott! Deswegen folgt dem Tagesvers die Aussage: »… damit wir durch zwei unwandelbare Dinge (durch Gottes Zusage *und* seinen Eid) – wobei es unmöglich war, dass Gott lügen würde – einen starken Trost hätten, die wir Zuflucht genommen haben zum Ergreifen der vor uns liegenden Hoffnung« (Hebräer 6,18).

Es mag unter Menschen Lügner und Meineidige geben. Aber Gott kann gar nicht lügen, das ist unmöglich. Er möchte uns keinen *schwachen Trost* geben, sondern einen starken, damit wir an seiner Hand das ewige Leben sicher erreichen. *mm*

? Wie sehr vertrauen Sie dem Wort des ewiges Gottes?

! Niemand ist zuverlässiger als der, der noch nie sein Wort gebrochen hat.

Hebräer 6,13-20

Er will ihn vor dem Grab bewahren,
sein Leben vom Lauf in den Tod.
Hiob 33,18

Das letzte Selfie

Traumstrände, Natur, wilde Elefanten – Sri Lankas Charme zieht immer mehr Touristen an. Darunter war auch eine 35-jährige Deutsche. Für einen traumhaften Panoramablick steigt sie im Nationalpark Horton-Plains auf eine über 1000 Meter hohe Klippe. Unter den Einheimischen bekannt als »World's End« (Ende der Welt). Oben angekommen, will sie ein Selfie machen – und stürzt dabei in den Tod.

Als ich von dem tragischen Tod der jungen Frau las, habe ich mich gefragt, ob sie denn niemand gewarnt hat. Dann hätte dieses tragische Unglück vielleicht vermieden werden können. Im Leben ist es manchmal entscheidend, ob man Gefahren richtig einschätzen kann und ob man sich warnen lässt.

Im Grunde sind viele Menschen mit dieser Frau vergleichbar. Sie leben ziemlich unbekümmert und bedenken nicht, dass sie der Tod plötzlich ereilen kann. Wie dankbar ist man, wenn man vor dem Tod bewahrt geblieben ist, weil man rechtzeitig auf eine Gefahr aufmerksam gemacht wurde.

Im Tagesvers erfahren wir, dass Gott uns Menschen vor dem Grab und vom Lauf in den Tod bewahren will. Aus dem Zusammenhang wird deutlich, dass Gott den Menschen zu sich zurückführen will, um ihn für ewig an sich, den Garanten des Lebens, zu binden. Der Tod ist eine unausweichliche Realität. Selbst wenn wir hier und da vor ihm bewahrt bleiben, erreicht er uns eines Tages doch.

Gott weiß darum und hat deshalb eine Möglichkeit geschaffen, dass wir ewiges Leben erlangen können, selbst dann, wenn wir gestorben sind. Deshalb ruft er uns zu sich. Nur bei ihm ist dieses Leben zu finden. Durch Jesus wirft er uns ein Rettungsseil zu, damit wir nicht ins Unheil stürzen. *hl*

? Haben Sie es schon ergriffen?

! In der Bibel steht: »Wer den Sohn hat, der hat das Leben; wer den Sohn Gottes nicht hat, der hat das Leben nicht.« (1. Johannes 5,12)

Hiob 33,14-33

**Er wird nicht zulassen, dass dein Fuß wankt.
Dein Hüter schlummert nicht.
Siehe, nicht schlummert und nicht schläft der Hüter Israels.**
Psalm 121,3-4

»Muss Gott schlafen?«

Mein ältester Sohn war gerade vier Jahre alt geworden, als er begann, sich mit tiefer gehenden Fragen zu beschäftigen. Auf einer Autofahrt wollte er unvermittelt von mir wissen: »Mama, wenn Gott schlafen muss, fällt er dann vom Himmel?« Amüsiert, aber auch fasziniert von seinen Gedanken antwortete ich: »Nein, Schatz, Gott muss nie schlafen.« – »Woher weißt du das denn?« Ich zitierte den Tagesvers. Mein Sohn überlegte und sagte dann: »Aber Gott muss doch auch mal müde werden! Er hat doch so viel zu tun.« Ich lächelte und versuchte, dem kleinen Mann zu erklären, dass Gott tatsächlich weder müde wird noch jemals schlafen muss, auch wenn das aus unserer menschlichen Perspektive schwer zu begreifen ist. Auch, dass Gott für alle Menschen gleichzeitig verfügbar ist, beschäftigte meinen Sohn. Und er beharrte darauf, dass das doch sehr müde machen müsse!

Bei dieser Gelegenheit konnte ich zusammen mit meinem Sohn darüber staunen, dass Gott so viel größer ist, als unser Verstand es fassen kann. Gott ist so anders als wir Menschen! Wir müssen regelmäßig schlafen, bekommen nur wenige Dinge gleichzeitig hin und sind schnell von vielen Dingen überfordert. Doch Gott nicht! Ihn überfordern unsere Probleme niemals, und er behütet uns sogar dann, wenn wir schlafen, denn er muss es ja nicht. Er bleibt immer wach, aufmerksam und zugewandt. Seine Allgegenwart übersteigt unseren Verstand.

Ich finde es sehr tröstlich zu wissen, dass mein Vater im Himmel niemals »ausfällt«, weil er keine Zeit oder Lust hätte oder weil er müde oder gar genervt wäre. Nein, ihm entgleitet nichts, er ist immer nur ein Gebet weit entfernt, und selbst mitten in der Nacht darf ich mich vertrauensvoll an ihn wenden. Was für ein Gott! *aco*

? Was sagen Sie dazu, dass Gott sich für Sie Zeit nehmen will?

! Nehmen Sie sich doch auch Zeit für ihn!

Psalm 121

Montag | **11. Juli 22** | **Muntere-die-Einsamen-auf-Tag**

**Wende dich zu mir und sei mir gnädig,
denn einsam und elend bin ich.**
Psalm 25,16

Einsam und verlassen?

Ist Einsamkeit ein relevantes Thema für uns Menschen im 21. Jahrhundert? Vieles scheint dagegen zu sprechen! So gab es schließlich zu keinem Zeitpunkt mehr Menschen (und somit »potenzielle« Kontakt- und Gesprächspartner) auf dieser Erde als jetzt. Des Weiteren ermöglicht uns die Digitalisierung eine nie zuvor dagewesene »Kommunikations-Infrastruktur« – auch über große Distanzen hinweg. Man könnte daher meinen: Einsam ist man doch höchstens noch in »Extremsituationen«, also wenn z. B. jemand einen langjährigen Weggefährten verliert oder sich nach einem Flugzeugabsturz auf eine abgelegene Insel retten muss. Doch auch ohne solche »Extremsituationen« stufen sich viele Menschen heute als »einsam und verlassen« ein. Psychologen sprechen hierbei sogar von einem echten »Massenphänomen« bzw. »Megatrend« in unserer Zeit – und zwar über alle Generationen und Altersklassen hinweg.

Allerdings gibt es auch einen schmerzenden »Leerstand« in unserer Seele, der nicht durch Beziehungen zu anderen Menschen, sondern nur durch Gott selbst gefüllt werden kann. Schließlich sind wir als Geschöpfe auf Gemeinschaft mit ihm angelegt. Deshalb wendet sich der Psalmschreiber in seiner als »einsam und elend« empfundenen Lage (siehe Tagesvers) zuallererst im Gebet an Gott und bittet ihn, sich ihm gnädig zuzuwenden und ihm aufs Neue seine Gegenwart und seine Gnade bewusst zu machen.

Auch im 21. Jahrhundert dürfen wir uns im Gebet an diesen ewigen Gott wenden. Dessen Zusage gilt nach wie vor: »Ich will dich nicht aufgeben und dich nicht verlassen« (Hebräer 13,5). Und wer sich von Gott geliebt und angenommen weiß, der kann mit seiner Hilfe auch auf andere zugehen, neue Kontakte aufbauen und Beziehungen vertiefen! *sn*

? Was machen Sie, wenn Sie sich einsam fühlen?

! Gott bietet Ihnen seine Gemeinschaft, seine Nähe und seinen Zuspruch an.

Psalm 25

So höre auch nicht auf alle Worte, die man dir hinterbringt, und nimm sie nicht zu Herzen … Denn wie oft – das weiß dein Herz – hast auch du anderen geflucht!

Prediger 7,21-22

Der Fischotter (1): Hör nicht auf alles, was man dir sagt!

Der Fischotter *(Lutra Lutra)* ist ein beindruckendes Tier. Außer in Australien ist er auf allen Kontinenten zu finden. Er gehört zu der Familie der Marder. Er ist für das Leben im Wasser mit Schwimmhäuten ausgestattet. Seine Höhlen legt er am Ufer von Flüssen und Bächen an, den Eingang unterhalb der Wasseroberfläche. Ein Luftschacht dient zur Sauerstoffversorgung. Sein Fell ist bei Menschen sehr beliebt, da es im Winter warm hält, wasserabweisend ist und einen schönen Glanz hat. Doch eine Sache, die er kann, ist etwas ganz Besonderes. Er kann beim Tauchen »Nase und Ohren« verschließen. Diese Eigenschaft ist für den Otter überlebenswichtig.

Das ist doch wirklich eine gute Eigenschaft oder? Einfach mal »abtauchen« und nicht auf alles hören, was einem erzählt wird. In meiner Zeit im Zivildienst arbeitete ich in einer Kindertagesstätte. Und wie oft wurde da über Mitarbeiter gelästert, die gerade nicht anwesend oder auch krank waren. Wie schön wäre es gewesen, einfach die Ohren schließen zu können, damit einen das ganze Gerede nicht beeinflusst.

Doch kann sich jeder entscheiden, was er sich anhört und sich zu Herzen nimmt. Ich halte den oben genannten Rat aus der Bibel für einen wichtigen Rat im Miteinander, den man dann auch bedenken sollte: Wie oft habe ich schon selbst schlecht über andere geredet! Hören wir also nicht auf alles, was man uns so erzählt. Zum einen stehen wir in der Gefahr, nur irgendwelche Gerüchte aufzuschnappen; zum anderen müssen wir auch lernen, gezielt wegzuhören. Es gibt so vieles, was wir uns anhören, was uns schlecht beeinflusst und herrunterzieht, seien es schlüpfrige Witze der Arbeitskollegen, schlechte Liedtexte, die nur Beschimpfungen beinhalten, oder Beleidigungen und Lästereien. *za*

? Was hören Sie sich von anderen alles an?

! Geben Sie auch darauf acht, was Sie selbst zu anderen reden!

Jakobus 3,6-10

**Heute, wenn ihr seine Stimme hört,
so verstockt eure Herzen nicht.**
Hebräer 3,15

Der Fischotter (2): Hör genau zu!

Wir haben gestern von einer besonderen Eigenschaft des Fischotters gehört. Er kann einfach die Ohren schließen. Wir haben gesehen, dass es nicht immer gut für uns ist, auf all das zu hören, was uns zugetragen wird. Doch es gibt auch Dinge im Leben, da gilt genau das Gegenteil, nämlich genau hinzuhören. Viele Schüler sind gelangweilt vom Unterricht und stellen ihre Ohren mal gerne auf »Durchzug«. Das kennen wir auch, oder? Bei Dingen, die uns nicht interessieren, hören wir nicht genau hin. Als Kind meiner Eltern habe ich von dieser Eigenschaft gerne Gebrauch gemacht. Wenn ich irgendeine Arbeit erledigen sollte, habe ich einfach so getan, als hätte ich es nicht gehört. Diese negative Eigenschaft von mir habe ich leider an meine Kinder vererbt, und des Öfteren ärgere ich mich darüber.

Im Tagesvers werden wir aufgefordert, auf Gottes Stimme zu hören. Und da ist es wirklich extrem wichtig, genau zuzuhören. Wenn der Schöpfer, der Sie und mich gemacht hat, mit uns reden will, sollten wir ihm die größte Aufmerksamkeit widmen. Gott will durch sein Wort, die Bibel mit uns reden. Und der Apostel Petrus sagte zu Jesus: »Herr, zu wem sollen wir gehen? Du hast Worte ewigen Lebens.« Damit sagt er, dass die Worte von Jesus von enorm wichtiger Bedeutung sind. Jesus bietet uns mit seiner Botschaft ewiges Leben mit Gott an, ewige Freude. Echtes Glück. Wie viel würde man dafür in bar geben? Doch genau das verspricht Jesus jedem, der auf ihn hört.

Jesus selbst sagt: »Wahrlich, wahrlich, ich sage euch: Wer mein Wort hört und dem glaubt, der mich gesandt hat, der hat ewiges Leben und kommt nicht ins Gericht, sondern er ist vom Tod zum Leben hindurchgedrungen« (Johannes 5,24). Auf diese Worte sollten wir unbedingt hören und darauf eingehen. *za*

Wann schalten Sie Ihre Ohren auf Durchzug?

Gegenüber Gott und seinem Sohn wird das fatale Folgen haben.

Hebräer 2,1-4; 4,12-13

Dann sah ich einen ganz neuen Himmel und eine völlig neuartige Erde. Der erste Himmel und die erste Erde waren vergangen, auch das Meer gab es nicht mehr.

Offenbarung 21,1

Eine herrliche Zukunft besitzen

Die Hoffnung auf eine schöne neue Welt entwickelte sich schon lange Zeit in den Köpfen vieler großer Denker. Das Zeitalter der Aufklärung im 17. und 18. Jhdt. räumte in Europa mit dem falsch verstandenen christlichen Denken auf. Die Aufklärer erhoben die Vernunft und den Verstand des Menschen zum Maß aller Dinge, stießen Gott vom Thron und erklärten ihn für tot. Die Träume der Aufklärer und Philosophen kreisten nun um das eine Ziel, diese Erde in ein blühendes Paradies zu verwandeln. »Wir wollen hier auf Erden schon / das Himmelreich errichten«, dichtete beispielsweise Heinrich Heine.

Die selbst ernannten Glückspropheten entwarfen faszinierende Bilder von den Möglichkeiten der Zukunft: Wüsten werden bewässert und besiedelt, Bakterien und Viren ausgerottet sein und Biochemiker einen gesunden, starken, schönen und hochleistungsfähigen Menschen züchten. Diese Zukunftsträume waren Seifenblasen, sie sind zerplatzt. Aus der Hoffnung auf eine schöne neue Welt ist die Angst vor einer schrecklichen, unheimlichen neuen Welt geworden.

Was können wir nun tun? Wir können die Hoffnung auf Gottes neue Welt wieder ernst nehmen und ergreifen. Die Bibel sagt klar und deutlich, dass Gott uns eine wunderbare Zukunft in einer vollkommenen Welt schenken will (siehe Tagesvers). Die müssen nicht wir Menschen umsetzen, sondern wir können sie freudig erwarten, wenn wir uns durch den Glauben an Jesus retten und erneuern lassen. Jesus Christus brachte endgültig eine sichere, neue Hoffnung in unsere Welt. Er sagte: »Das Himmelreich ist nahe gekommen«, und: »Siehe, ich mache alles neu« (Matthäus 4,17; Offenbarung 21,5). In der neuen Welt gibt es kein Leid, Schmerz oder Tod. Dort werden Menschen in Ewigkeit »Nachbarn Gottes« sein.

sew

Werden Sie dabei sein?

Reihen Sie sich doch ein in die glückliche Schar der erlösten Menschen!

Offenbarung 21,1-8

Heute, wenn ihr seine Stimme hört, verhärtet eure Herzen nicht!
Hebräer 3,7-8

Die gute Gelegenheit nicht verpassen!

Endlich, im Jahr 1646 und zwei Jahre vor dem Ende des 30-jährigen Krieges, einigten sich der Kurfürst von Brandenburg und der Pfalzgraf von Pfalz-Neuburg darauf, dass die Grafschaft Mark dem Brandenburger zugesprochen wurde. Darum kamen zwei hohe Würdenträger des Kurfürsten auf die Burg Altena, um die Huldigung des dortigen Grafen entgegenzunehmen. Aus Anlass dieses feierlichen Tages machte der Graf von der Mark von seinem Recht Gebrauch, jedem armen Sünder oder Schuldner seine Strafen zu erlassen, der ihn darum bat.

Dazu ritt er mit seinen hohen Gästen von der Burg in die Stadt hinunter und rollte ein Seil aus, von dem er ein Ende in der Hand behielt und dessen anderes Ende auf der Erde hinter seinem Pferd herschleifte. Wer begnadigt werden wollte, musst das Seil ergreifen. Tatsächlich kamen nur zwei Männer und eine Frau, die alle vom Gericht wegen Ehebruchs verurteilt waren und ins Gefängnis kommen sollten, und ergriffen das Seil. Alle drei wurden begnadigt.

Schuldige und Schuldner gab es in der zuschauenden Volksmenge noch viele, und der Zutritt zum Gnadenseil war niemand verwehrt. So lag es nicht an dem Grafen, wenn die meisten auf ihren Schulden sitzen blieben; aber Gnade gab es nur an diesem Tag und zu dieser Stunde. Wer seine Entscheidung auf morgen verschieben wollte, kam unweigerlich zu spät. Man hätte ihm gesagt: »Gestern war der Tag der Huldigung, der Tag der Gnade. Jetzt ist es zu spät.«

Auch Gott weist uns darauf hin, dass uns einzig der heutige Tag zur Verfügung steht, mit Gott ins Reine zu kommen. Gestern kommt nicht wieder, und ob wir morgen noch Gelegenheit haben, ist nicht gewiss.

gr

Was machen Sie mit dem großzügigen Gnadenangebot Gottes?

Wer klug ist, ergreift heute das göttliche »Gnadenseil«.

Psalm 95

**Du kannst dich ohne Angst schlafen legen,
und dein Schlaf wird erholsam sein.**
Sprüche 3,24

Schlafen wie ein Kind

Egal, ob umgeben von lärmenden Kindern auf dem Spielplatz, auf Familienfeiern oder einfach im Verkehrslärm der nahe liegenden Straße – in meinen Armen schläft mein kleiner Sohn so fest, als gäbe es diese Geräuschkulissen nicht. Jeder weiß: Kinder fühlen sich in den vertrauten Armen der Eltern so sicher und geborgen, dass sie völlig situationsunabhängig zur Ruhe kommen und auftanken können.

Beneidenswerte Kinder! Wie oft liegen wir Erwachsenen voller Sorgen und Gedanken wach und kommen nicht zur Ruhe, weil wir uns dem tosenden Lärm unserer Zeit hilflos ausgesetzt fühlen! Das Karussell meiner Gedanken und Sorgen dreht sich manchmal unaufhörlich und hält mich wach. In diesen Momenten ist mir mein Sohn das beste Beispiel. Auch ich habe nämlich einen Vater, der mein täglicher Begleiter ist und mich jederzeit einlädt, in seinen Armen auszuruhen. Wenn mich Zukunftsängste plagen, Situationen aus dem Ruder zu laufen scheinen oder mir einfach nur der Alltag über den Kopf steigt: Ich darf in den vertrauten Armen meines himmlischen Vaters zur Ruhe kommen, auftanken und alles um mich herum ausblenden.

So wie mein Sohn sich absolut darauf verlässt, dass ich ihn halte und ihm der Lärm nichts antun kann, so darf ich mich darauf verlassen, dass mein Gott mich ebenso in seinen schützenden Händen hält. Was für eine herrliche Botschaft ist das in unserer lärmenden Zeit für alle, die sich nach Ruhe und Geborgenheit in all ihren Sorgen und Ängsten sehnen!

Gott der Vater lädt Sie ein, durch seinen Sohn Jesus Christus in seinen Armen Frieden zu finden, die Last abzugeben und aufzutanken. *kts*

Wo kommen Sie zur Ruhe?

»Ich will euch Ruhe geben für eure Seelen«, verspricht Jesus Christus.

Matthäus 11,25-30

Denn Gottes Gerechtigkeit wird darin geoffenbart aus Glauben zu Glauben, wie geschrieben steht: »Der Gerechte aber wird aus Glauben leben.«

Römer 1,17

Gerechtigkeit – was ist das?

Im **Neuen Testament** hat der Begriff »Gerechtigkeit« drei Bedeutungen: **Erstens** ist »Gerechtigkeit« ein Charakterzug Gottes. Gott hat immer recht, und er handelt immer richtig in Übereinstimmung mit all seinen anderen Charakterzügen. Gott ist nie ungerecht. **Zweitens** ist »Gerechtigkeit« Gottes Weg, gottlose Sünder zu rechtfertigen. Er kann das tun und dennoch gerecht bleiben, weil Jesus als das sündlose Opfer alle Ansprüche göttlicher Gerechtigkeit befriedigt hat. Und **drittens** bezeichnet »Gerechtigkeit« den vollkommenen Zustand, den Gott denen schenkt, die an seinen Sohn glauben. Von Natur aus Ungerechte werden so behandelt, als wären sie gerecht, weil Gott sie in Jesus sieht. Seine Gerechtigkeit wird ihnen angerechnet.

Gerechtigkeit durch Glauben ist das Leitthema des Paulus im **Römerbrief**. In Kapitel 1,17 weist der Ausdruck »Gottes Gerechtigkeit« auf die Rechtfertigung des Sünders durch den Glauben hin. Gottes Gerechtigkeit wird im Evangelium sichtbar. Zuerst sagt uns das Evangelium, dass Gottes Gerechtigkeit die Strafe des Sünders, den Lohn der Sünde, den Tod, fordert. Doch Gottes Liebe hat schon getan, was seine Gerechtigkeit verlangt. Er sandte seinen Sohn für die Sünder in die Welt, um stellvertretend ihre Strafe auf sich zu nehmen. Weil damit nun seine gerechten Ansprüche voll erfüllt sind, kann Gott gerechterweise alle diejenigen erretten, die für sich das Werk Christi in Anspruch nehmen. Und jetzt kommt der Glaube ins Spiel. Ursprung und Ziel empfangener und gelebter Gerechtigkeit Gottes ist das bedingungslose Vertrauen in Gott und sein Wort. Gottes Gerechtigkeit wird nicht aufgrund von guten Werken zugesprochen, sondern ausschließlich aufgrund des Glaubens. Der Gerechte wird also aus Glauben leben. *hj*

Haben Sie Gottes Geschenk der Gerechtigkeit persönlich angenommen?

Lesen Sie von Gottes geschenkter Gerechtigkeit auch im 21. Vers in 2. Korinther 5!

2. Korinther 5,21

Es wird dir schwer werden, gegen den Stachel auszuschlagen!
Apostelgeschichte 26,14

Vergeblicher Kampf

Saulus von Tarsus war ein fanatischer Christenhasser, bis ihm der auferstandene Christus begegnete. Wie es für ein Rind schmerzhaft ist, gegen den Treiberstachel anzugehen, so musste Saulus erkennen, dass gegen den Herrn des Himmels und der Erde kein Ankommen ist. – **Kaiser Diokletian** (ca. 236–312 n. Chr.) inszenierte eine der grausamsten Christenverfolgungen im Römischen Reich. Schließlich ließ er ein Denkmal errichten mit der Inschrift: *Nomine Christianorum deleto* (Der Name der Christen ist ausgelöscht). Einige Jahrzehnte später aber wurde das Christentum zur Staatsreligion. – Einer seiner Nachfolger, **Julian der Abtrünnige** (331–363 n. Chr.), wandte sich vom Christentum ab. Der Herr Jesus hatte prophezeit: »Und sie (die Bewohner von Jerusalem) werden fallen durch die Schärfe des Schwertes und gefangen weggeführt werden unter alle Heiden. Und Jerusalem wird zertreten werden von den Heiden, bis die Zeit der Heiden erfüllt sein wird« (Lukas 21,24). Um die Erfüllung dieser Vorhersage zu verhindern, ermutigte der Kaiser die Juden, den Tempel in Jerusalem wieder aufzubauen. Nach einem eifrigen Beginn mussten diese ihr Vorhaben aber aufgrund eines heftigen Erdbebens aufgeben. – Der Philosoph **Voltaire** (1694–1778) lehnte sich weit aus dem Fenster mit seiner Prognose, in 100 Jahren wäre die Bibel ein totes Buch. Doch 100 Jahre später war Voltaire tot und sein Haus die Zentrale der Genfer Bibelgesellschaft. – **Robert Green Ingersoll** (1833–1899) prahlte, die Bibel würde in 15 Jahren nur noch in Archiven herumstehen – wie Särge mit Toten in einer Leichenhalle. Doch schließlich gelangten die sterblichen Überreste von Ingersoll in eine Leichenhalle, und nicht die Bibel.

Es bleibt: Das Wort Gottes überlebt all seine Kritiker. *ga*

Warum können Menschen nicht gegen Gott ankommen?

Gott wird am Ende mit allem recht behalten. Ziehen Sie die richtige Konsequenz daraus!

1. Petrus 1,23-25

All denen jedoch,
die ihn aufnahmen und an seinen Namen glaubten,
gab er das Recht, Gottes Kinder zu werden.
Johannes 1,12

Gesunde Abhängigkeit

Mein Sohn ist mir in vielerlei Hinsicht ein Vorbild. Er fordert mich nämlich täglich heraus, meine eigene Beziehung zu Gott zu hinterfragen und zu vertiefen. In der Bibel steht, dass Christen ihren Gott liebevoll »Abba«, also Vater, nennen dürfen. An anderen Stellen wird die Beziehung zwischen Gott und Mensch mit dem innigen und aufopfernden Verhältnis einer Mutter zu ihrem Kind verglichen.

Als frisch gebackene Mutter kann ich zum ersten Mal in meinem Leben die bedingungslose und aufopfernde Liebe Gottes zu uns Menschen nachvollziehen. Es gibt nichts, was mein Sohn tun oder lassen könnte, was meine Liebe zu ihm vermehren oder schmälern würde. Ich liebe ihn, weil er mein Kind ist. Und umgekehrt nimmt mein Baby meine Liebe und Fürsorge völlig selbstverständlich an – ohne zu hinterfragen, ob es diese verdient oder ob es für das Baby angemessen ist, sich auf meine Liebe zu verlassen. Kinder – und vor allem Babys – leben in einer völlig selbstverständlichen Abhängigkeit zu ihren Eltern. Ich als Mutter wäre sehr traurig, wenn mein Sohn das infrage stellen würde.

Die Bibel versucht uns mit ihren Vergleichen, Folgendes deutlich zu machen: Wenn Sie Jesus Christus als Ihren persönlichen Retter angenommen haben, dann sind Sie ein Kind Gottes – dann liebt Sie Gott der Vater bedingungslos, selbstlos und unabhängig von jeglichen Taten und Leistungen. Ich fühle mich jeden Tag aufs Neue herausgefordert, mich in die liebevollen und versorgenden Arme meines Gottes und Vaters fallen zu lassen und ihm kindlich zu vertrauen. Denn aus eigener Erfahrung kann ich sagen, dass sich das Vater- bzw. Mutterherz genau darüber am meisten freut.

kts

Können Sie sich schon Kind Gottes nennen? Und wenn ja, kennen Sie diese Abhängigkeit schon?

Beobachten Sie Kleinkinder in ihrer Beziehung zu ihren Eltern!

Lukas 11,2-13

**Jetzt aber, von der Sünde frei gemacht …,
habt ihr eure Frucht zur Heiligkeit,
als das Ende aber ewiges Leben.**

Römer 6,22

Gregor Mendel zum 200. Geburtstag

Dass dem Menschen vieles von seinen Vorfahren überliefert wird, wusste man schon lange. Aber das »Wie« blieb ein Geheimnis, bis Gregor Mendel (1822–1884) sich daran machte, es wenigstens teilweise zu lüften. Heute vor 200 Jahren wurde Mendel geboren, und er machte im elterlichen Garten seine ersten Erfahrungen mit Pflanzen. Er musste nämlich seiner Mutter helfen. Als Kleriker lebte er in einem Kloster mit großem Garten und konnte da an seinen Vererbungsexperimenten weiterarbeiten. Geduld brauchte er, denn einmal waren es Tausende von Erbsenpflanzen, die er untersuchte.

Schließlich aber war er so weit gekommen, dass er die sogenannten Mendelschen Gesetze formulierte, die heute jeder Schüler kennt. Damals wurden sie jedoch nicht zur Kenntnis genommen. Erst nach seinem Ableben wurden sie wiederentdeckt und wiesen der Wissenschaft Wege, wie man die Erträge in der Landwirtschaft durch systematische Pflanzenzüchtung verbessern konnte. Wenn man heute z. B. Speiseöl aus Raps kaufen und damit kochen und backen kann, ist das im Grunde Mendel zu verdanken. Denn Rapsöl war ursprünglich ungenießbar. Doch Züchtungen konnten die Bitterstoffe entfernen.

Weniger gute Auswirkungen hat, was wir von unseren Ureltern im Garten Eden geerbt haben. Obwohl nicht ursprünglich in ihnen so angelegt, fügten sie durch ihren Ungehorsam Gott gegenüber der Menschheit etwas hinzu, was von da an in jedem Menschen je nach Umständen die schlimmsten »Früchte« hervorbrachte und bis heute ihr Überleben gefährdet. Die Bibel nennt es Sünde und als unausweichliche Folge davon den Tod. Davon konnte und kann uns nur ein Eingreifen Gottes bewahren: Er sandte uns seinen Sohn, der das ewige Leben als Erbe an alle weitergibt, die sich ihm im Glauben anschließen. *koh*

Sind Sie sich Ihrer natürlichen Vererbung bewusst?

Unser altes Leben erzeugt nur Bitterkeit, aber das neue Leben in Christus tut allen wohl und gefällt Gott.

Galater 5,22-24

… und er verbrachte die Nacht im Gebet zu Gott.

Lukas 6,12

Vorglühen

Heute gibt es viel Arbeit: Das Wetter ist gut und das Gras hoch. Bis der alte Kreiselmäher montiert und die Wiese erreicht ist, dauert es lange, und heute muss alles gemäht werden. Es ist keine Zeit zu verlieren, und trotzdem: Ich sitze regungslos am Steuer meines Traktors und starre auf die Ladekontrollleuchten, zehn Sekunden, zwanzig Sekunden, eine Minute lang, und erst dann ziehe ich den Startknopf ganz heraus – mit dem Erfolg, dass der Farmer 2D, Baujahr 1966, sofort mit viel Qualm und Getöse anspringt. – Manchmal hatten die Kinder den Trecker starten wollen und dabei aus Ungeduld die Vorglühzeit nicht eingehalten; sie betätigten den Anlasser, bis die Batterie leer und der Trecker nicht mehr einsatzfähig war. Ausreichend langes Vorglühen ist unerlässlich, sonst klappt nichts.

Im Tagesvers ist von Jesus Christus die Rede, der am folgenden Tag seine zwölf Jünger auswählen wollte. Und wenn er, der Sohn Gottes und Schöpfer aller Dinge, als Mensch vor einer wichtigen Entscheidung die Zeit nicht mit Schlafen, aber auch nicht mit Studien über Personalführung und Psychologie o. Ä. verbrachte, sondern lange und intensiv betete, wie viel mehr sind wir fehlerhaften Menschen vom Gebet abhängig, wenn unser Tun Sinn und Erfolg haben soll! So, wie mein »Fendt« ohne das Einhalten der Vorglühminute nichts bewirken kann, braucht jeder Christ die tägliche Gebetszeit für alles, was er tut.

Und wenn Sie noch nicht Christ oder sich in dieser Frage unklar sind, dann wenden Sie sich an Gott und beginnen Sie, mit ihm zu reden. Eine dauerhafte Beziehung zu Gott beginnt mit dem Eingeständnis unseres Versagens und unserer Schuld und mit der dankbaren Annahme seiner Vergebung, die durch das Sterben Jesu am Kreuz möglich wurde. *ek*

Haben Sie keine Zeit zum Beten?

Zeit für das Gebet ist die wichtigste Lebensinvestition.

Psalm 51

Ich elender Mensch!
Wer wird mich erlösen von diesem Todesleib?
Römer 7,24

Bedingungslose Kapitulation

Viele Menschen bemühen sich darum, irgendwie moralisch gut zu leben. Ein erheblicher Anteil von ihnen tut dies aus religiösen Motiven. Das ist nicht verkehrt. Doch es kommt auf den Maßstab an, den man dabei anlegt. Wenn ich von mir verlange, nicht zu töten oder nicht zu stehlen, dann ist das nicht so schwer. Doch gehen wir, vielleicht orientiert an den Zehn Geboten, etwas weiter: Man sollte auch nichts Falsches über andere reden. Das ist schon schwieriger. Und man sollte andere nicht beneiden. Das ist auch nicht ganz einfach. Nun kommt noch ein weiterer Aspekt hinzu: Gottes Gebote beinhalten auch in den scheinbar nur äußerlichen Handlungsanweisungen eine innere Seite. Ein Beispiel: Viele Zeitgenossen Jesu dachten: ›Eine Ehe breche ich nur, wenn ich mit einer anderen Frau tatsächlich sexuell verkehre.‹ Der Sohn Gottes macht jedoch deutlich, dass man schon dann, wenn man seiner Fantasie freien Lauf lässt, nach Gottes Maßstab die Ehe gebrochen hat.

Gottes Regeln betreffen also auch in diesen Fällen nicht nur unser äußeres Verhalten, sondern unsere Gedanken oder kurz unser Herz. Um wirklich ein guter Mensch zu sein, muss unser Herz bereit sein, sowohl Gott, der mir das Leben geschenkt hat, als auch meinen Nächsten stets bedingungslos und uneigennützig zu lieben. Diesen Maßstab muss man anlegen.

Versuchen Sie einmal, nur einen einzigen Tag zu 100 % diesem Maßstab gerecht zu werden. Ich prophezeie Ihnen: Sie werden scheitern. Aber dieses Scheitern muss keine tragische Sackgasse sein. Wenn wir nach unseren nutzlosen Versuchen der Selbstoptimierung bereit sind, vor Gott mit unseren jämmerlichen moralischen Fähigkeiten zu kapitulieren, will er uns so, wie wir sind, annehmen und erlösen. *mm*

? Welchem Maßstab entsprechend leben Sie?

! Gott will unser Inneres erneuern, nicht die Fassade.

Matthäus 5,21-30

Er entäußerte sich selbst, nahm die Gestalt eines Knechtes an und wurde wie die Menschen; ... als ein Mensch erfunden, erniedrigte er sich selbst und wurde gehorsam bis zum Tod, ja bis zum Tod am Kreuz. Philipper 2,7-8

Megxit

Jetzt war es offiziell: Prinz Harry und seine Frau Meghan werden nach ihrem Sabbatjahr nicht mehr in das britische Königshaus zurückkehren. In Anlehnung an den »Brexit« nannten die britischen Medien dies nun »Megxit«. Nachdem sich die beiden eine Auszeit von einem Jahr genommen hatten (»einen Rückzug auf Probe«), machten sie jetzt ganze Sache:

Sie zogen sich zurück und verzichteten somit auf alles, was das königliche Leben mit sich brachte: Den Titel (»eure Hoheit«), die Aufgaben und Verantwortung (konkret bei Harry das Militär), ihr Anwesen (ein Palast), die Sicherheit und Bodyguards und die finanzielle Versorgung (laut Medien ca. 10 Millionen Euro jährlich). Ziemlich kostspielig! Kein Wunder, dass diese Nachricht auf große Verwunderung stieß. Wer kommt denn auf die Idee, so einen Schritt zu wagen? Wie kann man all diese Annehmlichkeiten einfach so aufgeben? Waren die beiden sich überhaupt bewusst, was sie dort hinter sich lassen? Vernünftig sei diese Entscheidung nicht, waren sich die Medien einig.

Dabei ist Prinz Harry nicht der Erste in der Geschichte, der so eine Entscheidung trifft. Ein anderer Königssohn hat viele Jahre vorher auch so gehandelt, nur aus völlig anderen Beweggründen: Jesus, der Sohn Gottes, gab seinen Königsanspruch auf. Er verließ den König (Gott), seinen Palast (Himmel) und die Diener (Engel), um Mensch zu werden (wobei es dort niemals negative Zwischentöne gab). Er gab seine Würde und alle Annehmlichkeiten auf. Jesus ging sogar noch einen Schritt weiter und wurde zum Diener der Menschen. Vom Königssohn zum Sklaven! Doch auch dabei blieb er nicht, er ging noch ein Stück weiter, sodass er nicht noch mehr aufgeben konnte: Er ließ sich kreuzigen und starb für die Menschheit.

tip

? Wie bewerten Sie den freiwilligen Verzicht von Jesus zu unseren Gunsten?

! Jesu Verzicht und Entäußerung ist ein großes Vorbild der Liebe.

Philipper 2,5-11

Jesus Christus … hat sich selbst für uns gegeben, damit er uns loskaufte von aller Gesetzlosigkeit und sich selbst ein Eigentumsvolk reinigte, …

Titus 2,14

Losgekauft statt Los gekauft

Ohne es zu wissen, veränderte eine Passantin mit dieser kleinen Geste Leben: Statt etwas Kleingeld gab sie vier obdachlosen Bettlern im französischen Brest ein Rubbellos. Wenige Tage später las sie in der Zeitung, dass sie den Hauptgewinn verschenkt hatte. Die Lottogesellschaft teilte dort mit, dass die hohe Gewinnsumme den Bettlern den Start in ein neues Leben ermögliche.

Jesus Christus verändert ebenfalls bis heute Leben. Bei ihm ist das jedoch weder ein Zufallstreffer, noch kommt es durch eine kleine Spende im Vorbeigehen zustande. Im Gegensatz zu der Passantin in Brest hat Jesus sich ganz bewusst mit allem, was er hat und ist, an uns verschenkt. Statt im Himmel zu bleiben, wo er »das große Los gezogen hatte« und alle Vorzüge der Herrlichkeit bei Gott genießen konnte, kam er als Mensch auf die Erde. Während der freundlichen Französin nur ein Gewinn entgangen, sie selbst aber durch die Spende nicht ärmer geworden ist, hat Jesus Christus den Höchstpreis bezahlt. Jesus hat sein Leben eingesetzt, um für unsere Schuld zu bezahlen.

Das biblische Wort für »Erlösung« beschreibt diesen besonderen »Loskauf«: Wie man zu dieser Zeit Sklaven mit einem Lösegeld freikaufen konnte, hat Jesus Christus uns durch sein stellvertretendes Opfer am Kreuz losgekauft aus dem Schuldverhältnis, in das wir durch die Sünde gekommen sind. Denn kein Mensch erfüllt das Ziel, zu dem Gott uns geschaffen hat. Die Bibel beschreibt uns daher als verloren – in Bezug auf den Himmel sind wir »Obdachlose«.

Doch was keine Lotterie und kein Geld der Welt erreichen konnte, tat Jesus Christus durch seinen Loskauf. Wer an ihn glaubt und sein »Rettungs-Los« annimmt, erhält Vergebung seiner Schuld und neues, ewiges Leben! *dr*

? Wann nützt ein Hauptgewinn-Los nichts?

! Wenn der Besitzer es nicht rechtzeitig einlöst.

Galater 3,13-14

Ihr seid das Salz der Erde; wenn aber das Salz fade geworden ist, womit soll es gesalzen werden? Es taugt zu nichts mehr, als hinausgeworfen und von den Menschen zertreten zu werden. Matthäus 5,13

Kochen ohne Salz?

Als Küchenchef des besten Restaurants der Stadt besorgte ein Starkoch besondere Gemüsesorten, erlesene Fleischware und teure Weine; für seine exquisiten Gerichte musste alles stimmen. Und es passte immer. Bis eines Sonntagabends ein Küchenhelfer erschrocken bemerkte: »Chef, das Salz ist aus!« Und wirklich: Das eigentlich stets verfügbare Grundgewürz war verbraucht. Dies führte an jenem Abend zu einer kleinen Katastrophe, denn so sehr der erfahrene Spitzenkoch auch versuchte, das fehlende Salz durch andere Gewürze, Kräuter und Extrakte zu ersetzen, war er doch zutiefst unzufrieden mit dem Ergebnis: Alle Gerichte schmeckten schlechter als sonst.

Was wollte Jesus seinen Jüngern verdeutlichen, als er sie als das »Salz der Erde« bezeichnete? Wohl einerseits, dass sie die gewisse notwendige Würze der Gesellschaft mit dem rechten Wort zur rechten Zeit sein würden, der notwendige Gegenwind zum Mainstream. Zudem war Salz zur damaligen Zeit sehr kostbar, denn das »weiße Gold« war lange vor den Kühlschränken das wichtigste Konservierungsmittel. Jesu Worte waren also auch eine Wertschätzung. Zugleich aber auch eine Warnung, denn wenn Salz weder würzen noch vor dem Verderben bewahren konnte, dann hatte es seine Berechtigung verloren.

Menschen, die sich Christen nennen, aber mit Jesus Christus eigentlich nichts zu tun haben, sind wie schales Salz, das nicht würzt. Sie sind für Gottes Reich untauglich. Es geht nicht darum, ob »Salz« auf dem Streuer draufsteht. Sondern, ob die weiße Substanz tatsächlich die typischen Eigenschaften von Salz aufweist. Genauso kommt es nicht darauf an, ob wir formal Christen sind. Sondern, ob unser Leben beweist, dass wir anders sind als unsere Umgebung, weil wir zu Jesus Christus gehören.

dbe

? Was tun bei «Etikettenschwindel«?

! Das »Salz der Erde« zu sein, ist nicht nur eine Auszeichnung, sondern auch Auftrag.

Matthäus 5,1-13

**Da sprachen die Juden zu ihm:
... Was machst du aus dir selbst?**
Johannes 8,52-53

Von nichts kommt nichts ... oder doch?

Kommt die Zahl »Null« in der Bibel vor? Offensichtlich nicht, denn zur Zeit der Hebräer oder Römer war die Null im Mittelmeerraum noch nicht gebräuchlich. In unseren Breiten wurde die Null erst ab dem 13. Jahrhundert eingeführt. Aber dennoch: Mindestens zweimal finden wir so etwas wie die Null in der Bibel:

1. Jesaja weissagt von Jesus: »Er war verachtet, und wir haben ihn für **nichts** geachtet« (Jesaja 53,3). Er zählte gar nicht. Er war für uns völlig wertlos. Er galt als eine »Null«. So behandelt die Mehrheit bis heute den Sohn Gottes. Er findet keine Beachtung. Es besteht »null« Interesse an ihm.

2. Die Juden fragten Jesus in einem Streitgespräch empört: »Was machst du aus dir selbst?« (Johannes 8,53). »Er machte sich selbst zu **nichts**«, er verzichtete auf alle seine Vorrechte, antwortet Paulus in Philipper 2,7. Der Sohn Gottes, der in allem die Vorrangstellung hat (Kolosser 1,18), machte sich freiwillig zur »Null«.

Die Griechen benutzten statt der Ziffer 0 den Buchstaben »o« als Abkürzung für *ouden* (= nichts). Unser Begriff Null stammt von dem Lateinischen *nullus* (= Nichts, Leere, keiner). Daher heißt es auch bereits 700 Jahre vor der Geburt des Herrn Jesus Christus in Jesaja 53,2: Er hatte **nicht** Gestalt und **nicht** Pracht; er hatte **nicht**, dass wir ihn begehrt hätten.

Aber nur deshalb kann seine Selbstaufgabe und Stellvertretung für Sie zur »Stunde Null« werden, d. h. zu einem Neubeginn. Glauben Sie dem Evangelium, der Guten Botschaft, die besagt: Sein Opfertod eliminiert meine Schuld und macht sie »null und nichtig«!

Gott beginnt eine Neuschöpfung mit dem, der sich selbst zu **nichts** machte (2. Korinther 5,17-21)! *fe*

? Gibt es das ewige Leben tatsächlich als Geschenk – zum »Nulltarif«?

! Gott, der seinen eigenen Sohn nicht verschonte, ... wird er uns mit ihm nicht alles schenken? (Vgl. Römer 8,32.)

2, Korinther 5,17-21

Ich will mich aufmachen und zu meinem Vater gehen …
Lukas 15,18

Heimweh

Wie schmerzhaft kann die Sehnsucht nach der Heimat sein! Viele Menschen kennen dieses Gefühl. Die melancholische Stimmung, die einen befällt, wenn man sich in der Fremde, weit weg von zu Hause, befindet. Oft vom Gegenteil, dem Fernweh, erfüllt, hatte man sich vorher zu neuen Ufern aufgemacht. Vielleicht war das eine lange Reise, ein vorübergehender Auslandsaufenthalt oder sogar die endgültige Auswanderung in ein anderes Land. Doch nach einer Weile überkam einen das Heimweh, und man wollte einfach nur noch nach Hause.

Dieses Sehnen nach dem Zuhause erkennt man auch im Hinblick auf Gott, nämlich dann, wenn man begreift, wie verloren man ohne ihn ist. Eigentlich hatte Gott den Menschen für den Garten Eden und eine enge Gemeinschaft mit ihm geschaffen. Weil der Mensch aber sündigte und gegen Gottes Gebot verstieß, musste Gott ihn aus dem Paradies und seiner direkten Nähe vertreiben. Seitdem spüren wir, dass etwas nicht in Ordnung ist, und suchen das »verlorene Paradies« auf verschiedene Art und Weise. Doch so, wie Heimweh erst verschwindet, wenn man heimkehrt, so kommt unsere Seele erst zur Ruhe, wenn sie zu Gott zurückkommt. So wie der verlorene Sohn aus dem Gleichnis, das Jesus einmal erzählte. Rebellisch und stolz war er von zu Hause weggegangen, hatte sein ganzes Erbe vergeudet und erst fern der Heimat, als es ihm richtig schlecht ging, erkannt, dass er einen schweren Fehler begangen hatte. Daraufhin kehrte er nach Hause zurück und bat seinen Vater um Vergebung.

Gott ist wie der Vater in dieser Geschichte. Er wartet mit offenen Armen, dass wir zu ihm zurückkommen und ihn um Vergebung bitten. Erst bei ihm wird unsere Sehnsucht nach Heimat, nach einem Zuhause, gestillt werden. *dbe*

Wann hatten Sie schon einmal das Gefühl, fern Ihrer eigentlichen Heimat bei Gott zu sein?

Wer heimkommen will, muss umkehren.

Lukas 15,11-32

**Ein Mensch sieht, was vor Augen ist;
der HERR aber sieht das Herz an.**
1. Samuel 16,7

Unreinheiten – überdecken oder loswerden?

Mein Gesicht war übersäht mit vielen roten Punkten. Die Hautunreinheiten sahen ziemlich schlimm aus. Ich schämte mich, unter Menschen zu gehen. Mit allen möglichen Mitteln versuchte ich, die unangenehmen Punkte loszuwerden, aber es gelang mir nicht. Schließlich ging ich zu einem Drogeriemarkt, um mich beraten zu lassen. Ich erhielt ein Make-up, durch das laut Beschreibung alle Unreinheiten überdeckt würden. Und tatsächlich! Bei der ersten Anwendung stellte ich fest, dass dieses Produkt meine Gesichtshaut perfekt erscheinen ließ. Ich konnte meine Unreinheiten auf diese Weise verstecken, verschwunden waren sie allerdings nicht. Das Gute war nur, dass ich mich nicht mehr schämen musste.

Es gibt noch andere Unreinheiten, die wir Menschen verstecken wollen. Das sind unsere Sünden. Wir versuchen, sie durch eine christliche Lebensweise, gute Taten, regelmäßige Kirchenbesuche, Hilfsbereitschaft und ein anständiges Leben zu überdecken. Wir denken, dass wir so schon irgendwie gut genug dastehen und auch Gott gefallen könnten. Doch unsere Sünden verschwinden dadurch nicht, auch wenn wir sie vor anderen vielleicht verstecken können.

Gott aber schaut nicht auf Äußerlichkeiten, sondern auf unser Herz. Er sieht alles, was wir jemals getan oder gedacht haben, vor ihm bleibt nichts verborgen. Solange unser Herz nicht durch Jesus gereinigt wird, sind wir nicht würdig, in den Himmel zu kommen. Jesus aber ist für unsere Sünden gestorben. Er ist der einzige Weg, vor Gott makellos zu werden. Wenn wir ihn annehmen und ihm unsere Sünden bekennen, werden unsere Sünden nicht versteckt, sondern vergeben (Kolosser 2,13). So können wir ein reines Herz bekommen und müssen nichts mehr verdecken.

bwe

Haben Sie Ihr Herz schon durch Jesus reinigen lassen?

Wer seine Sünden verbirgt, wird sie auch zu seinem Schaden behalten.

1. Johannes 1,5-10

29. Juli 22

Freitag

Denn worin er selbst gelitten hat, als er versucht wurde, kann er denen helfen, die versucht werden.

Hebräer 2,18

Rette dich selbst?

An heißen Sommertagen gibt es für die Kinder nichts Schöneres, als in das im Garten aufgebaute aufblasbare Schwimmbecken zu springen. Die Abkühlung und der damit verbundene Spaß lassen nicht nur Kinderaugen leuchten. Oft ist am Abend das Kinderbecken dann so trübe und voller Gras, dass man das Wasser nicht mehr aufzuheben braucht. Oft ist mir dabei aufgefallen, dass an der Wasseroberfläche nicht nur Dreck und Grashalme schwimmen, sondern dass sich dort ein regelrechtes Drama abspielt. An der Wasseroberfläche kämpfen nämlich zahlreiche Insekten um ihr nacktes Überleben. Verzweifelt versuchen sie, sich an einem Grashalm festzuklammern oder an den Rand des Schwimmbeckens zu gelangen, andere jedoch zappeln und flattern im Kreis bis zur Erschöpfung. Der verzweifelte Kampf, um sich selbst zu retten, endet meist tödlich. Denn die armen Insekten schaffen es nicht, ihrer misslichen Lage zu entkommen. Sie sind auf das gnädige Eingreifen von uns Menschen angewiesen, sonst sterben sie.

Als Jesus Christus ans Kreuz genagelt wurde, durchlebte auch er einen Todeskampf. Schreckliche Schmerzen litt er, zudem ertrug er noch den Spott der vorübergehenden Gaffer. Aber Jesus litt nicht, weil er unbeabsichtigt in diese dramatische Lage gekommen wäre. Er starb freiwillig. Für andere, für uns, für mich! Er hätte vom Kreuz herabsteigen können, ohne Weiteres, denn er hat alle Macht im Himmel und auf der Erde. Doch er verzichtete freiwillig darauf, weil er uns aus unserem »Todeskampf«, unserem Abstrampeln ums Überleben, erretten wollte!

Wie sehr mühen wir uns oft ab, den Kopf über Wasser zu halten. Aber es nützt nichts, die Kraft ist irgendwann zu Ende. Doch es gibt das gnädige Eingreifen Jesu, der uns erretten möchte! Seine Hand ergreifen sollten wir heute. *ty*

? Strampeln Sie noch selbst?

! Lassen Sie sich retten, bevor es zu spät ist!

Hebräer 7,25

**Dies aber ist das ewige Leben, dass sie dich,
den allein wahren Gott, und den du gesandt hast,
Jesus Christus, erkennen.**

Johannes 17,3

Der Samstag hat wieder einen Sinn!

Der Ball rollt wieder – seit gestern Abend ist wieder Fußball-Bundesliga! – Und am Samstag sind immer noch die meisten Spiele. Für viele Menschen in Deutschland (und auch anderswo) geht eine große Faszination vom Fußball aus. So war das früher auch bei mir. Im Ruhrgebiet, ungefähr zwischen Bochum und Dortmund aufgewachsen … Da ist es schon fast natürlich, dass man ein Fußball-Fan wird; das Thema ist im Alltag einfach da, nicht nur in der Schule.

Heute bin ich nach wie vor am Fußball interessiert. Wenn ich von Frühjahr bis Herbst samstags im Garten arbeite (und kein anderer Termin ansteht), höre ich nebenbei die spannenden Live-Berichte der Fußball-Bundesliga im Radio. Und doch sind heute die Prioritäten verschoben: Mein Leben gehört nicht dem Fußball, sondern Jesus – IHN habe ich in mein Leben aufgenommen. ER ist nun mein Herr und Retter. Fußball übt eine große Faszination aus und ist am Ende doch nur eine oberflächliche Freude.

Aber bei Jesus habe ich eine Freude gefunden, die auch bleibt, wenn ich mal nicht auf der Höhe bin. Jesus bietet uns nicht nur Freude an, sondern sogar ein ganz neues Leben: »Ich bin gekommen, damit sie Leben haben und es in Überfluss haben. Ich bin der gute Hirte. Der gute Hirte lässt sein Leben für die Schafe« (Johannes 10,10-11). Jesus hat sein Leben für mich gegeben, damit ich echte, tiefe und bleibende Freude haben kann. Dagegen verblassen alle Fußballer, Mannschaften und Pokale. Und wenn »meine« Mannschaft verliert, dann geht bei mir die Stimmung nicht mehr in den Keller, weil ich weiß, dass ich auf der Seite dessen bin, der den Tod besiegt hat und zu einem neuen Leben auferstanden ist. Daran werde ich auch einmal Anteil haben. Und das ist immer ein Grund zur Freude für mich. *mtz*

? Wo stehen Sie in der Gefahr, von einer Faszination eingefangen zu werden?

! Jesus fasziniert nicht (nur), er will unser guter Hirte sein – in diesem Leben und auch darüber hinaus.

Markus 14,3-9

Sonntag

Denn »alles Fleisch ist wie Gras und alle Herrlichkeit des Menschen wie die Blume des Grases. Das Gras ist verdorrt und seine Blume abgefallen; aber das Wort des Herrn bleibt in Ewigkeit.« 1. Petrus 1,24

Der Griff zum Handy

Wie schon so oft greift die Hand am Morgen fast automatisch nach dem Handy und entsperrt es. Meine Augen überfliegen den Startbildschirm. Keine neuen WhatsApps – schade. Noch ein Klick auf die Nachrichten-App: Schon wieder eine neue Schlagzeile über amerikanische Politik. Dann eine Nachricht über einen Autounfall in Österreich. Schrecklich. Und irgendein Schauspieler ist auch gestorben, mit 50 Jahren. Schade. Zwischendurch Werbung: Eine strahlend schöne Frau lacht mich in ihrer neuen Bluse an. Als ich fünf Minuten später mein Handy zuklappe, macht sich ein frustrierendes Gefühl von Leere in mir breit. Was von den gerade gewonnenen Eindrücken war wirklich relevant für den vor mir liegenden Tag? Welche unwichtigen Wünsche wurden geweckt? Was nutzte mir dieser kurze Ausflug in die virtuelle Welt – und die 87 anderen, die ich statistisch gesehen heute noch unternehmen werde?

Wie anders sieht mein Tagesstart aus, wenn ich zuerst die Bibel aufschlage. Zugegeben: Es braucht Selbstdisziplin, die schwarzen Buchstaben den bunten Pixeln auf dem Bildschirm vorzuziehen. Doch die Worte, die ich dort lese, sind wirklich bedeutsam für mein Leben. Denn dahinter steht Gott, der durch sein Wort persönlich zu mir spricht. Manchmal trifft mich ein Wort wie ein Stromschlag, und ich merke: Das war genau für mich gemeint! Manchmal ist das Gelesene nicht leicht zu verstehen, und ich mache keine besondere Entdeckung. Aber nie gibt es danach dieses Gefühl von Leere und Enttäuschung. Belebung für die Seele, Ermutigung für den Tag, verlässliche Auskunft über Gott – das gibt es nur in diesem alten, so oft vernachlässigten Buch. Wäre es nicht eine gute Idee, die Bibel neben das Bett zu legen und sie bewusst jeden Morgen vor allen anderen Medien zu lesen? *eli*

? Warum lesen Millionen von Menschen täglich in der Bibel?

! Gottes Wort ist anders und enttäuscht nie.

Psalm 119,17-32

1. August 22

Montag

Welchen Wert hat schon ein Spatz?
Man kann fünf von ihnen für einen Spottpreis kaufen.
Und doch vergisst Gott keinen Einzigen von ihnen.
Lukas 12,6

Spatzen

Lange Zeit hatte ich keine Spatzen mehr gesehen. Doch seit etwa zwei Jahren bevölkern diese putzigen Vögel unseren Garten. Im Frühling flog tagsüber ein richtiger Schwarm immer wieder durch unseren Garten. Mit gewagten kollektiven Flugmanövern landeten sie sehr gerne in einem großen Kirschlorbeer. Dort waren sie nicht mehr zu sehen, aber um so deutlicher zu hören. Sie machten einen Mordskrach. Sie kamen mir ein bisschen vor wie ein Rudel halbstarker Teenager, die sich mit ihren Rufen gegenseitig überbieten wollten.

Im vergangenen Jahr konnten wir schließlich beobachten, wie Spatzenpaare bei uns unter dem Dach ihre Nester bauten. Von der Terrasse aus wurden wir Zeugen der unermüdlichen Bemühungen der Spatzeneltern um ihre Jungen. Lautes Piepsen, Spatzenmama oder -papa flogen aus, kamen mit Nahrung zurück, krallten sich am Putz fest und versorgten den Nachwuchs. Wenn der eine Elternteil unterwegs war, lugte oft der andere aus dem Nest heraus und beäugte uns von oben. Wir hatten uns aneinander gewöhnt. Eines Tages allerdings fanden wir einen toten kleinen Spatzen auf unserer Terrasse. Wir vermuteten, dass sich das Tier aus dem Nest gewagt hatte und heruntergestürzt war. Das hat uns schon berührt, zumal wir die Fürsorge der Spatzen für ihren Nachwuchs so hautnah miterlebt hatten. Doch ich muss gestehen, dass dieses Geschehen auch wieder sehr bald aus unseren Köpfen verschwunden war. Was ist schon ein Spatz?!

Beim Schöpfer des ganzen Universums gelten auch Spatzen viel. Man meint, er sei seinen Geschöpfen gegenüber völlig gleichgültig. Aber das Gegenteil ist der Fall: Er behält »sogar« die Spatzen seiner Erde im Auge. Warum sollten wir Menschen dann denken, er wäre nicht auch um uns besorgt? *mm*

Was bedeutet es Ihnen, dass Gott um Sie besorgt ist und Sie nicht vergisst?

Er hat für uns alle einen hohen Preis bezahlt, um uns zu retten.

1. Petrus 1,3-5.18-19

Kehrt um und glaubt an das Evangelium!
Markus 1,15

Was heißt »Evangelium«?

In einem Frage-Quiz im Radio stellte der Moderator folgende Frage: »Was heißt das Wort ›Evangelium‹ wörtlich übersetzt?« Zu meinem Erstaunen wusste keiner der Kandidaten die richtige Antwort. Die beste Antwort war halb richtig: »Botschaft«, meinte einer. Doch für diese unvollständige Antwort bekam er keinen Punkt.

Der heutige Tagesvers war für ein paar Wochen groß auf einer blaugelben Werbetafel an der einzigen Tankstelle in meinem Heimatdorf zu lesen. Der eingängige Satz stach sofort ins Auge. ›Super!‹, dachte ich. Doch als ich später das Radio-Quiz mitverfolgte, kam ich ins Grübeln. Wenn viele gar nicht wissen, was »Evangelium« heißt, was können sie dann mit der Aufforderung auf der Werbetafel anfangen?

»Umkehren. Ja, warum und wozu umkehren? Zu diesem antiquierten Wort, von dem ich gar nicht weiß, was es eigentlich genau bedeutet? Heißt es, dass ich irgendwelche religiöse Pflichten erfüllen soll?« Möglicherweise hatte der ein oder andere, der dieses Plakat sah, solche Gedanken. Das Wort »Evangelium« kommt aus dem Altgriechischem und bedeutet übersetzt »gute Botschaft«. Die gute Botschaft ist, dass man keine religiösen Pflichten und Rituale erfüllen muss, wie es bei allen Religionen üblich ist, um Gott zu nahen. Genau genommen ist Evangelium das Gegenteil von Religion. In jeder Religion müssen sich die Menschen anstrengen, um zu Gott zu kommen und ihn mit ihren Opfern freundlich stimmen. Beim Evangelium aber ist Gott derjenige, der alles getan hat. In Jesus Christus hat er sich uns zugewandt, um uns den Weg zum Himmel frei zu machen.

Wer von seinem Leben ohne Gott umkehrt, seine Schuld bekennt und an Jesus Christus glaubt, der bekommt das ewige Leben ohne eigenen Verdienst. Wenn das keine gute Botschaft ist! *dbe*

Sind Sie schon umgekehrt?

Für eine verlorene Welt gibt es keine wichtigere Botschaft.

Matthäus 3,1-12

»Wenn du wüsstest, welche Gabe Gott für dich bereit hält und wer der ist, der zu dir sagt: ›Gib mir zu trinken‹, dann wärst du diejenige, die ihn bittet, und er würde dir lebendiges Wasser geben.« Johannes 4,10

Eine nachhaltige Begegnung

Eine Frau geht in der Mittagshitze allein zum Brunnen, um Wasser zu schöpfen. Die ungewöhnliche Zeit lässt vermuten, dass sie niemanden treffen möchte. Doch sie trifft einen außergewöhnlichen Mann, der sie sogar anspricht – zur damaligen Zeit ein »No-Go«. Er erzählt ihr geheimnisvolle Dinge über »lebendiges Wasser«, das er ihr schenken will.

Lebendiges Wasser? Die Frau versteht zunächst nicht, wovon er spricht, und hofft auf ein bequemeres Leben ohne die schwere Arbeit des Wasserschöpfens. Doch der Fremde vertieft das Gespräch und fragt die Frau nach ihrem Mann. Wie kommt es, dass er ihre persönlichen Lebensumstände kennt? Sie hat schon mehrere Männer gehabt und lebt momentan in wilder Ehe.

Um von diesem heiklen Thema abzulenken, spricht die Samariterin Glaubensfragen an. Sie spürt, dass hier jemand ist, der mit Autorität redet. Der Mann – es ist Jesus Christus – offenbart ihr Gottes Erlösungsplan und gibt sich dieser einfachen Frau als der verheißene Messias zu erkennen. Sie glaubt ihm, verliert ihre Menschenfurcht und erzählt im ganzen Dorf, dass sie den Retter kennengelernt hat. Jesu Worte, seine Ausstrahlung, sein freundliches und zugewandtes Wesen haben sie völlig verändert.

Als ich Jesus kennenlernte, wurde auch mein Leben auf den Kopf gestellt. An Christus als meinen Retter zu glauben, war der wichtigste Schritt in meinem Leben, der radikalste überhaupt. Aber ich habe ihn nie bereut. Heute lebe ich von dem lebendigen Wasser, das Jesus mir schenkt. Er hat mich reingewaschen von meiner Sünde, meiner Scham und Schuld für alle Zeit. Aus dieser wahren Quelle darf ich leben – für immer! *kw*

Sind Sie bereit für eine außergewöhnliche, nachhaltige Begegnung?

Jesus kennt Sie durch und durch.

Johannes 4,4-30

Die Standhaftigkeit wiederum soll zu einem vollkommenen Werk führen: Ihr sollt in jeder Hinsicht zur Reife kommen, zu einer Vollkommenheit, der nichts mehr hinzuzufügen ist. Jakobus 1,4

Vollkommen – vor Gott und Menschen

Die Frau fiel aus allen Wolken. Mit einem Heiratsantrag hatte sie gar nicht mehr gerechnet. Ihre Biografie hatte einfach zu viele Turbulenzen. Und der Mann wusste das. Beide waren nicht mehr die Jüngsten. Ganz entspannt hatte sie sich auf ein Leben als Single eingestellt. Irgendwann wollte sie wissen, was ihm an ihr denn so gefällt. Der Mann hatte beobachtet, dass sie zielgerichtet ihren Lebensweg im Glauben an Gott ging. Ihm war aufgefallen, wie sie für andere da war und nicht auf ihre vermeintliche Unvollkommenheit blickte. Dies fand der Mann anziehend. Etwas später heirateten sie dann.

Menschen mit einem festem Glauben an Gott, die dadurch zu Persönlichkeiten gereift sind, wirken anziehend. Das ist Gottes Ziel mit jedem von uns. So lässt er manches zu, was zunächst nicht angenehm ist. Jeder, der Jesus nachfolgt, wird immer wieder durch Erprobungen geführt. Durch Bedrängnisse von außen oder auch durch die eigenen, zermürbenden Gedanken wird uns klar: Wir sind auf Gottes Hilfe und Weisheit von oben angewiesen. Wenn wir Gott darum bitten, kommen wir Schritt für Schritt weiter, werden standhaft im Glauben und erreichen schließlich einen Zustand, den Jakobus als »Vollkommenheit« bezeichnet – der Reifezustand eines erwachsenen Menschen, bei dem man Halt findet und sich anlehnen kann.

Bevor wir jedoch einen solchen Prozess durchleben können, müssen wir erst einmal grundsätzlich unser Verhältnis zu Gott in Ordnung bringen. Nur wenn wir uns von unserer Schuld und Vergangenheit durch Gott freisprechen lassen, können wir zu einem »vollkommenen Werk« geführt werden: dass unser Leben zu einer schönen und reifen Frucht wird, die Gott als unseren Schöpfer verherrlicht und für Menschen angenehm und beglückend ist. *st*

? Gibt es eine Not in Ihrem Leben, die Sie heute entmutigt?

! Sprechen Sie mit jemandem, von dem Sie den Eindruck haben, dass er standhaft geworden ist!

Jakobus 1,2-8.16-18

**Denn aus dem Herzen kommen hervor
böse Gedanken, Mord, Ehebruch, Hurerei,
Dieberei, falsche Zeugnisse, Lästerungen ...**

Matthäus 15,19

Poolhygiene

Seit 2020 haben wir einen Pool, der rund 25.000 Liter Wasser fasst. Das Befüllen nimmt also einige Zeit in Anspruch, und dann dauert es auch noch, bis die Badetemperatur erreicht ist. Bei diesem Aufwand sollte das eingefüllte Wasser möglichst lange möglichst sauber und klar bleiben. Gerade bei starker Nutzung trägt man allerdings viel Gras und Staub hinein. Es landen Insekten und Laub auf dem Wasser und bei starker Sonneneinstrahlung können sich auch schnell Algen bilden, die das Wasser trüben. Körperschweiß und Sonnencreme tun ihr Übriges. Daher nimmt die Sorge um die Wasserqualität viel Zeit und Energie in Anspruch: Neben einer Filteranlage braucht es zum Beispiel Chlor oder Algizide. Und natürlich muss man immer wieder mit einem Kescher gröbere Partikel beseitigen.

Als ich eines Abends wieder einmal so vor mich hin kescherte, musste ich daran denken: Wie viel Zeit verwendest du darauf, das Badewasser in deinem Planschbecken sauber zu halten – und wie viel Zeit nimmst du dir dafür, die kleinen und großen Verunreinigungen aus deinem Herzen herauszufiltern? Denn auch hier kommt jeden Tag viel Schmutz zusammen. Manchmal sind diese Verunreinigungen grob und schnell zu erkennen, wie unser Tagesvers zeigt. Oft aber sind es eher feine Verunreinigungen, die nicht sofort spürbar sind. Lasse ich es zu, dass Gott durch seinen Geist und durch sein Wort, die Bibel, in mein Leben hineinspricht und mich auf die Dinge hinweist, die mein Leben verschmutzen? Oder ignoriere ich seine Mahnungen? Das mag – wie bei ungepflegtem Poolwasser – einige Zeit gut gehen. Doch irgendwann kommt der Punkt, an dem auch die feinsten Verunreinigungen das Wasser »kippen« lassen. Und dann ist es endgültig unbrauchbar!

mm

? Wie weit lassen Sie es kommen?

! Nutzen Sie rechtzeitig Gottes Reinigungsmittel! (Siehe Bibellese.)

1. Johannes 1,9

Die Aussage ist zuverlässig und aller Annahme wert, dass Jesus Christus in die Welt gekommen ist, um Sünder zu erretten.

1. Timotheus 1,15

Schwer zu widerlegende Argumente

Während einer Straßenversammlung der Heilsarmee in San Francisco wurde der Prediger Ironside von einem bekannten Agnostiker zu einer öffentlichen Debatte in der Akademie der Wissenschaften herausgefordert. Das Thema sollte lauten: »Agnostizismus gegen Christentum«. (Agnostizismus ist die philosophische Überzeugung, dass man über Gott und das Jenseits keine verlässlichen Aussagen machen kann.) Vor einer großen Menschenmenge entgegnete Ironside, dass er die Einladung gerne annehme – unter einer Bedingung: Sein Kontrahent solle einen Mann und eine Frau mitbringen, die bezeugen könnten, dass sie mithilfe des Agnostizismus aus einer gescheiterten Lebenssituation herausgefunden hätten – z. B. aus Alkoholismus, Drogensucht, Kriminalität, Prostitution o. Ä. Er selbst würde hundert Leute mitbringen, die genau dies als Auswirkung ihres Glaubens bezeugen könnten. »Ich werde diese Frauen und Männer auf dem Podium als Zeugen der verändernden Kraft Jesu Christi und als heutigen Beweis für die Wahrheit der Bibel bei mir haben.«

Der Mann, der die Aussagen der Bibel lächerlich machen wollte, winkte ab und verließ den Platz durch die Menschenmenge. Die Debatte kam nie zustande. Ironside schließt seinen Bericht so: »Viele Leute klatschten der Heilsarmee und dem Straßenprediger Beifall. Sie hatten in all den Jahren niemals von einer Philosophie des Unglaubens gehört, die gescheiterte, von Sünde geknechtete Männer und Frauen befreit hätte, während genau das durch das Christentum im Laufe der Jahrhunderte immer wieder geschehen ist. Das Evangelium beweist sich durch das, was es vollbringt, indem erlöste Menschen aus allen Lebensbereichen von jeder Art der Sünde befreit wurden durch die wiederherstellende und bewahrende Macht des Christus.« *ga*

Was spricht aus Ihrer Sicht dafür, den Worten der Bibel Glauben zu schenken?

Von guten Argumenten darf man sich überzeugen lassen. Aber besser noch dadurch, dass man die Wirkung der Bibelworte selbst erlebt.

Matthäus 8,5-13

**Ich freue mich über dein Wort wie einer,
der große Beute macht.**
Psalm 119,162

Der vergessene Schatz

Vor 30 Jahren – so berichtete das *Hamburger Abendblatt* 2017 – kaufte eine Frau auf einem Flohmarkt in London einen Ring. Sowohl Verkäufer als auch Käuferin hielten den glanzlosen Stein in der Ringfassung für billigen Modeschmuck, sodass der Ring den Besitzer für nur zehn Pfund wechselte. Da die Frau den Ring ständig trug, fiel er eines Tages einem Juwelier auf, der sie bat, das Schmuckstück einmal genauer besehen und untersuchen zu dürfen. Die Untersuchung ergab, dass der Ring aus dem 19. Jahrhundert stammte und der vermeintlich wertlose Stein in der Fassung in Wirklichkeit ein 26-karätiger Edelstein war, dessen Verkaufswert Fachleute auf 400.000 € schätzten.

30 Jahre trug die Frau 400.000 € an ihrem Ringfinger. Sie hatte nicht den Hauch einer Ahnung, wie reich sie war. Wie viele Jahre tragen wir unsere Bibeln mit uns umher. Wir sehen wohl auch hinein, lesen darin, aber es steht zu befürchten, dass wir kaum eine Ahnung davon haben, welche Reichtümer sich tatsächlich darin befinden. Und selbst wenn wir es (theoretisch) wissen, bleibt noch die Frage, wie viele der biblischen Schätze wir im Glauben wirklich in Besitz genommen haben.

So ziehen wir als eigentlich geistlich Reiche doch oft als innerlich Arme durch die Welt. Es ist Zeit, unsere Bibeln zu entstauben und in Gottes geöffnete Schatzkammer einzutreten, um »die größten und kostbaren Verheißungen« wiederzufinden und neu zu entdecken, dass »uns seine göttliche Kraft alles in Betreff des Lebens und der Gottseligkeit geschenkt hat« (2. Petrus 1,3-4). Dazu müssen wir nur das tun, was der große Kirchenvater Augustinus (354–430 n. Chr.) sich und seinen Zeitgenossen mit Blick auf die Bibel riet: »Tolle lege!« – »Nimm und lies!«

vdm

? Wie viel Zeit investieren Sie in Ihre persönliche »Schatzsuche«?

! Fangen Sie mit einer Viertel Stunde am Tag an! Und danken Sie Gott für alles, was er Sie entdecken lässt!

Psalm 119,162-168

Durch Gottes Gnade seid ihr gerettet, und zwar aufgrund des Glaubens. Ihr verdankt eure Rettung also nicht euch selbst; nein, sie ist Gottes Geschenk.

Epheser 2,8

Geschenkt ist geschenkt

Auf einer langen Fahrt quer durch Deutschland machte ich die Bekanntschaft mit einer Frau, die sich kurz zuvor einer fernöstlichen Religionsgemeinschaft angeschlossen hatte. Sie war auf dem Weg zu einem Arbeitseinsatz, um mit Gleichgesinnten ein Glaubenszentrum zu säubern und instand zu halten. Sie erklärte mir, dass dieser Einsatz Teil einer ganzen Reihe von Ritualen, Praktiken und Aufgaben wäre, die zum Weg der Erleuchtung und Erlösung ihrer Seele gehörten.

Im Austausch über unsere doch so unterschiedlichen Glaubensauffassungen stellten wir einige Gemeinsamkeiten fest. Doch in einem und letztlich dem entscheidenden Punkt konnten unsere Standpunkte nicht weiter auseinanderliegen: Diese Frau war einzig und allein selbst für ihr Seelenheil verantwortlich. Es lag an ihr, sich um die Erlösung und Reinigung ihrer Seele zu kümmern. Für sie war viel Disziplin und Einsatz nötig, um den ersehnten Zustand von Erleuchtung und Vollkommenheit irgendwann zu erreichen. Wie anders ist die Botschaft der Bibel! Mir als Christ wurde die Erlösung in dem Moment geschenkt, als ich Jesus Christus meine Schuld bekannt und mein Leben unter seine Autorität gestellt habe. Das geschah aus reiner Gnade, unabhängig von meiner Leistung, die ich nicht in Ritualen, Praktiken oder sonstigen Aufgaben unter Beweis stellen muss. Ich kann und brauche mir meine Erlösung nicht selbst zu erarbeiten, denn Jesus Christus hat am Kreuz alles für mich vollbracht. Nichts kann mich mehr aus seiner Hand reißen.

Meine Mitreisende war skeptisch gegenüber diesem Geschenk. Es fiel ihr schwer zu glauben, dass Gott uns die Befreiung von unserer Schuld ohne jegliche Gegenleistung anbietet. *kts*

Warum fällt es vielen Menschen so schwer, die Erlösung als ein Gnadengeschenk anzunehmen?

Unsere eigene Leistung ist vor Gott niemals ausreichend.

Johannes 3,16-19

**Denn eines jeden Wege liegen offen vor dem Herrn,
und er hat acht auf aller Menschen Gänge.**
Sprüche 5,21

Eine Allianz fürs Leben

In den 1980er-Jahren gab es eine geniale Werbung der Allianz-Versicherung: Ein Mann aus Deutschland fuhr mit seinem VW Käfer Cabriolet nach Italien in den Urlaub. Er durchquerte mit seinem Fahrzeug Neapel. Dort fuhr er versehentlich in einen Stapel mit Tomaten. Dadurch verursachte er einen Menschenauflauf, bis dann ein Carabinieri (Polizist) kam, um die Unfallursache zu untersuchen und den Schuldigen zu bestrafen. Der VW-Fahrer zog aus seinen Unterlagen eine Versicherungskarte der Allianz heraus und zeigte sie dem Polizisten. Plötzlich war alles in Ordnung, die Aufregung legte sich, und alle freuten sich. Dann erklang folgendes eingängiges Lied: »Wer sich Allianz-versichert, der ist voll und ganz versichert. Der schließt im ersten Augenblick ein festes Bündnis mit dem Glück, eine Allianz fürs Leben.« Das hörte sich alles sehr gut an, und es ist auch wichtig und richtig, bestimmte Versicherungen abzuschließen. Doch was ist bei einer Lebenskrise, bei Dauer-Arbeitslosigkeit, bei Eheproblemen oder einer unheilbaren Krankheit, wer hilft dann?

Ich möchte Ihnen heute eine Allianz aufzeigen, die Ihnen im Leben und im Sterben völlige Sicherheit gibt – und das ohne Police und Versicherungsbeiträge. Es ist die Allianz mit Gott, unserem Schöpfer und dem Erhalter der Welt. Er möchte sich um Sie kümmern, er möchte Ihnen alle Schuld vergeben, die Sie in Ihrem bisherigen Leben aufgehäuft haben und er möchte Ihnen ewiges Leben schenken. Dazu ist eines notwendig: Sie müssen Jesus Christus als Ihren Herrn und Erlöser in Ihr Leben einladen. Er regelt alles, vor allem die Schuldfrage. Wenn Sie das tun, dann schließen Sie die wahre Allianz fürs Leben, die Ihnen Halt und Sicherheit gibt – auch in unruhigen und notvollen Zeiten. *rr*

? Von wem erwarten Sie Hilfe?

! Echte Hilfe gibt's nur bei Gott.

Psalm 1

**Das Gras ist verdorrt, die Blume ist verwelkt.
Aber das Wort unseres Gottes besteht in Ewigkeit.**
Jesaja 40,8

Worte für die Ewigkeit

In einem bekannten Sprichwort heißt es: Worte sind *wie Schall und Rauch*. Man könnte auch sagen: Worte sind *wie Quatsch und Qualm* oder *wie Wind und Nebel* oder *wie viel Rauch um gar nichts* … Auf jeden Fall sind sie wie etwas, was meistens ganz schnell wieder verschwindet und häufig keine bleibende Wirkung hinterlässt. Wie viele Worte werden wohl Tag für Tag auf dieser Erde gesprochen? Allein schon pro Mensch sind es oft sehr viele … doch kaum einer dieser »Aussprüche« wird irgendwann einmal zitiert, verschriftlicht oder gar in die Geschichte eingehen.

Nun behauptet die Bibel (siehe Tagesvers), dass uns in ihr eine ganz andere Qualität von Worten begegnet bzw. dass die in ihr enthaltenen Aussprüche Gottes über eine unendlich lange Haltbarkeit verfügen. Die Frage ist nun, ob die objektiv vorzufindende Faktenlage diese Behauptung unterstützt.

Lassen sie uns einen Blick auf die Fakten werfen: Manche Abschnitte der Bibel sind inzwischen mehrere Tausend Jahre alt. Welches andere Buch kennen Sie, das trotz solch eines hohen Alters nach wie vor eine jährliche Gesamtauflage (ganz oder in Teilen) von mehreren Millionen hat? Des Weiteren: Wird in unserer heutigen Zeit ein Buch geschrieben, das sich als Bestseller entpuppt, so kann es gut sein, dass es nach einiger Zeit in z. B. 60 oder 70 Sprachen verfügbar ist. Die Bibel jedoch ist (ganz oder in Teilen) in Tausenden von Sprachen verfügbar. Kein anderes Buch der Weltgeschichte hat solche Superlative zu bieten. Immer wieder wollten einflussreiche Menschen die Bibel vernichten und abschaffen, doch sie hat alle ihre Feinde und Kritiker überlebt. Und daher findet man sie nach wie vor in jeder Bibliothek, die einen einigermaßen anspruchsvollen Buchbestand hat. *sn*

? Wie ernst nehmen Sie die Bibel?

! So interessant die Fakten rund um die Bibel auch sein mögen … das Wichtigste ist, ihren Inhalt kennenzulernen.

2. Timotheus 3,14-17

**Dies habe ich zu euch geredet,
damit meine Freude in euch ist
und eure Freude völlig wird.**
Johannes 15,11

Freude erleben

Freude ist ein schönes Gefühl und kann ganz plötzlich entfacht werden. Zum Beispiel bei einer gelungenen Überraschung. Oder wenn man einen schönen Sonnenuntergang sieht. Besonders schön ist es, wenn man einen lieben Freund, eine liebe Freundin völlig unerwartet trifft und sich dann gemeinsam herzlich über die Begegnung freut.

Im Tagesvers ist von einer besonderen Freude die Rede. Es ist die Freude, die Jesus selbst erlebt hat und mit der er uns offenbar anstecken will, wie man so sagt. Aber was war die Freude Jesu? War es nur ein zeitweiliges Gefühl, wie wir das auch kennen? Das Attribut »völlig« weist darauf hin, dass viel mehr damit verbunden ist. Es geht nicht um flüchtige Momente von Freude, es geht auch nicht um die »kleinen Freuden« des Alltags. Es geht um eine Freude von außergewöhnlicher Qualität, die erst Jesus Christus in diese Welt brachte.

Als Jesus von dieser Freude sprach, stand er kurz davor, verhaftet, verurteilt und hingerichtet zu werden. Wie konnte er da von Freude reden? Offenbar hatte das leidvolle Erleben, das ihm bevorstand keinen Einfluss auf diese Freude in ihm. Jesus war im Einklang mit seinem himmlischen Vater, auch was seinen Weg ans Kreuz betraf. Gottes Willen zu tun, das erfüllte ihn allezeit mit Freude. Diese Freude würde nun nicht aufhören, sondern umso mehr erfüllt werden, weil er wieder zum Vater gehen würde. Und diese Verbindung zum Vater sprach er aufgrund ihres Glaubens an ihn auch seinen Jüngern zu. Wenn sie in seinem und des Vaters Willen blieben, dann würden auch sie diese vollkommene Freude in sich haben und erleben; und sie würde auch bei ihnen völlig werden. So etwas erfährt allerdings nur der, der den Worten Jesu glaubt und sich selbst und sein ganzes Leben Gott anvertraut.

awa

Was hindert Sie daran, sich auf eine solche buchstäblich »unendliche« Freude einzulassen?

Entdecken Sie die Freude, von der Jesus spricht, indem Sie sich ihm im Glauben zuwenden!

Johannes 15,1-17

12. August 22

Freitag

Als sie aus dem Boot stiegen, sahen sie ein Kohlenfeuer, auf dem Fische brieten. Auch Brot lag bereit.
Johannes 21,9

Lagerfeuerromantik

Erinnern Sie sich an Ihren letzten Lagerfeuerabend? Das knisternde Feuer schafft eine wohltuende Wärme inmitten einer ruhigen Sommernacht. Während jemand eine Geschichte oder einen Witz erzählt, schauen andere wie gebannt ins Feuer und hören zu oder lassen ihre Gedanken schweifen. Vielleicht wird noch das eine oder andere Lied auf einer Gitarre gespielt und gesungen oder nebenbei Stockbrot gegessen. Der qualmige Geruch an der Kleidung erinnert am nächsten Morgen noch nachhaltig an die besondere Lagerfeuer-Gemeinschaft vom Vorabend. Ein Lagerfeuer entfaltet eine besondere Faszination, die sowohl Kinder als auch Erwachsene gleichermaßen erfasst. Es schafft eine ruhigere Form der Begegnung, die unter sonstigen Umständen kaum möglich ist.

Als die Jünger Jesu gerade einen großen Fang gemacht hatten, wartete Jesus in der Morgensonne mit einem Kohlenfeuer auf sie. Er lud die erschöpften Fischer zu einem Frühstück mit Brot und Fisch ein. Doch Jesus wollte nicht nur schöne Lagerfeuerromantik zelebrieren, sondern er suchte die Gemeinschaft mit seinen Jüngern. Es ging ihm nicht nur um große Wunder oder einen ansehnlichen Fang, er wollte auch das Herz seiner Schüler erreichen. So stellte er Petrus nach dem Frühstück einige persönliche Fragen, die diesen mitten ins Herz trafen.

Solche Momente der persönlichen Begegnung und des ehrlichen Austauschs in passender Ambiente sind eher selten. Unser Leben ist zu voll und das Wetter oft zu schlecht, um uns so oft wie möglich abends um ein Lagerfeuer zu versammeln. Dennoch lädt Jesus uns auch heute immer wieder ein, ruhig vor ihm zu werden und uns bewusst auf ihn, unsere Mitmenschen und die manchmal schmerzhafte Reflexion unseres Lebens einzulassen. *slü*

Wann und wie war Ihre letzte intensive Begegnung?

Schalten Sie gelegentlich einen Gang herunter und lassen Sie Ruhe zu – so ist die Begegnung mit Jesus und anderen Menschen oft erst möglich.

Johannes 21,9-19

Besser offene Rüge als verborgen gehaltene Liebe.
Treu gemeint sind die Schläge dessen, der liebt,
aber überreichlich die Küsse des Hassers.

Sprüche 27,5-6

Die Logik des Überlebens

Viele Menschen meinen, dass sich der christliche Glaube dadurch ausdrückt, dass man tolerant und human sein sollte. »Jedem das Seine« lautet das Lebensmotto. Bereits der »Alte Fritz«, der preußische König Friedrich der Große (1712–1786), hat gesagt: Jeder soll nach seiner Fasson selig werden. – Ich verstehe die Menschen, die so denken und handeln. Ich bin überzeugt, dass es vernünftige, liebevolle und friedliebende Bürger sind. Nette und freundliche Leute, mit denen man gerne Umgang hat.

Wissen Sie, ich wäre manchmal froh, wenn Gott nach diesen Maßstäben richten würde. Es ist noch nicht so lange her, dass ich selbst daran glaubte, dass Gott mich nach dem beurteilt, was ich im Alltag tue, wie anständig ich mich gegenüber anderen verhalte und wie vorbildlich mein Leben ist. Aber als ich angefangen habe, in der Bibel zu lesen, wurde mir schnell klar, dass dies nicht Gottes Maßstäbe sind. Wie in unserem Tagesvers zu lesen ist, erfuhr ich »offene Rüge« (Zurechtweisung), die aufdeckt, und nicht heuchlerische Liebe, die zudeckt. Ein Freund, der mich »schlägt« und mir »wehtut«, kann hilfreicher sein als ein »Hasser«, der mir scheinheilig und »liebevoll« begegnet.

Mir wurde sehr schnell klar, dass Toleranz und Humanität nicht der Schlüssel sind, um Gott wohlzugefallen. Unser aller Gott setzt die Maßstäbe. Er verlangt nicht von uns Menschen, dass wir über uns hinauswachsen und große Dinge tun. Er verlangt nicht, dass das Leben unbedingt mit humanitären Werken vollgestopft sein muss. Gott stellt in der Bibel eindeutig klar, dass es nur einen Weg gibt, und das ist der Glaube an das Rettungswerk Jesu am Kreuz! Nur wenn wir diesen einzigen Weg in den Himmel anerkennen, werden wir dort ankommen. Jesus alleine ist die Lösung. *schn*

Wie denken Sie über sich selbst?

Gottes Vorschlag an Sie ist vernünftig und logisch.

Römer 3,9-24

Doch er wurde um unserer Übertretungen willen durchbohrt, wegen unserer Missetaten zerschlagen; die Strafe lag auf ihm, damit wir Frieden hätten, und durch seine Wunden sind wir geheilt worden. Jesaja 53,5

Ein ungewöhnlicher Kriegsheld – Cher Ami

Wer hat als Kind nicht Helden wie Lassie, Flipper etc. bewundert! Heute sind die großen Kassenschlager Filme aus dem Marvel-Universum, wo es auch um irgendwelche Helden geht, die die Welt retten. Die meisten Menschen lieben Heldengeschichten. Doch am beeindruckendsten sind »echte« Helden und »echte« Geschichten. Heute möchte ich Ihnen eine ungewöhnliche Heldin vorstellen.

Es war gegen Ende des Ersten Weltkriegs im Jahr 1918. Hunderte amerikanische Soldaten wurden in Frankreich in der Nähe von Verdun von deutschen Truppen eingeschlossen. Verpflegung und Wasser gingen zu Ende. Es bestand keine Möglichkeit, aus eigener Kraft aus dieser Todesfalle herauszukommen. Die Soldaten litten unter Todesängsten. Da hatte ein amerikanischer Offizier eine Idee. Er schickte die Brieftaube »Cher Ami«, was so viel wie »lieber Freund« bedeutet, mit einer Nachricht, um Hilfe zu holen. Als sie nach 25 Minuten und 40 zurückgelegten Kilometern im Hauptquartier der 77. Infanterie-Division ankam, war sie blutüberströmt, auf einem Auge blind und in ihrer Brust steckte eine Kugel. Doch trotz ihrer schweren Verletzungen hatte sie ihr Ziel erreicht und die so wichtige Nachricht überbracht, und 194 Soldaten konnten gerettet werden (Quelle: wikipedia). Wohl keiner von ihnen hat sich darüber beschwert, dass sein Leben von dieser kleinen Taube abhing.

Ich finde diese Begebenheit ergreifend. Doch wie viel mehr hat Jesus für mich getan! Er war mit einer einzigartigen Rettungsmission betraut. Er war die einzige Hoffnung auf Rettung für *alle* Menschen. Er gab sein Leben für mich am Kreuz und ertrug Gottes Gericht, damit ich nicht verlorengehen muss. Weil er nicht aufgab, haben wir die Möglichkeit, zu Gott zu kommen, denn ohne ihn wären wir verloren! *za*

? Wer ist für Sie ein Held?

! Der größte Held ist für mich der, der sein Leben für mich geopfert hat.

Jesaja 53

**Der Fels: Vollkommen ist sein Tun;
denn alle seine Wege sind recht. Ein Gott der Treue
und ohne Trug, gerecht und gerade ist er!**

5. Mose 32,4

Der Splitter

Meine Urgroßmutter gehört mit zu den Frauen, die im Zweiten Weltkrieg auf ein Lebenszeichen hofften. Zu dem Zeitpunkt, als der Krieg endete, hatte sie noch keinen Todesbrief in Bezug auf ihren Mann erhalten. So wartete sie voller sehnsüchtiger Spannung auf ihren Mann. An einem Tag, als der Zug mit den zurückkehrenden Soldaten auch in ihrem kleinen Dorf haltmachte, stellte sie sich in die Haustür, um zu spähen, ob sie ihn schon von Weitem erblicken könnte. Und tatsächlich lief bald ein Mann die Straße herunter, der unverkennbar der ihre war. Könnt ihr euch die Freude vorstellen, diese unfassbare Freude?

Aber wie eine Silvesterrakete den Nachthimmel nur kurz erleuchtet und der Nacht dann ihre Finsternis wieder zurückgibt, so war auch dieser Freudenstrahl. Denn das Undenkbare geschah: Im Straßengraben war ein Blindgänger liegen geblieben, eine Granate, die nicht gezündet hatte. Genau in dem Moment, als Minnas Mann den Straßenabschnitt Richtung seiner Haustür beschritt, ging sie hoch. Ein langer Splitter bohrte sich in seinen Nacken, sein Lebenslicht flackerte nur eine Sekunde noch und erlosch auf der Stelle. Könnt ihr euch die Finsternis vorstellen, die sich da auf diese Frau gelegt haben muss? Ist das nicht zu grausam, um wahr zu sein? Minna sank im Wohnzimmer zusammen und brachte gänzlich geschlagen, aber mit unerschütterlichem Glauben unseren Tagesvers hervor. Wie schwankend der Glaube und wie lähmend betäubend der Schmerz auch für sie wahrscheinlich zuzeiten gewesen ist – sie kannte ihren Gott.

Sollte Gott mir oder Ihnen heute etwas oder jemanden sehr Wertvolles nehmen, so will ich und so sollten auch Sie umso mehr an ihm festhalten, denn er ist barmherzig mit allen, die vor ihm aufrichtig sind; ihnen strahlt sein Licht auf (Psalm 112,4). *jsa*

? Was ist Ihr Licht in der Finsternis?

! Ohne Gott wird es nur noch trüber und dunkler im Herzen.

Psalm 112

**Ich werde euer Vater sein,
und ihr werdet meine Söhne und Töchter sein,
spricht der Herr, der Allmächtige.**
2. Korinther 6,18

Der verwaiste Vater

Wer kennt es nicht, das Gleichnis vom verlorenen Sohn? Doch eigentlich geht in der Geschichte gar nicht in erster Linie um den Sohn. Entscheidend ist die Herzenshaltung des Vaters. Der jüngere von zwei Söhnen fordert sein Erbe und will in die Welt hinaus. Damit erklärt er seinen Vater für tot, denn beerben kann man nur einen Verstorbenen. Der Vater gewährt ihm sein Erbteil, und der Sohn zieht von dannen. Der ältere Sohn bleibt zu Hause, aber an einer echten Vater-Sohn-Beziehung ist er nicht interessiert. Mir kommt der Vater verwaist vor. Wie weh muss ihm das Verhalten seiner Söhne tun! Der Vater steht in diesem Gleichnis für Gott. Unsere Abwendung, unser Weglaufen von ihm schmerzen Gott zutiefst. Aber auch die Menschen, die sich nicht offen von Gott lossagen, sondern bei ihm bleiben, haben oft nicht die innige Beziehung zu ihm, die er sich wünscht.

Doch Gott der Vater liebt, hofft und wartet. Als sein jüngerer Sohn in der Ferne alles Geld verprasst hat und Hunger leidet, geht er in sich. Er will nach Hause zurückkehren und seinen Vater um Vergebung bitten. Als der wartende Vater seinen Sohn von ferne heimkommen sieht, hält ihn nichts mehr: Er rafft sein Gewand und rennt dem Heimkehrer entgegen, eine für damalige Gepflogenheiten undenkbare Situation. Was für eine Freude, als der Sohn zurückkehrt in die Arme des Vaters!

Genauso freut sich auch Gott über jeden Menschen, der umkehrt von eigenen Wegen, die letztendlich nichts als Leid bringen. Oder von seinem Stolz und seiner Selbstgerechtigkeit. Diese Chance verpasst der ältere Sohn, der sich nicht mitfreuen kann an der Heimkehr seines Bruders. Doch der Vater ist auch bei ihm um eine Änderung seiner Herzenshaltung bemüht. Gottes Vaterarme sind noch immer offen. Auch für Sie! *kw*

? Was hindert Sie daran, zum Vater umzukehren?

! Schauen Sie sich einmal das Bild von Rembrandt »Die Rückkehr des verlorenen Sohnes« an!

Lukas 15,11-31

Jesus spricht zu ihm:
Ich bin der Weg und die Wahrheit und das Leben.
Johannes 14,6

Wahrheit – was ist das?

Über diese Frage haben schon viele Philosophen nachgedacht, und auch der Römer Pilatus, der Jesus zum Tode verurteilt hat, stellte diese Frage. Bis heute beschäftigt uns das immer wieder: Was ist Wahrheit? Und auch: Was ist Wahrheit wert?

In einer bekannten Frauenzeitschrift erschien vor einiger Zeit ein Artikel einer Psychologin. Sie beschäftigte sich mit unserer Neigung zum Schummeln, Flunkern und Lügen. Eine Feststellung lautete: Schummeln und Lügen machen Stress. In dem Artikel wird auch von einer repräsentativen Meinungsumfrage berichtet, in der 58 % der Deutschen zugeben, es mindestens einmal täglich mit der Wahrheit nicht so genau zu nehmen. Fragt man nach den Motiven, so geben 40 % der Befragten an, dass sie Fleiß und Engagement vortäuschen wollten. Weitere 26 % wollten gemocht werden und dazu gehören. Es zeigt sich also, dass wir oft lügen, um einen guten Eindruck zu machen oder um zu verhindern, dass wir in einem schlechten Licht dastehen. In dieser Umfrage sagten allerdings auch 83 % der Deutschen, dass sie nicht belogen werden möchten. Das ist natürlich einleuchtend, denn wenn ich feststelle, dass ich belogen werde, ist Vertrauen zerstört, und die Beziehung zum anderen wird darunter leiden. Unwahrheit macht unsicher! Man weiß nicht mehr, ob man sich auf den anderen verlassen kann.

Bei Gott ist das anders. Jesus sagt von sich selbst, dass er die Wahrheit in Person ist. Bei ihm gibt es keine Unsicherheit, nichts Vorgetäuschtes. Er ist zuverlässig. Wenn wir uns ihm anvertrauen, so verspricht er uns: »Ihr werdet die Wahrheit erkennen und die Wahrheit wird euch frei machen.« Bei ihm ist die Wahrheit, und die Bindung an ihn macht uns frei von dem Stress, etwas vortäuschen und einen guten Eindruck machen zu müssen. *vb*

? Ist Ihnen auch schon einmal aufgefallen, wie eine Lüge weitere nach sich zieht und die Sache immer schwieriger wird?

! Bei Gott können wir ganz unbekümmert wahrhaftig sein.

Epheser 4,25-32

Donnerstag

18. August 22

Wendet euch zu mir, so werdet ihr gerettet, all ihr Enden der Erde; denn ich bin Gott und keiner sonst!
Jesaja 45,22

Die Fackel Alexanders

Neulich beschäftigte ich mich mit der Geschichte von Alexander dem Großen. Er gilt als größter Eroberer der Geschichte. Alexander veränderte die Welt in nur elf Jahren (334–323 v. Chr.). Ihm gelang es innerhalb weniger Jahre, das größte Reich der Antike zu erobern. Von ihm wird berichtet, dass er jedes Mal, wenn er eine feindliche Stadt belagerte, vor den Stadttoren eine brennende Fackel in die Erde rammte. Solange diese Fackel brannte, gab er jedem Bürger der Stadt, die er erobern wollte, die Gelegenheit, zu ihm herauszukommen und somit am Leben zu bleiben. Er begnadigte jeden, der zu ihm überlief! Diese Angebot galt aber nur, solange diese Fackel brannte. Ging die Fackel aus, sei es durch einen kräftigen Windstoß oder auch, indem sie abbrannte, war es für jeden Bürger zu spät überzulaufen. Dann wurde die Stadt gestürmt und jeder getötet, der sich noch innerhalb der Mauern befand.

Im Vergleich zur Größe und Allmacht Gottes, ist Alexander der Große ein Niemand. Und auch im Blick auf seine Gnade reicht er nicht an ihn heran. Denn Gott droht uns nicht einfach mit Vergeltung für unsere Missachtung seiner Größe und Schöpfermacht, seines Anspruchs auf Herrschaft, sondern er lässt seinen Sohn an unserer Stelle für alles Unrecht und alle unsere Schuld die Strafe erdulden. Jesus Christus hat den Preis dafür am Kreuz bezahlt, damit wir leben können und nicht hoffnungslos untergehen müssen. Jeder, der das nun glaubt, und sich Gott auf dieser Grundlage ausliefert und ergibt, wird nicht nur begnadigt, sondern sogar in seine Familie aufgenommen. Allerdings gibt es auch einen Zeitpunkt, wo diese Möglichkeit vorbei ist, spätestens dann, wenn unser Leben hier zu Ende ist. Lebenszeit ist Gnadenzeit, könnte man sagen. Aber danach ist es zu spät. *za*

? Wie reagieren Sie auf dieses große Gnadenangebot Gottes?

! Zögern Sie die wichtigste Entscheidung Ihres Lebens nicht hinaus! Es gibt ein »Zu spät«.

Apostelgeschichte 17,30-31

Denn ihr kennt die Gnade unseres Herrn Jesus Christus, dass er, da er reich war, um euretwillen arm wurde, damit ihr durch seine Armut reich würdet.

2. Korinther 8,9

Märchenschloss oder himmlische Herrlichkeit?

Rund 200 m über der Pöllatschlucht im Ostallgäu thronen Neuschwanstein und Hohenschwangau, die beiden Königsschlösser – das touristische Ziel Nr. 1 im Allgäu mit 1,4 Mio. Besuchern jährlich. Das sind im Sommer mehr als 6000 Besucher pro Tag! Bei Rundreisen beispielsweise von Chinesen in Deutschland ist Neuschwanstein ein absolutes Muss. Dieses Schloss ist schon viele Jahre auch ein beliebtes Puzzle-Motiv. Inzwischen gibt es eine entsprechende Biersorte, Regenschirme mit seinem Foto, Neuschwanstein-Leuchten u. v. m.

Initiiert wurde der Bau dieses Märchenschlosses vom »Märchenkönig« Ludwig II. Er wurde 1845 in München geboren und war König von Bayern. Während das Volk teilweise in großer Armut lebte, betrieb er den verschwenderischen Aus- oder Neubau seiner Schlösser und und nahm selbst wichtige Regierungsgeschäfte kaum wahr. Am 8. Juni 1886 erklärten ihn Ärzte für geisteskrank. Wenige Tage danach ertrank er mit seinem ihn begleitenden Arzt im Starnberger See. Von Ludwig II. blieben vor allem die Schlösser und Bauten, die von aller Welt bestaunt werden. Sein Leben aber kann uns kaum als Vorbild dienen.

Welch ein Gegensatz tut sich da gegenüber Jesus Christus auf! Dieser sagte von sich, dass er keinen Ort habe, wo er sein Haupt hinlegen könne (Lukas 9,58). Er hat auch nichts Materielles hinterlassen, was wir heute bewundern könnten. Aber sein Erbe ist trotzdem größer und schöner, als es jemals in dieser Welt zu finden wäre: Durch sein Sterben am Kreuz hat er es ermöglicht, dass Menschen das ewige Leben gewinnen können. Wer ihm sein Leben übergibt und in seine Nachfolge eintritt, darf einmal – nicht nur für einen flüchtigen Besuch, sondern für immer – bei ihm sein. Und seine unvergängliche himmlische Herrlichkeit überragt alles Irdische um ein Vielfaches. *mtz*

Wer ist größerer Bewunderung wert: ein Erbauer von Märchenschlössern oder jemand, der uns ewiges Leben schenken kann?

Bewunderung wäre zu wenig, es muss es zu einer bleibenden Beziehung kommen.

Offenbarung 3,12

... wenn du um Verständnis betest und um Einsicht flehst, wenn du sie suchst wie Silber und nach ihr forschst ..., dann wirst du die Furcht des HERRN verstehen und die Erkenntnis Gottes erlangen. Sprüche 2,3-5

Der Mehrheit folgen ist einfacher ...

Neulich im Matheunterricht in der 6. Klasse ... Ich führe das Thema »Dezimalbrüche vergleichen und ordnen« ein. Dabei schreibe ich unterschiedliche Dezimalbrüche an die Tafel, und wir stimmen in der Klasse ab, welcher Dezimalbruch wohl größer ist. 1,99 oder 1,0100? Zugegeben, das kann etwas irreführend sein, aber genau das möchte ich für den Moment. Und wenn jemand unsicher ist, kann er sich einfach da melden, wo die meisten sich melden. So einfach ist das ... Und die Ergebnisse der Abschätzung sind interessant: Bei einer Abstimmung haben sogar 90 % (!) der Schüler für den falschen Dezimalbruch gestimmt! Wir erleben eine lebhafte Stunde (das ist leider nicht immer so). Als es ruhig in der Klasse ist und die Kinder das Tafelbild ins Heft übertragen, sage ich den Schülern: »Übrigens: Das ist ein gutes Beispiel dafür, dass nicht immer die Mehrheit recht hat!«

Das hat wenig mit Mathe zu tun, ist aber eine umso wichtigere Lektion. Ich wünsche mir, dass meine Schüler diese für ihr Leben beherzigen: Wahrheit ist nicht von der Mehrheit abhängig. Nur weil alle »rechts« sagen, heißt es noch nicht, dass rechts richtig ist.

Aber es ist eben einfacher, der Mehrheit hinterherzulaufen. Dann brauche ich mich nicht selbst auf die mühsame Suche nach der Wahrheit zu machen. »Wo komme ich her? Wo gehe ich hin? Viel zu kompliziert. Ich folge der Mehrheit – die wird schon recht haben!«

Bei Dezimalbrüchen ist es nicht so schlimm: Das falsche Urteil der 90 % war halb so wild – eher amüsant! Bei den wichtigeren Fragen des Lebens kann diese Abkürzung zu einem schlimmen Irrweg werden. Und dann ist es nicht mehr amüsant. Dann hört der Spaß auf! Daher, auch wenn die Wahrheitssuche mühsam ist, sollten wir uns auf den Weg machen!

wd

Gehen Sie lieber Abkürzungen, wenn es um Wahrheit geht?

Seien Sie gründlich! Die Suche nach Wahrheit lohnt sich.

Sprüche 2,1-15.20-22

Selbst das Wüten des Menschen vermehrt deinen Ruhm.

Psalm 76,11

Aus bitter wird süß

Ein faszinierender Zug der menschlichen Geschichte aus biblischer Sicht ist, wie Gott die Bosheit des Menschen benutzt, um etwas Gutes daraus hervorkommen zu lassen.

In der alttestamentlichen Geschichte von **Joseph** verkauften seine Brüder ihn an Sklavenhändler und wollten ihn nie wieder sehen. Später wurde Joseph der zweimächtigste Mann in Ägypten und rettete seine Brüder vor dem Hungertod. »Ihr zwar, ihr hattet Böses gegen mich im Sinn; Gott aber hatte im Sinn, es gut zu machen« (1. Mose 50,20), beruhigte er seine Brüder, als sie seine Rache fürchteten. Der **Apostel Paulus** wurde wegen seines Glaubens inhaftiert und dadurch in seinem Wirkungskreis eingeschränkt. Während seiner Haft schrieb er fünf seiner neutestamentlichen Briefe, die bis heute eine weltweite und Jahrhunderte überdauernde Wirkung entfalten. **Martin Luther** wurde für vogelfrei erklärt. Niemand durfte ihm Unterschlupf gewähren. Jeder konnte ihn ungestraft töten. In seinem Versteck auf der Wartburg übersetzte er das Neue Testament ins Deutsche und hat uns damit einen unermesslichen geistlichen und sprachschöpferischen Dienst erwiesen. Der japanische Autor **H. Tanaka** berichtet in seinem Buch *Mitten unter die Wölfe*, wie aufgebrachte Bürger Bibelteile ins Meer versenkten. Zwei Exemplare ging einem Fischer ins Netz mit der Folge, dass er sein Vertrauen auf den Erlöser Jesus Christus setzte.

Das beeindruckendste Beispiel aber ist die Kreuzigung von **Jesus Christus**. Obwohl sein Richter Pilatus wiederholt seine Unschuld feststellte, wurde er zur Höchststrafe im römischen Rechtssystem verurteilt und grausam hingerichtet. Aber durch sein Leiden und Sterben am Kreuz wurde er zum Retter von Schuld und Gebundenheit und zum Mittler, der uns mit Gott versöhnt.

ga

?
Warum gibt es so viel Bosheit und Bitterkeit in dieser Welt?

!
Um dem Weg zu etwas Gutem von Dauer zu bahnen, musste ein hoher Preis bezahlt werden.

1. Petrus 1,18-21

**... denn an dem Tag, da du davon isst,
musst du gewisslich sterben!**
1. Mose 2,17

Aussage gegen Aussage

Mit raffiniert gestellten Fragen lenkt der Teufel in Gestalt der Schlange die Aufmerksamkeit Evas auf den verbotenen Baum und dessen Früchte und widerspricht offen dem Wort Gottes. Er behauptet frech das Gegenteil von dem, was Gott gesagt hat: »Keineswegs werdet ihr sterben! Sondern Gott weiß: An dem Tag, da ihr davon esst, werden euch die Augen geöffnet, und ihr werdet sein wie Gott und werdet erkennen, was gut und böse ist!« (1. Mose 3,4-5).

Aber sind denn Adam und Eva noch am gleichen Tag gestorben? Behielt der Teufel nicht recht?

Nein – Adam wurde zwar insgesamt 930 Jahre alt (1. Mose 5,3-5). Was also zunächst aussieht, als wäre Gottes Wort nicht eingetroffen, ist nur die halbe Wahrheit – wie alles, was der Teufel Eva vorgaukelte. Wenn Adam und Eva auch nicht gleich tot umfielen, wurden sie aber dennoch durch die Sünde augenblicklich von Gott getrennt, sie erlitten den geistlichen Tod, d. h. den Verlust der Gemeinschaft mit Gott, der Quelle ewigen Lebens. Das wird im Neuen Testament mehrfach bestätigt. Es ist wie bei einer Schnittblume. Sie hat eine Zeit lang noch den Anschein, als ob sie lebt, aber sie ist bereits tot. Sie ist kurzzeitig nicht zu unterscheiden von einer Blume, die im Boden verwurzelt ist.

Doch Gott hat die Menschen nicht aufgegeben. Er wurde in Jesus Christus, seinem Sohn, Mensch und kam auf diese Erde. Dieser lebte ohne Sünde, starb an unserer Stelle und besiegte damit Hölle, Tod und Teufel. Durch den Glauben an Jesus und seine Erlösung bietet Gott nun jedem Menschen an, ein Kind (nicht nur ein Geschöpf) Gottes zu werden – und ein Kind Gottes wird am Ende *auf legalem Weg* »Gott gleich sein«. Denn solche, die an Jesus glauben, werden ihn sehen, wie er ist, und werden ihm gleich werden (1. Johannes 3,1-2). *sg*

? Warum fallen wir Menschen immer wieder auf die Lügen des Teufels herein?

! Gott hält seine Versprechen. Der Teufel aber niemals.

1. Mose 3,1-24

23. August 22

Dienstag

**Nicht die Starken brauchen einen Arzt,
sondern die Kranken. Ich bin nicht gekommen,
Gerechte zu rufen, sondern Sünder.**

Markus 2,17

Gesundheit als höchstes Gut

»Weil Gesundheit das Wichtigste ist!« Mit diesem Slogan werben die Kreiskliniken bei uns in der Region. Nun liegt es natürlich in der Natur der Sache, dass das primäre Ziel eines Krankenhauses der Schutz und die Wiederherstellung der Gesundheit von uns Menschen ist. In heutigen Zeiten spiegelt dieser Slogan jedoch auch gut das Bild in der Gesellschaft wieder. Und vielleicht ist es Ihnen auch schon aufgefallen, dass heutzutage kaum ein Gruß mehr, kaum eine Verabschiedung und kaum eine E-Mail ohne den Wunsch endet: »Bleiben Sie gesund.« Gesundheit scheint das höchste Gut der Gesellschaft geworden zu sein.

Und selbstverständlich wünscht sich natürlich jeder – mich eingeschlossen – gesund zu sein und zu bleiben. Das ist menschlich nachvollziehbar. Aber wir stellen auch fest, dass unsere Gesundheit auf »wackligen Beinen« steht. Bei dem einen mag es ein plötzlicher Verkehrsunfall sein, bei dem anderen das zunehmende Alter und bei wieder einem anderen die gefürchtete Krebsdiagnose. Wir Menschen haben unsere Gesundheit und schließlich das Leben nicht selbst in der Hand. Wenn Gesundheit da unser einziges und höchstes Gut ist, werden wir schließlich immer enttäuscht werden.

Die Bibel stellt fest, dass wir Menschen alle auch noch an einer ganz anderen Krankheit leiden: der Sünde. Diese Diagnose trifft jeden und macht vor keinem Menschen halt. Da können wir äußerlich noch so gesund sein, aber in unserem Herzen sind wir krank. Ein Blick um uns herum zeigt uns das: Die Menschen sind selbstsüchtig, grausam, ungehorsam, undankbar – und sie lieben das Vergnügen (oder ihre Gesundheit) mehr als Gott. Doch hier gibt es Hoffnung: Jesus Christus ist gekommen, um kranke Herzen heil zu machen. *wj*

? Wofür wenden Sie mehr auf: für Ihre äußere oder innere Gesundheit?

! Die Heilung unseres Herzens ist wichtiger als alles andere, denn sie entscheidet über die Ewigkeit.

Jesaja 57,15-21

Denn von Gott verflucht ist derjenige, der ans Holz gehängt wurde, und du sollst dein Land nicht verunreinigen, das der HERR, dein Gott, dir zum Erbe gibt.

5. Mose 21,23

Göttliche Gerichtsführung

Im 5. Buch Mose der Bibel, 21. Kapitel, wird in dürren Worten die Frage behandelt, wie mit einem Menschen verfahren wird, der ein todeswürdiges Verbrechen begangen hat und dessen Strafe dadurch vollzogen wird, dass er getötet und an einem »Holz« aufgehängt wird. Ein solcher Mensch musste eine so schlimme Tat begangen haben, dass sie ihn aus der menschlichen Gesellschaft ausschloss. Das Unrecht musste so groß sein, dass er dadurch sein Recht auf Leben verwirkte. Seine Tat wirkte sozusagen über den Tod hinaus. Denn ein Mensch, der auf diese Weise hingerichtet worden war, war verflucht. Er war auch nach seinem Tod ein Ausgestoßener. Sein Leichnam sollte noch am Tag der Hinrichtung unverzüglich unter die Erde gebracht werden, damit sein Gedächtnis möglichst schnell ausgelöscht würde.

Die besondere Dramatik dieser Norm liegt darin, dass Gott, der diese Regelung vorgab, ganz genau wusste, dass diese Sanktion einmal auf seinen Sohn Jesus Christus Anwendung finden würde. Man würde ihm ein todeswürdiges Verbrechen vorwerfen, ihn an einem Holz (dem Kreuz) aufhängen, wo er sterben würde, und man würde ihn am selben Tag begraben müssen.

Bemerkenswert ist das vor allem deswegen, weil der Mensch Jesus Christus nie etwas getan hatte, was solch eine Behandlung gerechtfertigt hätte. Tatsächlich hat er gegen keine einzige Regel Gottes im Verhältnis Mensch-Gott oder Mensch-Mensch verstoßen. Sowohl sein Richter als auch seine Henker mussten bekennen, dass sie keine Schuld an ihm fanden, er vielmehr vollkommen gerecht war. Warum ließ Gott dann seinen Sohn diesen Fluch treffen? Damit wir, die wir Gottes Willen missachten und mit Füßen treten, nicht den Fluch tragen müssen, den wir verdient hätten.

mm

? Nach welchem Maßstab beurteilen Sie sich und andere?

! Gottes Maßstab ist maßgeblich. Und dem entspricht niemand auch nur annähernd. Deshalb brauchen wir Jesus Christus.

Galater 3,13-14

25. August 22

Donnerstag

Du bist ein Vielgeliebter.
Daniel 9,23

Geliebt

Ein Christ erlebte einmal eine Zeit, in der es ihm nicht gut ging. Es war eine depressive Phase in seinem Leben. Er wollte anderen Freude bereiten und war selbst am Boden. Es kamen ihm Zweifel, ob Gott ihn wirklich lieb hatte. So saß er eines Nachmittags mit seiner Frau auf der Bank vor dem Haus, in dem sie wohnten. Als sie zum Himmel aufblickten, sahen sie etwas auf sich zufliegen. Als es näher kam, erkannten sie einen Ballon, der geradewegs in ihrem Garten landete. Sie hoben den Ballon auf und sahen eine Karte, die an ihm befestigt war. Auf dieser Karte stand »GOTT LIEBT DICH«. Das war so ein überwältigendes Ereignis für diesen Christen, dass seine Zweifel an Gottes Liebe wie weggeblasen waren.

Dass Gott uns Menschen liebt, davon ist in der Bibel öfters die Rede. Doch worin zeigt sich diese Liebe? Er hat uns seinen Sohn vom Himmel gesandt, damit jede bedrückende Last von uns genommen werden kann und wir endlich befreit aufatmen dürfen. Er starb für unsere Sünden am Kreuz, sodass sie uns nun vergeben werden können. Und wie kann ich sicher sein, dass Gottes Liebe mir persönlich gilt? Sobald jemand sich zu Jesus im Gebet wendet, an ihn glaubt und das, was er am Kreuz tat, für sich in Anspruch nimmt, wird er von Gott als sein Kind angenommen. Dann zieht eine tiefe Freude ins Herz ein, und von einem zum anderen Augenblick weiß man: Ich bin von Gott geliebt.

Gott liebt auch Sie, selbst wenn kein Ballon in Ihrem Garten landet oder sonst etwas Außergewöhnliches geschieht. Die Bibel (Gottes Wort) sagt es Ihnen. In Johannes 3,16 steht: »Denn Gott hat die Welt so geliebt, dass er seinen eingeborenen Sohn gab, damit jeder, der an ihn glaubt, nicht verlorengehe, sondern ewiges Leben habe.« Es wäre töricht, diese Liebe auszuschlagen. *rr*

? Fühlen Sie sich ungeliebt und alleingelassen?

! Gott liebt gerade Sie.

1. Johannes 3,1-3

Meine Schafe hören meine Stimme, und ich kenne sie, und sie folgen mir, und ich gebe ihnen ewiges Leben, und sie gehen nicht verloren in Ewigkeit.

Johannes 10,27-28

Kleine und große Schafe

Blickt man auf das Christenvolk, so sieht man, wie in jedem anderen Volk, fast nur kleine Leute. Auch die hatten es meist schwer, sich als hilfsbedürftig zu erkennen. Wie viel mehr gilt das für große Leute; aber Gott hat auch solche, die in dieser Welt eine hohe Stellung einnahmen, zu der Erkenntnis gebracht, dass es nichts Besseres gibt, als ein Schaf des Guten Hirten Jesus Christus zu sein und sich von ihm führen und versorgen zu lassen.

Drei Kapitel brauchte Daniel, um die Bekehrung des großen **Nebukadnezar** zu beschreiben, der am Ende sagte: »Nun rühme ich, Nebukadnezar, und erhebe und verherrliche den König des Himmels …, der die zu erniedrigen vermag, die in Stolz einhergehen.« Ein anderer war der Kaiser **Otto der Große**, den seine Zeitgenossen den »Beter« nannten, und der durch erstaunliche Vergebungsbereitschaft bekannt war. Ein weiterer war der junge Lebemann Reichsgraf **Nikolaus Ludwig von Zinzendorf**. Er sah in Düsseldorf ein Bild des gekreuzigten Christus mit der Inschrift: »Das tat ich für dich, was tust du für mich?« Diese Frage ließ ihn nicht wieder los, und er bekehrte sich so gründlich, dass er all sein Vermögen und seine Stellung in den Dienst verfolgter Christen stellte und viele Missionare in alle Welt schickte, um Christus predigen zu lassen. Ein anderer war der Generalleutnant **Georg von Viebahn**, der nach seiner Bekehrung zahllosen Menschen den Weg zum Himmel gezeigt hat. Als Letzten möchte ich sogar einen Generalfeldmarschall und späteren Reichspräsidenten nennen. Es ist **Paul von Hindenburg**. An einen anderen General schrieb er: »Ich bleibe dabei, ich glaube, dass Jesus Christus mein Heiland ist und dass ich mich seiner Gnade getrösten darf.«

Alle wurden Schafe des Guten Hirten – und Sie? *gr*

Was hält Sie ab, auch zu dieser Herde gehören zu wollen?

Nur Schafe Christi werden einmal in den Himmel eingehen.

Hesekiel 34,11-31

**Ich bin der gute Hirte,
der gute Hirte lässt sein Leben für die Schafe.**
Johannes 10,11

Der Gute Hirte und seine Schafe

Für uns hier in Äthiopien ist das Bild des Hirten allgegenwärtig. Sogar in der Hauptstadt Addis Abeba begegnet man täglich Gruppen von Schafen, die von ihren Hirten sicher durch das Verkehrsgewühl zu einem der zahllosen Marktplätze geführt werden. Das kann auch mal zu Verkehrsstockungen führen, wird aber von allen akzeptiert, und es gibt keine Hupkonzerte. Auf dem Land besitzt fast jede Bauernfamilie ein paar Schafe. Diese werden von ihren Besitzern sorgsam betreut. Hier hat man ein lebhaftes Bild des Guten Hirten.

Und Jesus sagt von sich: »Ich bin der gute Hirte, der gute Hirte lässt sein Leben für die Schafe.« Und im Vers davor verspricht er uns sogar: »Ich bin gekommen, damit sie (die Schafe) Leben haben und es in Überfluss haben.«

Wünschen wir uns das nicht alle: ein gesegnetes, erfüllendes und erfülltes Leben? Das Einzige, was wir dazu tun müssen, ist, den Herrn Jesus Christus als unseren Guten Hirten anzuerkennen und seiner Stimme zu folgen. Wollen wir uns nicht von diesem Guten Hirten durch das »Verkehrsgewühl« unseres Lebens führen lassen? Es lohnt sich, denn er verspricht uns, uns zu grünen Weiden und erfrischendem Wasser zu führen (Psalm 23).

Übrigens, wenn jemand nicht gern ein Schaf genannt werden mag, dem möchte ich sagen, dass das Schaf für die Mehrzahl der Bevölkerung dieser Erde ein sehr geschätztes Tier ist. Es ist sozusagen die vielzitierte »Wollmilchsau«, denn das Schaf liefert alle diese Produkte: Wolle, Milch und Fleisch. Somit gibt es keinen Grund, sich zu schämen, ein Schaf unseres Herrn Jesus Christus zu sein. Jesus kennt jedes einzelne seiner Schafe, er ruft sie beim Namen und führt sie sicher. Hören wir auf seinen Ruf und folgen ihm! *mgr*

? Können Sie das, was dieses Bild ausdrückt, ohne Einschränkung auf sich beziehen?

! Es gibt nur diesen einen »Hirten«, der uns sogar bis in den Himmel leiten kann.

Psalm 23

Sonntag

28. August 22

Und der HERR, Gott, rief den Menschen und sprach zu ihm: Wo bist du?
1. Mose 3,9

Mensch, wo bist du?

Jungscharfreizeit im Christlichen Gästezentrum Rehe, Westerwald. Ich stehe am Waldrand mit Megafon. »Heinz, komm raus. Es passiert nichts.« Der Junge hat sich aus Angst versteckt. Er hat einem anderen etwas kaputt gemacht und fürchtet nun, verprügelt zu werden. Mehrere Stunden suchen wir den verstörten Jungen. Wir wollen ihm helfen. Nicht zuletzt auch schützen vor den anderen. Das ist jetzt etwa 35 Jahre her.

Gleich zu Beginn der Menschheit verstecken sich auch zwei Menschen. Sie wissen, dass ihre Grenzüberschreitung schlimmste Folgen hat. Bei ihnen geht es um Leben und Tod. Sie sind im Vorfeld gewarnt worden. Gott hat ganz offen mit ihnen geredet: »Wenn ihr von der Frucht esst, werdet ihr sterben.« Nachdem sie gegessen haben, wird ihnen schlagartig bewusst, dass sie den größten Fehler begangen haben. Sie haben Angst. Sie verstecken sich vor Gott. Was tut Gott?

1. Gott geht auf den Menschen zu (1. Mose 3,8). Das ist Gnade. Gott tut den ersten Schritt. **2. Gott ruft den Menschen** (3,9). Gott ruft nicht: »Affe oder Giraffe, wo bist du?«, sondern: »Mensch, wo bist du?« Sein Ruf zeigt, dass wir für ihn ein echtes Gegenüber sind. **3. Gott verkündigt die Strafe** (3,11-19). Gottes Wort erfüllt sich. Er steht zu seinem Wort. **4. Gott zeigt den Ausweg** (3,15). Gott liebt uns. Nachdem der Mensch in die Sackgasse gelaufen ist, setzt Gott seiner Liebe die Krone auf. Er kündigt den Erlöser an (3,15). Das ist Evangelium. Diese Gute Nachricht wird den Menschen von jetzt an begleiten.

Jesus Christus ist der Weg, die Wahrheit und das Leben (vgl. Johannes 14,6). Wir bekommen durch IHN das zurück, was durch die Sünde Adams verloren ging: den Zugang zu Gott, die rechte Gotteserkenntnis und das ewige Leben. Was für eine Gnade! *hj*

? Wie stehen Sie zu dieser Gnade Gottes?

! »____________________, wo bist du?« Setzen Sie doch einmal Ihren Namen ein und antworten Sie auf Gottes Ruf!

1. Mose 3,1-21

29. August 22

Montag

Und er (Saul) sagte:
Befrage doch den Totengeist für mich,
und bringe mir den herauf, den ich dir nenne.
1. Samuel 28,8

Der »Gottesersatz«

Viele Menschen bezeichnen sich heute als spirituell, aber nicht als religiös. Sie besuchen an Weihnachten den Gottesdienst und am Wochenende den Meditationskurs und praktizieren Yoga oder dergleichen. Kirche und vor allem Gott und die Bibel treten immer mehr in den Hintergrund. »Mir« soll es gut gehen ist die Devise, und so werden offenbar alle Formen der Spiritualität genutzt, um dieses Ziel zu erreichen. Die damit verbundene Beliebigkeit der Angebote ist gerade in Deutschland immer mehr auf dem Vormarsch.

Doch ist es wirklich beliebig, worauf ich mich einlasse und womit ich mich beschäftige? Was steht hinter diesen Angeboten? Genauso wie das Christentum auf einen transzendenten Ursprung zurückgeht, nämlich Gott, genauso stehen auch hinter Esoterik und religiösen Kulten Geistesmächte, deren Absichten zweifelhaft sind. Wenn man nach der Bibel geht, sind sie sogar mehr als das. Sie sind gefährlich und führen in die Irre. Zunächst mögen sie hilfreich erscheinen, aber am Ende sorgen sie dafür, dass wir uns statt auf Gott auf einen »Gottesersatz« verlassen. Die Wahrheit ist aber: An Gott, der höchsten Autorität, führt kein Weg vorbei. Wenn wir *ihn* außen vorlassen, dann enden wir im Niemandsland. Wir sind dann nicht nur heimatlos, sondern am Ende für alle Ewigkeit verloren, und die »Ersatzgötter«, die wir uns gewählt haben, können uns dann auch nicht mehr helfen.

Die Notwendigkeit und Sinnhaftigkeit, auf einen lebendigen Gott zu vertrauen, sollten wir also nicht mit fragwürdigen Praktiken eintauschen. Vielmehr bietet Gott uns die Gemeinschaft mit ihm an, zu der uns sein Sohn Jesus Christus den Weg geebnet hat und die wir im Gebet und durch das Hören auf Gottes Wort, der Bibel, pflegen können. Dann wird uns bald geholfen werden. *schn*

?
Haben Selbstverwirklichung und Wohlergehen Priorität in Ihrem Leben?

!
Lassen Sie sich auf Gott ein! Er wird Ihnen einen viel besseren Weg zeigen.

1. Samuel 28,7-20

Ehe man zu Ehren kommt, muss man Demut lernen.
Sprüche 15,33

Demut

Haben Sie sich schon einmal Gedanken über Demut gemacht? In unserem Sprachgebrauch kommt dieser Begriff kaum noch vor. Woran denken wir bei diesem Wort? An eine gebückte Haltung, an einen nach unten gerichteten Kopf oder an einen wehleidigen Gesichtsausdruck? Dazu kommen dann noch Gedanken wie: Ich bin nichts, ich kann nichts, ich tauge zu gar nichts. So mancher verbindet damit ein Menschsein ohne Rückgrat und eigene Meinung.

Demut ist ein altdeutsches Wort und bedeutet »dienstwillig«. Es bedeutet eigentlich »Dienemut« oder »Mut zum Dienen«. Manchmal ist es hilfreich, einen Begriff mit dem Gegenteil zu erklären. Das Gegenteil von Demut ist Hochmut. Der Hochmut sagt: Ich schaffe das schon. Ich brauche niemanden, ich bedarf keinerlei Hilfe und Kraft von außen. Ich bin mein eigener Herr und Lebensmeister und von niemandem abhängig.

Demut hingegen ist sich der Abhängigkeit bewusst – aus christlicher Sicht der Abhängigkeit von Gott. Der Demütige vermag alles zu tun, aber nicht aus eigener Kraft, sondern aus der Kraft, die Gott ihm gibt. Gott gibt das Leben und erhält es. Er lässt unser Herz schlagen, das Gehirn arbeiten und unsere Lunge atmen.

Demut ist mutig, sie geht Risiken ein, sie packt Dinge an, ist initiativ und geht voran. Alles in dem Bewusstsein, dass durch Jesus Christus alles möglich ist. Ein demütiger Mensch ist also niemand, der willenlos durchs Leben schleicht und sich von jedem umherschubsen lässt und nur nach der Pfeife anderer Leute tanzt. Ein demütiger Mensch weiß um seine Abhängigkeit von Jesus Christus und darum, dass er ein begnadigter Sünder ist, der sein Leben täglich in den Dienst des lebendigen Gottes stellt. Er ist einer, der »Mut zum Dienen« hat. *tl*

Welche Vorstellung von Demut haben Sie?

Ein wahrhaft Demütiger kann beherzt auftreten, weil er Gott zum Freund hat.

Johannes 13,1-17

31. August 22

Mittwoch

**Denn wo … Eigennutz ist,
da ist … jede schlechte Tat.**
Jakobus 3,16

Arzt verlässt Patient während OP

Dr. David C. Arndt wird die Arztzulassung entzogen, weil er einen Patienten auf dem OP-Tisch liegen lässt. Die Wirbelsäulenoperation beginnt um 9:20 Uhr mit der Einleitung der Narkose, und der erste Schnitt wird gegen 11:00 Uhr angesetzt. Während der OP bittet Arndt wiederholt eine Krankenschwester, in seinem Büro anzurufen und zu fragen, ob sein Gehaltsscheck bereits angekommen sei. Um 17:30 Uhr – der Eingriff ist noch nicht abgeschlossen – betritt ein anderer Chirurg den Saal und übergibt Arndt einen Umschlag mit dem Scheck. Dieser bittet ihn, fünf Minuten zu warten, während er eine Pause macht. Doch zehn Minuten später wartet der noch immer. Wiederholt versucht das OP-Team, Arndt mithilfe seines Pagers zu erreichen – ohne Erfolg. Erst nach 35 Minuten kehrt der Operateur zurück: Er habe vor Schließung der Bank noch einen Scheck einlösen müssen, weil er überfällige Rechnungen zu bezahlen habe.

Dr. Arndt stellte seinen persönlichen Vorteil über das Wohl eines Menschen, der sich ihm anvertraut hatte. Doch bevor wir den Chirurgen verurteilen, sollten wir uns selbst im »Spiegel des Wortes Gottes« betrachten. In Markus 12,31 lehrt der Herr Jesus: »Du sollst deinen Nächsten lieben wie dich selbst!« »Niemand suche das Seine, sondern das des anderen«, erklärt der Apostel Paulus. Und: Die Liebe »sucht nicht das Ihre«, deswegen sollen wir nichts aus Eigennutz tun. Tatsache ist: An diesem Maßstab gemessen sind wir alle Egoisten!

Wie anders ist doch der Herr Jesus: »Er machte sich selbst zu nichts«, um uns zu dienen. Er ist der Gute Hirte und lässt sein Leben für die Schafe (Johannes 10,11). Er wird uns nicht aufgeben und nicht verlassen – und für alle gilt: »Jeder, der an ihn glaubt, wird nicht zuschanden werden« (Römer 10,11)! *pg*

Sind Sie bereit, sich ihm anzuvertrauen?

Der Sohn Gottes hat sogar sein Leben gegeben, um uns zu retten.

Philipper 2,5-11

Donnerstag **1. Sept. 22** **Antikriegstag**

Und sie heilen den Schaden der Tochter meines Volkes leichthin, indem sie sprechen: »Friede, Friede!«, wo es doch keinen Frieden gibt.

Jeremia 8,11

Altlasten

Der Anruf unserer Freunde kam am späten Nachmittag: »Können wir den Rest des Tages zu euch kommen? Bei uns in der Nähe wird wieder eine Bombe entschärft.« Bombenentschärfung – das gehört bei uns in Köln schon fast zum Alltag. Mehrmals im Jahr müssen Teile der Stadt für einige Stunden evakuiert werden, weil bei Bauarbeiten ein Blindgänger aus dem Zweiten Weltkrieg gefunden wurde. Obwohl das Kriegsende schon über 70 Jahre her ist, haben diese Altlasten immer noch tödliche Sprengkraft. In Göttingen detonierte im Juni 2010 eine 10-Zentner-Bombe und riss drei erfahrene Sprengstoffexperten in den Tod.

Altlasten kennen wir auch aus unserem Leben. Wir dachten, es sei längst Gras über die Sache gewachsen, doch plötzlich kommt der Streit von vor Jahren wieder hoch und hat nichts von seiner Schärfe verloren. Und so mancher weiß, dass der friedliche Schein trügt, da es viele »unentschärfte Bomben« in seinem Leben gibt. Alte Konflikte, die plötzlich wieder aufbrechen können, geheim gehaltene Schuld, die jederzeit ans Tageslicht kommen kann.

»Als ich mich zu Jesus Christus bekehrte, tat es so gut, endlich reinen Tisch zu machen«, berichtet ein Mann. »Für alle Sünden, die mir bewusst wurden, bat ich Gott um Vergebung. Ich ging zu allen Menschen, denen ich Unrecht getan hatte, und bat sie um Verzeihung. Ich bekannte sogar meinem Chef, dass ich damals bei meiner Einstellung bezüglich meiner Qualifikation nicht die Wahrheit gesagt hatte. All die Jahre hatte ich Angst, dass diese Lüge auffliegen könnte. Doch endlich gab es keine Altlasten mehr.«

Wie gut, dass es bei Jesus mehr gibt als oberflächlichen Frieden. Er vergibt die Schuld und schenkt einen echten Neuanfang. *eli*

? Warum decken wir Schuld oft lieber zu, als sie zu bekennen?

! Wer sein Leben mit Gottes Hilfe in Ordnung gebracht hat, kann befreit vorwärtsgehen.

Lukas 19,1-10

Zeig mir den Weg, den ich gehen soll,
denn auf dich richte ich meinen Sinn!
Psalm 143,8

Sinnesänderung

»Habe ich in meinem Leben alles richtig gemacht?« Die meisten würden diese Frage vermutlich mit Ja beantworten. Vielleicht mit ein paar Abstrichen, aber im Großen und Ganzen sind sie doch überzeugt davon, an ihrem Kurs nichts ändern zu müssen. Was aber, wenn er in die völlig falsche Richtung läuft und das nur nicht auffällt, weil fast alle die gleiche Richtung eingeschlagen haben? Stellen wir nämlich diese Frage in Bezug auf unsere Welt, in der wir leben, wird sofort klar, dass wir fast alles falsch gemacht haben! Warum sind so viele Menschen auf der Flucht und verlieren dabei ihr ganzes Hab und Gut? Warum bekommen wir die Armut und Not in der Welt nicht in den Griff? Warum stehen das Klima und die Natur »auf der Kippe«? Warum sterben so viele Menschen im Krieg sowie an Krankheit und Corona?

Jemand, der meint, alles richtig zu machen, braucht für eine Sinnesänderung den Zusammenbruch seines Lebensgerüsts, um noch einmal von vorne anzufangen – dann aber auf der richtigen Grundlage. Was wäre denn diese? Z. B., dass er sich vor seinem Schöpfer verantworten muss, dessen Gesetz gilt und der doch nichts anderes als das Gute, das Beste für seine Geschöpfe will. Ein stolzer, unbußfertiger Mensch muss in die »Enge« geführt werden, bevor er wieder in die »Weite« gelangen kann. Er muss erkennen, dass er ganz und gar verloren ist. Zu diesem einen »Nullpunkt« muss er kommen und zur Erkenntnis, dass nur Jesus ihm wieder Leben schenken kann. Wer nun in solch tiefer Verzweiflung erlebt, dass ihm Jesus Christus die Hand reicht, um ihn aus der Tiefe herauszuziehen und in ein ganz und gar neues Leben zu stellen, der wird ihm zutiefst dankbar die Herrschaft über sein Leben einräumen, um nun dem zu leben, der für ihn, d. h. an seiner Stelle, gestorben ist (vgl. 2. Korinther 5,15).

pj

? Wo ist es schon einmal »eng« für Sie geworden?

! Begreifen Sie das als Chance, die Gott Ihnen gibt! Nutzen Sie sie für die so wichtige Sinnesänderung!

Römer 2,1-11

Wie Blinde tasten wir an der Wand entlang, wie Augenlose tappen wir herum. Am hellen Mittag stolpern wir wie in der Dämmerung, wie Tote sind wir mitten im Leben.

Jesaja 59,10

Lebensrettende Fingerkuppen

»Nichts wie weg hier!«, schießt es der Familie durch den Kopf. Sie sitzt in ihrem Wohnmobil, während sich in der Tunnelröhre der beißende Qualm eines brennenden Lkw sammelt. Der alte Tunnel in Schweden hat keine Notausgänge, und so müssen sie zum Tunneleingang zurück. Die Familie trennt sich: Die Kinder steigen zu Fremden ins Auto, das dreht und zum Tunnelausgang zurückfährt. Die Eltern kämpfen sich mit geschlossenen Augen mühsam bis zur Tunnelwand vor und laufen an ihr entlang bis zum Tunnelausgang – die Fingerkuppen dabei immer an der Wand.

Die Tunnelwand gab den Eltern eine Orientierungsmöglichkeit. Sie wussten, dass der Kontakt zur Wand für sie lebensrettend war. Nur so konnten sie den Ausgang finden. Sicherlich haben die wenigstens von uns eine solche Extremsituation erlebt, und doch benötigen wir alle – zumindest im übertragenen Sinn – in unserem Leben eine Orientierungshilfe. Doch wo finden wir diese »Wand«, an der wir in unserem Leben entlanglaufen können?

Gott stellt sich in der Bibel als derjenige vor, der »gestern, heute und in Ewigkeit« (Hebräer 13,8) derselbe ist und sich nicht verändert. Er ist diese helfende Wand, an der wir uns orientieren können. Er möchte die bleibende Konstante in unserem Leben sein. Er weiß um unsere Orientierungslosigkeit. So bietet Gott uns an, uns in unseren alltäglichen Lebenssituationen zu helfen, aber noch mehr: Er möchte auch derjenige sein, der uns nach dem Tod aus dem Tunnel, also diesem irdischen Leben, in sein bleibendes Licht führt. Das ist die Ewigkeit mit ihm, der uns unbeschreiblich liebt. Was für eine Botschaft: Gott führt jeden, der an ihn glaubt, zum rettenden Ausgang! *acb*

? Wer oder was ist Ihnen Orientierung im Leben?

! Wer sich an Gott hält, erreicht sicher das Ziel.

Psalm 73,23-28

Denn so hat Gott die Welt geliebt, dass er seinen eingeborenen Sohn gab, damit jeder, der an ihn glaubt, nicht verlorengeht, sondern ewiges Leben hat.

Johannes 3,16

Geschenke annehmen

Als ich 14 Jahre alt war, schenkte mir meine Großmutter eine blaue Schüssel. Es war eine Glasschale für Salat oder Kompott. Mein erster Gedanke war: Was soll ich denn damit anfangen? Ich hatte keinen eigenen Haushalt und daher keine Verwendung für eine Schüssel. Ich konnte mir nicht vorstellen, warum sie mir eine schenkte. Warum gab sie mir nicht etwas, was ich mir wünschte? Ich nahm ihr Geschenk trotzdem dankbar an. Ich wusste ja, dass sie es mir aus Liebe gegeben hatte. Und ja, in späteren Jahren habe ich wohl verstanden, warum sie mir ausgerechnet eine Schüssel schenkte. Bis heute schätze ich ihr Geschenk und besitze es nach über 30 Jahren immer noch.

Immer wieder erhalten wir Geschenke, womit wir erst einmal nichts anfangen können. Wie gehen wir damit um, wenn uns jemand beschenken möchte und wir meinen, das Geschenk nicht nötig zu haben? Ein Geschenk abzulehnen, bedeutet auch, die Liebe des Schenkenden gering zu achten.

Gott hat uns seinen einzigen Sohn gegeben und möchte uns mit ihm das ewige Leben schenken. Vielleicht denkt mancher, er habe alles und bräuchte nichts von Gott: Was soll ich mit Jesu Christus? Es wäre viel besser, wenn Gott mir eine neue Wohnung, ein größeres Haus, ein Auto, einen besseren Job oder Geld schenken würde!

Aber jeder von uns wird einmal sterben. Welcher irdische Schatz ist wichtiger als die Ewigkeit? Wenn wir Gottes Geschenk – seinen Sohn Jesus Christus – annehmen, nehmen wir Gottes Liebe an. Wenn wir aber dieses kostbarste aller Geschenke ablehnen, dann lehnen wir Gottes Liebe ab. Die Konsequenz ist, dass uns dann auch das ewige Leben bei ihm verwehrt bleibt. *bwe*

Was machen Sie mit Gottes Geschenk?

Gottes Sohn Jesus Christus ist der einzige Weg zum ewigen Leben.

Römer 8,31-37

Montag

5. Sept. 22

Und der HERR, Gott, schickte ihn aus dem Garten Eden hinaus, den Erdboden zu bebauen, von dem er genommen war. Und er trieb den Menschen aus …

1. Mose 3,23-24

Paradise Lost

Zu Beginn seiner Geschichte finden wir den Menschen in einer idealen Umgebung, dem Garten Eden. Der Mensch lebte dort völlig sorgenfrei. Das Böse war noch nicht Teil seiner Erfahrung. Und er hatte ungetrübten Umgang mit Gott, *face to face*, von Angesicht zu Angesicht.

Mit dem, was wir Sündenfall nennen, verlor der Mensch auf einen Schlag alles: Er musste diesen wunderbaren Ort verlassen und lernte fortan Not, Schmerz, und schließlich den Tod kennen. Doch viel wesentlicher war, dass der freie Zugang zu Gott unterbrochen wurde. Infolge der Sünde schreckte der Mensch plötzlich vor Gott zurück. Aber der Riss ging noch tiefer: Aufgrund der Argumente des Teufels wurde in das Herz des Menschen ein tiefes Misstrauen gegenüber Gottes Motiven gesät. Der Mensch hat dem Teufel geglaubt, dass Gott es nicht wirklich gut mit uns meint. Seitdem ist unser Gottesbild völlig entstellt. Das betrifft nicht nur seine Gebote, von denen wir denken, Gott möchte uns nur den Spaß verderben. Es betrifft besonders das Vertrauen in Gottes Güte und Barmherzigkeit. »Sollte Gott gesagt haben« (so klingt die Stimme des Teufels bis heute durch), dass derjenige, der das stellvertretende Leiden des Sohnes Gottes am Kreuz für sich in Anspruch nimmt und an diesen Jesus glaubt, in Gottes Augen wirklich völlig gerecht und heilig ist?

Dabei gibt Gott noch am Tag des Sündenfalls ein nachdrückliches Beispiel für seine freie Gnade: Er geht dem Menschen, der sich von ihm abgekehrt hat, nach. Er überlässt ihn nicht seinem Schicksal, obwohl dieser sich vor ihm versteckt. Er gibt ihm eine Zusage, wie seine Stellung vor Gott wieder in Ordnung kommen kann. Und schließlich gibt er das Leben seines Sohnes, um unsere Fehler ungeschehen zu machen. *mm*

? Welche Vorbehalte haben Sie gegenüber Gott?

! Echte Freiheit gibt es nur in göttlichen Grenzen. Das ist Menschsein!

Jesaja 59

6. Sept. 22

Dienstag

Sammelt euch nicht Schätze hier auf der Erde, wo Motten und Rost sie vernichten und wo Diebe einbrechen und stehlen! Sammelt euch vielmehr Schätze im Himmel!

Matthäus 6,19-20

Der Untergang der Nuestra Señora de Atocha

Anfang September 1622 verließ ein Konvoi von 28 Schiffen Havanna in Richtung Spanien. Die sogenannte Silberflotte transportierte Edelmetalle aus Süd- und Mittelamerika nach Europa. Unter ihnen war die Galeone »Nuestra Señora de Atocha«, voll beladen mit rund 40 Tonnen Gold und Silber sowie einer großen Menge wertvoller Smaragdsteine aus Kolumbien. 20 Geschütze an Bord machten sie zu einer Festung gegen Piraterie. Doch bald geriet die Flotte in einen Hurrikan. Die »Atocha« wurde auf ein Riff geschleudert und versank am 6. September, heute vor 400 Jahren, vor der Küste Floridas. Nicht nur die kostbare Fracht, sondern auch 260 Menschen riss sie mit in die Tiefe. Lediglich drei Matrosen und zwei Sklaven überlebten.

Wie gewonnen, so zerronnen, möchte man sagen. Aber die Geschichte mit dem Schatzschiff ging noch weiter. In den 1960er-Jahren gründete der Amerikaner Mel Fisher eine Schatzsucherfirma. Sein großes Ziel: die »Atocha« zu finden. Tatsächlich gelang es ihm. 1985 wurde das Wrack nach langem Suchen entdeckt und der bis dahin größte Unterwasserschatz mit einem Schätzwert von etwa 400 Millionen US-Dollar geborgen.

Na also, könnte man jetzt denken, die Schatzsuche hat sich doch gelohnt. Wirklich? Es kostete Mel Fisher viele Rechtsstreitigkeiten und das Leben von drei Crewmitgliedern, darunter das seines eigenen Sohnes. 1998 verstarb er, und er konnte natürlich keine einzige Silbermünze aus dem Fund der »Atocha« mitnehmen in die Ewigkeit. Was bleibt uns, wenn wir am Lebensende unsere Schätze zurücklassen? Jesus warnte uns Menschen vor dem letztlich sinnlosen Sammeln von Reichtümern auf der Erde. Sie sind sehr störanfällig, inflationär und unsicher oder landen auf dem Meeresgrund. *ap*

? Von welchen Wertgegenständen könnten Sie sich heute unmöglich trennen?

! Für vergängliche Schätze sollte man nicht sein Leben aufs Spiel setzen, sondern lieber das ewige Leben gewinnen.

Matthäus 6,19-21.24-34

Als die Sonne an diesem Abend unterging, brachten die Dorfbewohner ihre kranken Angehörigen zu Jesus. Welche Krankheiten sie auch hatten: Er legte jedem Einzelnen die Hände auf und heilte sie alle. Lukas 4,40

Im Schutz der Dunkelheit

Vor einigen Jahren arbeitete ich auf einer Missionsstation in Afrika. An einem Abend – die Sonne war längst untergegangen – kam die Mutter eines unserer Internatskinder zu unserer Tür. Sie bat mich, den Senior-Missionar an den Eingang zu holen. Das tat ich gerne. Danach verabschiedete ich mich. Ihre gedämpfte Stimme und die späte Uhrzeit ließen mich ahnen, dass etwas vorgefallen war, von dem möglichst kein Unbeteiligter erfahren sollte.

Unser Tagesvers berichtet ebenso von Begegnungen, die nach Sonnenuntergang vonstatten gingen. Es waren Kranke, die zu später Uhrzeit noch zu Jesus gebracht wurden. Es mag mehrere Gründe gegeben haben, dass die Dorfbewohner bis zur Dunkelheit warteten. Vielleicht war es leichter, im Schutze der Dunkelheit mit der Not zu Jesus zu kommen. Die damals üblichen Öllampen erhellten nur das Allernötigste. Vielleicht war es auch nur der Tatsache geschuldet, dass man tagsüber seinem Broterwerb nachging und erst abends Zeit für andere Angelegenheiten fand. Aber nehmen wir einmal an, dass es auch das eine oder andere Unschöne zu bereinigen gab, weil man wusste, dass auch da Jesus helfen konnte. Blieb das Unangenehme bisher hinter Mauern und im Dunkeln verborgen, so war es nun an der Zeit, sich Jesus zu offenbaren. Ja, jeder von uns darf aus seiner persönlichen Dunkelheit, wo sich ganz sicher im Laufe der Zeit manches aufgehäuft hat, zu Jesus kommen. Jeder darf vor Jesus das bringen, was sonst keiner zu sehen bekommt. Die erlebten Kränkungen, das zerbrochene Selbstwertgefühl, die eigenen Fehler und Sünden, all das darf jeder zu Jesus bringen. Bei ihm können wir über unsere Schattenseiten sprechen.

Heute ist der richtige Tag dafür. Jesus hört zu. Er möchte heilen. Dann darf es wieder hell und fröhlich werden. *st*

? Gibt es etwas in Ihrem Leben, was Sie bedrückt?

! Sprechen Sie mit Jesus darüber und bekennen Sie ihm alles – dann wird es hell.

Johannes 3,1-17

Wer darf sagen: Ich habe mein Herz rein gehalten, ich bin rein von meiner Sünde?

Sprüche 20,9

Hightech im Haushalt

Haben Sie auch schon einen Saugroboter? Dieser fleißige Helfer verrichtet seine Arbeit, während Sie nachts im Bett ausruhen. Man kann diese Hightech-Geräte so programmieren, dass sie aktiv werden, sobald niemand mehr in der Wohnung unterwegs ist. In der Regel gehört zum Roboter eine Ladestation, zu der der Saugroboter immer wieder zurückfindet. Das funktioniert so: Die Ladestation sendet ständig ein Signal aus, das der Roboter empfangen kann. Durch die verbaute Elektronik errechnet er dann seine Position im Raum. Sobald die Akkuleistung nachlässt, oder der Schmutztank voll ist, steuert der fleißige Helfer seine Ladestation auf kürzestem Weg an. Dort entledigt er sich des Staubes und lädt seinen Akku wieder auf.

Im Haushalt ist ein regelmäßiges Reinigen für uns selbstverständlich. Auf Dauer möchte niemand mit Schmutz und Dreck leben. Das ist nicht nur unangenehm, sondern gefährdet auch unsere Gesundheit. Doch was ist mit dem geistlich-moralischen Bereich unseres Lebens? Wer sorgt dort für die Bereinigung von schädlichem Dreck und Schmutz? Denn es wächst ein ganzer Berg von Schuld und ihren negativen Folgen bei uns, der uns irgendwann zu ersticken droht. Schon die kleinste Lüge zieht oft unabsehbare Folgen nach sich. Wie werden wir das wieder los? Leider können wir da nicht mal eben ein Knöpfchen drücken wie bei einem technischen Gerät, das sich dann um die Entsorgung kümmert. Hier braucht es einen, der sich grundlegend um dieses Problem kümmert: Jesus Christus, der Sohn Gottes, kam dazu auf diese Erde. Am Kreuz von Golgatha hat er alle unsere Sünde auf sich genommen und für unsere Schuld bezahlt. Wer zu ihm kommt und ihn um Vergebung bittet, darf sich ein für alle Mal vom Sündenmüll seines Lebens reinigen lassen.

bo

? Wie viel Schmutz haben Sie im Laufe Ihres Lebens schon angesammelt?

! Jesus kann und will Sie von Ihren Sünden reinigen.

1. Petrus 2,21-25

Denn auch wenn die Posaune einen undeutlichen Ton gibt, wer wird sich zum Kampf rüsten?
1. Korinther 14,8

Als der erste bundesweite Warntag fehlschlug

Am 10. September vor zwei Jahren fand der erste bundesweite *Warntag* statt. Mit einem Probealarm sollte die Bevölkerung für die Funktionen der unterschiedlichen Warnmittel wie Sirenen, Mobilfunk-Nachrichten usw. sensibilisiert werden. Doch kamen die Warnungen an vielen Stellen zu spät oder gar nicht zustande. Das zuständige Bundesamt für Bevölkerungsschutz und Katastrophenhilfe musste viel Kritik einstecken. Denn bei einer echten Gefahr ist es entscheidend, dass die Menschen schnell und zuverlässig gewarnt werden.

Manchmal frage ich mich, ob ich mir als Teil der heutigen Christenheit nicht einen ähnlichen Vorwurf gefallen lassen muss? Nehme ich meine Warnfunktion deutlich genug wahr? Ich möchte Menschen, die Jesus aus ihrem Leben heraushalten, mit der Frohen Botschaft der Rettungsmöglichkeit locken, sie aber auch ehrlicherweise davor warnen, was ihnen droht, wenn sie diese Rettung verpassen. Jesus selbst hat nicht nur über Gottes Liebe und Vergebungsbereitschaft gepredigt, sondern auch über ewige Verlorenheit. Er beschreibt die Hölle als einen Ort ewiger Strafe. Er schildert sie als eine Realität, in der die Flammen nie erlöschen und wo man vor Schmerz mit den Zähnen knirscht. Mit seinem Gefahrenhinweis verfolgt Jesus das Ziel, das auch Warnungen haben: Die Empfänger sollen sich auf die Bedrohung einstellen und richtig reagieren. Jesus möchte, dass Menschen der Katastrophe entkommen.

Mir ist bewusst, dass Warnmeldungen selten willkommen sind. Sie bringen den geplanten Ablauf durcheinander und enthalten eine unangenehme Neuigkeit. Doch es wäre unverantwortlich, darauf zu verzichten. Denn für denjenigen, der auf sie hört und die Rettungsmöglichkeit annimmt, bedeutet sie alles! *dr*

Wie reagieren Sie auf überraschende Warnhinweise, die Ihre Pläne durcheinanderbringen?

Nehmen Sie Warnungen ernst! Sie dienen zum Schutz und zur Hilfe.

Hesekiel 3,17-21

Denn auch der Sohn des Menschen ist nicht gekommen, um sich dienen zu lassen, sondern um zu dienen und sein Leben zu geben als Lösegeld für viele.

Markus 10,45

Wiedergutmachungsabkommen mit Israel

Heute vor 70 Jahren wurde im Luxemburger Rathaus das Wiedergutmachungs-Abkommen zwischen der Bundesrepublik Deutschland auf der einen Seite sowie Israel und der »Jewish Claims Conference« auf der anderen Seite geschlossen. Es umfasste Zahlungen, Dienstleistungen und Exportgüter im Wert von 3,5 Milliarden Mark, die die Bundesrepublik innerhalb von 14 Jahren an Israel zu leisten hatte. Hinzu kam die Selbstverpflichtung der Bundesrepublik zur Rückerstattung von Vermögenswerten. Sowohl auf deutscher als auch auf israelischer Seite gab es große Vorbehalte gegen das Abkommen. Während westdeutsche Politiker die Beziehungen zu arabischen Staaten nicht aufs Spiel setzen wollten, sahen viele Israelis darin eine Entwürdigung der Opfer des Nationalsozialismus, indem die Mörder sich mit »Blutgeld« von ihrer Schuld freikauften.

Diese Kontroverse stimmte mich nachdenklich. Wie viel Geld wäre genug gewesen? 10 Milliarden? 20? 100? Ich glaube, jeder von uns weiß, dass kein Geld dieser Welt jemals ausgereicht hätte, um die Schuld, die das deutsche Volk auf sich geladen hatte, irgendwie zu begleichen. Von einer echten »Wiedergutmachung« kann also keine Rede sein. Da die Schuld nicht bezahlt werden konnte, blieb sie im Grunde ungesühnt.

In unserer Beziehung zu Gott stehen wir vor einem ähnlichen Dilemma. Unsere Rebellion gegen den heiligen Gott kann nicht mit ein paar Scheinen in den Klingelbeutel, einigen gute Taten oder einem einigermaßen anständigen Leben ausgeglichen werden. In diese hoffnungslose Lage hinein kommt Jesus Christus und ruft uns den heutigen Tagesvers zu. Er bezahlte mit seinem Leben, um uns zu erlösen und eine echte Wiedergutmachung zu leisten, die für jeden gilt, der sie in Anspruch nimmt. *tcb*

? Was beweist Ihnen täglich Ihre Verstrickung in Sünde und Schuld vor Gott?

! Die Erinnerung an unsere »schlechten Taten« können wir nicht auslöschen, aber dafür Gottes Vergebung in Anspruch nehmen.

Psalm 103,1-13

Ihr wisst ja, woran sich die Gnade von Jesus Christus, unserem Herrn, gezeigt hat: Er, der reich war, wurde arm, damit ihr durch seine Armut reich werdet.

2. Korinther 8,9

Wohnungsnot

80 % der Einwohner Deutschlands leben in Städten oder Ballungsgebieten, unter 15 % in Dörfern mit weniger als 5000 Einwohnern. Die Städte wachsen stetig, nicht nur in Deutschland. Dabei können sich immer weniger Menschen die immer teureren Mieten in den Citys leisten. Viele Banken und Konzerne investieren lieber in noble Luxusapartments und teure Geschäftsräume als in den sozialen Wohnungsbau. In einigen Metropolen der Welt, z. B. in Rio de Janeiro in Brasilien oder Mumbai in Indien, hat dies fatale Auswirkungen: die Menschen werden aus der Innenstadt an den Stadtrand gedrängt, wo sich Slums bilden, in denen Millionen in unwürdigen Blechbehausungen leben. Gleichzeitig stehen viele Wohnungen in den Innenstädten leer. Gott sei Dank ist das Problem hier in Deutschland nicht so krass. Ein gutes Sozialsystem wirkt derart schlimmen Entwicklungen entgegen. Dennoch gibt es auch im reichen Europa viele Menschen, die obdachlos sind und auf der Straße leben.

Wussten Sie, dass auch Jesus phasenweise obdachlos war? Er wurde schon zu Beginn seines irdischen Daseins in einem für Neugeborene völlig ungeeigneten, unhygienischen Viehstall geboren (Lukas 2,7). Im Alter von nur wenigen Wochen wurde er zum Flüchtlingskind (Matthäus 2,13). Auch als Erwachsener war er oft ohne feste Bleibe (Matthäus 8,20).

Wenn Gott etwas tut, dann ganz! Er wurde sprichwörtlich arm für uns, damit wir reich werden. Allerdings meint dieses »reich werden« nicht, dass wir uns die Luxusapartments in den Nobelvierteln der beliebtesten Metropolen leisten könnten. Nein, reich zu sein in Bezug auf Gott bedeutet, das unbezahlbare Seelenheil, inneren Frieden und ewiges Leben zu besitzen. Und das ist ungleich wichtiger. *dbe*

? Was ist wahrer Reichtum?

! Jesus hat den herrlichen Himmel verlassen – auch für Sie!

Lukas 12,13-21

12. Sept. 22

Montag

**Dies aber ist das ewige Leben,
dass sie dich, den allein wahren Gott,
und den du gesandt hast, Jesus Christus, erkennen.**
Johannes 17,3

Gottes Nachricht an uns

»Bing.« Jeder kennt dieses Geräusch, wenn das eigene Smartphone vibriert oder einen Ton von sich gibt. Man war mal wieder mehr oder weniger wichtig und hat eine neue Nachricht empfangen. Meist geht instinktiv der nächste Griff zum Handy, um die Nachrichten zu checken und ggf. direkt zu antworten. Hauptsache, immer topinformiert sein, kein Tor seiner Lieblingsmannschaft, keine Eilmeldung, keine Nachricht verpassen. Bei der ganzen Fülle an Informationen kommt man da manchmal kaum hinterher.

Ja, die Informationsflut ist reichlich, und wir haben heute Möglichkeiten uns zu informieren, die vorherige Generationen nicht hatten. Aber kann es nicht auch manchmal sein, dass uns diese Flut an Informationen und Nachrichten abhält, über das Wesentliche im Leben nachzudenken? Wir vergeuden die kostbare Zeit mit Push-Nachrichten und Social Media, kennen jede neueste Entwicklung und jede neue Theorie und Studie über ein Virus, aber Gott blenden wir weitestgehend aus. Wir sind gott-los geworden – im wahrsten Sinne des Wortes.

Dabei ist Gott doch der Schöpfer des Universums, derjenige, der Antworten auf die großen Fragen des Lebens hat. Gott zu kennen ist weit mehr wert als jede noch so interessante Nachricht. Er ist auch derjenige, der zu jeder Zeit die Geschichte und das Weltgeschehen im Blick und im Griff hat. Wir sollten das Handy öfters zur Seite legen und stattdessen die Bibel, Gottes Wort, zur Hand nehmen, denn hier zeigt sich Gott. Die Bibel ist Gottes Nachricht an uns Menschen. Hier zeigt Gott wer und wie er ist. Und er zeigt, dass er ein Gott ist, der uns Menschen liebt.

Gott lässt sich finden von jedem, der ihn sucht, und wer zu ihm findet, findet bei ihm das ewige Leben! *wj*

? Wann haben Sie das letzte Mal Gottes Nachrichten gecheckt?

! Setzen Sie das an die erste Stelle, noch vor allem anderen!

Hebräer 1,1-2; 2,1-4; 4,1-3

13. Sept. 22

Dienstag

**Damals fing man an,
den Namen des HERRN anzurufen.**
1. Mose 4,26

Gott anrufen!

Die Bibel schildert uns im ersten Buch Mose, dass sich am Anfang der Menschheit zwei Linien entwickelten. Die erste Linie wird etwas ausführlicher beschrieben; sie hat auch einiges aufzuweisen: Kain baute die erste Stadt. Ein anderer wurde der Vater der Zeltbewohner und Herdenbesitzer. Dessen Bruder wurde wichtig für die Entstehung der Musik und konnte mit Laute und Flöte umgehen. Schließlich wird noch das Handwerk aufgeführt – einer, der mit Erz und Eisen umgeht. Doch noch ein weiteres Merkmal dieser Menschheitsgruppe wird beschrieben. Lamech fiel durch eine unglaubliche Brutalität auf: »Einen Mann erschlug ich für meine Wunde und einen Jüngling für meine Strieme!« Diese Tendenz zur Gewalt mündete direkt in die gottlose Gesellschaft, die in der Sintflut unterging.

Die zweite Menschheitslinie wird dann knapp und kurz umrissen. Sie hat offensichtlich auch nicht viel aufzuweisen. Und doch gibt es hier etwas Entscheidendes, was man vorher vergeblich gesucht hat: »Damals fing man an, den Namen des HERRN anzurufen.« Während die erste Menschheitslinie künstlerisch und handwerklich einiges auf die Beine stellte und dazu Gott nicht brauchte, hat die zweite Menschheitslinie erkannt, dass sie gerade Kontakt zu diesem Gott benötigte. Dies wurde ihr besonderes Merkmal: Es waren Menschen, die den Namen des Herrn angerufen haben, die Gott gesucht haben. Zu ihnen gehörten auch Noah und seine Familie, die schließlich von Gott durch das Gericht der Sintflut hindurchgerettet wurden.

Auch heute müssen wir uns entscheiden: Wollen wir die Welt mit unseren Möglichkeiten bereichern, uns dabei aber von Gott abwenden und im Gericht enden? Oder wollen wir zu denen gehören, die in erster Linie Gott gefallen und treu an ihm festhalten wollen? *mtz*

Zu welcher Gruppe gehören Sie?

Suchen Sie den, der Ihr Herr sein will – in diesem Leben und auch in der Ewigkeit!

1. Mose 6,5-22

Jesu Augen füllten sich mit Tränen.
Johannes 11,35

Der Gott, der weint

Wenn mir als Kind Unrecht oder Gemeinheiten widerfahren sind, liefen die Tränen oft erst, wenn ich zu Hause in den tröstenden Armen meiner Mutter angekommen war. Dann erzählte ich ihr schluchzend, wie gemein die anderen Kinder zu mir gewesen waren.

Weinen ist sehr vielschichtig und manchmal kann man erst weinen, wenn jemand da ist, der tröstet. Weinen ist auch bei Erwachsenen ein Ausdruck starker Emotionen. Es gehört zum Menschsein dazu. Wenn die Freude »überschwappt« und einfaches Lachen nicht mehr ausreicht, sind Freudentränen das Ergebnis. Weinen wir aber aus Trauer oder Schmerz, kehren wir unsere belastenden Gefühle nach außen und zeigen unsere Verletzlichkeit. Mancher weint nur im stillen Kämmerlein, ein anderer ist »nah am Wasser gebaut«. Dabei will niemand als Heulsuse dastehen, aber auch nicht als kalt und ausdruckslos gelten. Jeder mag selbst entscheiden, ob Weinen ein Zeichen von Schwäche oder eher von Stärke ist. Eins ist sicher: Weinen reinigt die Seele. Und: Jemand, der mitfühlen und mitweinen kann, ist ein guter Tröster.

Die Götter der Religionen sind stolz, erhaben und unnahbar – unvorstellbar, dass sie jemals weinen könnten. Bei Jesus ist das anders. Er ist der einzige Gott, der Mensch wurde. Er ist der einzige Gott, der Mitgefühl zeigt. Er ist der einzige Gott, der weint. Er kam aus der Herrlichkeit demütig zu uns Menschen herab, um mit uns zu fühlen, zu weinen und zu leiden, aber sich auch mit uns zu freuen. Nur er, der selbst geweint hat, kann unser Leid und unsere Schmerzen verstehen. Er kann uns trösten und wieder neuen Mut zum Weitergehen schenken. Deshalb komme ich mit meiner Trauer und meinen Enttäuschungen immer wieder zu Jesus, so wie früher zu meiner Mutter. *dbe*

? Wann haben Sie das letzte Mal geweint?

! Wenden Sie sich mit allen Sorgen und Anliegen an Jesus! Er versteht Sie.

Johannes 11,32-45

**Wer eine Grube gräbt, fällt selbst hinein;
und wer einen Stein wälzt, auf den rollt er zurück.**
Sprüche 26,27

Tote Gans trifft Jäger

Robert Meilhammer ist mit drei Gleichgesinnten auf der Jagd. Als direkt über ihnen ein Schwarm Kanadagänse vorüberzieht, eröffnen sie das Feuer. Ein getötetes Tier trifft den 51-Jährigen so unglücklich am Kopf, dass er bewusstlos zu Boden sinkt. Als er im Krankenhaus wieder zu sich kommt, weiß er zwar, wer er ist, aber »nicht viel mehr«, erklärte Polizeisprecherin Candy Thomson: »Kanadagänse wiegen zwischen vier und sechs Kilo ... Wenn sie fast 20 Meter tief fallen und einen mit voller Wucht am Kopf treffen, verursacht das definitiv ernsthafte Schäden.«

Auch wenn sich der unglückliche Hobbyjäger keines Verbrechens schuldig gemacht hat, erinnert mich diese Begebenheit doch an die Gesetzmäßigkeit in unserem Tagesvers. Wer Böses plant, muss damit rechnen, Böses zu erfahren: **Balak**, der König von Moab, will Israel verfluchen und fällt letztendlich selbst unter den Fluch Gottes. **Haman**, der Agagiter, lässt einen Galgen errichten, um den Juden Mordechai daran aufzuhängen, doch am Ende stirbt er selbst daran. Die **Widersacher Daniels** lassen ihn in eine Löwengrube werfen und werden schließlich selbst von den Bestien zerrissen.

Letztendlich droht uns allen, in die Grube zu fallen, die wir graben, und von dem Stein überrollt zu werden, den wir wälzen, denn »die Bosheit des Menschen auf der Erde« ist groß, »und alles Sinnen der Gedanken seines Herzens nur böse den ganzen Tag« (1. Mose 6,5). Das Tun unserer Hände wird uns vergolten werden – wenn wir nicht von unseren bösen Taten umkehren und Zuflucht suchen bei Jesus: »Er war durchbohrt um unserer Vergehen willen, zerschlagen um unserer Sünden willen. Die Strafe lag auf ihm zu unserm Frieden, und durch seine Striemen ist uns Heilung geworden« (Jesaja 53,5). *pg*

Was treibt Menschen zu einem solchen Vernichtungsfeldzug gegeneinander?

Wir alle brauchen »Heilung« von unserer Sünde. Die finden wir allein bei Jesus.

Jesaja 53,4-9.12

**Jesus sprach zu ihr:
Ich bin die Auferstehung und das Leben;
wer an mich glaubt, wird leben, auch wenn er gestorben ist.**
Johannes 11,25

Außer Kontrolle

Stellen Sie sich vor, Sie wollten die Alpen überqueren. Nicht mithilfe eines der langen Tunnel, sondern hoch oben über die Pässe. Haben Sie dann die höchste Stelle erreicht, geht es nur noch abwärts. Doch plötzlich stellen Sie fest, dass die Fußbremse nicht mehr funktioniert und auch die Handbremse versagt, und obwohl Sie im ersten Gang fahren, beschleunigt das Auto mit heulendem Motor immer mehr. Im Rückspiegel sehen Sie, dass von Ihrem Fahrzeug eine lange Rauchfahne ausgeht und immer häufiger und heftiger touchieren Sie die Leitplanken. Da, kurz, bevor alles zu spät ist, wird aus Ihrem Auto ein Flugzeug, das Sie aller Not enthebt und Sie geradewegs himmelwärts bringt. Eben noch hatten Sie beobachtet, wie vor Ihnen ein Auto in ähnlicher Lage über die Leitplanken flog und einhundert Meter tiefer samt Insassen an einer Felswand völlig zerschmettert wurde.

Das sind natürlich nur Bilder von der letzten Wegstrecke des Erdendaseins vieler unserer Zeitgenossen. Da meinen die Menschen, das Steuerrad ihres Lebens sicher in den Händen zu halten und mit ihrer Lebenserfahrung allen Eventualitäten gewachsen zu sein, und plötzlich entgleitet ihnen alles. Hilflos müssen sie erleben, wie sie die Kontrolle über ihren Körper, ihr Denken und Empfinden verlieren. Dann wäre es doch schön, wenn man ein Fahrzeug wie James Bond hätte, von dem man mir sagte, es sei ein Auto gewesen, das auch fliegen konnte, und einen tüchtigen Piloten dazu.

So ähnlich muss auch schon vor rund 400 Jahren Paul Gerhardt gedacht haben, als er im Hinblick auf seine Sterbestunde dichtete: »Wenn mir am allerbängsten wird / um das Herze sein, / so reiß mich aus den Ängsten / kraft Deiner Angst und Pein.« *gr*

Wie wird Ihre letzte Strecke sein?

Man muss die richtigen Maßnahmen ergreifen, solange man noch in der Lage dazu ist.

Johannes 11, 1-27

Kommt alle her zu mir, die ihr euch abmüht und unter eurer Last leidet! Ich werde euch Ruhe geben.
Matthäus 11,28

Selbstbestimmt leben?

Hallo Lisa, erinnerst Du Dich noch an unsere Begegnung am 19. September 2020 auf dem Berliner U-Bahnsteig? Als ihr bemerktet, dass wir an der Kundgebung »Marsch für das Leben« teilgenommen hatten, rieft ihr hinter uns her: »My body is my choice.« Wir kamen ganz kurz ins Gespräch, und Du fragtest: »Wollt ihr denn nicht selbstbestimmt leben?« Dann kam die S-Bahn und trennte uns.

Ich habe lange über Deine Frage nachgedacht, denn Du hast das – glaube ich – nicht nur einfach so dahingesagt. Auch ich hatte Angst davor, dass andere Menschen (oder Kirchen) mit ihren Prinzipien mein Leben ruinieren. Selbstbestimmt leben! Wie realistisch ist das? Keiner von uns ging »selbstbestimmt« an den Start. Wir wurden nicht gefragt, ob, in welchem Land und in welcher Zeit wir leben wollten. Wir konnten uns unsere Eltern nicht aussuchen, auch unser Körper war nicht unsere Wahl. Und was von Geburt an unser Leben prägte, war nur wenig von uns selbst ausgewählt.

Wenn eine werdende Mutter ihr Ungeborenes abtreibt, dann steht sie fast immer unter enormem sozialen Druck ihrer Umgebung. Eine Abtreibung ist wohl das schlechteste Beispiel für eigenbestimmtes Handeln. Selbst wenn sie ganz allein entscheidet, hat sie danach eine Geschichte, die keineswegs mehr selbstbestimmt ist. Was passiert ist, ist passiert. Das werden wir so wenig los wie unseren Schatten.

Deshalb brauchen wir jemanden, der uns unsere schwere Last abnimmt; sowohl die eigene Schuld als auch unsere Bitterkeit gegen andere, die uns Böses angetan haben. Sonst wird uns das auf Dauer großen Schaden bringen. Gibt es jemanden, der uns Hoffnung schafft – da, wo unser Lebensentwurf bereits zerstört ist? Ja! Das bietet uns Jesus an!

kem

Nach welchem Prinzip treffen Sie Ihre Entscheidungen?

Jesus bietet uns keine Selbstbestimmung an, aber Frieden.

Johannes 14,22-31

**Denn so hoch, wie der Himmel über der Erde ist,
so überragend groß ist seine Gnade gegenüber denen,
die ihm in Ehrfurcht begegnen.**

Psalm 103,11

Was uns der Himmel zeigt

Ein herrlicher Morgen. Die Sonne leuchtet in ihrer ganzen Pracht auf die erwachende Erde. Der Himmel strahlt in seinem herrlichsten Blau, das er zu bieten hat. Was für eine Einladung, fröhlich den Tag zu beginnen. Wie überwältigend wirkt sich der Himmel auf jeden Menschen aus. Der Himmel ist immer da und immer über uns. Für unser menschliches Empfinden wirkt er so nah und dann doch so unerreichbar und fern. Er wirkt so vertraut und alltäglich, als gehörten wir ganz zu ihm. Aber dann wirkt er auch zu schön und herrlich, als passten wir nicht zu ihm. Er vermittelt den Eindruck unermesslicher Ausdehnung und Weite und grenzenloser, unerreichbarer Höhe. Wenn ich so darüber nachdenke, scheint mir, dass der Himmel uns etwas lehren möchte. Das verstanden manche Schreiber der Bibel anscheinend auch so.

Der Himmel vermittelt etwas von der Erhabenheit Gottes. Er deutet seine Nähe an, aber auch seine Unerreichbarkeit. Er bildet Gottes Reinheit und Herrlichkeit ab. – Die Höhe des Himmels machte auf den Schreiber des heutigen Tagesverses einen so starken Eindruck, dass er sie als Illustration für die unvorstellbare Größe von Gottes Gnade benutzte. Gottes Gnade bewirkt, dass Gott sich uns zuwendet, obwohl wir uns von ihm abgewendet haben, oder dass er uns beschenken will, obwohl wir ihn missachtet haben. Nicht einmal seine Geschenke wissen wir zu schätzen. Doch Gott will uns immer noch gnädig sein, auch wenn wir oftmals das Falsche tun. Am deutlichsten zeigt Gott die überragende Größe seiner Gnade, als Jesus unsere Schuld auf sich nahm und am Kreuz starb, damit wir mit Gott versöhnt sein können. Hier bietet Gott uns das Höchstmaß an Gnade: das Geschenk der Vergebung und einer Beziehung zu ihm. Unfassbar groß und hoch – wie der Himmel über uns. *ht*

? Sehen Sie in der Begegnung mit der Natur auch etwas von der Größe Gottes?

! Auch die Natur zeigt uns, dass Gott es gut mit uns meint.

Psalm 19

... eure Vergehen haben die Mauer gebaut, die zwischen euch und eurem Gott steht. Eure Sünden verhüllten sein Gesicht, dass er euch auch nicht anhören will.

Jesaja 59,2

Delle oder Drama?

Unser Mathis (5 Jahre) spielt draußen vor dem Haus. Er wirft mit einem Stein und – trifft unser Auto, das in unmittelbarer Nähe steht. Im Auto ist eine Delle. Ich komme heraus, und das Drama ist perfekt ...

Ich versuche Mathis deutlich zu machen, dass es sich tatsächlich um einen teuren Schaden handelt. Womit soll ich das vergleichen, damit ein 5-Jähriger das versteht? Wie viele Ritterburgen von Playmobil sind das wohl? Wie viel Eis kann man davon essen? Wie viele »Asterix und Obelix«-Comics kann man davon kaufen? Ich weiß nicht mehr, was genau ich alles ausprobiert habe, aber nichts hat funktioniert. Ich ärgere mich: Der kleine Mann scheint nicht zu verstehen, dass das Ding nicht nur eine Delle ist, sondern ein ziemlich teurer Schaden. Er kann den Schaden einfach nicht einschätzen ...

Bin ich nicht auch oft so? Ist meine Schuld vor Gott und Menschen nur eine Delle? Oder etwa doch ein Drama? Mein Eindruck ist: Ich schätze die Schwere meiner Schuld oft total falsch ein. Ich tue so, als sei alles nur eine Kleinigkeit – fast so, als hätte ich einfach ein wenig zu viel Schokoladeneis gegessen.

Gott beurteilt meine Sünde und Schuld anders. Und als Schöpfer ist *sein* Wertmaßstab entscheidend. Schuld ist tatsächlich ein Drama! Das Beste wäre, wenn ich seinem Urteil zustimme: »Ja, Gott, du hast recht! Schuld ist nicht nur eine Delle, sondern ein Drama! Und ich habe ordentlich Schuld aufgeladen!«

Gott sei Dank – nicht sprichwörtlich, sondern wirklich – nimmt Gott so ein einfaches Gebet ernst und vergibt mir meine Schuld, wenn ich ihn ehrlich darum bitte. *wd*

? Wie beurteilen Sie Ihr Fehlverhalten?

! Stimmen Sie dem Urteil Gottes über Ihre Schuld zu und bitten Sie ihn um Vergebung!

Römer 2,11-16

Da schrien sie zum HERRN in ihrer Not, und er führte sie heraus aus ihren Ängsten. Er stillte den Sturm, dass er schwieg und die Wellen sich beruhigten.

Psalm 107,28-29

Klimawandel oder Gesinnungswandel?

Es vergeht kaum kein Tag, an dem der Begriff »Klimawandel« nicht in irgendeinem Zusammenhang erwähnt wird. Es ist eine unbestreitbare Tatsache, dass in den letzten einhundert Jahren das Klima deutlich wärmer geworden ist. Für jeden sichtbar wird das am Rückgang der Gletscher in den Hochgebirgen und am Abschmelzen der Eiskappen an den Polen. Das hat zur Folge, dass der Meeresspiegel ansteigt und es dadurch für manche Insel- oder Küstenregion in absehbarer Zeit gefährlich wird. – Was können wir Menschen dagegen tun? Klimaforscher in aller Welt suchen fieberhaft nach den Ursachen der globalen Erwärmung und kommen dabei zu den unterschiedlichsten Ergebnissen. Die einen sagen: »Klimaveränderungen hat es schon immer gegeben – wir können nichts daran ändern.« Andere dagegen behaupten: »Der Mensch allein ist schuld, weil er zu viele Abgase in die Luft bläst!« Das ruft die Umweltaktivisten auf den Plan, die durch Massendemonstrationen an das Gewissen der Menschen und deren Verantwortungsträger in Wirtschaft und Politik appellieren wollen, dass dringender Handlungsbedarf besteht.

Es ist sehr interessant, was die Bibel zu diesem Thema sagt: Der allmächtige Schöpfergott, der das ganze Universum schuf, hat auch die Macht, auf dem kleinen Planeten Erde das Klima zu verändern. Die größte globale Klimakatastrophe (auch als Sintflut bekannt) wurde von Gott ausgelöst, weil die Menschheit abgrundtief böse war (1. Mose 6,5-7). Der Prophet Elia kündigte dem gottlosen König Ahab im Auftrag Gottes eine mehrjährige Dürre an (1. Könige 17,1), bis er umkehrte. Gott stillte einen Sturm, und führte die, die zu ihm schreien, heraus aus den Ängsten. Das Prinzip ist klar: Wenn wir Gott demütig unseren Bankrott erklären und ihn um Hilfe bitten, beginnt er zu handeln. *sg*

? Trauen wir Gott das auch im Blick auf den Klimawandel zu?

! Die Rückbesinnung auf Gott, den Schöpfer aller Dinge, verändert die Perspektive und schafft Hoffnung.

Psalm 107,33-43

Und mit vielen anderen Worten beschwor und ermahnte er sie, indem er sagte: Lasst euch retten.

Apostelgeschichte 2,40

Braunkohletagebau

Die ehemalige Verbindungsstraße ist nur noch eine Sackgasse. Schilder warnen vor der Weiterfahrt. Warum? Ist das Panikmache? Einschränkung der persönlichen Freiheit? Bevormundung? Wer mit hoher Geschwindigkeit diese Straße trotzdem nutzt, könnte vielleicht die Absperrung durchbrechen und viele Meter tief in den Tagebau stürzen. Das Lausitzer Flöz liegt in 85 bis 100 m Tiefe. Man sollte also lieber die Umgehungsstraße nehmen. Die Schilder stellen eine Hilfe dar, das eigene Leben und das Leben anderer zu schützen und zu bewahren. Niemand käme auf die Idee, Schilder und Schildaufsteller zu missachten und ihre Berechtigung infrage zu stellen.

Die Hölle ist der tiefste Absturz, den wir uns vorstellen können. Ein Ort ohne Hoffnung, ein schrecklich einsamer Ort. Niemand wird in ihrer Finsternis seine Verwandten oder Freunde treffen. Wenn es nach Gott ginge, würden gar keine Menschen dorthin gelangen. Er möchte nicht, dass irgendjemand von uns dort die Ewigkeit verbringt. Deshalb stellte er »Warnschilder« auf und baute eine »Umgehungsstraße«. Er warnt uns in der Bibel z. B. davor, einfach drauflloszuleben und den Tod und die Ewigkeit danach auszublenden. Für die »Umgehungsstraße« investierte er enorm viel: Sein Sohn starb am Kreuz, damit wir einen anderen Weg gehen können und an dem Ziel unserer innersten Sehnsüchte ankommen: Freude, Friede, Glück, Vergebung, Hoffnung – unaufhörlich in Ewigkeit bei Gott. Und das »Befahren« dieser Umgehungsstraße macht er so einfach wie möglich. Es erfordert keine besonderen Taten, Kirchenmitgliedschaften, Liturgien oder das Einhalten bestimmter Regeln. Nur ein aufrichtiges Bekennen der persönlichen Schuld und die ehrliche Einladung an ihn, mein persönliches Leben zu regieren und zu leiten. *mn*

Auf welchem Weg sind Sie unterwegs?

Entscheiden Sie sich für die »Umgehungsstraße«! Nur dann erreichen Sie das Ziel.

Hebräer 2,1-10

**Seid fröhlich in Hoffnung,
in Bedrängnis haltet stand,
seid beharrlich im Gebet!**
Römer 12,12

Allzeit bereit

»Komm mal bitte in mein Büro!«, sprach mich meine Schulleiterin auf dem Flur an. Im Laufe der Woche ging ich also ins Sekretariat und bat zaghaft um einen Termin. Die Schulsekretärin sah mich schmunzelnd an und sagte nur: »Geh einfach ins Büro!« Völlig irritiert, denn an meiner alten Schule war dies undenkbar, stand ich vor der Tür meiner Schulleiterin, klopfte und wurde ohne Termin einfach hineingebeten.

In unserem Alltag kommen wir aber auch immer wieder in Situationen, in denen es gar nicht so einfach ist, die richtige Person zu erreichen. Manchmal müssen wir lange auf einen Termin warten oder wissen sogar, dass wir niemals einen Termin werden vereinbaren können, weil wir dazu gar nicht berechtigt sind. So wird wohl niemand von uns einen Termin bei der Bundeskanzlerin bekommen.

Vielleicht übertragen wir diese Erfahrungen auch auf unsere Beziehung zu Gott und denken, dass wir mit ihm nur zu einer bestimmten Zeit oder an einem ausgewählten Ort sprechen könnten, wie etwa in der Kirche. Vielleicht haben wir auch das Gefühl, dass nur andere dazu berechtigt wären, mit Gott zu sprechen. Doch Gott ist in vielem so überraschend anders! Er ist tatsächlich immer erreichbar für uns und wünscht sich sehr, dass wir mit ihm reden. Das können wir, indem wir beten.

Gott möchte, dass wir ihm alles erzählen, und dies können wir überall tun: bei einem Spaziergang durch den Wald genauso wie beim Autofahren. Wir müssen uns nicht erst an den richtigen Ort begeben oder einen Termin vereinbaren, sondern wir haben jederzeit die Chance auf eine Audienz bei Gott. Er hört uns zu und hat immer Zeit für uns – ganz ohne Termin!

acb

? Worüber möchten Sie mit Gott heute sprechen?

! Er hat immer Zeit für uns!

Matthäus 6,5-13

23. Sept. 22

Freitag **Herbstanfang**

Geht ihr hin und betet zu mir, dann werde ich auf euch hören. Und sucht ihr mich, so werdet ihr mich finden. Ja, fragt ihr mit eurem ganzen Herzen nach mir, so werde ich mich von euch finden lassen. Jeremia 29,12-14

»Die Sonne scheint heute nicht«

Jetzt im Herbst herrscht bei uns in der Gegend oft Inversionswetterlage: Unten im Tal ist es neblig und kalt, oben am Berg scheint die Sonne, und es ist dort um einiges wärmer. Wenn man in der »Nebelsuppe« sitzt, hört man Leute öfters sagen: »Die Sonne scheint heute nicht.« Manchmal könnte man das auch wirklich meinen. Setzt man sich dann allerdings für 10 Minuten ins Auto und fährt den Berg rauf, ist man eines Besseren belehrt. Man blickt hinunter aufs Nebelmeer und genießt das Licht und die Wärme der Sonne.

Mit Gott ist es ähnlich. Manche Menschen sind überzeugt, dass es keinen Gott gibt. Ein Nebel von Vorurteilen verstellt ihnen den Blick auf Gott. Andere denken zwar, dass es Gott gibt, aber er ist für sie nicht erfahrbar. Die Lösung ist immer die gleiche: Man muss durch den Nebel hindurch und sich Gott nähern. Das Lesen dieses Kalenders ist ein erster Schritt in diese Richtung, das Lesen in der Bibel – vielleicht mit einem Freund oder in einer gemütlichen Runde – ein weiterer. So wie die Sonne immer scheint, ist auch Gott immer da. Je mehr ich mich ihm nähere und je mehr ich ihm vertraue, desto mehr kann ich ihn erfahren und seine Liebe genießen. Wenn ich aber gegen Gott rebelliere, kann ich seine Liebe nicht genießen, so wie ein trotziges Kind die Liebe seiner Eltern nicht genießen kann.

Wer sich aufmacht, um Gott zu suchen und ihm zu begegnen, wird feststellen, dass Gott schon lange auf ihn wartet. Im Gleichnis vom verlorenen Sohn (Lukas 15,11-24) malt uns Jesus diese Wahrheit vor Augen: Der Vater, der für Gott steht, hält täglich Ausschau nach seinem Sohn. Als dieser zu ihm umkehrt, gibt es keine Vorwürfe, keine Bedingungen, keine Probezeit – nur völlige Annahme und Freude. *sh*

? Wie wichtig ist die Sonne für Sie?

! Sie ist ein Hinweis darauf, dass wir Gott unbedingt brauchen.

Offenbarung 22,1-5

**Hungrig waren sie und durstig . . . .
Da schrien sie zu dem HERRN in ihrer Bedrängnis,
und aus ihren Drangsalen errettete er sie.**
Psalm 107,5-6

Gute Tage sind oft böse Tage

Zu der Zeit, als nur oder vor allem Segelschiffe die Ozeane befuhren, kamen es häufig vor, dass man in der *Kalmenzone* in der Nähe des Äquators auf Schiffe traf, die führerlos und offensichtlich ohne Besatzung auf dem Wasser dahintrieben. Setzte man dann ein Boot aus, um ein solches Schiff zu erkunden, trafen die Männer auf lauter Leichen, oben auf dem Deck und in den Kajüten. Sie waren verdurstet. Die *Kalmenzone* hat ihren Namen davon, dass dort fast kein Wind weht (engl. *calm* = Windstille, Flaute). So kam man einfach nicht voran. War dann das Trinkwasser aufgebraucht, mussten die Matrosen elendig verdursten; denn das reichlich vorhandene salzige Meerwasser stillt keinen Durst, sondern macht nur noch durstiger.

Unser Leben gleicht einer solchen Überfahrt. Während Stürme sehr bedrohlich werden können, haben sie auch das Potenzial, uns in den ersehnten Hafen zu treiben. Zeiten, in denen alles ruhig zugeht und wir den Sonnenschein des Lebens genießen, bringen uns oft nicht voran. Da ist es gut, wenn wir für Vorrat gesorgt haben, damit wir nicht verdursten. Lebensstürme treiben Menschen, die Gott kennen, oft an, ihn um Beistand anzuflehen, was man bei Flauten oft nicht für nötig hält. Wir sollten uns aber nicht täuschen lassen. In Sicherheit sind auch Gläubige erst, wenn sie im sicheren Hafen, in Gottes Herrlichkeit angekommen sind.

Viele Menschen wissen aber gar nicht, dass sie auf einer Überfahrt unterwegs sind. Sie haben daher auch weder Kompass noch Ziel und hoffen auf ein gutes Ende oder verzweifeln, je nach Seelenlage. Gott aber lädt auch heute noch alle ein, bei ihm Hilfe und Orientierung zu suchen, und sein Angebot gilt, solange wir uns noch auf der Überfahrt befinden.

gr

Wie gehen Sie mit »guten Tagen« um?

Völlige Windstille kann gefährlicher werden als ein Sturm.

Psalm 107,23-30

Wenn eure Sünden wir Scharlach sind, wie Schnee sollen sie weiß werden; wenn sie rot sind wie Karmesin, wie Wolle sollen sie werden.

Jesaja 1,18

»Das kriegst du nie mehr raus«

Meine Frau hat sich während des Heranwachsens unserer vier Kinder und durch die Besuche unserer acht Enkel eine erstaunliche Fähigkeit im Entfernen von Flecken angeeignet. In einem Kellerregal stehen achtzehn kleine Flaschen mit Flüssigkeiten gegen Flecken aus Öl, Tinte, Lippenstift, Gras und vieles mehr. Es kommt allerdings vor – wenn auch sehr selten –, dass sie resigniert sagt: »Das kriegt man nie mehr raus.« So sind manche Tischdecken und Kleidungsstücke unbrauchbar geworden oder nur eingeschränkt nutzbar geblieben.

Vor der industriellen Fertigung waren flüssigkeits- und witterungsbeständige Farbstoffe sehr wertvoll. Dazu zählten Scharlach und Karmesin. Der hebräische Begriff für die erste Farbe *(schani)* bezeichnet ein Mittel, das aus Schildläusen gewonnen wurde. Der hier mit Karmesin bezeichnete Stoff *(tola)* wurde wahrscheinlich von Würmern oder Schnecken produziert. Wenn jedenfalls ein Klecks dieser beiden Farben auf einen weißen Stoff fiel, war das Malheur groß: Das bekam man nicht wieder heraus.

Genau so ist es mit unseren Sünden. Sie beflecken uns und machen uns unpassend für den ungestörten Umgang mit Gott. Das Ärgerliche ist: Wir können diese Flecken nicht entfernen. Alle Gegenmittel in unserem Regal sind wirkungslos. Weder ein frommes Leben noch gemeinnütziges Engagement noch Verdrängung, Verharmlosung oder Psychotherapie ändern etwas daran. Das Gegenmittel muss von Gott selbst kommen. Genau das ist geschehen. Gott ist Menschen geworden und hat »durch sich selbst die Reinigung von den Sünden bewirkt« (Hebräer 1,3). Mit einem chemischen Gegenmittel war das nicht getan. Dafür musste Jesus Christus unsere Fehltritte auf sich nehmen und wie ein schmutziger, verunreinigter Sünder vor Gott für uns geradestehen. *ga*

Welche Mittel setzen Sie ein, um Schuld loszuwerden?

Das Blut von Jesus Christus reinigt uns von jeder Sünde.

Römer 5,8-12.17-18

**Er weidet mich auf grünen Auen
und führt mich zu stillen Wassern.**

Psalm 23,2

#metime

Sucht man bei der Social-Media-Platform Instagram nach *#metime,* findet man mindestens 7,6 Millionen Beiträge. Meistens Bilder von Menschen, die für sich allein ein Buch lesen, einen Kaffee trinken oder Sport machen. Das englische Kunstwort »me time« steht für das Prinzip der Selbstfürsorge. Interessant: Wir wünschen uns heute einerseits mehr Zeit für Entspannung und Ruhe, andererseits können wir Stille oft kaum aushalten, weil sie uns mit unangenehmen Gedanken und Gefühlen konfrontiert, die wir sonst gerne verdrängen. Das können Schuldgefühle sein, Reue, Verunsicherung oder Selbstzweifel. Und so lenken wir uns wieder mit vielen Aktivitäten ab. Wie gut, wenn man jemanden an seiner Seite hat, vor dem man wirklich ehrlich sein kann!

Dieser Jemand möchte Jesus Christus sein. Er ist der »gute Hirte«, der sein Schaf zu stillen Wassern führt. Er schreckt nicht zurück, wenn wir ihm unsere »Leichen im Keller« zeigen. Er hat keine Angst vor unseren dunklen Gedanken und ist auch nicht enttäuscht, wenn er unsere bösen Seiten kennenlernt. Er kennt sie ja bereits und ist dafür ans Kreuz gegangen. Er weiß genau, was alles im Dunkeln schlummert, was wir verdrängen und zu verstecken suchen. Ihm dürfen wir unsere Schuld bekennen. Seine Vergebung nimmt es uns alles ab, sodass wir aufatmen und befreit weitergehen können.

In Jesu Gegenwart erlebe ich *#metime* als wirklich wohltuend. Alleine mit Jesus genieße ich seine Fürsorge und Nähe. Und manchmal singe ich dann auch mit frohem Herzen das alte Lied: »Nun leb ich in Christus für Christus allein, / sein Wort ist mein leitender Stern. / In ihm hab ich Fried und Erlösung von Pein, / meine Seele ist selig im Herrn.« *spi*

? Was für Gedanken kommen Ihnen, wenn Sie mal ganz alleine sind?

! Gott kann man in der Stille besser begegnen als im Trubel.

1. Könige 19,11-13

**Dann öffnete er ihnen den Sinn dafür,
die Schriften zu verstehen.**
Lukas 24,45

Der Stein von Rosette

Die Hieroglyphen waren für ihre Betrachter lange Zeit ein Buch mit sieben Siegeln. Niemand konnte diese kunstvollen Zeichen auf Tempelwänden oder Papyrusblättern entziffern. Handelte es sich überhaupt um eine Schrift? War es eine Bilderschrift oder eine Buchstabenschrift? All dies blieb offen, bis heute vor 200 Jahren, am 27. September 1822, der Franzose Jean-François Champollion sein System zur Entzifferung der Hieroglyphen vorstellte. Schon früh hatte Champollion ein starkes Interesse an der alten Hochkultur am Nil entwickelt. Über Jahre hinweg befasste er sich mit antiken Schriften und damit auch mit den Hieroglyphen; er blieb aber bei deren Enträtselung lange ohne Erfolg.

Den Durchbruch verdankte er schließlich einem archäologischen Glücksfall. Während Napoleons Ägyptenfeldzug wurde 1799 bei dem Ort Rašīd (Rosette) der sog. *Stein von Rosette* gefunden. Dieser wies drei unterschiedliche Schriften auf: Hieroglyphisch, Demotisch und Altgriechisch. Durch den Abgleich der lesbaren (griechischen und demotischen) Textteile mit den Hieroglyphen konnte Champollion nach und nach eine detaillierte Übersetzung dieser fremden Zeichen anfertigen und sich so deren Bedeutung erschließen.

Auch die Bibel erscheint vielen heute wie ein Buch mit sieben Siegeln. Sie ist zwar nicht mit Hieroglyphen geschrieben, dennoch halten viele sie für unverständlich. Dabei birgt sie nichts weniger als den Schlüssel zum ewigen Leben. Weil Gottes Weisheit unsere jedoch bei Weitem übersteigt, benötigen wir Verständnishilfe. Anders als Champollion ist man dabei aber nicht auf einen Glücksfall angewiesen. Wer Gott ehrlich bittet, ihm seine Botschaft aufzuschließen, den lässt er sicher nicht unwissend.

mm

Wie wichtig ist Ihnen das Verständnis der Bibel?

Auch dafür muss man Mühe aufwenden. Aber sie lohnt sich.

1. Johannes 5,20

**Dies alles ist aber geschehen,
damit die Schriften der Propheten erfüllt werden!**
Matthäus 26,56

Der Halleysche Komet

Heute vor 800 Jahren war der Halleysche Komet für 35 Tage über Ostasien sichtbar. Dies berichten Zeugnisse jener Zeit aus China, Japan und Korea. Die historische Beschreibung dieses Phänomens ist erstaunlich genau. Das sichtbare Zentrum dieses Himmelskörpers war danach etwa halb so groß wie der Mond und weiß, die Strahlen rot.

Seinen Namen verdankt der Halleysche Komet allerdings einem Mann, der viel später lebte: dem Astronomen Edmond Halley (1656–1742). Dieser verglich historische Schilderungen von Kometensichtungen. Er erkannte, dass das Erscheinen dieses Kometen bereits 1682, 1607 und 1531 beschrieben worden war. Aus den Zeitabschnitten folgerte er, dass diese Erscheinung rund alle 75 Jahre auftrat. Hieraus berechnete er, dass der Komet im Jahre 1758 wiederkehren würde. In der Tat konnte am 25. Dezember 1758 – Halley war zu diesem Zeitpunkt schon tot – der sächsische Wissenschaftler Johann Georg Palitzsch den Kometen mit eigenen Augen sehen. Das genaue Voraussagen dieses himmlischen Ereignisses war eine bahnbrechende Neuerung. Sie gründete sich auf dem, was Jahrhunderte zuvor von anderen beobachtet und dokumentiert worden war. Und Halley war der Erste, der die richtigen Schlüsse aus »den Schriften« zog.

In noch viel stärkerer Weise bestätigt die Bibel ihre historische Verlässlichkeit. Wer sich mit ihr beschäftigt, erkennt, dass z. B. die Menschwerdung des Gottessohnes in den prophetischen Schriften mit großer Liebe zum Detail überprüfbar vorausgesagt worden ist. Schenkt man der Bibel Glauben, dann erkennt man auch, dass sie die Zukunft der Menschheit voraussagt. Der Sohn Gottes wird zu einem bestimmten Zeitpunkt wieder erscheinen, um die Menschheit zu richten. *mm*

Was ist die Voraussetzung, um zu einer so genauen Festlegung der Zukunft fähig zu sein?

Nur der allmächtige und allwissende Gott kann das. Deshalb sollten wir ihn ernst nehmen bezüglich allem, was er uns mitteilt.

Apostelgeschichte 1,6-14

**Denn ihr seid um einen Preis erkauft worden.
Verherrlicht nun Gott mit eurem Leib.**
1. Korinther 6,20

Äthiopische Kreuze

Die Äthiopisch-Orthodoxe Kirche hat viele eigenständige Kunstwerke. Davon sind wohl die verschiedenartig verzierten Kreuze am bekanntesten. Diese »Segnungskreuze« haben am unteren Teil des Stiels weitere Verzierungen, die an den Bart eines Schlüssels erinnern.

Sobald ich ein solches Segenskreuz sehe, muss ich daran denken, dass der Herr Jesus Christus mit seinem Kreuzestod den Gläubigen nicht nur das ewige Leben schenkte, sondern uns auch mindestens zwei Schlüssel gegeben hat, um zu Gottes Ehre zu leben.

Den ersten Schlüssel zeigt uns der Apostel Paulus im ersten Brief an die Gemeinde in Korinth: »Ob ihr nun esst oder trinkt oder irgendetwas tut, tut alles zur Ehre Gottes« (1. Korinther 10,31). Wir sollen alle Tage, und zwar jeweils den ganzen Tag, zur Ehre Gottes handeln, nicht nur während unserer kurzen morgendlichen Besinnung. Das ist doch eine klare Verpflichtung, uns voll einzusetzen und mit Begeisterung unsere Aufgabe zu erfüllen, wie groß oder gering diese auch immer in den Augen der Menschen erscheinen mag. Mit diesem Schlüssel können wir die Schatzkammer göttlicher Hilfe öffnen, deren Schätze wir dann zu seiner Ehre für die uns anvertrauten oder nahestehenden Menschen verwenden dürfen.

Der zweite Schlüssel zu einem erfüllten und auch beispielhaften Leben in dieser Welt liegt in der Aufforderung von Kolosser 3,15: »Seid dankbar!« Das gilt auch für alles und für immer. Denn wenn unser liebender Vater uns etwas schickt, kann es nur zu unserem Guten sein, auch wenn wir es oftmals nicht oder nicht gleich einsehen können. Jemand, der seinen Sohn für uns hat sterben lassen, kann uns nichts Nachteiliges schicken, zumal er doch auch allmächtig ist und alles kann.

mgr

? Was sieht Ihre Umwelt bei Ihnen?

! Zu Schlüsseln werden die Kreuze nur, wenn wir an den glauben, der am Kreuz für uns starb.

Philipper 4,4-9

Ich bin das Brot des Lebens.

Johannes 6,38

Der Marmeladenbrot-Junge

2004 machte ein damals 15-jähriger Teenager aus London Schlagzeilen wegen seiner ungewöhnlichen Essgewohnheiten: Seit seinem vierten Lebensjahr aß er nichts außer Marmeladenbrot. Ihm würde übel werden, falls er etwas anderes esse, gab er stets zur Antwort, wenn man ihn nach dem Grund fragte. Er verschmähte nicht nur Gesundes wie Gemüse oder Obst, sondern aß auch keine Pizza, keine Pommes, keine Pasta, weder Wurst noch Käse. Das Einzige, was er aß, war Brot mit Zucker, später nur noch mit Marmelade. Marmeladenbrot-Junge wurde er daher genannt.

Jesus vergleicht sich in unserem Tagesvers mit dem Grundnahrungsmittel Brot, um uns die Wichtigkeit seiner Person zu veranschaulichen. Brot kann man eigentlich immer essen: zum Frühstück, wenn es schnell gehen muss, auch zum Mittagessen und als Abendbrot. Mit den entsprechend unterschiedlichen Belägen ist Brot sehr vielseitig und auch gesund. Jesus sagte nicht, er sei die Sahnetorte, die man sich nur sonntags gönnt, oder ein Burger, den man nicht allzu oft essen sollte. Nein, Jesus ist wie das tägliche Brot. Wir brauchen ihn jeden Tag – nicht nur sonntags oder zu besonderen Anlässen. Brot ist Mittel zum Leben, ein »Lebensmittel« im wahrsten Sinn des Wortes. Genauso grundlegend und unersetzlich ist Jesus für uns. Nur durch ihn bekommen wir ewiges Leben.

Man kann in seiner Ernährung auf vieles verzichten, aber Brot ist essenziell, um Kraft für den Tag zu schöpfen. Genauso nötig haben wir Jesus Christus – und zwar jeden Tag. Denn ohne ihn bleiben wir schwach und kraftlos als Christen. Aber genauso wie ein Brot dem Hungrigen nur nutzt, wenn er davon isst, so müssen wir täglich zu Jesus kommen, um ihn als »Brot des Lebens« persönlich zu erfahren. *dbe*

? Was bedeutet Jesus für Sie?

! Nur wer Jesus hat, hat das Leben (1. Johannes 5,12).

Johannes 6,32-51

Ich bin der Erste und bin der Letzte, und außer mir gibt es keinen Gott. Und wer ist wie ich? Er rufe und verkünde es und lege es mir dar!

Jesaja 44,6-7

Ein Mann aus gutem Hause

Wissen Sie, was ein Harmonium ist? Kaum jemand kennt so etwas noch. Ein Harmonium ist ein blasebalgbetriebenes Tasteninstrument, so etwas wie eine Hausorgel. Ein solches Harmonium ließ sich der junge Max Planck von seinen Eltern auf die Studentenbude stellen. Darauf spielte er, so oft sein Physikstudium ihm die Zeit dazu ließ, und zwar häufig Kirchenlieder. Nach dem Abitur hatte er sogar eine Zeit erwogen, Musik zu studieren, doch schließlich blieb er bei Physik, und der Menschheit wurde einer der bedeutendsten Physiker geschenkt.

Max Planck stammte, wie man so sagt, aus guter Familie, aus der schon bedeutende Personen hervorgegangen waren. Nach 1900 beschäftigte er sich intensiv mit der Wärmestrahlung, was zu der berühmten Quantentheorie führte, die Niels Bohr und Albert Einstein bei ihren eigenen Forschungen erfolgreich nutzen konnten. Im Jahr 1919 erhielt er den Nobelpreis. Weitere Ehrungen folgten, und nach ihm wurden die staatlichen Forschungsinstitute seit 1948 Max-Planck-Institute genannte, aus denen viele Nobelpreisträger hervorgingen.

Überliefert von ihm ist das folgende Zitat: »So sage ich nach meinen Erforschungen des Atoms dieses: Es gibt keine Materie an sich. Alle Materie entsteht und besteht nur durch eine Kraft, welche die Atomteilchen in Schwingung bringt und sie zum winzigsten Sonnensystem des Alls zusammenhält. Da es im ganzen Weltall aber weder eine intelligente Kraft noch eine ewige Kraft gibt ... so müssen wir hinter dieser Kraft einen bewussten intelligenten Geist annehmen. Dieser Geist ist der Urgrund aller Materie. ... so scheue ich mich nicht, diesen geheimnisvollen Schöpfer ebenso zu benennen, wie ihn alle Kulturvölker der Erde früherer Jahrtausende genannt haben: Gott!« *koh*

Welche Einsicht und Konsequenz ziehen Sie aus dem Anschauen der Materie?

Man muss kein Physik-Genie sein, um zu erkennen, dass es einen Schöpfer gibt.

Jesaja 44,6-8

Meine Schafe hören meine Stimme, und ich kenne sie, und sie folgen mir.

Johannes 10,27

Mein Auto kennt mich ...

Mein Auto kennt mich. Wenn ich ihm ganz nahe komme, kann ich die Türen öffnen und den Motor starten. Und das alles, ohne irgendeinen Schlüssel in die Hand zu nehmen oder irgendetwas anzustecken. Ich berühre den Griff, öffne und fahre los. Das ist eine ganz wunderbare Erfindung. Meine Tochter ist immer verwundert darüber. Neulich sagte sie mir: »Papa, ich will es jetzt auch mal probieren, die Tür aufzumachen. Das Auto muss mich doch jetzt langsam kennen.« Auf meine Gegenfrage antwortet sie: »Ich fahre jetzt immer so oft mit zur Schule und stehe so oft vor der Tür, da muss es mich doch jetzt auch kennen.« Darauf sagte ich ihr dann: »Stell dir vor, ein Dieb steht jetzt jeden Tag vor dem Auto. Das Auto würde ihn dadurch kennenlernen und irgendwann die Türen öffnen. Das wäre doch schlecht, oder?« Und dann erklärte ich ihr, dass ich einen kleinen Funkschlüssel bei mir trage und dieser Schlüssel dem Besitzer das Fahrzeug öffnet.

Es gibt einen einzigen Schlüssel zum ewigen Leben und zum Himmel. Er heißt Jesus Christus. Ihn muss man haben. Man kann jahrelang in einer Kirche oder einem anderen Gotteshaus sitzen und dennoch den Himmel verschlossen vorfinden. Der Herr Jesus lässt sich auch durch Taufscheine, Mitgliedsausweise, gute Taten oder Einhalten bestimmter Regeln nicht ersetzen. Es gibt nur einen Weg, den Herrn Jesus zu bekommen: ihm erstens die Sünden bekennen und sich von ihm reinigen lassen. Zweitens muss man ihn aufrichtig bitten, die Herrschaft über das eigene Leben zu übernehmen. Gott gibt uns dann den Heiligen Geist, der uns fortan gestaltet und verändert. Und dazu ist allein Jesus der Schlüssel, der dann schließlich auch an der »Himmelspforte« tatsächlich passt und uns dort den Eintritt ermöglicht. *mn*

? Haben Sie schon den richtigen Schlüssel für das Leben nach dem Tod?

! Nehmen Sie Jesus in Ihr Leben auf!

Epheser 1,7-14

Dies redete Jesus und hob seine Augen auf zum Himmel und sprach: »Vater, die Stunde ist gekommen. Verherrliche deinen Sohn, damit der Sohn dich verherrlicht.«

Johannes 17,1

Die Herrlichkeit des Todes

In diesen Tagen erleben wir wie jedes Jahr ein herrliches Naturschauspiel. Die Blätter der Bäume erstrahlen in wunderschönen Farben. Die Palette reicht von saftig grün über leuchtend gelb und feurig orange bis hin zu Rot- und Brauntönen. Wenn meine Frau und ich auf Spaziergängen oder Wanderungen diese Pracht sehen, sind wir einfach begeistert, und immer wieder verwenden wir dann das Wort »herrlich«. In Wahrheit sind all diese herrlichen Blätter aber gerade im Begriff zu sterben! Eine korkartige Trennschicht zwischen Blattstiel und Zweig unterbindet allmählich die Wasserversorgung und schließlich stirbt das Blatt ganz ab.

Warum hat Gott das so eingerichtet? Warum hat er dieses Sterben so »herrlich« gemacht? Warum freuen wir uns über diese sterbenden Blätter? Kann es sein, dass er uns jedes Jahr aufs Neue auf das Sterben seines Sohnes hinweisen will? Kann es sein, dass er uns zeigen möchte, welch große Freude das Sterben Jesu für uns bedeutet? Und welche »Herrlichkeiten« damit verbunden sind?

Jesus sprach die Worte unseres Tagesverses direkt vor seiner Verhaftung. Die Stunde war gekommen! Wenig später sollte er einen grauenvollen Tod am Kreuz sterben. Aber dieser Tod war »herrlich«. Er verherrlichte Gott, wie es im Vers oben heißt, weil dadurch endgültig klar wurde, wie sehr Gott die Menschen liebt – nämlich so sehr, »dass er seinen eingeborenen Sohn gab, damit jeder, der an ihn glaubt, nicht verloren geht, sondern ewiges Leben hat« (Johannes 3,16). Der Tod Jesu war kein Unfall, sondern Gottes genialer Plan, um uns zu retten. Wenn ich darauf vertraue, dass Jesus dort auch meine Schuld getragen hat, kann ich Vergebung und ewiges Leben empfangen und ein neues Leben mit ihm beginnen. Herrlich!

sh

? Haben Sie schon über die sterbenden Blätter gestaunt?

! Beschäftigen Sie sich mit dem Sterben Jesu!

Matthäus 27,45-54

Welttier-
schutztag

4. Okt. 22

Dienstag

**Und Gott schuf den Menschen in seinem Bild,
im Bild Gottes schuf er ihn.**

1. Mose 1,27

Ein Kind wie einen Hund erziehen?

Der Aufschrei war groß: Schon bevor die Sendung »Train your baby like a dog« im Januar 2021 ausgestrahlt wurde, wurde eine Petition ins Leben gerufen, die einen Ausstrahlungsstopp von RTL forderte. In der Sendung hilft die Hundetrainerin Aurea Verebes ratlosen Eltern mit eher ungewöhnlichen Erziehungsmethoden: Mit Leckerlis und Klickern sollen die Kinder passend konditioniert (eingestellt) werden. Mit Himbeeren, Umarmungen oder Klickgeräuschen sollen kleinen Kindern Aggressivität ab- und gewünschte Verhaltensweisen angewöhnt werden.

In zahlreichen Beschwerden wurde deutlich, was viele Menschen an solch einem Experiment stört: »Kinderseelen« seien »Menschen mit Würde« und nicht mit Hunden gleichzusetzen, schrieben einige Petitionsunterstützer. Selbst wenn tierische Belohnungsmechanismen bei Kleinkindern funktionieren, spüren viele Menschen intuitiv, dass derlei Methoden bei einem Menschen nicht angemessen sind. Doch auf welcher Basis wird dies eigentlich begründet? Rein evolutionär betrachtet sind Menschen angeblich lediglich höhere Säugetiere und Babys und Kleinkinder demnach lediglich Wesen, die in ihrer späteren Entwicklung mehr kognitive Fähigkeiten als Hunde besitzen werden.

Im christliche Menschenbild hingegen hat jeder Mensch, egal welchen Alters, einen unveräußerlichen Wert und eine besondere Rolle in Natur und Welt. Als »Krone der Schöpfung« und »Ebenbild Gottes« tragen Menschen eine Art »göttlichen Funken« in sich: Wesensmerkmale und Sehnsüchte, die auf ihren Schöpfer hinweisen. Diese Perspektive hilft, sich selbst und seine Mitmenschen nicht als bloße trieb- und belohnungsgesteuerte Wesen zu begreifen und sich gegenseitig in Achtung und Liebe zu begegnen. *slü*

Welchen Umgang erwarten Sie für sich selbst und Ihre Kinder?

Betrachten Sie Ihre Mitmenschen heute ganz bewusst als wertvolle und besondere Geschöpfe!

Psalm 139,1-16

Wie kam es, dass die Prostituierte Rahab vor dem Verderben bewahrt blieb, das über Jericho hereinbrach? Der Grund dafür war ihr Glaube.

Hebräer 11,31

Eine Hure findet Gnade

Die Kanaaniterin Rahab lebte etwa um 1400 v. Chr. in Jericho. Zu dieser Zeit war kultische Prostitution, die bei kanaanitischen Fruchtbarkeitsriten ausgeübt wurde, weit verbreitet. Im Dienste dieser Gottheiten, z. B. der Astarte oder des Baal, prostituierten sich Frauen und auch Männer für die Tempelbesucher. Für das israelitische Volk war Hurerei streng verboten (5. Mose 23,18). Trotzdem schrieb Gott mit der Hure Rahab Geschichte. Sie versteckte israelitische Kundschafter in ihrem Haus und half damit dem Volk Israel, Jericho zu erobern und das Land Kanaan einzunehmen. Sie wurde zu einem besonderen Werkzeug in Gottes Plan.

Warum gerade sie? Warum diese Frau, die einen für Gott inakzeptablen »Beruf« ausübte und menschlich gesehen völlig unpassend war? Rahab hatte von den Wundertaten des Gottes der Israeliten gehört und glaubte an ihn. Sie war bereit, diesem Gott zu gehorchen und den Götzen ihres Volkes den Rücken zu kehren. Sie vollzog innerlich und später auch äußerlich eine komplette Wende. Und obwohl Gott dem Volk Israel vor der Eroberung Kanaans befohlen hatte, keine Gnade mit den Bewohnern zu haben, keinen Bund mit ihnen einzugehen und sich nicht mit ihnen zu verbinden (5. Mose 7,1-5), wurden Rahab und ihre Familie verschont.

In der Geschichte der Rahab leuchtet Gottes gnädiges Wesen auf. Er selbst fügte es, dass Rahab später den Israeliten Salmon heiratete. Aus dieser Linie ging vier Generationen später der König David und Jahrhunderte später Jesus Christus hervor. Rahab, die Prostituierte, wurde also zur »Stammmutter« des Messias! Ihr früheres, sündiges Leben spielte keine Rolle mehr, und noch heute können wir von ihrem vorbildlichen Glauben in der Bibel lesen. Das ist Gnade! *dbe*

Wie schätzen Sie Gottes Interesse an Ihnen ein?

Niemand ist zu weit von Gott und seiner Gnade entfernt, um nicht eine neues Leben anfangen zu können.

Josua 2

Aus den Tiefen rufe ich zu dir, HERR.
Psalm 130,1

Aus den Tiefen

Oscar Wilde (1854–1900) war eine künstlerische Symbolfigur seiner Zeit, genial in vielerlei Hinsicht, intellektuell wie stilistisch brillant. Wegen seiner Verwicklung in Perversionen endete sein Leben als Desaster. Verarmt, gesellschaftlich geächtet und getrennt von seiner beeindruckenden Frau und seinen beiden Söhnen, starb er mit 46 Jahren, nach Aussagen seines Freundes Robert Ross an Syphilis. Aus der Gefängnishaft, zu der er wegen Verstrickung in homosexuelle Prostitution verurteilt wurde, schrieb er: »Die Götter hatten mir fast alles gegeben. Ich hatte Genie, einen bekannten Namen, eine hohe gesellschaftliche Stellung, Brillanz und intellektuelle Kühnheit. ... Doch neben diesen Dingen gab es noch anderes in meinem Leben. ... Was mir das Paradox auf dem Gebiet des Denkens war, das wurde mir die Perversion auf dem Gebiet der Leidenschaft. Begierde wurde schließlich eine Krankheit oder ein Wahnsinn oder beides. Ich wurde rücksichtslos gegenüber dem Leben anderer. Ich pflückte mir Vergnügen, wo ich wollte, und ging achtlos weiter. Ich vergaß, dass jede kleine Handlung des Alltags den Charakter formt und zerstört und dass deshalb das, was man im Geheimen getan hat, eines Tages laut von den Dächern gerufen wird ... ich endete in furchtbarer Schande.«

Die Abhandlung, dem dieses erschütternde Eingeständnis entnommen ist, trägt den Titel: »De profundis« – zu deutsch: »Aus den Tiefen«. Der Schriftsteller übernimmt hier den Beginn des Psalm 130 und veranschaulicht, in welche Tiefen die Verstrickung in Sünde führt. Leider hat Oskar Wilde nicht verinnerlicht, was der Psalmist weiter schrieb: »Wenn du, Ewiger, Sünden anrechnest, Herr, wer kann vor dir bestehen? Doch bei dir ist Vergebung, damit man Ehrfurcht vor dir hat.«

ga

Wo und wie äußert sich bei Ihnen Verstrickung in Sünde?

Jesus Christus kann Sünden vergeben und von der Macht der Sünde befreien.

Psalm 130

Freitag

7. Okt. 22

Ich habe eure ganze Schuld vergeben;
sie ist verschwunden wie der Nebel vor der Sonne.
Wendet euch mir zu, denn ich werde euch befreien.

Jesaja 44,22

Nebelschwaden

Vielleicht haben Sie dieses Naturschauspiel schon einmal selbst erlebt: wolken- und nebelverhangene Berge im frühen Morgengrauen. Man steht im dichten Nebel, doch langsam steigt die Sonne über den Bergen empor. Die Nebelschwaden schwinden, es wird immer heller und die Sicht freier. Übrig bleibt ein klarer Blick auf eine wunderschöne Landschaft, die einen vor Ehrfurcht staunen lässt. Wenn der Nebel noch dicht in den Tälern hängt, kann man sich kaum vorstellen, dass er komplett verschwinden könnte. Doch die Sonne hat so eine Kraft, dass auch der dichteste Nebel weichen muss.

Bräuchten wir nicht auch so einen Sonnenaufgang in unserem Leben? Gibt es da nicht viele dicke Nebelschwaden? Schlechte Gewohnheiten, sündiges Verhalten, unvergebene Schuld? Diese Nebelschwaden verbergen unsere klare Sicht, sie trüben unseren Blick auf unser Leben, unsere Beziehungen und darauf, wer wir wirklich in Gottes Augen sind. Die Nebelschwaden trennen uns von Gott.

Doch das ist kein Zustand, der dauerhaft so bleiben muss. Es gibt Hoffnung auf Licht in unserem Leben. Auch wenn wir schon lange im Nebel umhertappen und denken, dass er sich nie verziehen könnte: Unser Vater im Himmel sieht voll Liebe auf uns. Er hat den Preis für unsere Schuld bezahlt, indem er in Jesus Christus Mensch wurde, für uns ans Kreuz ging und den Tod besiegte. Folglich dürfen wir uns voller Vertrauen unserem himmlischen Vater zuwenden. Wir dürfen ihn um Vergebung bitten, wo wir schuldig geworden sind und seine Vergebung annehmen. Wenn wir das tun, verspricht er uns, hell in unser Leben zu scheinen. Unsere Schuld und noch manches andere werden verschwinden wie der Nebel in der Sonne, und unsere Sicht wird endlich klar werden.

ahe

? Wo gibt es in Ihrem Leben Nebelschwaden, die Ihre klare Sicht auf die Wahrheit trüben?

! Lassen Sie Gottes Licht in Ihr Leben strahlen!

Johannes 12,46-50

Da bildete Gott der HERR den Menschen, Staub von der Erde, und blies den Odem des Lebens in seine Nase, und so wurde der Mensch eine lebendige Seele.

1. Mose 2,7

Den Schöpfungsbericht wörtlich nehmen?

Wer heute noch die ersten Kapitel der Bibel mit dem Schöpfungsbericht, Adam, Eva und dem Sündenfall wörtlich nimmt, gilt selbst in christlichen Kreisen mittlerweile als Außenseiter. Viele Christen haben sich längst mit der Evolutionstheorie abgefunden. Die Entstehung des Lebens versucht man nun, folgendermaßen zu erklären: So wie in Samen- und Eizelle alle Informationen des daraus entstehenden Menschen enthalten sind, so hat Gott in die sogenannte »Urzelle« die Informationen für die gesamte Evolution vom Einzeller bis zum Menschen hineingepackt. Das klingt offenbar einleuchtender als die Geschichte mit Adam aus dem Erdenkloß und Eva aus der Rippe Adams. Ganz zu schweigen von der sprechenden Schlange im Paradies, die Eva dazu verführte, von der verbotenen Frucht zu essen.

Aber das eigentliche Problem liegt auf einer anderen Ebene. Nach Aussagen der Bibel ist der Tod eine Folge des Sündenfalls, während in der Evolutionstheorie mit dem Aussterben des Schwächeren der Tod von Anfang an eine wichtige Rolle spielt. Und hätte der Sündenfall mit Adam und Eva gar nicht stattgefunden, wäre das ganze Erlösungsgeschehen im Zusammenhang mit Jesus Christus ohne Bedeutung.

Geht es hier also nach dem Prinzip, dass nicht möglich ist, was nicht sein darf? Keineswegs. Entscheidend ist letztlich, wem oder was wir glauben können. Tatsächlich der Bibel, also letztlich Gott? Oder der Wissenschaft, die auf begrenzter menschlicher Erkenntnis beruht? Doch Letztere bringt auch Fakten zutage, die für das biblische Alter der Erde sprechen und beispielsweise auch eine weltweite Sintflut als möglich erscheinen lassen. Ist die Lösung nun ein Kompromiss zwischen beidem? Das klingt logisch, führt aber zu dem oben beschriebenen Konflikt. Ohne Glauben geht es eben nicht!

sg

Wie glaubwürdig ist die Bibel für Sie?

Es ist klug und richtig, ihr in allem einen Vertrauensvorschuss und Vorrang einzuräumen.

Psalm 33,6-22

Wenn du Gott etwas versprochen hast, zögere nicht, dein Versprechen einzulösen.
Prediger 5,3

Wort halten!

General von Viebahn erzählt von einem Besuch im Berliner Tiergarten, an dem er auch zur Luiseninsel kam. Sein Begleiter machte ihn auf einen wohlgekleideten älteren Herrn aufmerksam, der dort täglich zwischen 14 und 15 Uhr saß. Er war als junger Mann verlobt gewesen, aber seine Braut hatte die Verlobung aufgekündigt. Er schrieb ihr, sie möge doch zwischen zwei und drei Uhr zur Luiseninsel kommen, um sich mit ihm auszusprechen. Doch sie kam nicht, und nun kommt er schon seit dreißig Jahren täglich dorthin, um sie nicht zu verpassen.

Man kann das eine unerschütterliche Treue oder genauso gut auch eine schreckliche Verrücktheit nennen. Aber wie lange wartet Gott schon auf Sie? Und selbst wenn Sie an ihn glauben, wartet er vielleicht auch immer noch, dass Sie ihm endlich wirklich nachfolgen und tun, was er sagt.

Gott hat für alles gesorgt, was für eine gute Beziehung nötig ist. Das hat ihn sogar seinen Sohn gekostet, und nun wartet er, weil er Sie lieb hat und weil er weiß, wie es Ihnen geht, wenn Sie ihm nicht gehorsam sind. Vielleicht fallen Ihnen auch Versprechungen Ihrerseits ein, die Sie Gott gemacht haben, sei es bei der Konfirmation oder am Grab eines lieben Menschen, oder als es Ihnen seelisch oder körperlich gar nicht gut ging. Und jetzt wartet Gott darauf, dass Sie Ihr Versprechen endlich einlösen. Das tut er nicht, weil Sie *ihm* etwas geben könnten, sondern einzig deshalb, weil er *Sie* endlich segnen möchte.

Das erinnert uns auch daran, wie kostbar die wenigen Erdenjahre sind, die Gott uns zugeteilt hat; denn nur während dieser Zeit sind wir in der Lage, uns für oder gegen ihn zu entscheiden. Und wollen wir nicht alle gerne einmal in den Himmel kommen? *gr*

? Wie denken Sie darüber, wenn man Gott warten lässt?

! Gott gehorsam zu sein, bedeutet oft auch Glück für unsere Nächsten.

Lukas 15,11-24

Alle Züchtigung scheint uns zwar für die Gegenwart nicht Freude, sondern Traurigkeit zu sein; nachher aber gibt sie denen, die durch sie geübt sind, die friedvolle Frucht der Gerechtigkeit. Hebräer 12,11

Ihr Name ist »Pfui«

Nein, eigentlich ist ihr Name Carlotta. Ich rede von unserem Welpen, der im Alter von 10 Wochen bei uns eingezogen ist. Carlotta ist eine lebenslustige, freundliche und sehr neugierige kleine Mischlingshündin. Man darf sie jedoch keinen Augenblick aus den Augen lassen, weil sie immer Unsinn im Kopf hat. Dabei will sie uns nicht ärgern, sondern nur die Welt entdecken. Deshalb knabbert sie alles Unbekannte erst einmal an und probiert aus, wie es schmeckt, selbst wenn es sich um ein Stromkabel handelt. Weil wir Carlotta lieben und nicht möchten, dass ihr bei diesen Erkundungen etwas passiert, schimpfen wir mit ihr und rufen »Pfui«. Und das so oft, dass man wirklich meinen könnte, »Pfui« sei ihr Name.

So wie wir unseren Hund erziehen, indem wir ihm Grenzen setzen, so erzieht auch Gott seine Kinder. Gott hat uns seine Gebote nicht gegeben, weil er uns damit ärgern will, sondern weil er uns liebt. Gottes Gebote helfen uns, den richtigen Weg zu gehen, und sie schützen uns vor Gefahren. Allerdings hängt von ihnen nicht ab, ob wir gerecht vor Gott sind. Seine vollkommene Gerechtigkeit wird uns allein durch den Glauben an Jesus zugesprochen. Wenn wir gegen den Willen Gottes handeln, vergibt uns Gott, wenn wir unser Versagen vor ihm eingestehen. Gott liebt uns dann immer noch.

Was unsere Carlotta betrifft: Egal, wie oft sie uns das Klopapier zerfetzt oder ein Körbchen nach dem anderen zerstört, wir lieben sie trotzdem. Und so liebt uns Gott: Egal, wie oft wir versagen, er liebt uns trotzdem noch. Ich muss gestehen, dass ich es nicht immer schaffe, nach Gottes Gebrauchsanweisung, der Bibel, zu leben. Immer wieder bringe ich mich selbst in die Bredouille und bin deshalb so froh, dass Gott mir meine Schuld vergibt und mir immer wieder weiterhilft. *sst*

Wo haben Sie schon festgestellt, dass Sie von Gott erzogen werden?

Wer Gott folgt, dem geht es gut.

2. Mose 20,1-17

Solange ich meine Schuld verschwieg, wurde ich von Krankheit zerfressen, den ganzen Tag habe ich nur gestöhnt … Dann endlich bekannte ich dir meine Sünde … Und du – ja, du befreitest mich von der Last meiner Sünde. Psalm 32,3-5

Aus den Augen, aus dem Sinn

Es ist ein ganz normaler Tag in der Schule … Ich betreue die Ganztagsklasse am Nachmittag. Die Schüler müssen ihre Hausaufgaben erledigen und können sich bei Fragen an mich wenden. Patrick (Pseudonym) hat Schwierigkeiten bei den Matheaufgaben. Ich schaue drüber und weise ihn auf den Fehler hin. Trotzdem kommt er nicht so richtig auf einen grünen Zweig. Er ist genervt, hat keine Lust … Schließlich ist die Lernzeit um, und die Schüler müssen ihre Hausaufgaben wegpacken. Da Patrick nicht fertig geworden ist, bleibt ihm wohl nichts anderes übrig, als sich zu Hause noch mal dranzusetzen. Patrick ist kreativ und lässt sich etwas einfallen … Als die Kinder aus dem Klassenraum gelaufen sind, sehe ich im Fach unter Patricks Tisch – seine Matheaufgaben. Er hat sie in der Schule gelassen! Irgendwie schlau! So kann er einfach zu Hause erzählen, dass er fertig ist. Und sollte seine Mutter auf die Idee kommen, sich das anschauen zu wollen, kann er sagen: Ich habe sie in der Schule gelassen! Sie hat keinen Zugriff. Schlau!

Wirklich schlau? Oder doch einfach nur dumm?! Die Vermeidungsstrategie ist möglicherweise kurzfristig »erfolgreich«, aber langfristig sehr schädlich. Patricks Notenbild bestätigt das.

Weglaufen statt angehen. Wegschauen statt der Sache ins Auge schauen. Ein klassisches Phänomen – nicht nur bei Schülern. Auch wir Erwachsenen wollen Probleme nicht immer bearbeiten. Erst recht nicht, wenn es ungemütlich werden könnte. Und was ist, wenn es erst an die Substanz geht? An unser Innerstes? An unsere Schuld und Sünde? Wo wir fürchten, dass wir im Unrecht sein könnten!? Sollen wir das anpacken? Oder uns doch lieber eine »schlaue Ausrede« überlegen? Das wäre kurzfristig erfolgreich, aber langfristig sehr schädlich. *wd*

? Welches Problem schieben Sie lieber weg – aus den Augen, aus dem Sinn?

! Seien Sie mutig und packen Sie es an! Auch das, wovon der Tagesvers spricht.

Psalm 32

Ich dachte, ihr würdet mich nun Vater nennen, euch nie wieder abwenden von mir.
Jeremia 3,19

Vatergefühle

Heute vor zwei Jahren wurde unser erstes Kind geboren. Vater zu sein, ist für mich eines der größten und schönsten Dinge überhaupt. Das erste Lächeln des Kindes, die ersten Schritte, das erste Wort – all das sind unvergessliche Erlebnisse. Die Liebe, die man zu seinem eigenen Kind hat, ist schwer in Worte zu fassen. Es ist eine bedingungslose Liebe. Das Kind muss nichts leisten, um geliebt zu werden, man liebt es einfach. Man möchte nur sein Bestes. Das Schlimmste wäre für mich, wenn mein Kind mir nicht vertrauen würde oder keinen Kontakt mit mir haben möchte.

Diese Vatergefühle kommen nicht von ungefähr, Gott hat sie in uns hineingelegt. Er ist der vollkommene Vater im Himmel, von dem sich jede andere Vaterschaft ableitet (vgl. Epheser 3,14-15). Damit wir besser verstehen können, wie er für uns empfindet und über uns denkt, lässt er uns gewissermaßen in seine Rolle schlüpfen.

Seit ich selbst Vater bin, ist mir Gottes bedingungslose Liebe noch viel kostbarer geworden. Ich verstehe ein bisschen besser, dass ich nichts tun kann, damit Gott mich mehr liebt, und auch nichts, damit Gott mich weniger liebt. Es ist mir klarer geworden, dass er nur mein Bestes will und dass die Herausforderungen in meinem Leben einen Sinn haben – sonst würde mein allmächtiger, liebender Vater sie nicht zulassen. Und ich kann etwas besser erahnen, wie sehr es Gott das Herz brechen muss, wenn die meisten Menschen nichts mit ihm zu tun haben wollen, weil sie meinen, er möchte ihnen das Leben verleiden. Kein aufrichtiger Vater möchte das, und schon gar nicht der vollkommene Vater im Himmel! Gott hat vielmehr eine tiefe Sehnsucht danach, dass wir ihn Vater nennen und auch so behandeln. *sh*

Was hindert Sie daran, Gott so zu vertrauen wie ein Kind seinem Vater?

Wer den Allmächtigen zum Vater hat, lebt in Ruhe und Sicherheit.

Johannes 1,12-13

Und als er sich näherte und die Stadt sah, weinte er über sie.

Lukas 19,41

Eine verhängnisvolle Flucht nach Mexiko

Als im Februar 2021 eine Kältewelle das Leben und Wohlergehen von Millionen von Texanern gefährdete, traf der republikanische Senator Ted Cruz eine verhängnisvolle Entscheidung: Er flog mit seinen beiden Töchtern ins warme Mexiko, damit diese sicher seien, so Cruz später. Während die 29 Millionen Einwohner von Texas unter andauernder extremer Kälte, tagelangem Stromausfall und mangelnder Wasserversorgung litten, nutzte Cruz seine privilegierte Position, um sich in Sicherheit zu bringen. Besonders pikant: Kurze Zeit vorher forderte er die Bevölkerung in einem Interview auf, »einfach zu Hause zu bleiben und ihre Kinder zu umarmen«.

Als Fotos von ihm am Flughafen auf Twitter auftauchten, durchzog ein Sturm der Entrüstung das Internet. Viele Kommentatoren warfen Cruz Heuchelei und Egoismus vor. Auch wenn Cruz an den Temperaturen nichts ändern konnte, fühlten sich viele Amerikaner in Zeiten größter Not von ihrem Senator im Stich gelassen. Die nachvollziehbaren Reaktionen zeigen auf, wie sehr sich Menschen Politiker wünschen, die die Probleme der Bürger nachempfinden können und nicht nur sprichwörtlich »über den Dingen schweben«. Selbst wenn Politiker nicht jedes Problem lösen können, vermittelt ihre Präsenz und ihr Mitleiden den Menschen Verständnis und Nähe.

Schon vor 2000 Jahren setzte Jesus ganz neue Maßstäbe in Sachen Führung und Leiterschaft: Er sprach nicht nur abstrakt von Nöten, sondern kam den Menschen nahe und weinte über ihr Leid. Und dann half er ihnen, weil er dazu fähig war. Seine Nähe und Hilfe kann noch heute trösten und uns Kraft und Zuversicht schenken, unser Vertrauen weiterhin auf ihn zu setzen bzw. damit überhaupt erst einmal anzufangen.

slü

Welche Menschen waren in Ihrem Leben glaubhaft und nahbar?

Jesus ist nicht nur nahbar, sondern auch fähig zu helfen, wenn wir ihn darum bitten.

Lukas 18,35-43

... dass du den Namen hast,
dass du lebst, und bist tot.
Offenbarung 3,1

»Gottstreu« und »Gewissenruh«

Wenn man am Oberlauf der Weser mit dem Auto entlangfährt, wird man zweimal stutzig – wegen dieser Ortsnamen: »Gottstreu« und »Gewissenruh«. Was hat es mit diesen bedeutungsschweren Ortsbezeichnungen auf sich?

Im Jahre 1722 (also vor 300 Jahren) nahm Landgraf Carl von Hessen-Kassel Waldenser auf und und siedelte sie im Wesertal an. Die Ortsnamen wählte der Landgraf selbst aus! (Waldenser waren Christen, die die Bibel als alleinigen Maßstab für ihr Glaubensleben erkannt hatten, aber später in Frankreich grausam verfolgt wurden.) Nun konnten ein paar Familien, die ihre Heimat und (fast) alles zurücklassen mussten, hier an der Weser ihren Glauben leben, wie ihr Gewissen es ihnen gebot, und sie haben sicherlich auch einen dankbaren Blick für Gottes Treue gehabt, der sie auf der Flucht bewahrt und ihnen hier einen Ort der Ruhe geschenkt hatte.

In Gottstreu haben wir als Familie kürzlich das Waldensermuseum besichtigt. Das harte, einfache Leben der Waldenser und die schreckliche Verfolgung werden hier dokumentiert. Auch konnten wir die Waldenserkirche im Dorf ansehen. Uns wurde gesagt, dass nur noch wenige Christen die Gottesdienste besuchen. So interessant das Museum ist: Ist es nicht schade, dass von einer lebendigen Glaubensbewegung von Menschen, die alles verlassen mussten, um ihren Glauben frei leben zu können (und doch ein reines Gewissen und Ruhe gefunden hatten), (fast) nur noch Mauern und Dokumente geblieben sind?

Was würden die Christen, die so viel Leid erduldeten, von der heutigen Generation halten? Ein museal erstarrter und verstaubter Glaube ist ein toter Glaube. Er nützt gar nichts. Nur der Glaube, der uns durch eine völlige Ausrichtung auf Gott erneuert, führt zum Leben. *mtz*

Welche Gedanken wären Ihnen bei der Führung gekommen?

Suchen Sie den lebendigen Glauben, der an einem lebendigen Gott hängt!

Offenbarung 3,1-6

Er gebe euren Herzen erleuchtete Augen, damit ihr seht, zu welch großartiger Hoffnung er euch berufen hat.

Epheser 1,18

Ich sehe was, was du nicht siehst

Heute ist der Tag des weißen Stockes. Gemeint ist der weiße Langstock, der blinden Menschen als Erkennungszeichen und Hilfsmittel dient, wenn sie im Straßenverkehr unterwegs sind. Der Aktionstag soll auf die Situation von blinden Menschen aufmerksam machen. Wir können uns kaum vorstellen, wie das ist, wenn man nichts sieht. Wer schon einmal im Dialogmuseum in Frankfurt war, der hat einen kleinen Eindruck davon bekommen. Schon allein zu essen, ohne zu sehen, was man auf dem Teller hat, ist eine komplizierte Sache.

Erstaunlich ist, wie blinde Menschen oft gute Wege finden, mit ihrer Behinderung umzugehen, und so ein selbstbestimmtes und erfülltes Leben zu führen. Oft ergreifen sie auch einen Beruf, mit dem sie trotz ihrer Einschränkung einen Beitrag zur Gesellschaft leisten können. Wenn man nichts sieht, so nimmt man viele Dinge nicht wahr, und man muss sich tastend und fühlend einen Überblick verschaffen.

Die Bibel sagt uns, dass wir alle blind sind, und zwar in Bezug auf Gott. Wir können ihn nicht sehen und auch die vielen geistlichen Wahrheiten nicht wahrnehmen. Und doch haben wir ein Gespür dafür, dass da etwas ist, was wir bedenken und beachten sollten. Im Epheserbrief schreibt Paulus, dass er dafür betet, dass Gott die Augen des Herzens erleuchten möge. Wenn wir Gott bitten, uns die Augen des Herzens zu öffnen, können wir die geistlichen Dinge sehen. Dann können wir Gott erkennen und sehen, zu welch einer großartigen Hoffnung, nämlich dem ewigen Leben, er uns berufen hat. In der Bibel wird uns mehrfach berichtet, wie Jesus blinde Menschen sehend gemacht hat. Das kann uns als Ansporn dienen, ihn darum zu bitten, uns von unserer geistlichen Blindheit zu befreien, sodass wir ihn erkennen können. *vb*

? Wie könnte man sich das vorstellen, mit den Augen des Herzens zu sehen?

! Bitten Sie Gott darum, dass er Ihnen die Augen des Herzens öffnet!

Johannes 9

Siehe, ich stehe an der Tür und klopfe an.
Offenbarung 3,20

Zimmer frei?

Eines schönen Tages klopft es an der Tür eines großen Hauses. »Wissen Sie vielleicht eine Unterkunft für uns?«, fragt ein verzweifelter Familienvater. »Uns genügen ein, zwei Zimmer. Hauptsache ein Dach über dem Kopf.« Der Hausbesitzer schaut an dem Mann vorbei, sieht die Kinder, die erschöpfte Frau mit dem Baby im Arm und sagt: »Kommt doch erst mal rein ...« Bei einer Tasse Kaffee erzählen die Wohnungssuchenden ihre Geschichte. Nach dem Kennenlernen macht der Gastgeber einen Vorschlag: »Ich bin so oft auf Geschäftsreisen, und in meinem Haus ist sehr viel Platz. Die Wohnung hat sieben Zimmer. Die stehen fast immer leer. Ihr dürft gerne hier bei mir einziehen. Ich überlasse euch das ganze Haus – mietfrei, aber unter einer Bedingung: Ein Zimmer soll für mich reserviert bleiben. Sobald ich mal wieder hier bin, reicht mir diese eine Stube.« Ungläubig schaut sich das Ehepaar an. Dieses Angebot verschlägt ihnen die Sprache: »Ist das wirklich wahr? Im Ernst?«

Und ja, der freundliche Hausbesitzer meint es wirklich ernst und macht es genau so, wie er es gesagt hat. So kommt es, dass kurz darauf die Familie bei dem großzügigen Wohnungsgeber einzieht.

Ein paar Monate später klopft es an demselben Haus. Der Besitzer ist zurückgekehrt. Er sieht, wie sich die Haustür einen Spalt weit öffnet. »Hallo! Na, geht es euch hier gut? Ich bin zurück, um in mein Zimmer ...« Aber die neuen Bewohner fallen ihm ungeniert ins Wort: »Nein. Das geht nicht. Das ist unser Hobbyraum geworden!«

Ein Zimmer steht für einen Tag. Sieben für eine Woche. Der Hausherr beansprucht das eine für sich – den Tag des HERRN. Wie unglaublich, wenn wir seinen Tag zum Hobbyraum umfunktionieren. Damit setzen wir den Geber aller Gaben vor die Tür ... *fe*

Kennen Sie von den den Zehn Geboten das vierte?

»Sechs Tage sollst du arbeiten ... aber der siebte Tag ist ... für den HERRN, deinen Gott.« (2. Mose 20,9-10)

Offenbarung 3,14-22

**Denn Gott hat seinen Sohn nicht in die Welt gesandt,
damit er die Welt richte,
sondern damit die Welt durch ihn gerettet werde.**

Johannes 3,17

Arche Noah

Der französische Maler Nicolas Poussin (1594–1665) hat ein Bild gemalt mit der Überschrift »Die Sintflut«. Es stellt das Schreckensszenario zu Beginn der Sintflut dar. Ein schreckliches Geschehen, was sich da den Augen bietet: In der Mitte des Bildes kentert ein Boot. Im Vordergrund versuchen sich Menschen, irgendwie zu retten. Sie halten sich an Brettern oder noch lebenden Tieren fest, die im Wasser schwimmen. Seitlich sieht man eine verzweifelte Mutter, die noch im Boot sitzt und versucht, ihr kleines Kind emporzuheben zu einem Mann, der auf einer Klippe liegt und dem Kind die Hand entgegenstreckt. Es geht einem zu Herzen, aber man spürt auch: Es ist einfach vergeblich. Nichts und niemand wird diesen Menschen noch helfen können. Über viele Jahre konnten sie beim Bau der Arche zusehen, sie konnten mit Noah reden, sich erkundigen, weshalb er so ein riesiges Schiff baut. Doch sie haben sich für einen anderen Weg entschieden. Nun war es für eine Rettung zu spät. Den, der sie retten konnte, haben sie abgelehnt. Und nun war die Arche verschlossen.

Auch heute steht die Menschheit vor solch einem Scheidepunkt. Auch heute ertönt noch der Ruf des Retters Jesus Christus, der möchte, dass alle Menschen umkehren und sich vor dem ewigen Verderben retten lassen, bevor es zu spät ist. Aber leider gehen die Menschen genau wie damals lieber ihrem Vergnügen nach oder rennen allen möglichen angeblichen Heilsbringern hinterher, als ob durch diese die Welt noch gerettet werden könnte.

Die Bibel sagt klar und deutlich: Wer Jesus hat, hat das Leben und kommt nicht ins Gericht (vgl. Johannes 5,24)! An diesen Jesus muss man sich klammern, seine Hand ergreifen und nie mehr loslassen. Nur dann wird man gerettet. Verpassen Sie diese Chance nicht! *rr*

? An was halten Sie sich fest?

! Rettung gibt es nur durch den von Gott gesandten Retter – Jesus Christus!

1. Johannes 5,10-13

**Wenn nun der Sohn euch frei machen wird,
so werdet ihr wirklich frei sein.**
Johannes 8,36

»Als Christ verpasst man etwas!«

Dieser Spruch ist ein Standardsatz, dem man häufig begegnet. Auch Sätze wie: »Ich glaube an Gott, aber sonntags in die Gemeinde/Kirche gehen, das ist nichts für mich«, oder: »Dann darf ich ja gar nichts mehr machen!« hört man häufig. Das Christsein wird dabei als »Spaßbremse« betrachtet, von dem man deshalb lieber Abstand hält. Doch ist das wirklich so? Und geht es im Leben etwa nur darum, Spaß zu haben? Ich möchte erklären, warum das freiwillige Leben mit Jesus Christus nicht einschränkt, sondern frei macht:

Im Zusammenhang der Aussage Jesu im Tagesvers geht es um Sünde, also um einen Zustand, der viel größere Probleme bereitet als zum Beispiel Langeweile. Denn das Übertreten der Gebote Gottes macht im Grunde alles kaputt, und solche, die dabei auch noch Spaß haben, werden am Ende bitter auskosten müssen, was sie gesät haben. Spätestens dann vergeht aller Spaß. Jesus wusste das. Und deshalb empfahl er den Menschen, dass sie sich an ihn wenden, um von der Sünde und ihren Folgen befreit zu werden. Das ist der erste Sinn und Zweck, wenn man Christ wird, d. h., völlig auf die Seite Jesu zu treten und sich ganz auf ihn und seine Rettung zu verlassen.

Das bedeutet, dass die Schuld weggenommen ist und das Verlangen, etwas zu erleben und Spaß zu haben, mich nicht mehr bestimmt. Seitdem der Herr Jesus in meinem Leben präsent ist, darf ich diese besondere Freiheit genießen. Aus Liebe zu ihm und aus Dankbarkeit für alles, was er für mich getan hat, versuche ich, mein Leben völlig nach ihm auszurichten. Das ist keineswegs langweilig und einschränkend, sondern spannend und erfüllend. Ich fühle mich geborgen und für ewig sicher und frei, so wie es der Tagesvers heute sagt. *gah*

? Die entscheidende Frage ist doch: Was verpasse ich, wenn ich mich nicht für Jesus entscheide?

! Wer das Christsein gering schätzt, zeigt im Grund, dass er sich selbst für wenig wert achtet.

Judas 10-21

Der, der uns einst verfolgte,
verkündigt jetzt den Glauben,
den er einst zu vernichten suchte.
Galater 1,23

Anders als gedacht

Saulus von Tarsus war ein fanatischer Verfolger der Christen. Er versuchte, ihren Glauben mit Stumpf und Stiel auszurotten. Doch nachdem der auferstandene Christus ihm begegnete war, wurde er ein leidenschaftlicher Verkündiger der Botschaft, die er einst bekämpfte.

Lord George Lyttleton und sein Cousin **Gilbert West** verabredeten sich, die Bibel zu widerlegen. Lyttleton wollte Beweise gegen die Bekehrung des Paulus zusammentragen, West gegen die Auferstehung Jesu Christi. Nachdem sie als Juristen alle verfügbaren Fakten geprüft hatten, mussten sie ehrlicherweise zugeben, dass die biblischen Berichte vertrauenswürdig sind. Lytteltons Buch bekam den Titel »Betrachtungen über die Bekehrung und die Apostelschaft von Paulus«. West erhielt für seine Untersuchung »Betrachtungen über die Geschichtlichkeit und Beweise der Auferstehung Jesu Christi« die Doktorwürde der juristischen Fakultät der Universität Oxford.

Albert Henry Ross war der Überzeugung, dass die Geschichte von Jesus »auf sehr unsicheren Grundlagen beruht«. Doch nach umfangreichen Recherchen kam er zu der Überzeugung, dass die Evangelienberichte zuverlässig sind, und schrieb unter dem Pseudonym Frank Morison das Buch »Wer wälzte den Stein?«. Das erste Kapitel trägt die Überschrift: »Das Buch, das sich weigerte, geschrieben zu werden«.

Ähnlich erging es **Lewis Wallace**, einem General und Gouverneur von New Mexico. Mit seinem Buch gegen die Glaubwürdigkeit der Evangelien kam er bis zum vierten Kapitel. Dann musste er einsehen, dass er sich im Irrtum befand. Er beugte seine Knie, tat Buße und vertraute auf Christus als seinen Herrn und Retter. Später schrieb er das Buch »Ben Hur«. Man sieht: Das Wort Gottes ist sich selbst der beste Beweis.

ga

? Warum ist es wichtig zu wissen, ob die Bibel historisch korrekt ist oder nicht?

! Wahrheit und Glaube gehören zusammen. Deshalb hält Gottes Wort aller Überprüfung stand.

Apostelgeschichte 22,3-16

Er wird sich erbarmen des Geringen und des Armen …

Psalm 72,13

Ich habe keinen mehr!

Wir versuchen jedes Jahr, ein paar Tage mit einem Bus der Barmer Zeltmission in der Fußgängerzone unserer Stadt zu stehen. Der Bus hat eine Bücherecke, eine Sitzecke und sogar eine Kaffeebar. Draußen vor den Bus stellen wir Tische und Sonnenschirme auf, um ohne Stress dort sitzen und mit Passanten reden zu können. An einer Seite des Busses gibt es einen Büchertisch.

Ich hatte die Betreuung am Büchertisch übernommen, als sich eine Frau zögernd näherte und die Bücher betrachtete. Ich stand am anderen Ende des Büchertisches und ging zwei Schritte auf sie zu. Das waren wohl zwei Schritte zu viel, denn schnell entfernte sie sich wieder. Schade. Zehn Minuten später stand sie wieder da. Und wieder geschah das Gleiche. Diesmal jedoch hatten wir, bevor sie ging, ein schüchternes Lächeln getauscht. Doch es gab noch ein drittes Mal. Als ich mich nun langsam auf sie zubewegte, blieb sie diesmal stehen. Auf meine Frage, ob ich ihr helfen könne, begann sie in Tränen auszubrechen. Und dann brach es aus ihr heraus: Sie war vor Jahren aus einem Staat im Osten in ein Dorf in der Eifel gezogen und hatte dort geheiratet. Ihre Schwiegermutter war ihre liebste und einzige Bezugsperson gewesen. Nun war sie gestorben, und sie hatte keinen mehr!

Da stand ich nun und war gefordert. Denn ich hatte ja einen Grund, da zu stehen. So erzählte ich ihr von Jesus, der unsere Nähe sucht und der gestorben und auferstanden ist, um uns neues Leben zu schenken und bei uns zu sein und uns nie mehr zu verlassen. Er will uns einen Frieden und eine Geborgenheit schenken, die über unser Verstehen geht.

Wir haben fast eine Stunde miteinander geredet, und danach ging sie zuversichtlich und gefasst und, wie mir schien, mit ein wenig Hoffnung im Herzen weiter. *bgr*

Wie fühlen Sie sich gerade?

Jesus selbst will Ihr Tröster sein. Scheuen Sie nicht die Begegnung mit ihm.

Johannes 4,1-42

**Im Anfang war das Wort,
und das Wort war bei Gott,
und das Wort war Gott.**
Johannes 1,1

Alles fängt mit einem Plan an

Niemand kauft Steine und Bretter und Dachpappe, wenn er damit nicht auch etwas bauen will; und niemand kauft alle möglichen Lebensmittel, wenn er damit nichts zu tun vorhat. Allem Tun der Menschen gehen Pläne voraus. So war es auch bei der Entstehung der Welt. Gott hatte einen Plan mit ihr. Und weil er unendlich viel größer als wir ist, konnte er jedem seiner Geschöpfe den Plan mit auf den Lebensweg geben, nach dem sie gebaut wurden. Dieser Plan ist sogar so raffiniert gemacht, dass er nahezu fehlerlos für die folgende Generationen abgeschrieben und weitergegeben werden kann. Wissenschaftler haben sogar angefangen, in diesen Plänen zu lesen, obwohl sie, entgegen ihren Behauptungen, noch nicht sehr weit gekommen sind. Denn niemand weiß, wie der Bauplan für den Seh- oder den Hörapparat und all die vielen anderen Organe und für deren Zusammenspiel zu lesen ist, und da fängt es doch erst an, interessant zu werden.

Wir einfachen Menschen können aber trotzdem daraus lernen, dass Gott ein planender Gott ist. Er hat nicht nur einen großartigen Plan für die Zellen unseres Körpers, sondern auch einen noch viel großartigeren Plan für unsere unsterbliche Seele. Denn Jesus Christus sagt uns in der Bibel, dass er für die an ihn Glaubenden im Himmel nicht nur eine fertige Wohnung geplant, sondern auch schon gebaut hat, und dass er uns dahin bringen will, wenn sein Plan für unser Erdenleben abgearbeitet ist (vgl. Johannes 14,1-3).

Aber auch für die gesamte Schöpfung wurde nicht nur ein Anfang, sondern auch ein Ende geplant. Wie weit oder wie nah wir daran sind, wissen wir nicht. Nur, dass schon die Pläne für einen neuen Himmel und eine neue Erde bereitliegen, hat Gott uns verraten. *gr*

Was unternehmen Sie, um Gottes Plan mit Ihnen zu entsprechen?

Wenn Gott ein planender Gott ist, sollten wir ihn nach seinem Plan für uns fragen.

Epheser 1,1-14

… der keine Sünde getan hat, auch ist kein Trug in seinem Mund gefunden worden, der, geschmäht, nicht wieder schmähte, leidend, nicht drohte.

1. Petrus 2,22-23

Sündlos im Verborgenen

Haben Sie schon einmal darüber nachgedacht, was Jesus eigentlich in den Momenten getan hat, von denen die Bibel nicht berichtet? Also in den Alltagszeiten zwischen den Wundern und Reden, die wir aufgeschrieben finden? Ich muss gestehen, dass ich bislang kaum darüber nachgedacht habe. Wenn ich aber an meine eigene Kindheit und die meiner kleinen Kinder denke, kann ich kaum glauben, dass Jesus sich schon als kleiner Junge immer liebevoll verhalten hat. Doch die Bibel berichtet, dass genau das der Fall war! Jesus war immer sündlos, sein ganzes Leben hindurch.

Stellen Sie sich vor, wie oft ein langer Tag zu Ende ging und Jesus erschöpft und müde war. Oder wie er sich tagelang auf Wanderschaft befand, von seinen Jüngern und vielen anderen Leuten umgeben war und kaum Ruhe hatte. Wie er endlose Gespräche mit den Führern des Volkes führte, die ihn kritisierten, verleumdeten und hassten. Er wusste das, weil er als Gottes Sohn in die Herzen der Menschen blicken konnte, die voll Sünde waren. Wie er auf Disteln und Dornen trat, seine Füße schmerzten, er Hunger und Durst kannte. Oder auch, wie er sich ganz sicher auch mal in seiner Ausbildung zum Zimmermann auf den Finger schlug!

In all diesen Situationen hat Jesus immer vollkommen sündlos reagiert. Da, wo wir so schnell ein falsches Wort sagen, einen bösen Gedanken haben, Ungeduld, Zorn, Genervtheit oder Bitterkeit empfinden, war Jesus immer liebevoll und beherrscht. Ich bewundere ihn umso mehr, wenn ich an all diese kleinen Momente des Alltags denke und mich selbst mit ihm vergleiche. Mein Gebet ist, dass Jesus mein Herz und meine Gedanken verändert und mir täglich zeigt, wie gut er ist!

aco

? Was tun wir, wenn uns niemand beobachtet?

! Jesus war sowohl unter Menschen als auch allein immer heilig und sündlos.

1. Petrus 2,21-25

Sonntag **23. Okt. 22**

**Er war verachtet und verlassen von den Menschen,
ein Mann der Schmerzen und mit Leiden vertraut,
und wie einer, vor dem man das Angesicht verbirgt.**
Jesaja 53,3

Schmerzen

Wohl jeder hat schon einmal Schmerzen gehabt: Wundschmerzen, Zahnschmerzen, Rückenschmerzen, Gliederschmerzen, Gelenkschmerzen und, und, und. Ich kann mich an eine Situation aus meiner frühesten Kindheit erinnern, in der ich aufgrund einer Mittelohrentzündung von Ohrenschmerzen nachts wach geworden bin. Sie wurden so stark, dass ich an der Schlafzimmertür meiner Eltern fast zusammengebrochen bin. Schmerzen sind mir also nicht unbekannt. Doch das, was ich bisher erlebt habe, waren immer nur mehr oder weniger kurzfristige Schmerzen. Ich habe noch nie einen chronischen Schmerzzustand durchleiden müssen, wie er z. B. bei schweren Erkrankungen auftreten kann. Ich habe zwar schon Menschen erlebt und begleitet, für die starke Schmerzen ein ständiger Begleiter waren. Aber ich selbst würde für mich nicht in Anspruch nehmen, sagen zu können, dass ich wirklich mit Schmerzen vertraut bin.

Der Tagesvers spricht nun von einem Mann, der nicht nur mit physischen Schmerzen, sondern auch mit Verachtung, Einsamkeit und Leiden vertraut war. Er beschreibt einen Mann, der hierüber aus eigener, tief durchlebter Erfahrung sprechen konnte, der also wirklich wusste, was es bedeutet, Schmerzen und Leid zu durchleben. In der Gesamtschau der Bibel wird klar, dass es sich bei diesem Mann um Jesus Christus handelt. Er ist einerseits Gottes Sohn, vertraut mit unendlicher Herrlichkeit und Ewigkeit, aber auch ein Mensch, vertraut mit Leiden und Endlichkeit. Und das ist für uns von größter Bedeutung. Denn es handelt sich bei Jesus Christus damit um eine Person, der Sie – auch wenn Sie schweres Leid, starke Schmerzen, größte Verachtung und quälende Einsamkeit durchleiden – aus tiefstem Herzen verstehen kann. *mm*

? Wie haben Sie Zeiten des Leidens durchlebt?

! Jesus ist voll Mitgefühl und Mitleid, weil er selbst Leid gefühlt hat.

Hebräer 2,17-18; 4,14-16

Ich preise den HERRN, der mich beraten hat.

Psalm 16,7

Guter Rat …

Die Komplexität unserer Welt vergrößert sich von Jahr zu Jahr. Kein Wunder, dass es eine Berufsgruppe gibt, die schon seit Langem einen regelrechten Boom hinlegt: die Berufsgruppe der sogenannten »Berater«. Unsere Bundesregierung gibt z. B. jedes Jahr mehrere Hundert Millionen Euro für Beratungsdienstleistungen aus. Das hört sich natürlich viel an, aber schwierige Entscheidungen erfordern nun mal auch sehr viel spezielles *Know-How*, das der eigentliche Entscheidungsträger i. d. R. nicht selbst aufbringen kann.

Jedoch nicht nur auf der politischen Bühne, sondern auch auf der Ebene des »Normalbürgers« steigt ganz offensichtlich die Komplexität und somit der Beratungsbedarf: Es gibt Beratungen für die Ernährung, für die Anlage des Vermögens, für die Lebensversicherung, für das Sterben und für Unzähliges mehr. Problematisch ist jedoch, dass sich die Aussagen und Empfehlungen der Berater manchmal stark widersprechen, wodurch sich die schwierige Frage ergibt, welchem Berater man denn nun wirklich vertrauen kann. Im Allgemeinen kann es hierbei hilfreich sein, auf die (guten) Erfahrungen anderer Personen zurückzugreifen.

In unserem Tagesvers wird in dieser Hinsicht eine ganz klare »Beraterempfehlung« abgegeben: »Ich preise den HERRN, der mich beraten hat.« Doch in welcher Form können überhaupt Informationen von Gott bei mir ankommen? Die Antwort gibt z. B. Psalm 119,105: »Eine Leuchte für meinen Fuß ist dein Wort, ein Licht für meinen Pfad.« Mit anderen Worten: In der Bibel finden wir die Hinweise Gottes für ein lebenswertes und im Licht der Ewigkeit sinnvolles Leben. Wohl dem, der dieses Wort und diesen Gott als den guten »Ratgeber« kennt und ihn in seine Lebensplanung einbezieht.

sn

Wer oder was sind Ihre Ratgeber?

In Bezug auf die Ewigkeit ist nur ein Ratgeber kompetent: Gott.

Psalm 16,7-11

Dienstag

25. Okt. 22

**Damit werden wir unsere Herzen vor ihm stillen,
dass, wenn unser Herz uns verurteilt,
Gott größer ist als unser Herz und alles weiß.**

1. Johannes 3,19-20

Leben mit dem Defizit

Im Leben gibt es viele Spannungsfelder. Eines davon ist: Wie ich sein sollte und wie ich tatsächlich bin. In meinem Bemühen, ein guter Mensch oder ein guter Christ zu sein, erlebte ich oft, dass ich sehr von mir selbst enttäuscht war. Z. B. wenn ich nicht so handelte, wie ich es gern getan hätte. Ich klagte mich selbst an: Ich hätte freundlicher reagieren sollen. Ich müsste geduldiger sein, wenn ich von meinen Kindern genervt bin. Ich hätte meinem Nachbarn meine Hilfe anbieten sollen ... Solche und auch schwerere Versäumnisse führen leicht dazu, dass wir ein schlechtes Gewissen haben und uns selbst verurteilen. Wir fühlen uns dann schlecht oder verachten uns sogar selbst. Wenn wir mit Gott leben, meinen wir evtl. noch, dass Gott genauso über uns denkt wie wir, und dass er uns verurteilt.

Im Tagesvers wird deutlich, dass unser Herz es ist, das uns verurteilt, also wir und nicht Gott. Ja, es wäre gut gewesen, richtig zu handeln und das Gute zu tun. Aber hilft es, wenn wir versagen, sich selbst zu martern und schlecht über sich zu denken? Oder zu meinen, Gott sei sauer auf mich? Es heißt dort, dass Gott alles weiß. Das bedeutet, er kennt meine Schwächen und mein Versagen. Und er sieht meinen Wunsch und mein Sehnen, es richtig zu machen. Er ist nicht überrascht, wenn ich versage. Und es heißt: Gott ist größer als mein eigenes Herz. Das heißt, er geht nicht kleinlich mit mir um. Er weiß, dass ich nicht alles richtig machen werde. Kommen wir zu ihm, handelt er in Liebe und Gnade mit uns.

Dieses Wissen bringt mich einerseits immer wieder zur Ruhe: Gott kennt mich, ich muss mich nicht verurteilen. Aber es setzt mich auch in Bewegung, weiter dem Guten nachzustreben. Und es hilft mir, mit dieser Spannung zu leben. *ht*

? Bei welchen Gelegenheiten verurteilen Sie sich selbst?

! Mit unserem Defizit können wir bei Gott zur Ruhe kommen.

1. Korinther 4,1-5

Fürchte dich nicht; glaube nur!

Markus 5,36

Glaube und Jesus

Jesus wurde von einer Menschenmenge bedrängt, als ein Synagogenvorsteher zu ihm kam, sich vor ihm niederwarf und ihn bat, seine todkranke 12-jährige Tochter zu heilen. Jesus folgte dem Mann zu dessen Haus. In dem Gedränge näherte sich ihm eine Frau, die 12 Jahre lang (so alt wie das Mädchen), an einem Blutfluss litt. Das machte sie im Judentum kultisch unrein und zwang sie, zurückgezogen in Einsamkeit zu leben. Alle ärztlichen Bemühungen, daran etwas zu ändern, waren vergeblich geblieben. Diese Frau hoffte, indem sie nur das Gewand von Jesus anrührte, dadurch geheilt zu werden. Sie sah in Jesus ihre letzte Chance. Und tatsächlich: Augenblicklich wurde diese Frau geheilt. Jesus merkte das und stellte sie zur Rede. Die Frau fürchtete sich und warf sich vor ihm nieder (wie der Synagogenvorsteher) und sagte ihm alles. Jesus antwortete: »Tochter, dein Glaube hat dich geheilt.«

Das 12-jährige Mädchen war zwischenzeitlich gestorben, und diese Nachricht erreichte ihren Vater und Jesus auf dem Weg zu dem Haus. Der Vater war natürlich sehr betroffen, doch Jesus sagte ihm: »Fürchte dich nicht, glaube nur!« Im Haus schickte er dann alle dort Anwesenden, bis auf die Eltern und drei seiner Jünger, hinaus, und erweckte das tote Mädchen wieder zum Leben.

In beiden Fällen kam etwas zusammen, was dann alles veränderte: Glaube und Jesus. Glaube, der von Jesus eine Veränderung erhoffte, erbat und erlebte. Was, denken Sie, wird passieren, wenn Ihr Glaube und Jesus in Ihrem Leben zusammenkommen? Die Bibel sagt uns das klar: Rettung vom Tod zum ewigen Leben! Und dazu kann der Glaube an Jesus Ängste besiegen und uns eine andere Sichtweise auf unsere Probleme geben. Wir begreifen sie dann eher als Chance, Gottes verändernde Kraft zu erleben. *schn*

Fürchten Sie sich manchmal?

Aus Furcht kann Hoffnung und Zuversicht werden – durch Glaube.

Markus 5,21-43

Lehre mich gesundes Urteil und rechte Erkenntnis, denn auf deine Gebote vertraue ich.

Psalm 119,66

Entscheidungen

Manchmal fallen sie uns schwer, manchmal fällen wir sie ganz spontan aus dem Bauch heraus: Entscheidungen. Täglich stehen wir vor ihnen, müssen ständig abwägen und sie treffen. Für uns selbst, aber auch in Verantwortung für andere. Deshalb ist es unabdingbar, sehr wichtige Entscheidungen weder dem Zufall noch einem vagen Gefühl zu überlassen. Sie müssen gut überlegt sein. Zu den wichtigen Entscheidungen gehören z. B. die Berufswahl, die Wahl des Ehepartners, Geldanlagen oder auch die Anschaffung eines Haustiers. Es ist tragisch, wenn man in jungen Jahren einen falschen Lebensweg eingeschlagen hat und in späteren Jahren dann feststellt, dass man unglücklich im Beruf ist, oder zu spät bereuen muss, dass man sich bewusst gegen Kinder entschieden hat. Solche essenziellen Entscheidungen kann man im Gegensatz zu vielen anderen kaum oder gar nicht rückgängig machen. Es kann jedoch auch höchst fatal sein, überhaupt keine Entscheidung zu treffen oder sich davor zu drücken, obwohl man genau weiß, dass sie dringend erforderlich ist.

Leider handeln in Bezug auf die allerwichtigste Lebensentscheidung viele, vielleicht sogar die meisten Menschen in dieser Weise. Es ist die Entscheidung für oder gegen Gott; dafür, ob man sein Heilsangebot in Jesus Christus annimmt oder es ungenutzt lässt. Diese Entscheidung hat ewige Konsequenzen. Wird diese Entscheidung mit einem »Ja« für Gott getroffen, erscheinen alle anderen Entscheidungen im Leben in einem anderen Licht, und auch vermeintlich falsche erweisen sich im Nachhinein oft als nicht so tragisch oder stellen sich am Ende sogar doch als richtig heraus, weil sie letztlich zum richtigen Ziel geführt haben: zu einem Leben mit Gott, das bereits im Diesseits begonnen hat und in Ewigkeit bei Gott Bestand hat. *dbe*

Haben Sie die allerwichtigste Lebensentscheidung schon getroffen?

Die Entscheidung für Gott werden Sie nie bereuen.

Titus 3,3-7

Wie lange noch soll ich Sorgen hegen in meiner Seele, Kummer im Herzen tragen Tag für Tag?

Psalm 13,3

Das Seelenleben eines Psalmdichters

Wie lange noch? Viermal richtet ein geplagter Mann in Psalm 13 diese Frage an Gott. Die nicht enden wollende Dauer seiner misslichen Lage, in die er geraten war, quälte seine Psyche. Viele Menschen beschäftigt die gleiche Frage. »Wie lange noch geht mein Leiden?«, stöhnt der chronisch Kranke. »Wie lange noch muss ich ohne Partner sein?«, fragt mancher Alleinstehende. ›Bis wann muss ich diesen Druck am Arbeitsplatz aushalten?‹, denkt sich der Angestellte; und das eine oder andere Kind weint nachts in sein Kopfkissen: »Wann hören meine Eltern endlich auf, ständig zu streiten?«

Der Beter in unserem Psalm sah sich total hilflos seinem Schicksal ausgeliefert, von Gott völlig verlassen. Ein Paket von Sorgen wälzte sich permanent durch seine Gedanken. So verzweifelt war er, dass er sich schon das Schlimmste ausmalte. Ja, das Warten auf das ersehnte Ende und die Dauer der Schmerzen können einen richtig fertigmachen. Aber dann reagiert er plötzlich ganz eigenartig, so, als wollte er seiner Seele selbst ein Stoppschild aufstellen: »Doch nein, ich vertraue auf deine Gnade; jauchzen soll mein Herz wegen deiner Hilfe!« Er fasst einen Entschluss: Halt, ich vertraue auf den gnädigen Gott und will mit seinem Eingreifen rechnen. Ich höre jetzt auf, mir den Kopf zu zerbrechen, was ohnehin nicht weiterhilft. Ich überlasse mich ihm. Seine Umstände haben sich nicht gleich verändert, aber sein Stimmungsbild wandelte sich vom Klagenden zum Singenden, vom Verzagenden zum Gefassten.

Seltsam, aber das scheint mir ein hochqualifizierter und weitsichtiger Ratschlag zu sein für uns moderne Leute, die so viel Mühe damit haben, Belastungen auszuhalten, und die kaum noch etwas von Beten und Gottvertrauen verstehen.

ap

? Stecken Sie gerade auch in einer Krise und zählen die Tage, bis sie endlich vorbei ist?

! Dann machen Sie Psalm 13 zu Ihrem persönlichen Gebet.

Psalm 13

Samstag

29. Okt. 22

Im Haus meines Vaters sind viele Wohnungen;
wenn nicht, so hätte ich es euch gesagt.
Ich gehe hin, um euch eine Stätte zu bereiten.
Johannes 14,2

Auf der Durchreise

Ein Wanderer war schon viele Stunden unterwegs. Es wurde langsam dunkel, er war total erschöpft und seine Füße schmerzten. Er wollte nur noch eine Unterkunft, etwas zu essen und anschließend schlafen. Er kam an einem Kloster vorbei, klopfte an die schwere Tür und fragte den Mönch, der die Tür öffnete, ob es bei ihnen eine Möglichkeit zum Übernachten gäbe. Der Mönch bat ihn höflich hinein und zeigte ihm ein Zimmer, in dem er die Nacht verbringen konnte. In dem Zimmer waren jedoch weder Schrank noch Tisch oder Bett. In einer Ecke lag nur ein wenig Stroh. Auf die Frage, wo denn die ganzen Möbel wären, antwortete der Mönch: »Wo sind denn Ihre? Wir sind wie Sie nur auf der Durchreise.«

Wie geht es Ihnen? Sind Sie heimisch auf dieser Welt oder auch nur auf der Durchreise? Haben Sie es sich gemütlich eingerichtet, ein gut gefülltes Bankkonto, ein schönes Haus, eine gute Arbeitsstelle, ein super Auto usw.? All diese Dinge werden Sie einmal nicht mitnehmen können auf Ihrer letzten Reise. Und dann wird die entscheidende Frage sein: Wo werden Sie ankommen? Im Himmel oder in der Hölle? Diese Frage sollte man jetzt klären. Und dabei kann das, was unser Leben füllt, ein großes Hindernis sein. Wenn sich nämlich alles nur um unseren Wohlstand hier auf der Erde dreht, werden wir das Entscheidende verpassen. Wir werden Jesus verpassen, der uns als Einziger den Zugang zum Himmel verschaffen kann, ja, der selbst dieser Zugang ist. Durch seinen Tod am Kreuz hat er den Weg frei gemacht.

Wir dürfen alles genießen, was wir haben. Aber wir sollten nie vergessen, von wem alles kommt. Gott hat uns eine herrliche Zukunft bei ihm in Aussicht gestellt, die wir bekommen, wenn wir unser Leben Jesus Christus anvertrauen.

rr

Gehören Sie schon zu denen, für die Jesus Christus »eine Stätte bereitet«?

Im Himmel sind noch Plätze frei.

2. Korinther 5,1-10

**Himmel und Erde werden vergehen,
aber meine Worte werden nicht vergehen.**
Markus 13,31

1000 neue Wörter durch Corona (1)

Kein Ereignis hat so viele neue Wörter in unsere Sprache gespült wie die Corona-Pandemie. Im Jahr 2020 sammelten Sprachforscher des Leibnitzinstituts für Deutsche Sprache in diesem Zusammenhang über 1000 Neuschöpfungen. Von »Herdenimmunität«, »Maskenpflicht«, »Abstandsregel«, »Fußgruß«, »Spuckscheibe« oder »Klopapierhysterie« sprach vor der Pandemie niemand. Außer neuen Substantiven haben sich auch bislang unbekannte Adjektive in unseren Alltag geschlichen, z. B. »coronasicher«, »pandemiemüde«, »maskenfrei« oder »systemrelevant«. Wir haben gelernt, was» vulnerable Gruppen« sind, und selbst Mathemuffel wissen heute, was »exponenzielles Wachstum« bedeutet. Corona hat für besonders viele Anglizismen gesorgt: »Shutdown«, »Social Distancing«, »Superspreader«, »Onlineklausur«, »Hotspotstrategie« oder »Homeofficegesetz« sind in aller Munde. Seit letztem Jahr sprechen wir von harten, weichen, lokalen oder Teil-»Lockdowns«, hybridem Schulunterricht und einer neuen Normalität. Wir verurteilen »Maskenverweigerer« und »Impfgegner«, identifizieren »Kontaktpersonen«, halten die »Nies-Etikette« ein und Kinder lernen bereits im Kindergarten, was die »AHA-Regel« bedeutet. Das alles zeigt uns: Sprache ist einem ständigem Wandel unterworfen.

Die Bibel, dieses alte Buch, ist hingegen zeitlos, selbst wenn in den Übersetzungen veraltetes Vokabular durch moderne Alltagssprache ersetzt wurde. Sie enthält Berichte, die überraschend aktuell sind, gibt immer geltende Ratschläge, spricht direkt in das Zeitgeschehen und zieht den Bogen vom Beginn des Lebens bis in die ferne Zukunft. Wenn viele der neuen Corona-Worte schon längst wieder vergessen sein werden, werden die Worte der Bibel nichts von ihrer Bedeutung verloren haben.

dbe

Haben Sie heute schon im »Buch der unvergänglichen Worte« gelesen?

Das Lesen der Bibel fördert nicht nur geistliches Wachstum, sondern bildet auch ganz im Allgemeinen.

Psalm 119,105-112

**Himmel und Erde werden vergehen;
aber meine Worte werden nicht vergehen.**
Matthäus 24,35

Mehr als 1000 neue Wörter durch Martin Luther (2)

Als Martin Luther die Bibel in die deutsche Alltagssprache übersetzte, entfaltete er sein großes Talent zur Sprachgestaltung. Heute noch sprechen wir von »Luthers Wortwitz«, denn für viele Worte der ursprünglichen biblischen Sprachen gab es keine deutschen Entsprechungen. So musste er sich seiner Fantasie bedienen. Heute noch benutzen wir etliche lutherische Wortkreationen und Sprachbilder wie »Ebenbild«, »Nachteule«, »Herzeleid«, »Lästermaul«, »Nächstenliebe«, »Lockvogel«, »Gewissensbisse« oder »Judaslohn«, um nur eine kleine Auswahl zu nennen. Zudem prägte er viele heute noch gängige Redewendungen. Wussten Sie, dass beispielsweise »im Dunkeln tappen«, »ein Machtwort sprechen«, »für immer und ewig«, »im Schweiße des Angesichts«, »Wolf im Schafspelz« oder »die große Unbekannte« auf diesen findigen Sprachgestalter zurückgehen?

Luthers Bibelübersetzung legte außerdem den Grundstein für unseren gemeinsamen Sprachraum, lange bevor der Staat Deutschland existierte. Während sich in anderen Ländern die einheitliche Sprache in den einflussreichen Städten bildete oder von der politischen Macht verordnet wurde, formte sie sich in Deutschland mit der muttersprachlichen Aneignung der Heiligen Schrift. Luthers Bibelübersetzung vereinheitlichte das vorherrschende Mundartchaos und sorgte für eine überregionale, allgemein verständliche Nationalsprache. Der große Einfluss dieses Reformators, der wollte, dass das normale Volk Gottes Wort selbst lesen und verstehen kann, stieß in Deutschland eine gewaltige Entwicklung an. Schließlich trieb eine deutsche Bibel die Alphabetisierung und die allgemeine Bildung der Bevölkerung enorm voran – und ganz nebenbei entwickelte sich Deutsch zur Sprache der Dichter und Denker. *dbe*

Was können Sie entgegnen, wenn jemand behauptet, die Bibel sei antiquiert und hätte mit der heutigen Zeit nichts zu tun?

Die Bibel ist der Bestseller schlechthin – und noch dazu ein Longseller.

Psalm 19

Denn die Berge mögen weichen und die Hügel wanken, aber meine Gnade wird nicht von dir weichen und mein Friedensbund nicht wanken, spricht der HERR, dein Erbarmer. Jesaja 54,10

Erdbeben in Lissabon (1) – Wo ist Gott?

Ohne Voranmeldung brach die Katastrophe über die Stadt herein: Am 1. November 1755 wurde Lissabon von einem schweren Erdbeben heimgesucht. Eine 20 m hohe Tsunami-Welle und anschließende Großbrände zerstörten die Stadt zu 85 %. Ca 60.000 Menschenstarben.

Diese Tragödie, die als eine der schwersten Naturkatastrophen der europäischen Geschichte gilt, war damals in aller Munde. Bekannte Philosophen der Zeit, allen voran Kant und Voltaire, setzten sich in ihren Publikationen mit dem Unglück auseinander. Auch fromme Menschen fragten sich, wie ein gütiger Gott ein so schweres Unglück zulassen konnte. War er vielleicht gar nicht gut? Oder nicht mächtig genug, die Natur zu zähmen? Viele verwirrte es, dass das Beben ausgerechnet an Allerheiligen passiert war und dass die meisten Kirchen fast vollständig zerstört wurden, während das Rotlichtviertel Lissabons weitgehend intakt geblieben war. Zeigten diese Tatsachen nicht, dass es Gott gar nicht gab? Andere suchten Gott gerade in der Not, weil sie sich bewusst wurden, wie verwundbar und endlich auch ihr eigenes Leben war.

Katastrophen zeigen uns, dass menschlicher Stolz und die Vorstellung, alles im Griff zu haben, völlig fehl am Platz sind. Tatsächlich kann ein kleiner Virus oder eine geringfügige Verschiebung von Erdplatten unser Leben von jetzt auf gleich beenden. Auch gläubige Menschen werden nicht unbedingt vom Leid verschont. Doch Leid muss nicht das Ende des Glaubens bedeuten. Auch wenn wir Gottes Handeln nicht immer verstehen, ist er doch der Einzige, an den wir uns in der Not wenden können. Wenn alles wankt und fällt, bleibt Gott die einzig verlässliche Größe. Er verspricht, dass seine Gnade mit denen bleibt, die ihm vertrauen – auch inmitten einer Katastrophe und sogar über den Tod hinaus. *eli*

? Warum erleben Menschen Gott oftmals gerade im Leid?

! Gott lässt sich nicht erklären, aber erfahren.

Lukas 13,1-5

Siehe, zum Heil wurde mir bitteres Leid.
Jesaja 38,17

Erdbeben in Lissabon (2) – Was nun, José?

Schwere Katastrophe und Naturereignisse rufen damals wie heute dieselben Fragen hervor. Letztlich liegt über dem Leid ein Geheimnis, das wir Menschen nie ganz ergründen werden. Festhalten kann man, dass jedes Unglück ein Ruf Gottes an die Menschen ist, an ihn zu denken und ihr Leben zu hinterfragen. Das geschah in Portugal auf eindrückliche Weise.

»Was nun José?«, fragte nach dem Beben der verzweifelte König seinen Staatssekretär und machte damit diesen Satz zu einem bis heute beliebten Sprichwort in Portugal. Sein Sekretär antwortete sinngemäß: »Wir wissen nicht, warum dieses furchtbare Unglück geschehen ist, aber wenn es einen gnädigen Gott gibt, dann sollten wir jetzt mit seiner Hilfe tun, was getan werden muss. Wir müssen die Dinge in unserem Land ändern, die Gott nicht gefallen können.« – »Die Toten begraben, für die Lebenden sorgen«, war nun die Devise. Die Leichen wurden im Meer versenkt, um Seuchen zu verhindern. Plünderungen wurden unterbunden, die Hilfslieferungen möglichst gerecht verteilt. Lissabon wurde von den Trümmern befreit und neu aufgebaut. Dann brachten der König und sein Premier ein umfangreiches Reformpaket auf den Weg: Als erstes Land Europas schaffte Portugal die Sklaverei ab. Die Inquisition wurde mit einem Federstrich beendet. Die Indianer Brasiliens, das Portugal als Kolonialmacht kontrollierte, erhielten die gleiche Rechte wie die dort lebenden Portugiesen. Das Land wurde völlig verändert.

Katastrophen sind Weckrufe Gottes. Sein Ziel ist es, uns Menschen wachzurütteln, zur Buße und Umkehr zu bewegen. Wie gehen wir persönlich mit schwerem Leid in unserem eigenen Leben oder in unserer Umgebung um? Lehnen wir uns dagegen auf, oder nutzen wir die Chance, nach Gott zu fragen und unser Leben zu ändern? *eli*

? Wie antworten wir auf den Ruf Gottes im Leid?

! »Gott flüstert zu uns in unserer Freude, er spricht durch unser Gewissen, aber schreit in unseren Schmerzen.« (C.S. Lewis)

Psalm 77

**Sterben müssen alle Menschen;
aber sie sterben nur einmal,
und darauf folgt das Gericht.**
Hebräer 9,27

Gott ist (nicht) tot

»Gott ist tot.« So titelte eine deutsche Zeitung im November 2020, als die argentinische Fußball-Legende Diego Armando Maradona im Alter von 60 Jahren verstarb. Während seine fußballerischen Fähigkeiten unbestritten waren, fiel er neben dem Platz eher durch negative Schlagzeilen und Eskapaden auf. Dennoch wurde er in seiner Heimat Argentinien wie ein Heiliger, ja, wie ein Gott verehrt. Für viele war er der Größte, der Einzige, der Fußball-Gott schlechthin. Nicht umsonst trug er seinen Spitznamen »Die Hand Gottes«, den er bei der WM 1986 erhielt, als er im Spiel gegen England ein irreguläres Tor mit der Hand erzielte.

Nein, Maradona war nicht Gott. Er war ein Mensch aus Fleisch und Blut wie Sie und ich. Und auch dieser Mann wird sich vor Gott verantworten müssen. Wenn etwas in diesem Leben sicher ist, dann die Tatsache, dass wir Menschen eines Tages sterben werden. Und es ist gut, sich schon in diesem Leben darauf vorzubereiten, Gott zu begegnen. Wir werden letztlich alle vor dem lebendigen Gott erscheinen müssen. Vor Gott wird einmal alles ans Licht kommen, und er wird jede unserer Taten beurteilen. Jede gute und jede böse Tat. Jeden Betrug und jede soziale Hilfeleistung. Jede Lüge und jedes erschlichene Tor. Aber weder unsere Fähigkeiten noch unsere guten Taten werden uns in den Himmel bringen.

Ausschlaggebend wird sein, ob wir durch Jesus Christus Vergebung unserer Schuld gefunden haben. Jesus Christus ist für uns am Kreuz gestorben, damit wir das ewige Leben haben können. Doch damit noch nicht genug. Am dritten Tag ist er aus den Toten auferstanden. Jesus lebt, und Gott ist nicht tot. *wj*

? Sind Sie darauf vorbereitet, Gott zu begegnen?

! Jesus Christus kann auch Ihnen helfen, Gerechtigkeit vor Gott zu erlangen.

Römer 14,11-12

Denn ihr wisst, dass ihr nicht mit vergänglichen Dingen, mit Silber oder Gold, erlöst worden seid ..., sondern mit dem kostbaren Blut Christi.

1. Petrus 1,18-19

Jahrhundertfund im Tal der Könige

Jahrelang hatte der Archäologe Howard Carter (1874–1939) in der brütend heißen Sonne der ägyptischen Wüste gegraben. Doch wenn, dann war man nur auf bereits geplünderte Grabstätten gestoßen. Deshalb wollte sein Geldgeber Lord Carnarvon (1866–1923) das Forschungsprojekt abbrechen. Aber Carter war sich sicher: Hier im Tal der Könige war noch mehr zu entdecken. Dann am 4. November 1922 – heute vor 100 Jahren – fand seine Grabmannschaft die ersten Stufen eines noch versiegelten Grabes. Als er durch ein erstes Loch der vermauerten Graböffnung eine Kerze hielt und hineinschaute, verschlug es ihm die Sprache: Ein Raum, gefüllt mit goldenen Gegenständen, die im Kerzenlicht glänzten. Es war einer der bedeutendsten archäologischen Funde aller Zeiten: das Grab des Pharaos Tutanchamun.

Es ist faszinierend, mit welchen Reichtum und Aufwand die Pharaonen bestattet wurden. Wozu wurden den Königen so viel Schätze und Werkzeuge ins Grab mitgegeben? Nach den Vorstellungen der Ägypter brauchten die Könige sie für ihr Leben nach dem Tod.

In jedem von uns ist eine Ahnung, dass mit dem Tod nicht alles aus ist. Wie können wir uns auf ein Leben nach dem Tod vorbereiten? Die Bibel sagt uns klar, dass wir uns nicht durch Silber oder Gold von unserer Schuld oder vom Tod freikaufen können. Nur das kostbare Leben des Sohnes Gottes selbst, das Blut Christi, wie der Tagesvers uns sagt, kann uns erlösen. Weil Jesus Christus vollkommen gerecht war und Gott dem Glaubenden seine Gerechtigkeit anrechnet, können Menschen in Gottes Gegenwart treten (Hebräer 10,19). Deshalb ist der Glaube an den Herrn Jesus, dass er für meine Sünden gestorben ist, die beste Vorbereitung auf das, was nach dem Tod auf uns zukommt. *tp*

Erhoffe ich mir durch möglichst viele »gute Taten« ein gutes Leben nach dem Tod?

Es gibt keinen anderen Weg zu Gott außer durch Jesus Christus (Johannes 14,6).

2. Petrus 1,3-11

Siehe, Nationen werden erachtet wie ein Tropfen am Eimer und wie ein Sandkorn auf der Waagschale.

Jesaja 40,15

Scheinbar fern und doch ganz nah

Es gibt viele mächtige Staaten auf dieser Erde. Sie zeichnen sich durch militärische, wirtschaftliche oder Bevölkerungsstärke aus. Manche dieser Nationen blicken auf eine lange, stolze Geschichte zurück und reklamieren für sich weltpolitische Bedeutung und Einfluss. Doch ein Blick in einen Geschichtsatlas sorgt für eine wichtige Erkenntnis: Viele Imperien, die einst als unbezwingbar galten, sind längst von der Weltkarte getilgt. Und gemessen an der Allmacht Gottes hat auch die stärkste Nation kein sehr großes Gewicht. Im 40. Kapitel des Propheten Jesaja wird der Stellenwert der Nationen der Welt der Schöpfermacht des lebendigen Gottes gegenübergestellt. Und da fällt der Vergleich sehr ernüchternd aus: Da sind unsere Staaten, auf die wir uns manchmal sehr viel einbilden, wie ein Tropfen am Eimer oder ein Sandkorn auf der Waagschale. Gott räumt diesen menschlichen Machtgebilden wenig Bedeutung bei.

Heißt das aber, dass die Menschen ihm gleichgültig sind? Hat ein Gott, der das Machtgefälle zwischen sich und ganzen Staaten so drastisch schildert, ein Interesse an einem einzelnen Menschen oder gar an mir ganz persönlich?

Die vorstehende Beschreibung ist im 40. Kapitel des Propheten Jesaja nur ein Vorspann für eine ganz persönliche Zusage: Wer sich auf diesen Gott verlässt, für den die Mächte und Imperien nur bedeutungslose Randnotizen der Geschichte sind, hat den Ewigen, den Allmächtigen auf seiner Seite. Der gibt ihm Anteil an seiner Kraft, ganz gleich, ob wir müde und kraftlos sind. Menschen, die auf diesen großen Gott vertrauen, »gewinnen neue Kraft: Sie heben die Schwingen empor wie die Adler; sie laufen und ermatten nicht, sie gehen und ermüden nicht« (Jesaja 40, 31).

mm

? An wen oder was halten Sie sich – an Gott oder an menschliche Machtgebilde?

! Gott nimmt sich gerne der Geringen und Schwachen an – und eines jeden, der sich vor ihm beugt.

Jesaja 40,12-17.27-31

Gott aber sei Dank für seine unaussprechliche Gabe!
2. Korinther 9,15

Schuhe »umsonst« (1)

07:30 Vor einigen Jahren veröffentlichte die Rheinische Post die oben genannte Schlagzeile. Was war passiert? Larry DePrimo, Polizist des NYPD, sah in einer kalten Novembernacht einen Bettler auf der Straße sitzen, der keine Schuhe trug. Der Polizist ging daraufhin in ein Geschäft und kaufte dem Obdachlosen ein paar warme Stiefel.

Zufällig sah eine Touristin aus Arizona die Aktion des jungen Polizisten und fotografierte die Begebenheit. Anschließend schickte sie der New Yorker Polizei das Foto mit der Notiz: »Der Beamte erwartete keine Gegenleistung und wusste nicht, dass ich zuschaute. Ich war in meinem Leben noch nie so beeindruckt!« Die New Yorker Polizei veröffentlichte daraufhin das Foto auf ihrer Facebook-Seite. Seitdem geht es um die Welt, und aus dem unbekannten Polizisten ist ein Internet-Star geworden. »Engel in Uniform« oder »guter Samariter vom Times Square« nennen die Leute ihn.

Auch mich hat dieser junge Polizist beeindruckt. Er erinnert mich an jemanden, der mich noch viel mehr fasziniert. Das ist Jesus, der Sohn Gottes. Er kam auf diese Welt und sah uns Menschen in unserer Trostlosigkeit. In Gottes Augen sind wir wie dieser Bettler: Wir stellen vor Gott nichts dar und bringen nichts zustande. Es fehlt uns an allem, was uns vor Gott gerecht macht. Aber Gott wendet sich nicht mitleidlos ab, wie das die meisten Menschen tun, wenn sie einen Bettler auf der Straße sitzen sehen. Nein, er sandte seinen Sohn Jesus zu uns. Und Jesus tat viel mehr, als uns ein paar Schuhe zu kaufen. Er leistete keine milde Gabe, sondern gab sein Leben für uns. Für unsere Sünden starb er am Kreuz. Er gab buchstäblich alles, um uns arme Leute reich zu machen.

Doch welchen Dank bekommt er von uns dafür? *za*

? Sind Sie bereit, Gottes Geschenk anzunehmen?

! Zum Dank ist nur fähig, wer erkennt, dass er Hilfe braucht, und diese auch annimmt.

Markus 1,40-45

**Wie wollen wir entfliehen,
wenn wir eine so große Errettung missachten?**
Hebräer 2,3

Schuhe »umsonst« (2)

Die Begebenheit von gestern ist schon sehr beeindruckend, wie ich finde. Was für ein »heldenhafter« Polizist! Aber die Geschichte ging noch weiter. Ein paar Tage später stand in der Zeitung: Obwohl der Obdachlose von dem hilfsbereiten Polizisten Stiefel bekam, läuft der beschenkte Bettler wieder barfuß durch die Straßen von New York! »Ich hab die Schuhe irgendwo versteckt. Da sind sie in Sicherheit. Sie sind mir zu schade zum Anziehen«, teilte der Obdachlose der New York Times mit. »Ich schätze es sehr, was der Polizist getan hat«, sagte der 54 Jahre alte Mann. »Ich wünschte, es gäbe mehr Menschen wie ihn auf dieser Welt.«

Das ist doch wirklich verrückt, oder? Er lebte schon etwa zehn Jahre als Obdachloser in New York. Und endlich nimmt sich jemand seiner an und macht ihm ein außergewöhnliches Geschenk, um seine Füße vor dem Erfrieren zu retten. Aber er macht so weiter wie bisher ... Er findet den Polizisten nett, aber seine geschenkten Stiefel trägt er dann doch nicht. Was der Polizist darüber dachte, ist mir leider nicht bekannt. Aber es war bestimmt sehr enttäuschend für ihn. Er hatte dem Bettler Schuhe gekauft, aber der Beschenkte wollte in der Kälte lieber barfuß bleiben. Ihm waren die Stiefel zu schade, um sie benutzen.

Sind wir etwa nicht enttäuscht, wenn wir jemanden etwas Gutes tun, ihn beschenken, und dieser unser Geschenk scheinbar annimmt, es dann aber weiterverkauft oder für nichts achtet? So machen wir es jedoch mit Gott. Er hat seinen Sohn Jesus Christus auf die Erde gesandt, damit er für unsere Sünden starb und wir nicht für ewig verlorengehen. Und wir ignorieren das und sagen: »Ist schon nett, dass er das gemacht hat, aber ich brauche das nicht.« *za*

Wie reagieren Sie auf Gottes Geschenk?

Nehmen Sie es an und danken Sie ihm dafür!

Hebräer 2,1-4

**Denn aus Gnade seid ihr errettet durch Glauben,
und das nicht aus euch, Gottes Gabe ist es;
nicht aus Werken, damit niemand sich rühme.**
Epheser 2,8-9

Der Tag der Geschenke

Ich ging gerade mit meinem Hund spazieren, da traf ich ihn. Einen kleinen, vielleicht sieben Jahre alten Jungen. Er streichelte meinen Hund, und wir kamen ins Gespräch. Er erzählte, dass er heute schon mehreren Menschen etwas vorgesungen hätte, die ihm dann dafür Geld gegeben hätten. Sofort kramte ich in meinen Jackentaschen, in der Hoffnung, wenigstens einen Euro zu finden. Aber da war nichts. Daraufhin meinte der Junge großzügig: »Das macht nichts, denn heute ist der Tag der Geschenke. Ich singe einfach so für Sie.« Er holte ein Handy aus seiner Tasche, spielte eine Melodie und sang dazu. Ich war begeistert und gleichzeitig berührt.

Dieses Erlebnis erinnert mich an Gott. Bei ihm ist jeder Tag ein »Tag der Geschenke«. Leider fällt es uns Menschen oft so schwer, etwas einfach anzunehmen. Wir denken, wir müssten uns alles selbst erarbeiten oder erkaufen. So, wie ich automatisch nach etwas Geld für den Jungen suchte. Aber Gottes Geschenk der Erlösung, die Vergebung unserer Sünden und das ewige Leben, können wir niemals kaufen. Denn der Preis dafür wurde bereits durch das Opfer bezahlt, das Jesus für uns am Kreuz vollbracht hat.

Oft macht es unser Stolz uns schwer, uns einfach beschenken zu lassen. Wir wollen nicht in jemandes Schuld stehen. Doch wenn der Preis für eine Sache zu hoch ist, als dass wir sie bezahlen könnten, bleibt uns nichts anderes übrig. Niemals könnten wir genug gute Werke zusammenbekommen, um uns den Himmel zu verdienen, »denn was könnte der Mensch zahlen als Lösegeld für seine Seele?« (Markus 8,37). Es liegt also an uns, unseren Stolz zu überwinden, unsere Unzulänglichkeit einzugestehen und Jesus Christus dafür zu danken, dass er uns das schenken möchte, was wir niemals selbst hätten verdienen können. *sst*

? Warum fällt es uns oft schwer, etwas ohne Gegenleistung anzunehmen?

! Wenn wir uns unsere Erlösung verdienen könnten, hätte Jesus nicht am Kreuz sterben müssen.

Galater 2,16-21

**Fülle uns frühe mit deiner Gnade,
so wollen wir rühmen
und fröhlich sein unser Leben lang.**
Psalm 90,14

Gnade

Es wird von einer besorgten Mutter berichtet, die eines Tages zu Napoleon kam und um Gnade für ihren straffällig gewordenen Sohn bat. Der Kaiser antwortete: »Der junge Mann hat zweimal die gleiche Straftat begangen, und um der Gerechtigkeit willen hat er dadurch die Todesstrafe verdient.« Die Mutter entgegnete: »Majestät, ich bitte sie nicht um Gerechtigkeit, sondern um Gnade für meinen Sohn.« – »Aber dein Sohn verdient keine Gnade«, antwortete Napoleon. »Sir«, rief die Frau, »es wäre keine Gnade, wenn er sie verdient hätte. Ich bitte nur um Gnade.« Sichtlich angetan von der Beharrlichkeit der Frau, antwortete er: »Ich werde ihm Gnade gewähren«; und er verschonte den Sohn dieser Frau.

Auch wir sind in Gottes Augen schuldig und haben den Tod verdient. Es ist nicht nur, dass wir die gleiche Sünde zweimal begangen haben, nein, wir haben im Laufe unseres Lebens schon unzählige Male gesündigt und können nicht bestehen vor einem heiligen Gott, auch nicht durch gute Taten. Für diese Schuld müssen wir ins Gericht Gottes, und es folgt eine Strafe, die ewige Verlorenheit. Dieser Strafe können wir mit eigener Anstrengung nicht entkommen. Doch Gott, »der nicht will, dass jemand verlorengehe« (2. Petrus 3,9), hat eine Lösung geschaffen. Vor 2000 Jahren hat er seinen Sohn auf diese Erde gesandt, um uns von unserer Sünde zu befreien. Jesus Christus starb an unserer Stelle diesen schrecklichen, qualvollen Tod am Kreuz. Er war ohne Sünde, deshalb konnte Jesus Christus unsere Schuld auf sich nehmen.

Nun gilt jedem Menschen das Gnadenangebot Gottes. Wer an den Herrn Jesus Christus glaubt und ihn als Herrn in sein Leben aufnimmt, »hat ewiges Leben und kommt nicht ins Gericht« (Johannes 5,24). *rr*

Haben Sie schon einmal Gnade erfahren?

Bei Jesus Christus können Sie es.

Römer 3,21-31

Siehe, in meine beiden Handflächen habe ich dich eingezeichnet.
Jesaja 49,16

Gottes besondere Zeichen von Liebe

An meinem Arbeitsplatz kam ein erfahrener Konstruktionskollege zu meinen Schreibtisch, um mit mir für einige Minuten technische Lösungen zu erarbeiten. Während wir auf den Bildschirm starrten und fleißig diskutierten, entdeckte ich einen Schriftzug an seinem Unterarm. »Ich liebe dich *nicht«* stand da – augenscheinlich mit Kugelschreiber geschrieben. Ich erschrak. Hatte er nach dem letzten Ehestreit sichtbare Spuren nicht rechtzeitig mit Seife entfernt? Ich sprach ihn nicht darauf an und beließ es bei der technischen Diskussion.

Im Stillen dachte ich an den oben zitierten Vers aus Jesaja 49: »In meine beiden Handflächen habe ich dich eingezeichnet.« Was für ein Unterschied besteht doch zwischen Gott und uns Menschen! Statt seine Unzufriedenheit und Abneigung uns gegenüber auf seinem Arm zu dokumentieren, hat er die, die er liebt, in seine Handflächen eingezeichnet, um sie niemals zu vergessen. Womit haben wir eine solche Liebe und Treue angesichts unserer bösen Einstellung und Untreue gegenüber Gott verdient?

Gott will uns gnädig sein, denn er liebt uns. Und weil sein Sohn Jesus Christus durch sein Sterben am Kreuz Versöhnung zwischen Gott und Mensch möglich gemacht hat, können wir zu ihm kommen und um Vergebung bitten. Dann ist ewig alles gut.

Ein weiterer Vers des besagten Kapitels bestätigt Gottes Liebe zu uns: »Kann eine Mutter ihren Säugling vergessen? Bringt sie es übers Herz, das Neugeborene seinem Schicksal zu überlassen? Und selbst wenn sie es vergessen würde – ich vergesse dich niemals!« (NeÜ). Wir haben einen liebenden Gott, bei dem eines sicher ist: Wer zu ihm kommt und sich ihm anvertraut, wird niemals von ihm vergessen sein. Wie schade und tragisch wäre es, wenn wir Gottes Liebe unbeachtet lassen. *st*

Wie reagieren Sie darauf, dass Gott eine persönliche Beziehung zu Ihnen haben möchte?

Lassen Sie sich versöhnen mit Gott, sodass auch Ihr Name für immer auf Gottes Handflächen geschrieben steht!

Jesaja 49,14-23

Denn so hat Gott die Welt geliebt, dass er seinen einzigen Sohn gab, damit jeder, der an ihn glaubt, nicht verlorengeht, sondern ewiges Leben hat.

Johannes 3,16

Der Tod ist so sicher wie das Leben

Das älter gewordene Ehepaar steuerte sorglos dem Lebensabend entgegen. Rente genießen und Urlaub machen. So war zumindest der Plan der beiden gewesen. Doch dann bekam die Frau ganz plötzlich eine schwere Krankheit attestiert. »Sagen Sie es bloß nicht meinem Mann, dass ich sterben werde!«, bat die Frau den behandelnden Arzt. Der Mann wiederum bat unter vier Augen ebendiesen Arzt darum: »Ich weiß, dass meine Frau sterben wird, sagen Sie es ihr bloß nicht!«

Ich denke, dass diese fiktive Geschichte keinen Seltenheitswert hat. Das Thema Tod ist bei vielen ein »Tabuthema«. Obwohl wir wissen, dass der Tod in jeder Sekunde unseres Lebens eintreten kann, beschäftigen wir uns nicht damit. Das ist ein Phänomen: In allen anderen Dingen des »Lebens« sichern wir uns ab – Lebensversicherung, Hausratversicherung, Unfallversicherung und so weiter. Aber welche Sicherheiten haben wir *nach* unserem Tod? Viele Menschen glauben, es gäbe dann nichts mehr. Tot sei eben tot! Nun beschreibt die Bibel dies aber völlig anders. Hier wird eine Existenz nach dem Tod bezeugt, entweder in der Gegenwart Gottes oder in ewiger Gottesferne.

Im jetzigen Leben schließen viele eine Versicherung ab, obwohl der entsprechende Schaden vielleicht nie eintreten wird. Es geht um Vorsorge. Warum ziehen wir nicht in Erwägung, diese Vorsorge auch für ein Leben nach dem Tod zu machen? Es wäre ja dumm, hier keine Vorsorge abzuschließen. Das endet im ewigen Tod, dem Getrenntsein von Gott und allem Guten.

Es gibt eine »biblische Versicherung«, die uns keinen Cent kostet. Doch Jesus hat sie alles gekostet. Er gab dafür sein vollkommenes Leben hin. Nun lädt er uns ein, all unsere Sicherheiten auf ihn zu setzen und ihm Vertrauen zu schenken.

schn

? Was gibt Ihnen Sicherheit?

! Lesen Sie in aller Ruhe Gottes »Versicherungsvertrag« (siehe Tagesvers)! Da gibt es garantiert nichts »Kleingedrucktes«.

Lukas 16,19-31

Gepriesen sei der Gott und Vater unseres Herrn Jesus Christus, der Vater der Erbarmungen und Gott allen Trostes, der uns tröstet in all unserer Bedrängnis …

2. Korinther 1,3-4

Meine letzte Begegnung mit Opa

Wenn ein Mensch stirbt, denkt man in den meisten Fällen sofort an die letzte Begegnung. Als mein Opa mit 95 Jahren verstarb, dachte ich zurück an den Moment, als ich ihn das letzte Mal sah. Schwach und voller Schmerzen lag er auf seinem Krankenbett. Er hatte trübe Augen und keuchte; zwischen manchen Hustenattacken versuchten wir, miteinander zu reden, was jedoch sehr schwer war. Mein Opa merkte, dass ich eine vertraute Person war, aber meinen Namen wusste er schon nicht mehr. Ich stellte mir vor, wie es wäre, in seiner Situation zu sein: Nachts alleine und mit Schmerzen in diesem fremden Krankenhaus zu liegen. Und ich fragte mich, was einem Menschen in dieser Lage noch helfen könnte? Deswegen war es mir wichtig, dass ich ihm bei der Verabschiedung noch Jesus ans Herz legte. Ich drückte meinen Großvater und sagte zu ihm: »Jesus kann dich trösten!« Ich weiß nicht genau, was ihm Jesus in seinem Leben bedeutete. Aber eines kann ich sagen, er lächelte, und seine Augen waren nicht mehr trüb, sondern sie strahlten.

Gott tröstet – ist das nicht eine wunderbare Erfahrung!? Die Grundlage dieses Trostes ist Jesus Christus, der den Tod überwunden hat und – nachdem er am Kreuz für unsere Sünde und Schuld starb – von den Toten auferstanden ist. Jesus tröstet mich in manchen Situationen, z. B., wenn ich Angst habe, wenn es mir schlecht geht oder wenn ich mich alleine fühle. Sein Zuspruch richtet meinen Blick auf das ewige Leben, das er mir geschenkt hat. Einen größeren Trost kann man nicht finden: die wahre und einzige Hoffnung auf einen Ort ohne Kummer und Schmerzen. Auf einen Ort der Geborgenheit, der Liebe, der Vollkommenheit, des Lichtes und ewiger Freude. Dieser Trost hält mich – gerade auch in der Stunde des Todes. *gah*

Was wird Sie trösten auf der Schwelle des Todes?

Die Schwelle ist manchmal schneller erreicht, als man denkt.

Offenbarung 2,8-11

Es heißt ja in der Schrift: »Kein Auge hat je gesehen, kein Ohr hat je gehört, und kein Mensch konnte sich jemals auch nur vorstellen, was Gott für die bereithält, die ihn lieben.«

1. Korinther 2,9

1917

Der Film »1917« erzählt die Geschichte von zwei britischen Soldaten, die die Order erhalten, zwei eigene Bataillone von einem selbstmörderischen Angriff auf gut befestigte deutsche Stellungen abzuhalten. Hierzu müssen sie selbst in die vordersten Linien. Besonderer Anreiz für die beiden: Der Bruder des einen ist unter den Männern, die drohen, dem Feind in die Falle zu gehen. Der eine, dessen Bruder es zu retten gilt, stirbt auf dem Weg. Der andere schafft es bis ans Ziel. Es gelingt ihm, die Offiziere davon zu überzeugen, den schon begonnenen Angriff abzubrechen. Auch der Bruder seines verstorbenen Kameraden überlebt. Eine besonders ergreifende Szene zeigt – kurz vor Beginn des Angriffes – eine Gruppe von Soldaten, die einem einsamen Sänger zuhören. Der Soldat singt das Lied: *I'm just a poor wayfaring stranger*.

Dieses Lied, dessen Geschichte wohl bis in das beginnende 19. Jahrhundert zurückreicht, handelt von einen Menschen, der weiß, dass er auf dieser Erde nur ein armer, wandernder Fremder ist und dem Tod entgegengeht. Doch das Lied ist, obwohl von einer emotionalen Melodie getragen, kein hoffnungsloses Lied. Das Lied handelt vielmehr von der Zuversicht, durch den Tod in ein Land zu kommen, in dem der Dichter die Menschen wiedersieht, die er verloren hat. Es beschreibt ein Land, in dem keine Mühsal, keine Krankheit und keine Gefahr mehr sind, ein Land, in dem Gottes Erlöste leben.

Man kann darüber streiten, ob es richtig ist, Menschen mit solchen Liedern in den Tod zu schicken. Aber im Grunde wünsche ich mir, dass ich selbst auch in der ausweglosesten Lage stets darauf vertraue, was der Tagesvers sagt: Dass Gott den, der sich auf ihn verlässt, in die Ewigkeit begleiten wird.

mm

? Sind Sie auf den Tod vorbereitet?

! Man kann nur dann sein Leben in Frieden beschließen, wenn man vorbereitet ist auf das, was nach dem Tod kommt.

Psalm 4

Falsche Propheten werden in großer Zahl auftreten und viele irreführen.
Matthäus 24,11

Die Frage nach dem rechten Glauben

In unserem Tagesvers sagt Jesus voraus, dass am Ende der Zeit viele falsche Propheten und Messiasse die Welt verführen und aufwiegeln werden. Die Menschen suchen verzweifelt nach Lebenssinn, Glück und Heil, und es gibt genug religiöse und spirituelle Führer, die genau das versprechen. Doch wie kann man Wahrheit von Lüge unterscheiden? Schein von Wirklichkeit? So manches scheint auf den ersten Blick christlich zu sein, entpuppt sich aber als das krasse Gegenteil.

Um Verführung zu erkennen, braucht man eine gute Bibelkenntnis. Denn auch Sekten benutzen zwar oft die Bibel, allerdings reißen sie Verse aus dem Zusammenhang. Dies merkt man nur, wenn man mit der Botschaft der Bibel vertraut ist. Außerdem sind der treue Glaube an Jesus Christus und die Liebe zu ihm wesentliche Kennzeichen für lebendige Christen. Vorsicht, wenn ein anderer »Führer« verehrt wird oder Engel, Propheten und heilige Menschen an Jesu Stelle gehoben werden! Echten Nachfolgern Jesu geht es nicht darum, andere für eine bestimmte Glaubensgemeinschaft anzuwerben, sondern Gottes gute Botschaft allen Menschen bekannt zu machen. Ihre Motivation ist Nächstenliebe, die auch im Alltag sichtbar wird. Ihr Ziel ist, ihrem Herrn ähnlicher zu werden, der von sich selbst sagt: »Ich bin sanftmütig und von Herzen demütig« (Matthäus 11,29).

Das beste Mittel gegen Verführung bleibt, sich direkt an Jesus zu wenden und ihn zu bitten, einem den rechten Weg zu zeigen. Jesus sagt schließlich von sich: »Ich bin der Weg, die Wahrheit und das Leben« (Johannes 14,6). Wer sich aufrichtig an ihn wendet, dem verspricht er: »Ihr werdet die Wahrheit erkennen, und die Wahrheit wird euch frei machen« (Johannes 8,32).

dbe

? Was halten Sie von diesem Angebot, das Jesus Christus Ihnen macht?

! Verführung tarnt sich gern mit Religiosität.

Judas 17-25

15. Nov. 22

Dienstag

Was nützt es, die ganze Welt zu gewinnen und dabei seine Seele zu verlieren? Gibt es etwas Kostbareres als die Seele?

Matthäus 16,26

Arm oder reich?

Vor etlichen Jahren absolvierte ich eine Ausbildung zur Heilpraktikerin und habe in einem separaten Häuschen auf unserem Grundstück eine gut gehende Praxis geführt. Ich hatte mich, für sehr viel Geld, zur Reiki-Meisterin ausbilden lassen, habe Warzen und Gürtelrosen besprochen, Tarot-Karten gelegt und allerlei Esoterisches und Okkultes praktiziert. Doch dann habe ich zu Jesus Christus gefunden, und mein ganzes Leben hat sich radikal verändert. Schon lange habe ich die Praxis aufgegeben und verdiene mit meiner Ausbildung auch kein Geld mehr. So habe ich gut und gerne 1000 Euro monatlich weniger zur Verfügung als damals.

Aber weil ich nun zu Jesus Christus gehöre, bin ich befreit von diesen dunklen Mächten und reicher als je zuvor. Zum einen ist Jesus unvergleichlich mächtiger, als es Reiki oder Besprechen je sein könnten. Zum anderen gehören diese Methoden eindeutig in das Reich der Finsternis. Ich kann jedem Menschen nur deutlich abraten, sich darauf einzulassen. Außerdem gibt es alles, was Jesus anbietet, ohne Geld zu kaufen. Was habe ich für Unsummen für esoterische Seminare ausgegeben und mich letztendlich doch nur im Kreis und um mich selbst gedreht! Ich bin immer tiefer in meine Probleme gekommen, statt von ihnen befreit zu werden. Satan will unseren Tod und belügt uns, indem er so manches als gut darstellt, was uns in Wirklichkeit schadet.

Mit Jesus lebe ich nun, weil er das Leben ist. Je abhängiger ich von Jesus werde, umso freier und reicher werde ich. Das klingt paradox, ich weiß, aber es ist so. Ich habe ja den Vergleich zu meinem früheren Leben. Sie dürfen wissen: Gott wirbt auch um Ihr Herz und will Ihnen das wahre Leben schenken. *kw*

? Was macht uns wirklich reich?

! Die Rettung der Seele ist das Wichtigste.

Prediger 5,9-19

Wahrlich, wahrlich, ich sage euch: Wenn das Weizenkorn nicht in die Erde fällt und stirbt, bleibt es allein; wenn es aber stirbt, bringt es viel Frucht.
Johannes 12,24

Tod eines Königs

Am 16. November 1632, also heute vor 390 Jahren, starb Gustav II. Adolf von Schweden in der Schlacht bei Lützen (nahe Leipzig). Zuvor waren die katholischen Heere unter Wallenstein bis zur Ostsee vorgedrungen. Dies führte dazu, dass Schweden 1630 in den Dreißigjährigen Krieg einstieg, auch um die schwer bedrängten deutschen Protestanten zu retten. An diesem 16. November wurde Gustav II. Adolf in den Kampfhandlungen von seinen Soldaten getrennt, geriet mit feindlichen Soldaten zusammen und fand den Tod. Gustav II. Adolf starb, weil er an vorderster Front gekämpft hatte. Aus heutiger Sicht ist dieser heldenhafte Tod eher als unklug und vermeidbar zu bewerten, aber von seinen Soldaten wurde er geliebt, weil er mit ihnen in den Kampf zog. – Was bleibt von Gustav Adolf? Zu nennen sind sein Mut als Feldherr und Soldat, aber auch seine Fähigkeiten als Realpolitiker und Diplomat. Nicht zuletzt wird seine tiefe Frömmigkeit in Lexika und Lebensbildern gewürdigt. Nach seinem Tod ging der grausame Dreißigjährige Krieg übrigens noch 15 Jahre weiter. Sein Tod hatte leider nicht zu einem anschließenden Frieden geführt.

Interessanterweise gibt es ein paar Parallelen, aber auch Unterschiede zu dem König Jesus Christus: Jesus Christus starb ebenfalls, aber er ging ganz alleine, bewusst und freiwillig in den Tod. In Johannes 10,18 sagt er in Bezug auf sein Leben: »Niemand nimmt es von mir, sondern ich lasse es von mir selbst. Ich habe Gewalt, es zu lassen, und habe Gewalt, es wiederzunehmen.« Sein Tod führte zu einem positiven Ergebnis: Jesus Christus brachte als einzelnes »Weizenkorn« viel Frucht (siehe Tagesvers). Viele Menschen haben in IHM ewige Rettung gefunden. Sein Tod bewirkte die Vergebung der Sünden aller, die sich ihm Glauben ihm anschließen. *mtz*

Was bedeutet Ihnen der Tod von Jesus Christus?

Er ist es wert, von uns geliebt zu werden, denn er starb für uns, damit wir leben können.

Hebräer 9,24-28

Du aber, Herr, Gott, bist barmherzig und gnädig, geduldig und von großer Güte und Treue.

Psalm 86,15

Barmherzigkeit

Für Platon (ca. 400 v. Chr.) war Barmherzigkeit eine menschliche Schwäche. In der stoischen Philosophie galt sie als Seelenkrankheit, die die inne Ruhe stört. Der Philosoph Zenon (um 300 v. Chr.) war überzeugt, dass sich weise Menschen niemals vom Mitleid für Schwächere bewegen lassen sollten. Dies sei eine Eigenschaft oberflächlicher, törichter Leute. Vernunft und Gerechtigkeit seien die erstrebenswerten Maximen, nicht Mitgefühl. Wie hartherzig und gefühlskalt müssen die griechischen Philosophen gewesen sein!

Das im hebräischen Alten Testament verwendete Wort für Barmherzigkeit ist »racham«. Das heißt wörtlich übersetzt »Gebärmutter« oder »Mutterschoß«. Eine vortreffliche Umschreibung, wie ich meine, denn die Liebe einer Mutter zu ihrem Kind ist bedingungslos. Sie verzeiht, umsorgt und gibt Geborgenheit. Diese Art von Liebe ist der Maßstab, der von Gott sogar noch übertroffen wird: »Kann eine Mutter etwa ihren Säugling vergessen? Fühlt sie etwa nicht mit dem Kind, das sie geboren hat? Selbst wenn sie es vergessen würde, vergesse ich dich nicht!« (Jesaja 49,15; NLB). Barmherzigkeit und Erbarmen sind ein Ausdruck von Liebe. Als Beispiel dafür erzählt Jesus die Geschichte vom barmherzigen Samariter (Lukas 10,25-37). Sie handelt von einem Ausländer, der selbstlos einem Menschen hilft, der von Räubern ausgeplündert und halb tot liegen gelassen wurde. Hoch angesehene Fromme hingegen gingen achtlos an dem Notleidenden vorüber, um ihre »Seelenruhe« nicht zu stören.

Wie froh können wir sein, dass Gott barmherzig ist! Er hatte Mitleid mit uns, so wie der barmherzige Samariter mit dem Mann, der hilflos am Boden lag. Gottes Barmherzigkeit uns gegenüber sollte der Motor sein, unseren Mitmenschen genauso zu begegnen. *dbe*

? Wo haben Sie Gottes Barmherzigkeit schon erfahren?

! Wie gut, dass Gott kein griechischer Philosoph ist!

Matthäus 9,27-37

Sagt allezeit für alles dem Gott und Vater Dank im Namen unseres Herrn Jesus Christus!

Epheser 5,20

Wenn die Notdurft wirklich Not bedeutet

Was in der westlichen Welt als selbstverständlich angesehen wird, ist in Ländern, wie z. B. Indien oder Nepal, in Teilen Afrikas, Russlands und Chinas Luxus: Toiletten mit Spülung. Stattdessen müssen rund 4,5 Milliarden Menschen, oft ängstlich und verschämt, ihre Notdurft im Freien, auf dem Feld, im Gebüsch, unter Brücken oder hinter Gebäuden verrichten. Dies wird unter anderem mit Mangelernährung, Wachstumsstörungen und Durchfallerkrankungen, einer der häufigsten Todesursachen bei Kindern, in Zusammenhang gebracht.

Die »World Toilet Organisation« macht jährlich am 19. November auf diese unwürdigen Zustände aufmerksam, denn sichere Sanitärversorgung gehört zu den von der UN definierten Menschenrechten. Der Umgang mit den Körperfunktionen hat mit der Würde des Menschen zu tun, denn davon hängen, abgesehen von persönlicher Erniedrigung, weitere Menschenrechte ab. Eine akzeptable Sanitärversorgung, die die Privatsphäre wahrt sowie zugänglich, sicher, bezahlbar und hygienisch ist, gehört eigentlich zu einem angemessenen Lebensstandard dazu. Die Realität ist aber: So sauberes Wasser, wie wir bei uns täglich im Klo hinunterspülen, haben viele Menschen dieser Erde nicht einmal als Trinkwasser zur Verfügung.

Bedenken Sie doch einmal, wie gesegnet Sie sind, wenn Sie das nächste Mal Ihr vergleichsweise luxuriöses WC aufsuchen! Vergessen Sie nicht, Gott dankbar dafür zu sein. Es gibt immer Anlass und Grund, ihm zu danken, selbst in Zeiten, die uns nicht gefallen, sogar für Dinge, die wir für selbstverständlich halten. Dankbarkeit ist eine Lebenseinstellung, eine Haltung, die anziehend auf Ihre Mitmenschen wirkt und Sie dazu befähigt, von Ihrem Segen auch gerne etwas abzugeben. Dazu besteht, wie oben gezeigt, mehr als genug Gelegenheit. *dbe*

? Für wen oder was möchten Sie Gott heute Danke sagen?

! Auch für scheinbar kleine Dinge und Selbstverständlichkeiten kann man große Dankbarkeit zeigen.

Hebräer 12,28; 13,1-3

Für ein Linsengericht verschleuderte er das Vorrecht, als ältester Sohn das Erbe und den besonderen Segen seines Vaters zu erhalten.

Hebräer 12,16

Rote Linsensuppe

Eine meiner Lieblingssuppen ist die rote Linsensuppe, die ich folgendermaßen koche:

1 gehackte Zwiebel und 2 gehackte Knoblauchzehen in Kokosöl dünsten, 2 kleine Dosen gehackte Tomaten, 200 g rote Linsen, 600 ml Gemüsebrühe, 400 ml Kokosmilch, 2 TL Zitronensaft zusammen mit 1/2 TL Kurkuma, 1 TL Garam Masala, 1 TL Kreuzkümmel und 1/4 TL Cayennepfeffer dazugeben und aufkochen. Bei mittlerer Hitze ca. 30 Minuten köcheln lassen. Mit Salz und Pfeffer abschmecken und mit Koriandergrün garnieren.

Ich kann nur sagen: lecker und dazu noch sehr proteinreich.

Allerdings weiß ich nicht, ob ich für diese Suppe den Segen Gottes aufgegeben hätte, so wie Esau das getan hat. Aber vielleicht hatte sein Bruder Jakob ja noch ein besseres Rezept. Auf jeden Fall hat Esau für dieses Linsengericht seinem Bruder sein Erstgeburtsrecht und damit den Segen Gottes abgetreten. Ein kurzes, gegenwärtiges Vergnügen war ihm wichtiger als zukünftige Wohltaten Gottes. Aber lesen Sie selbst, die Geschichte steht in der Bibel in 1. Mose 25,29-34. Später hat Esau diese Entscheidung bitter bereut und wollte sie am liebsten rückgängig machen. Doch es war zu spät.

Auch wir müssen uns die Frage stellen, was uns wichtiger ist: Spaß und Genuss für diesen Moment oder ein Leben unter dem Segen Gottes. Kurzfristige Sättigung und doch wieder hungrig werden oder ewige Zufriedenheit in Gott. Bei dem Heil, das Gott jedem Menschen in Jesus Christus anbietet, geht es um mehr als momentane Bedürfnisbefriedigung. Es geht um Vergebung der Schuld, ewiges Leben und ewige Zufriedenheit. Wie traurig ist es, wenn Menschen das ablehnen, weil ihnen ein kurzer, vergänglicher Spaß verlockender erscheint. *sst*

? Was macht uns wirklich satt?

! Ein Leben ohne Christus mag kurzfristig Spaß machen, lässt uns aber in Ewigkeit hungrig zurück.

Galater 6,7-10

Und er nahm sie (die Kinder) in seine Arme, legte die Hände auf sie und segnete sie.
Markus 10,16

Kinder – eine Gefahr für unseren Planeten?

Der »Club of Rome«, ein Zusammenschluss von verschiedenen Experten, gibt vor, sich für Nachhaltigkeit und die Zukunft der Menschheit einzusetzen. In einer Pressemitteilung hieß es, der Generalsekretär dieses Klubs habe vorgeschlagen, Frauen, die maximal ein Kind bekommen, zu ihrem 50. Geburtstag einen Bonus von rund 70.000 Euro zu schenken als Dank für ihren Verzicht auf mehr Nachwuchs. Ziel sei es, die Geburtenzahl zu verringern. Die stark wachsende Weltbevölkerung sei die Hauptursache für die Zerstörung des Planeten.

Am Anfang der Bibel heißt es: »Und Gott segnete sie, und Gott sprach zu ihnen: Seid fruchtbar und vermehrt euch, und füllt die Erde« (1. Mose 1,28). Hat Gott hier einen unsinnigen Auftrag gegeben? – Wenn unsere Eltern Probleme mit dieser Aufforderung Gottes gehabt hätten, würde es viele der Leser des heutigen Kalenderblattes gar nicht geben. Und wenn Gott den Befehl gibt, dass wir uns vermehren und die Erde füllen sollen (ohne zeitliche Begrenzung), obwohl ihm alle weitere Entwicklung bekannt war, dann können wir davon ausgehen, dass sein Plan für diese Welt und ihre Zukunft auch das Problem der wachsenden Weltbevölkerung berücksichtigt.

Wie kurzsichtig das ist, wenn wir unsere Probleme auf Kosten der Schwächsten lösen wollen, sieht man in Europa. Viele Kinder können nicht mehr sagen: »Ich habe einen Bruder« oder: »Ich habe eine Schwester.« Und viele Tausend Kinder dürfen in Deutschland gar nicht geboren werden, sondern werden abgetrieben. Jesus hat oft Kinder in seiner Nähe gehabt. Er sagte: »Lasst die Kinder zu mir kommen! Wehrt ihnen nicht! Denn solchen gehört das Reich Gottes« (Markus 10,14). Bei ihm sind Kinder willkommen! Und wenn er ihnen eine Zukunft verheißt, dann sollte ihnen niemand heute diese Zukunft rauben. *mtz*

Was halten Sie von dem Vorschlag des »Club of Rome«?

Unser Gott und Schöpfer hat mit Sicherheit mehr Überblick und Fachwissen als alle menschlichen Experten und Denker zusammen.

Jesaja 43,5-7

Müssen wir denn nun noch damit rechnen, verurteilt zu werden? Nein, für die, die mit Jesus Christus verbunden sind, gibt es keine Verurteilung mehr.

Römer 8,1

Keine zweite Belangung

»Beide Verkehrsteilnehmer sind zu je zu 50 % für die glimpflich verlaufene Kollision schuld« – so ähnlich lautete das Fazit des Polizisten an der Unfallstelle. Mein Arbeitskollege hat als Führerschein-Neuling diese Entscheidung akzeptiert und bezahlte eine Verwarnungsgebühr. Sein Unfallgegner jedoch, ein älterer Herr, sah das anders. Er zahlte kein Verwarnungsgeld, denn er wollte seinen Fahrfehler nicht einsehen. Und so kam es zu einem Gerichtsverfahren, zu dem mein Arbeitskollege als Zeuge geladen wurde. Der Richter bestätigte schließlich die Entscheidung des Polizisten. Nun musste der ältere Herr erheblich tiefer in die Tasche greifen.

Bei dieser Gerichtsverhandlung ließ es sich der Richter allerdings nicht nehmen, den bereits geständigen, jüngeren Unfallgegner heftig zu kritisieren. Das verwunderte, denn der war an diesem Tag doch nur Zeuge. Zum Glück hatte mein Arbeitskollege bereits am Unfallort seinen Fehler eingeräumt und seine Schuld beglichen. Ein zweites Mal konnte er von dem Richter dafür nicht belangt werden. Wer einmal seine Schuld beglichen hat, der kann kein zweites Mal dafür bestraft werden. Dieses Prinzip gilt auch bei Gott. Im Zusammenhang unseres Tagesverses geht es um die Frage, wie der sündige Mensch vor einem gerechten Gott bestehen kann. Die Antwort müsste lauten: niemals. Keine noch so gute Tat kann den Sünder von seiner Schuld freikaufen. Doch Gott selbst schuf eine Lösung. Jesus, der Sohn Gottes, kam in menschlicher Gestalt auf unsere Erde. Stellvertretend trug er am Kreuz den Schuldpreis. »Für die, die mit Jesus Christus verbunden sind, gibt es keine Verurteilung mehr.« Weil die Bezahlung unserer Schuld durch Jesus vollständig ist, kann der Mensch kein zweites Mal wegen seiner Schuld belangt werden. *st*

Hatten Sie auch schon den Gedanken: »Für mein Seelenheil möchte ich schon einen kleinen Teil beisteuern«?

Beten Sie so: »Herr Jesus – ich verlasse mich nur auf dich.«

Römer 8,31-39

Ja, Vater, so hast du es gewollt.
Matthäus 11,26

Die eigenen Grenzen als Chancen sehen

Manches im Leben hätten wir uns selbst nicht ausgesucht. Aber wir können es nicht ändern. Vielleicht hadern wir mit einer chronischen Krankheit, mit einer Behinderung. Manche sind niedergeschlagen, weil sie gerne anders aussehen würden, einen anderen Beruf oder ein anderes Geschlecht hätten. Andere können sich nicht mit einer enttäuschten Liebe abfinden. Die Lektion, die wir lernen müssen, ist die, dass wahrer Friede darin liegt, dass man aus Gottes Hand annimmt, was man nicht ändern kann. Mehr noch, im Vertrauen auf den allmächtigen Herrn des Himmels und der Erde ist es möglich, jede Enttäuschung als Chance zu sehen.

Die amerikanische Blindenlehrerin und Liederdichterin Fanny Crosby (1823–1915) wurde in ärmlichen Verhältnissen geboren und erblindete im Alter von sechs Wochen durch einen Behandlungsfehler eines Arztes und ihrer Eltern. Als 15-Jährige erhielt sie die Möglichkeit, eine Blindenschule zu besuchen. Dort wurde ihr musikalisches Talent gefördert. Sie wurde die Dichterin von über 8000 Liedern und als Königin des Erweckungsliedes bezeichnet. Manche Lieder wurden international bekannt wie »Seliges Wissen, Jesus ist mein«, »Komm doch zur Quelle des Lebens« oder »Sicher in Jesu Armen«. Das letztgenannte Lied trug sie auf der Beerdigung des amerikanischen Präsidenten Ulysses S. Grant vor. Ihr Leben hinterließ wohltuende Spuren, weil sie sich entschloss, ihre Situation dankbar aus Gottes Hand anzunehmen. Mit acht Jahren dichtete sie: »O, was für ein glückliches Kind bin ich, obwohl ich nicht sehen kann. Ich habe mich entschlossen, in dieser Welt zufrieden zu sein. Über wie viele Segnungen freue ich mich, die andere Leute nicht haben. Weinen und seufzen, weil ich blind bin, kann ich nicht und werde ich nicht!« *ga*

? Wie gehen Sie mit Ihren Begrenzungen um?

! Nutzen Sie Ihre Chancen und suchen Sie Hilfe bei Gott!

2. Korinther 12,9-10

Glückselig das Volk, dessen Gott der Herr ist!
Psalm 144,15

Die Goldenen Zwanziger sind 100 Jahre alt

Die sogenannten goldenen Zwanziger Jahre (1920–1930) begannen vor nun über 100 Jahren. Werfen wir kurz einen Blick auf die Menschen, die damals lebten. Es waren vor allem Überlebende des Ersten Weltkriegs. Er war der bis dahin verlustreichste Konflikt der Geschichte. Die Zahl der körperlich Invaliden und seelisch Zerrütteten war unübersehbar. Eine zweite Katastrophe kam hinzu: Zwischen 1918 und 1920 wütete die Spanische Grippe und forderte weltweit etwa 50 Millionen Tote. Seit der Pest im 14. Jahrhundert hatte es eine Seuche von solcher Tödlichkeit nicht mehr gegeben. Nach dem Ende der Monarchie in mehreren Ländern gab es Attentate, politische Unruhen und den totalen Zusammenbruch des Währungssystems.

Doch später erholte sich die Wirtschaft. Und besonders Berlin wurde eine Metropole mit einer rasanten Bautätigkeit; es gab U-Bahnen, Lichtreklamen und viel Vergnügen. Klaus Mann, selbst ein Zwanziger, schrieb über die damalige Generation: »Unser bewusstes Leben begann in einer Zeit beklemmender Ungewissheit. Da um uns herum alles barst und schwankte, woran hätten wir uns halten, nach welchem Gesetz uns orientieren sollen? Die Zivilisation … in den zwanziger Jahren …, schien ohne Balance, ohne Ziel, ohne Lebenswillen, reif zum Ruin, bereit zum Untergang.«

Hüten wir uns davor, über die Menschen damals zu richten. Die Frage ist: Wie hätten wir damals gelebt? Worauf hätten wir unsere Hoffnung gesetzt? Was wären unsere Ziele gewesen? Der Tagesvers zeigt, worauf man persönlich seine Hoffnung setzen sollte: auf Gott. Wäre das damals in Reue und Buße über den Irrtum des Weltkrieges und der falschen Lebensweise geschehen, wäre uns die noch größere Katastrophe des Zweiten Weltkrieges vielleicht erspart geblieben. *mtz*

Wie stehen Sie heute (in den 2020er-Jahren) zu Gott?

Ein Liederdichter singt: »Es geht ohne Gott in die Dunkelheit, / aber mit ihm gehen wir ins Licht.«

Klagelieder 3,19-33

24. Nov. 22

Donnerstag

**Wie oft habe ich deine Kinder versammeln wollen,
wie eine Henne ihre Küken versammelt unter ihre Flügel,
und ihr habt nicht gewollt!**

Matthäus 23,37

Gott, ein liebevoller Vater!

Man könnte meinen, es wäre das Normalste der Welt, dass ein Vater liebend gerne Zeit mit seinen Kindern verbringen würde. Nicht so jedoch in einem vom Oberlandesgericht Frankfurt bei einem im November 2020 gefällten Urteil. Denn das OLG Frankfurt verpflichtete einen Vater – auch gegen seinen Willen – zum regelmäßigen Umgang mit seinen Kindern. Weil der Vater sich von seiner Familie getrennt hatte, fanden nur noch sporadisch Kontakte zwischen ihm und seinen Kindern statt. Beruflich stand er unter hohem Druck, weshalb er, seiner Aussage nach, nicht in der Lage war, regelmäßigen Umgang mit seinen Kindern zu haben. Das Gericht musste diesen Mann schließlich dazu verpflichten, Umgang mit seinen Kindern zu haben. Es betonte darüber hinaus die elterliche Pflicht und Verantwortung für ein gesundes Heranwachsen der Kinder und empfahl dem Mann gleichzeitig, seine Prioritäten zu überdenken.

Wie gut, dass Gott anders ist! Er ist ein Vater, der uns Menschen bedingungslos liebt und sich wünscht, Gemeinschaft mit uns zu haben. Wie eine Henne ihre Küken um sich scharen, sie beschützen und ihnen helfen möchte, so will es Gott auch tun. Gott gibt uns Schutz und Hilfe, sein Herz ist voller Liebe für uns Menschen. Gott muss man nicht zum Umgang mit seinen Geschöpfen verpflichten. Nein, er hat seine Liebe zu uns Menschen darin gezeigt, dass Jesus auf diese Welt gekommen und am Kreuz für uns gestorben ist, um den Weg zu Gott frei zu machen. Und Gott wünscht sich, dass wir zu ihm kommen.

Leider sind es wir Menschen, die dieses liebevolle Angebot Gottes ablehnen und uns dem Schutz und der Fürsorge Gottes entziehen. Jesus aber verspricht, dass jeder, der zu ihm, dem Mittler zwischen Gott und Mensch, kommt, nicht hinausstoßen wird. *wj*

Wie beurteilen Sie das Verhalten dieses Vaters?

Kinder werden starke Persönlichkeiten durch liebevolle Väter.

Johannes 14,6-7

**Gott hat alles schön gemacht zu seiner Zeit,
auch die Ewigkeit hat er in ihr Herz gelegt.**
Prediger 3,11

Geplante Schönheit

Heute vor 50 Jahren, am 25. November 1972, verstarb Hans Scharoun, ein bedeutender deutscher Architekt und Vertreter der organischen Architektur. Er entwickelte die Gestalt seiner Gebäude aus der Funktion der einzelnen Räume, die unter einem Dach vereint werden sollten. Dadurch hatten die Gebäude Formen, die aus der Zweckmäßigkeit »erwuchsen« und natürlichen Organismen nachempfunden werden konnten. Der Anspruch des Architekten war es, die Funktionen der Gebäudeteile »organisch« zu einem Gesamtkunstwerk zu verbinden, das Nutzung, Gestaltung und städtebauliche Wirkung harmonisch vereinte.

Eines der Hauptwerke von Scharoun ist die Berliner Philharmonie, die mit ihrer geschwungenen Dachform den Stadtraum prägt. Der asymmetrische, organische Konzertsaal besitzt eine hervorragende Akustik, und die Terrassenstruktur der Zuschauerränge hat Scharoun als »aufsteigende Weinberge« bezeichnet.

Gott hat uns Menschen einen Sinn für Ästhetik und Schönheit gegeben. Zunächst müssen Dinge gut funktionieren, aber es ist uns zu wenig, wenn sie »nur« funktionieren. Das Vorbild ist Gottes Schöpfung selbst. Sie folgt strengen Gesetzmäßigkeiten, und man kann die Uhr nach ihr stellen. Und gleichzeitig nehmen wir ihre verschwenderische Schönheit war, wenn wir z. B. einem Sonnenuntergang zuschauen oder an einer Blume riechen. Dennoch hat das Geschaffene ein Problem: Das Schöne ist vergänglich. Durch die Sünde ist der Tod in die Schöpfung gekommen und hat sie »der Knechtschaft der Sterblichkeit« (Römer 8,21; ELB) unterworfen. Das Schöne wird alt und stirbt. Aber der Herr Jesus hat den Tod besiegt und ist auferstanden. Er verspricht allen, die an ihn glauben, ewiges Leben in einer nicht endenden Schönheit. *tp*

Für welche schönen Dinge in Ihrem Leben können Sie Gott danken?

Jesus Christus kann uns von der »Knechtschaft der Sterblichkeit« befreien.

1. Korinther 15,54-58

Denn es ist ein Gott und ein Mittler zwischen Gott und den Menschen, nämlich der Mensch Christus Jesus, der sich selbst gegeben hat als Lösegeld für alle, als sein Zeugnis zur rechten Zeit. 1. Timotheus 2,5-6

Brückenbauer

Über 500.000 Tonnen Stahl und mehr als 2,5 Millionen Tonnen Beton wurden für die längste Brücke der Welt verbaut. Mit 164,8 km Länge hält der *Danyang-Kunshan-Viadukt,* eine Eisenbahnbrücke, diesen Rekord und verbindet Shanghai mit Nanking. Was Menschen für einen Aufwand betreiben, um zwei Ufer oder Städte miteinander zu verbinden, ist wirklich enorm.

Neben Brücken aus Beton und Stahl begegnen uns in unserem Alltag auch solche aus Holz, Seilen oder Steinen. Selbst Papier kann als Konstruktionsmaterial dienen, und so können auch Papierbrücken mehrere 100 Kilogramm tragen. Doch die bedeutendste Brücke ist nicht aus Stahl und Beton, Seilen oder Papier gebaut worden, sondern sie ist aus Holz.

Das Holzkreuz, an dem Jesus Christus starb, ist unser Weg, unsere Brücke zu Gott. Jesus ist der perfekte Brückenbauer, der mit seinem Tod am Kreuz die Kluft zwischen Gott und Menschen überwunden hat. Wir Menschen sind nämlich durch unsere schlechten Taten wie Lügen, Neid oder böse Nachrede von Gott getrennt. Gott ist so heilig, dass er in seiner Gegenwart keine Sünde ertragen kann. Jesus aber hat mit seinem Tod am Kreuz alle diese Sünden auf sich genommen und uns damit den Zugang zu Gott ermöglicht. Er ist der Brückenbauer zum ewigen Leben geworden.

Wer daran glaubt und seine Schuld bekennt, der gelangt über diese Brücke zu Gott. Die Bibel sagt: »Denn also hat Gott die Welt geliebt, dass er seinen eingeborenen Sohn gab, auf dass alle, die an ihn glauben, nicht verlorengehen, sondern das ewige Leben haben« (Johannes 3,16). Wie schlimm wäre es, diese wunderbare Brücke nicht zu nutzen!

acb

Was hält Sie davon ab, über die Brücke, die Jesus »gebaut« hat, zu Gott zu gehen?

Jesus Christus ist auch für Ihre Sünden am Kreuz gestorben.

Johannes 3,14-21

**Ich bin das Licht der Welt; wer mir nachfolgt,
wird nicht in der Finsternis wandeln,
sondern wird das Licht des Lebens haben.**
Johannes 8,12

Stromausfall

Seit ein paar Jahren wohnen wir in einem kleinen Dorf auf dem Land. Nicht lange nach dem Umzug passierte es: Auf einmal fiel der Strom von jetzt auf gleich aus. Es war November, irgendwann nach 21.00 Uhr und somit stockdunkel. Da wir uns in dem Haus noch nicht so gut auskannten, wussten wir zunächst gar nicht, wo die nächste Tür war, auch nicht, wo sich der Stromkasten befand. Ebenso konnten wir erst einmal keine Taschenlampe oder Kerze finden. Was sich genauso unserer Kenntnis entzog, war die Frage, ob nur unser Haus von dem Stromausfall betroffen war, unser gesamtes Dorf oder vielleicht sogar die ganze Region. Und das heißt in unserer Gegend: geschlossene Wolkendecke, die Sonne wochenlang verschwunden, wenig Helligkeit am Tag, frühe Dunkelheit am Abend. Hinzu kommt, dass wir im Dorf nur eine Laterne haben, die aber von unserem Haus aus nicht einmal zu sehen ist. Die meisten anderen Häuser stehen weiter entfernt. Zu unserer Erleichterung kam innerhalb der nächsten zwei Stunden ein Einsatzwagen des Stromanbieters, und wir hatten bald wieder Strom – und damit auch Licht.

In der Bibel verwendet Jesus an vielen Stellen auch das Bild von Licht und Finsternis, um deutlich zu machen, dass wir ohne ihn blind und orientierungslos in Bezug auf Gott sind. Ähnlich wie wir beim Stromausfall »blind« durch unser Haus tappten und nach dem Stromkasten oder einer Taschenlampe tasteten, blieb Gott lange Zeit für die meisten Menschen im Dunkeln, sodass sie vergeblich nach Sinn und Glück suchten. Aber als Gott selbst in Jesus in die Welt kam, war der jahrhundertelange geistliche »Stromausfall« endlich vorbei. Gott selbst knipste für uns alle das Licht an und zeigte uns durch Jesus, wer er ist, was er für uns will und wie wir zu ihm finden können. *mtz*

? Tappen Sie noch im Dunkeln?

! Beim Lesen der Bibel geht einem sprichwörtlich ein Licht auf.

Johannes 1,4-13

**Die Himmel sind die Himmel des HERRN,
die Erde aber hat er den Menschenkindern gegeben.**
Psalm 115,16

Interessantes vom Mars

Vor einigen Jahren entdeckten Astronomen ein seltsames Phänomen auf dem Mars. Über dem Vulkan Arsia Mons bildet sich während des Sommers in den Morgenstunden eine Wolke, die innerhalb kurzer Zeit zu einem 150 Kilometer breiten und fast 2000 Kilometer langen Wolkenband heranwächst, um nach wenigen Stunden wieder zu verschwinden. Das Ganze wiederholt sich zweieinhalb Monate lang jeden Tag bis zum Ende des Mars-Sommers. Zunächst dachten die Forscher an einen Vulkanausbruch. Inzwischen hat man eine bessere Erklärung gefunden: Wenn die Luft mit Beginn des Mars-Sommers von Osten über die Flanken des 14.000 Meter hohen Vulkans weht, entsteht in dessen Windschatten ein Sog, in dem die Luft bis zu 45 Kilometer nach oben steigt. Dabei kühlt sie sich so stark ab, dass in ihr enthaltene Spuren von Wasserdampf zu einer Eiswolke kondensieren. Diese treibt der Höhenwind mit rund 600 km/h in westliche Richtung davon. Noch höher und damit der höchste Berg des ganzen Sonnensystems ist der Vulkan *Olympus Mons*, der sich 26.000 Meter hoch über die umliegende Tiefebene erhebt. Dagegen wirkt der *Mount Everest* mit seinen 8849 Meter über dem Meeresspiegel wie ein Hügel.

So interessant der Mars mit seinen Besonderheiten auch ist, an die Vielfalt der Erde reicht er nicht heran. Und er ist auch nicht annähernd so menschenfreundlich wie diese. Wir können wirklich dankbar sein, dass uns Gott die Erde gegeben hat. Ihre Geheimnisse sind noch längst nicht ausgeforscht, und wir können über ihre Schönheit nur staunen. Und sollte Gott, der zu so etwas Erstaunlichem fähig ist, nicht auch in der Lage sein, jedem Menschen eine Zukunft zu bereiten? Tatsächlich hat er auch das geplant, und er hat seinen Sohn gesandt, um uns Anteil an noch viel Schönerem zu geben. *sg*

? Glauben Sie, dass irgendwo sonst noch ein menschenfreundlicher Planet gefunden wird?

! Gott hat einen neuen Himmel und eine neue Erde verheißen.

2. Petrus 3,1-14

29. Nov. 22

Dienstag

Die Himmel verkünden die Herrlichkeit Gottes,
und das Himmelsgewölbe zeigt,
dass es das Werk seiner Hände ist.
Psalm 19,2

Es geht ohne Gott in die Dunkelheit …

Wie kommt es eigentlich, dass die meisten Menschen die Evolutionslehre fraglos für richtig und bewiesen halten, während sie die Schöpfungslehre der Bibel für altmodisches Geschwätz früherer Nomadenstämme erachten? Was weiß die Evolutionslehre wirklich über die ersten Anfänge? Was weiß sie über die Entstehung des Lebens? Was weiß sie darüber, dass das gesamte Weltall so wunderbar für das Leben der Menschen zugeschnitten erscheint, wo es doch Milliarden andere Möglichkeiten hätte geben können? Was weiß die Evolutionslehre über die Entstehung der in allen Lebewesen steckenden Information? Auf alle diese Fragen hat sie überhaupt keine beweisbaren Antworten, sondern nur Vermutungen, die so lange halten, bis deren »Beweise« als unrichtig erkannt werden.

Gott lässt uns in der Bibel (im Brief an die Römer) sagen, dass die großartigen Einzelheiten der Schöpfung vom kleinsten Virus bis hin zu den Milliarden von Galaxien im Weltall Beweise der Schöpfermacht Gottes sind, und dann fügt der Schreiber des Römerbriefes, der Apostel Paulus, hinzu: »… auf dass sie ohne Entschuldigung seien.«

Warum glaubt man nun, obwohl man im Grunde beinahe nichts weiß, dass Urknall und Zufall und sich daraus ergebende Notwendigkeiten die Götter des Anfangs waren? Die Bibel sagt uns, dass diese Welt seit Adams Sündenfall dem Teufel verfallen ist Und der Teufel ist ein Lügner und Mörder, und wir Menschen lassen uns solange etwas vorgaukeln, bis Gott so gnädig ist, uns die Augen für die Wirklichkeit zu öffnen. Dann bitten wir Gott um Vergebung für unser Festhalten an der Lüge und werden befreit davon. Danach will er uns dann auch helfen, als Kinder und Geschöpfe Gottes so zu leben, wie es ihm wohlgefällt.

gr

Wem vertrauen Sie?

Es ist höchst unklug, Gott nur deshalb zu leugnen, weil er einem nicht in den Kram passt.

Kolosser 1,9-20

So kommt denn und lasst uns miteinander rechten, spricht der HERR. Wenn eure Sünde auch blutrot ist, soll sie doch schneeweiß werden, und wenn sie rot ist wie Purpur, soll sie doch wie Wolle werden. Jesaja 1,18

Unschmelzbar

Als ich letztens morgens meine Rollladen hochzog, erwartete mich ein völlig anderer Ausblick als noch am Abend zuvor. Wo sonst nur dunkler Asphalt und blätterlose Bäume zu sehen waren, glitzerte und glänzte nun alles in strahlendem Weiß. Die ganze Welt schien über Nacht mit einer dicken Schicht Puderzucker überstreut worden zu sein. Freudestrahlend machte ich erst einmal einen langen Spaziergang durch den Schnee.

Doch schon am nächsten Morgen erwartete mich wieder eine Überraschung: Der Schnee war fast komplett verschwunden, und die Welt vor meinem Fenster sah genauso grau und trostlos aus wie zuvor. Es war, als hätte es die Schönheit des letzten Tages nie gegeben. Die glitzernde Decke hatte die herbstliche Trostlosigkeit nicht verändert, sondern nur für eine kurze Zeit verborgen. Diese Verschönerung war so unbeständig, dass ein paar Regentropfen und wenige Grad Celsius die alte Hässlichkeit wieder sichtbar werden ließen.

Wir Menschen versuchen ja oft, unsere bösen Gedanken und schlechten Eigenschaften vor anderen zu verbergen. Doch so gut wir sie auch verstecken – bei der nächsten kleinen Versuchung zeigt sich, dass sie immer noch da sind. Gott ist der Einzige, der wirklich etwas am grundlegenden Problem, nämlich an unserer sündigen Natur ändern kann.

Im heutigen Tagesvers verspricht er, unsere Sünden nicht nur unter einer schönen, aber vergänglichen Decke zu verbergen, sondern uns wirklich von allem Bösen zu befreien. Wenn wir ihn aufrichtig um Vergebung unserer Schuld bitten, will er nie wieder darauf zurückkommen. Das hat er in der Bibel versprochen. Diese Veränderung gilt für alle Ewigkeit – ihr können weder Regen oder Hitze noch Selbstanklagen oder Beschuldigungen etwas anhaben! *cn*

? Was versuchen Sie vor Ihren Mitmenschen zu verbergen?

! Jesus will unsere Sünde nicht kurzfristig überdecken, sondern wegnehmen.

1. Johannes 1,5-10

Vertraue auf den HERRN mit deinem ganzem Herzen und stütze dich nicht auf deinen Verstand! Auf all deinen Wegen erkenne nur ihn, dann ebnet er selbst deine Pfade! Sprüche 3,5-6

Anker der Seele

Ein Schiff schwimmt frei auf der Wasseroberfläche, und seine Insassen vertrauen völlig auf die physikalische Beschaffenheit des Wassers, das einen Hohlkörper trägt. Wenn aber das Wasser sich bewegt, dann bewegt sich auch das Schiff. Das kann bei größeren Wellen oder im Sturm zum Problem werden, denn dann droht man unterzugehen. Ein Schiff hat eben keinen festen Boden unter den Füßen, und wenn es nicht gehalten wird, zum Beispiel durch einen Anker, dann wird es orientierungslos in jede Richtung treiben.

Ich finde, dieses Bild des Ankers, der ein Schiff hält, kann man gut auf uns Menschen übertragen, weil man sich im Leben immer wieder auf etwas verlässt, was gehörig ins Wanken geraten kann. Man vertraut auf sein Geld, sein Haus, seine Familie oder auf seine Freunde, und doch kann man plötzlich den Halt verlieren, wenn einem davon etwas plötzlich genommen wird. Man fühlt sich dann hin und her geworfen und verliert die Orientierung im Leben. Wenn zusätzlich noch ein schwerer Sturm über unser Lebensschiff hinwegfegt, dann wünscht man sich einen Anker, der einem festen Halt gibt. Der Anker gibt einem Hoffnung, nicht davon getrieben zu werden oder verlorenzugehen. Doch wo finden wir einen solchen Anker?

Für mich ist Jesus Christus dieser Anker. Er ist mein Halt, denn er ist immer für mich da. Er gibt mir Sicherheit in dieser unsicheren Welt, besonders in Lebenskrisen. Bei Jesus bin ich geborgen und weiß: Er hält mich und lässt mich nicht los. Selbst wenn mir alles nur noch vergeblich und nutzlos erscheint, schenkt er mir die Perspektive, sicher durch meinen Lebenssturm hindurch endlich bei ihm anzukommen und für immer in Sicherheit zu sein und die Ruhe und den Frieden bei ihm zu genießen.

Gah

? Was hält Sie, wenn Ihnen das genommen wird, was Ihnen Halt gibt?

! Jesus ist der Anker, der niemals genommen wird, wenn man auf ihn vertraut.

Hebräer 12,1-3

Erkennt ihr denn nicht, dass ihr immer der Sklave dessen seid, dem ihr gehorcht? Ihr könnt die Sünde wählen, die in den Tod führt, oder ihr könnt Gott gehorchen und seine Anerkennung bekommen. **Römer 6,16**

Niemand soll mehr Sklave sein!

Als die Vereinten Nationen am 2. Dezember 1949 die *Konvention zur Unterbindung des Menschenhandels und der Ausnutzung der Prostitution anderer* verabschiedeten, riefen sie dieses Datum als »Tag für die Abschaffung der Sklaverei« aus. Von vielen Menschen dürfte die Sklaverei heute vielleicht eher als wenig rühmlicher Bestandteil der Geschichte eingeordnet werden, etwa aus der Antike oder den Zeiten des Sklavenhandels im Dreieck Europa-Afrika-Amerika. Der Gedanke, dass ein Mensch einem anderen als Eigentum gehören könnte, ist uns fremd. Dass ein Mensch wie eine Sache, wie ein Stuhl, ein Werkzeug oder ein Stück Vieh behandelt werden könnte, erscheint unerhört. Gleichwohl ist dieser Zustand nach wie vor für viele Realität. Man schätzt, dass heute noch weltweit mehr als 12 Millionen Menschen als »echte« Sklaven gehalten werden. Zu der seit Jahrtausenden praktizierten Sklaverei kommen aber auch moderne Formen: Über 200 Millionen Kinder und Jugendliche werden heute rund um unseren Globus in sklavenähnlichen Verhältnissen wirtschaftlich oder körperlich ausgebeutet.

Doch die Bibel benennt eine viel weitreichendere Form der Sklaverei, die tatsächlich ganz aktuell die Menschen gefangen hält: Die Sklaverei der Sünde. Der moderne Mensch meint, er sei frei, zu tun und zu lassen, was er will. Doch das ist eine Fehleinschätzung. Wer etwas tut, was die Bibel Sünde nennt, ist tatsächlich deren Sklave. Und die Folge ist der Tod. Das ist dramatisch.

Nun kann ein Sklave sich in der Regel nicht selbst aus seinem Zustand befreien. Jemand muss ihn auslösen. Und genau das beschreibt das Neue Testament: Jesus bezahlt am Kreuz mit seinem Leben für meines, damit ich nicht mehr Sklave der Sünde sein muss. *mm*

? In welchen Momenten wird Ihnen die Sklaverei der Sünde zur Qual?

! Machen Sie den heutigen Tag zu Ihrem »Tag der Abschaffung der Sklaverei«!

Römer 6,12-14

So spricht der HERR, der dich gemacht und von Mutterleib an gebildet hat, der dir hilft: Fürchte dich nicht!

Jesaja 44,2

Unser Wunschkind

Ich erinnere mich daran, mehrfach während der Schwangerschaft gebetet zu haben, unser Kind möge doch gesund sein. Unsere Freunde um uns herum hatten bereits ein oder mehrere Kinder bekommen, und keines davon hatte eine Behinderung. Ich bildete mir ein, dass mit jedem gesunden Kind die Wahrscheinlichkeit steigen müsste, dass auch mal eins mit einer Behinderung dabei ist. Die Geburt verlief unproblematisch, und dann war sie da: 2600 Gramm, 48 cm, mit einer unglaublich süßen, hohen Stimme, die wie ein kleines Kätzchen klang. Nur, dass wir zu diesem Zeitpunkt noch nicht wussten, dass genau dies das Hauptmerkmal eines Gendefekts ist, den man auch als *Katzenschrei-Syndrom* bezeichnet.

Am Tag nach der Geburt kam die Familie zu Besuch, und meine Eltern brachten den Zettel mit, der für diesen Tag an ihrem Abreißkalender hing: Jesaja 44,2 (siehe Tagesvers). Als wir etwa drei Monate nach der Geburt die Diagnose erhielten, die uns das Herz brach und unsere Welt von jetzt auf gleich auf den Kopf stellte, klammerte ich mich an dieses Wort: Wenn unser Herr meine Tochter von Mutterleib an gebildet hat und wenn er zugelassen hat, dass an ihrem fünften Chromosom ein Stückchen fehlt, dann wird er auch den zweiten Teil des Verses wahr machen und ihr helfen. Deswegen brauchte ich mich nicht zu fürchten.

Die Bibel sagt uns, dass Gott alle Menschen in seinem Ebenbild erschaffen und ihnen damit eine unantastbare Würde verliehen hat, unabhängig von ihren Fähigkeiten. Jeder von uns existiert, weil Gott es wollte, und somit hat unser Leben Sinn, selbst wenn wir nie etwas zustande bringen sollten, was in unserer Welt etwas zählt. Auch Sie sind Gottes Wunschkind!

spi

? An was klammern Sie sich in der Not?

! Ein Bibelwort kann genau ins Herz treffen und passend trösten.

Psalm 139

**Als aber die Fülle der Zeit kam,
sandte Gott seinen Sohn.**
Galater 4,4

Advent – Ankunft

Ich stehe am Flughafen und sehe auf die riesige Anzeigetafel, auf denen die Flugzeiten zu lesen sind. Darauf gibt es zwei Kategorien: Ankunft und Abflug. Manchmal verändern sich die Zeiten um Minuten oder Stunden. In bestimmten Fällen wird ein Flug ganz gestrichen, sehr zum Leidwesen der Passagiere. Mein Flug geht pünktlich. Ich bin froh. Ich werde pünktlich zu Hause sein.

Der Dezember wird auch als Adventszeit beschrieben. Advent bedeutet Ankunft. Wir denken an die Geburt des Sohnes Gottes. Der Schöpfer wurde in Jesus Christus Mensch. Immanuel – »Gott mit uns«. Der Ewige tritt in die Zeit und wird »einer von uns«. Weihnachten ist das Fest der Ankunft des Königs, der als Baby von einer Jungfrau geboren wurde. Diese Ankunft geschah ohne Verspätung oder jegliche andere Verzögerung zu genau dem Zeitpunkt, der dafür bestimmt war. Sozusagen pünktlich betrat der Sohn Gottes die Erde, um in die Dunkelheit zu leuchten. »Frieden auf der Erde« verkündeten die Engel bei seiner Geburt. Sein Kommen hatte einen einzigen Sinn: die Menschen aus ihrer Verlorenheit herauszuholen, sie von den Ketten Satans zu befreien, ihre Sünden auf sich zu laden und am Kreuz den Tod zu sterben, den wir eigentlich verdient haben.

Als Jesus am Kreuz das Erlösungswerk vollbracht hatte, wurde er begraben. Nach drei Tagen stand er von den Toten auf. Seitdem kann jeder Vergebung seiner Sünden erfahren, der sein Vertrauen allein auf Jesus Christus setzt. Die Vergebung der Schuld ist das größte Geschenk, das es gibt. Diese Ankunft des Weltenretters hat sich für ewig gelohnt!

Martin Luther sagte einst: »Die Geburt Jesu zu Bethlehem ist keine einmalige Geschichte, sondern ein Geschenk, das ewig bleibt.« *tl*

? Wie erleben Sie die Adventszeit, die Ankunftszeit des Weltenretters?

! Dieses einmalige Geschenk sollte man annehmen und sich darüber freuen.

Lukas 1,26-56

Denn wir haben euch die Macht und Ankunft unseres Herrn Jesus Christus kundgetan, nicht indem wir ausgeklügelten Fabeln folgten, sondern weil wir Augenzeugen seiner herrlichen Größe gewesen sind. 2. Petrus 1,16

Nur gut ausgedacht?

Sie lasen sich so gut, seine Reportagen. Er war ein gefeierter Journalist, mit allen begehrten Preisen der Branche ausgezeichnet, ein Idol seiner Generation. Er schrieb, was die Menschen lesen wollten, perfekt passten seine Storys zum Zeitgeist. Doch dann mehrten sich Hinweise auf schlechte Recherche und falsche Darstellungen. Und im Dezember 2019 kam es schließlich heraus: Claas Relotius hatte große Teile seiner Reportagen frei erfunden. Er schrieb keine wahrheitsgetreuen Berichte, sondern schön erfundene Geschichten. Ein Skandal für seine Zeitung, den SPIEGEL, die den Anspruch vertritt, sachlich korrekte Texte zu veröffentlichen.

Muss auch die Bibel, die von sich behauptet, die Wahrheit zu sein, eine Entlarvung fürchten? Viele Zeitgenossen sind sich sicher: Die Texte über Jesus sind nicht mehr als schöne Berichte, die das sagen, was die junge Kirche lesen wollte. Gefärbte Darstellungen, gekonnt ausgedachte Märchen, bei denen es im Nachhinein fast unmöglich ist, Wahrheit von Dichtung zu unterscheiden.

Doch wer die Evangelien liest, merkt schnell, dass hier keine Menschengefälligkeit im Spiel ist. Denn schonungslos berichten die Autoren von eigenen Fehlern und geben Aussagen Jesu wieder, die damals wie heute anecken und Widerstand hervorrufen. Und viele Menschen, die damals an die Wahrheit der Berichte über Jesus glaubten, waren bereit, diese Überzeugung mit ihrem Leben zu bezahlen. Wer würde sich für ein Märchen von wilden Tieren in der Arena zerreißen lassen? Nein, die Bibel braucht keine Enttarnung zu fürchten. Denn »niemals wurde eine Weissagung durch den Willen eines Menschen hervorgebracht, sondern von Gott her redeten Menschen, getrieben von Heiligem Geist« (2. Petrus 1,21).

eli

? Warum waren die frühen Christen bereit, für ihren Glauben zu sterben?

! Auf die Bibel ist Verlass.

Lukas 1,1-4

Wer in den kleinsten Dingen treu ist, ist auch in den großen treu, und wer in den kleinsten Dingen nicht treu ist, ist auch in den großen nicht treu.
Lukas 16,10

Blindes Vertrauen

Eine alte Dame, weit über 80 Jahre alt, vergaß ihre Lesebrille, als sie sich auf den Weg zur Bank machte, um das Geld für die Weihnachtsgeschenke für ihre Enkel und Urenkel abzuheben. Dies bemerkte sie leider erst, als sie schon vor der Bank stand. Der Schalter war bereits geschlossen, und so musste sie versuchen, ohne Brille mit der ihr ohnehin unsympathischen Bedientechnik des Bankautomaten klarzukommen. Aus Angst, sich zu vertippen, wandte sie sich kurzerhand an den jungen Mann, der schon ungeduldig wartend hinter ihr stand, drückte ihm ihre Bankkarte in die Hand und bat: »Können Sie mir bitte helfen? Ich brauche 500 Euro für den Weihnachtseinkauf. Die Nummer lautet …« Man mag es dumm, naiv oder leichtsinnig nennen, seine Bankkarte samt PIN einem völlig Fremden auszuhändigen – Gott sei Dank nutzte der verdutzte Helfer die Situation nicht aus. Man könnte dies »blindes Vertrauen« nennen.

Der Glaube an Gott ist in gewisser Hinsicht ähnlich. Besonders in Situationen, in denen man gänzlich hilflos ist, bewährt sich schlichtes und unerschütterliches Gottvertrauen. Dieses Vertrauen äußert sich darin, dass man sich Gott ganz ausliefert, sich verletzlich macht und seine Schwäche eingesteht. So eine Haltung ehrt Gott, da man ihm zutraut, auch in ausweglosen Lagen eine Lösung parat zu haben.

Es kann gut sein, dass sich der fremde junge Mann, der der alten Dame half, geehrt fühlte, helfen zu dürfen. Schließlich wurde diese Begebenheit für ihn zu einem ganz besonderen Erlebnis. Eine völlig Fremde, eine hilflose alte Frau, schenkte ihm ihr ganzes Vertrauen. Auch Gott wird geehrt, wenn wir ihm vorbehaltlos vertrauen. Er wird unser Vertrauen niemals enttäuschen. Er ist eines solchen Vertrauens mehr als irgendjemand sonst würdig. *dbe*

Wann benötigten Sie das letzte Mal fremde Hilfe?

Wer auf Gott vertraut, wird nicht enttäuscht.

Matthäus 7,7-11

Pearl-Harbor-Gedenktag

7. Dez. 22

Mittwoch

Bei dem Herrn, unserem Gott, ist das Erbarmen und die Vergebung.

Daniel 9,9

Stärker als die Samurai-Tradition

Mitsuo Fuchida (1902–1976) war Kommandeur der japanischen Fliegerstaffel beim vernichtenden Angriff auf die amerikanische Kriegsflotte in Pearl Harbor. Mehrfach entging er während des Krieges nur knapp dem Tod. Zu seiner Familie und auf seine Hühnerfarm zurückgekehrt, hatte er das Gefühl: »Das Leben hat keinen Reiz und keinen Sinn. Ich bin dem Tod so oft entkommen – aber wofür? Was bedeutete das alles?

Im Zusammenhang mit den Kriegsverbrecherprozessen suchte er Beweise, dass die Amerikaner die Kriegsgefangenen genauso brutal behandelt hatten wie die Japaner. Ein Freund erzählte ihm anstatt einer Geschichte über Missbrauch und Folter von der jungen Amerikanerin Peggy Covell. Sie hatte Kazuo und seine Mitgefangenen mit großer Freundlichkeit behandelt, obwohl japanische Soldaten ihre Eltern, die auf den Philippinen als Missionare waren, getötet hatten. Fuchida war erstaunt. Erzogen in der Samurai-Tradition, kannte er nur Rache an den Feinden. Aber diese Frau lehnte Rache ab und behandelte japanische Gefangene mit Hilfsbereitschaft und Vergebung.

Auf dem Weg zu einer Gerichtsverhandlung erhielt Fuchida eine Broschüre mit der Lebensgeschichte von Jacob DeShazer. Dieser war in japanischer Gefangenschaft gefoltert worden und musste die Hinrichtung seiner Kameraden mit ansehen. Er fragte sich wie Fuchida, warum gerade er überlebte. DeShazer lieh sich eine Bibel und wurde Christ. Er entschied sich, den Japanern zu vergeben, und wurde Missionar in Japan. Betroffen erfuhr Fuchida so zum zweiten Mal von einem Menschen, der seinen Feinden vergeben konnte. In seiner Biografie *From Pearl Harbor to Calvary* (1959) beschreibt er seinen Weg zu Jesus Christus, der auch sein Herr und Retter wurde. *ga*

? Welcher »Tradition« folgen Sie im Umgang mit Ihren Mitmenschen?

! Schließen Sie sich der »Tradition« an, die von Gott ins Leben gerufen wurde!

Daniel 9,8-19

Siehe, dies alles tut Gott zwei- oder dreimal mit dem Menschen, um seine Seele vom Verderben zurückzuholen, damit sie erleuchtet werde mit dem Licht der Lebendigen.
Hiob 33,29-30

Startfenster zum Mars

Heute, am 8. Dezember 2022, ist es wieder so weit. Der Mars steht in Opposition zur Sonne. Das heißt Sonne und Mars stehen sich genau gegenüber wie Sonne und Mond bei Vollmond. Der Vollmond ist jeden Monat zu sehen, weil sich der Mond um die Erde dreht, und die Erde zusammen mit dem Mond um die Sonne. Dafür braucht die Erde 365 Tage. Der Mars jedoch umkreist die Sonne in einem wesentlich größeren Abstand und braucht folglich für eine Umrundung 687 Tage, also fast doppelt so lange. Eine sogenannte *Opposition* kommt dann zustande, wenn die Erde auf der inneren Bahn den Mars überholt. Das geschieht etwa alle zwei Jahre, zuletzt am 13. Oktober 2020.

Um diese Nähe zur Erde auszunutzen, startete am 30. Juli 2022 eine Mars-Sonde mit dem Rover »Perseverance«, um am 18. Februar 2021 dort zu landen. Damit wurde ein sogenanntes *Startfenster* genutzt. Und genau aus diesem Grund ist eine bemannte Reise zum Mars mit sehr hohen Risiken verbunden. Sie kann nicht einfach abgebrochen werden. Einmal gestartet, müssten die Astronauten so lange auf dem Mars bleiben, bis Erde und Mars sich nach knapp zwei Jahren wieder annähern. Da die Marsbahn stark exzentrisch ist, wiederholen sich wirklich günstige Startfenster sogar nur im Verlauf von etwa 15 bis 17 Jahren.

Unser Tagesvers spricht auch von einem Vorgang, den man mit so einem *Startfenster* vergleich kann. Dieses entsteht, wenn Gott einen Menschen durch ein Bibelwort, eine Predigt oder durch eine Krankheit oder ein anderes einschneidendes Erlebnis anspricht. Dann ist für einen Menschen die Gelegenheit besonders günstig, mit Gott in Verbindung zu kommen: um fortan nicht mehr »in Opposition« zu Gott zu stehen, sondern für immer mit ihm versöhnt zu sein. *sg*

Hat Gott Sie schon einmal auf besondere Weise angesprochen?

Nutzen Sie so etwas als »Startfenster« zu einem Leben mit Gott!

Hiob 33,12-30

**Barmherzig und gnädig ist der HERR,
geduldig und von großer Güte.**
Psalm 103,8

In der Weihnachtsbäckerei

07:30 Gespannt stehen wir drei Schwestern vor dem Backofen. Was hatten wir uns auf diesen Tag gefreut! Wir konnten es kaum erwarten, endlich Plätzchen zu backen. So wurde Teig um Teig geknetet und angefangen, die Plätzchen auszustechen und auf die Backbleche zu legen. Doch schon nach kurzer Zeit wurde aus dem lang ersehnten Ereignis eine widerwillige Beschäftigung. Es schien, als würde der Teig nicht weniger und die Backerei kein Ende nehmen. Wir wurden ungeduldig und der Backnachmittag konnte nicht schnell genug vorbei gehen.

Nicht nur in Kindertagen nervte ich andere mit meiner Ungeduld. Auch heute noch, in meinem täglichen Leben, muss ich lernen, ausdauernder zu sein: Warten in der Arztpraxis und an der Supermarktkasse, immer die gleichen Fragen als Lehrerin beantworten, meine Schüler ermahnen oder Geduld mit den Fehlern anderer Menschen haben: Wie oft reagiere ich so unnötig ungeduldig! In diesen Momenten erinnere ich mich gerne an unseren Tagesvers. Wie anders ist Gott! Er ist so geduldig mit mir.

Geduld ist eine wichtige Eigenschaft Gottes. Seine Langmut ist noch immer nicht erschöpft. Jeden neuen Tag wartet er darauf, dass wir Menschen, seine geliebten Geschöpfe, uns für ihn interessieren und ihn kennenlernen möchten. In der Bibel können wir zahlreiche Berichte über Gottes Geduld lesen und nur darüber staunen, wie unfassbar weitreichend sie ist.

Zum Glück sind Gottes Güte und seine Geduld noch nicht am Ende. Er wendet sich nicht von uns ab, obwohl wir ihn so oft enttäuscht haben. Nein, Gott liebt uns und wartet noch immer geduldig und mit offenen Armen – auch auf Sie! *acb*

? In welchen Lebensbereichen haben Sie Geduld nötig?

! Gottes Geduld ist jeden Tag neu.

Psalm 103,8-18

Wisst ihr nicht, dass die, welche in der Rennbahn laufen, zwar alle laufen, aber einer den Preis empfängt? Lauft so, dass ihr ihn erlangt!

1. Korinther 9,24

Der erste Nobelpreis

Der schwedische Erfinder und Industrielle Alfred Nobel stiftete den bekannten Nobelpreis, der vor 121 Jahren zum ersten Mal verliehen wurde. Seitdem wird von dem Vermögen Nobels jährlich ein Preis für besondere Errungenschaften in den Bereichen Physik, Chemie, Medizin, Literatur und Friedensbemühungen vergeben. Fünf Jahre nach dem Tod Nobels gab es im Jahr 1901 die erste Preisverleihung. Für den Bereich Physik erhielt Wilhelm Conrad Röntgen damals diese Auszeichnung für die Entdeckung der nach ihm benannten Röntgenstrahlen. Noch heute profitieren wir von dieser bahnbrechenden Entdeckung.

Von einem noch viel bedeutenderen Preis, den ein Mensch erlangen kann, lesen wir in der Bibel in unserem Tagesvers. Dort geht es um Sportler, die im Wettkampf alles daransetzt, um den Siegerpreis zu bekommen. Aber auch dieser Preis ist genau wie der Nobelpreis vergänglich. Der Mensch kann nichts davon mitnehmen in die Ewigkeit. Paulus benutzt dies aber als Bild für einen unvergänglichen Preis, der viel wertvoller ist als alle Preise auf dieser Erde zusammen und für den man sich als Christ umso mehr einsetzen sollte, um ihn zu bekommen. Wer die gute Botschaft von Jesus Christus annimmt, dem ist ein neues Ziel gesetzt: mit Gott zu leben und einmal bei ihm anzukommen, um dann einen unvergänglichen Preis zu erlangen.

Doch um diesen Preis zu erlangen, muss man erst einmal zum Wettkampf zugelassen werden. Dazu müssen wir begreifen, dass wir selbst dazu gar nicht die Qualifikation erreichen können und deshalb von Gott mit seiner Gerechtigkeit beschenkt werden müssen. Wir können dieses Geschenk annehmen, indem wir bekennen, dass wir vor Gott schuldig sind und dankbar annehmen, dass Jesus dafür alles Nötige schon getan hat.

uhb

Möchten Sie einen unvergänglichen Preis erhalten?

Dann lassen Sie sich für den Wettkampf qualifizieren, indem Sie Gottes Geschenk der Rechtfertigung annehmen.

Römer 3,21-26

**Und sie wird einen Sohn gebären,
dem sollst du den Namen Jesus geben,
denn er wird sein Volk retten von ihren Sünden.**
Matthäus 1,21

Nomen est omen

Oft stellen wir zwischen Namen und Namensträgern eine Verbindung her. Das ist nicht immer positiv. Das Negativ-Image bestimmter Vornamen ist bekannt: Justins, Kevins oder Jaquelines werden leicht mit bildungsfernen Schichten in Verbindung gebracht. Da klingen Maximilian oder Elisabeth schon vielversprechender. Insbesondere mit dem Vornamen versuchen Eltern, ihren Kindern etwas Besonderes mit auf den Weg zu geben, etwas, was aus der Masse hervorsticht, um die Chancen auf Aufmerksamkeit und Erfolg zu erhöhen. Manchmal übt auch die Kombination mit dem Nachnamen eine besondere Faszination aus. So heißt ein ehemaliger Bundestagsabgeordneter mit dem Familiennamen Caesar tatsächlich Cajus Julius mit Vornamen.

Manche Eltern versuchen auch, ihren Kindern mit ihren Namen einen Wunsch mitzugeben: Felix, der Glückliche, Dorothea, das Gottesgeschenk, Jamila, die Schöne, usw. Ob sich diese Wünsche und Absichten dann tatsächlich im Leben der Nachkommen realisieren, sei dahingestellt. Mancher Felix wird vielleicht alles andere als glücklich, und auch eine Dorothea kann unter Umständen ganz schön anstrengend sein.

Ganz anders ist dies jedoch bei dem Namen, den Maria und Josef ihrem werdenden Kind geben sollen: *Jesus,* oder genauer *Jehoschua,* kurz *Jeschua,* bedeutet nämlich: Gott rettet. Und diesen Namen haben sich Maria und Josef als bürgerliche Eltern nicht einfach ausgedacht. Gott selbst hat ihn bestimmt, um auszudrücken, dass dieser Mensch Jesus, der tatsächlich Gottes Sohn ist, eine klare Mission hat: Menschen zu retten von ihren Sünden. Dieser Auftrag, dieses Vorzeichen blieb nicht nur ein frommer Wunsch: Dieser Jesus hat die Bedeutung seines Namens bis zu seinem Tod umgesetzt. *mm*

? Was bedeutet Ihnen Jesus?

! Er kam in diese Welt, um auch Sie zu retten.

Matthäus 1,18-25

Montag

12. Dez. 22

**Und es ist in keinem anderen das Heil,
denn es ist kein anderer Name unter dem Himmel
den Menschen gegeben, in dem wir gerettet werden sollen!**
Apostelgeschichte 4,12

Ein gültiger Gutschein?!

Ein frisch verliebtes Paar erhielt als Geschenk einen Gutschein für ein Dinner in einem Restaurant. Der Zweier-Tisch wurde alsbald reserviert. Schick gekleidet und gut gelaunt betraten die beiden ihre Gaststätte. Das Buffet war köstlich, die Getränke erfrischend. Nach knapp zwei Stunden wollten sie den Gutschein einlösen. Doch der Kellner winkte ab: »Dieser Gutschein gilt für das Restaurant von nebenan – aber nicht bei uns.« Was für ein Schreck. Zum Glück hatte der Mann eine Bankkarte dabei, und so wurde mit der üblichen Euro-Währung gezahlt.

Welcher »Gutschein« zählt eigentlich bei Gott? Dabei geht es allerdings nicht nur um einen schönen Abend und ein gutes Essen, sondern um den endgültigen und berechtigten Zutritt zum Himmelreich, in dem uns sogar ein ewiges Bleiberecht gewährt wird. Die eigene »Bankkarte« mit einem von uns selbst erwirtschafteten »Guthaben« nützt da gar nichts. Viele möchten eines Tages im Himmel bei Gott sein. Und so schlagen sie einen Weg ein, der ihrer Einschätzung nach irgendwann zu Gott führen sollte. Sie wollen gerne ihre guten Taten vor Gott gelten lassen. Doch die reichen bei Weitem nicht aus.

Der Tagesvers weist uns auf das Einzige hin, was vor Gott zählt. Es ist Jesus Christus, sein eigener Sohn, in dessen Namen für jeden, der an ihn glaubt, ein »Gutschein« ausgestellt wird. Dieser deckt alles ab, was nötig ist, um gerettet zu werden. Wer zu Gott kommen will, braucht also Jesus als seinen Erlöser. Jeder Einzelne braucht ihn persönlich, man kann keine zweite Person damit in den Himmel bringen, nicht den Ehepartner, nicht die eigenen Kinder … im Himmel werden nur die sein, die geglaubt und diesen einen Namen angenommen haben und »Christ«, d. h. Jesus Christus zugehörig, geworden sind. *st*

? Mit welcher Begründung denken Sie, von Gott angenommen zu werden?

! Erwarten Sie nichts von Ihren sogenannten »guten Taten«! Sie wiegen niemals die Schuld auf, die wir vor Gott haben.

Offenbarung 3,12

**Denn welche der Geist Gottes treibt,
die sind Gottes Kinder.**

Römer 8,14

Wenn kein Weg zu weit ist

Im Dezember 2019 hatte ich eine Vortragsreihe in Rehe im Westerwald. Unmittelbar nach der Bibelstunde am Samstag kam ein Mann auf mich zu mit dem dringenden Wunsch, sich zu bekehren. Er war fest entschlossen, den Platz im Himmel zu buchen. Was hatte diesen starken Wunsch ausgelöst? Hans-Peter H. kam aus 600 km Entfernung, aus der Schweiz, angereist. Die Predigt aus dem Internet »Was wird 5 Minuten nach dem Tode sein?« bewirkte diesen klaren Entschluss: »Jetzt muss es sein!« Bei der Suche, mich irgendwo sprechen zu können, stieß er auf die nächste Vortragsreihe von mir im entfernten Westerwald. Sogleich machte er sich auf den Weg. Auf der Autobahn Basel–Frankfurt kam es in der Nähe von Freiburg zu einem totalen Motorschaden. Der Abschleppdienst brachte den Wagen nach Achern. Was nun? Mit einem Mietwagen 250 km zurück in die Schweiz oder doch noch in den noch weit entfernt liegenden Westerwald? Entgegen seiner Gefühle, aber bestärkt durch die gehörte Botschaft, entschied er sich trotz Wind, starkem Regen und angebrochener Dunkelheit für den Aufbruch nach Rehe. Am Freitagabend um 22 Uhr erreichte er Rehe. Am Sonntag trat er dann erleichtert über seine Entscheidung mit dem Mietwagen wieder die lange Rückreise in die Schweiz an.

Für ihn war offensichtlich kein Weg zu weit und kein Hindernis zu groß, um Jesus zu finden. Fröhlichen Herzens fand er den, den er suchte, und damit gewann er das Himmelreich. Der Gewinn war unermesslich größer als der Einsatz. Genau ein Jahr später schrieb er mir: »Es gibt keine Zweifel mehr ... Ich bin seither aktiv im Glauben, höre mir regelmäßig Predigten an. Im kommenden Jahr möchte ich mit einem zweijährigen Bibelseminar beginnen, damit ich die Bibel gründlich in allen Teilen studieren kann.«

gi

? Wollen Sie sich nicht genauso entschieden auf den Weg machen, um Jesus zu finden?

! Wer Jesus annimmt, hat das Himmelreich gefunden.

Lukas 5,17-26

**So schwört mir nun bei dem HERRN,
weil ich an euch Barmherzigkeit getan habe,
dass auch ihr an meines Vaters Hause Barmherzigkeit tut,
und gebt mir ein sicheres Zeichen.** Josua 2,12

Sicheres Zeichen

Das Buch Josua schildert die Einnahme des Landes Israel durch die Israeliten. Zwei Kundschafter werden zuvor zur ersten großen Stadt ausgesandt: Jericho. Dort gehen sie in das Haus der Prostituierten Rahab, vielleicht, weil Fremde hier nicht auffallen. Doch ihr Eintreffen wird entdeckt. Soldaten kommen und fordern Rahab auf, die Spione auszuliefern. Sie lenkt die Fahnder auf eine falsche Fährte, während sie die Israeliten versteckt. Nun jagen die Soldaten den vermeintlich Entflohenen ins offene Feld nach. Die Kundschafter können später die Stadt verlassen und wichtige Informationen überbringen.

Warum nahm Rahab dieses Risiko auf sich? Sie wusste, dass Gott das Volk Israel durch große Wunder aus Ägypten geholt und ihm dieses Land Israel versprochen hatte. Gegen diesen Gott hatte man keine Chance; es galt, sich rechtzeitig auf seine Seite zu stellen. Doch anders als die beherbergten Spione musste sie in Jericho zurückbleiben. Wer würde ihre Sicherheit garantieren, wenn die Israeliten die Stadt einnähmen? Sie nimmt den Kundschaftern einen Eid ab. Sie versprechen ihr: Hänge eine rote Schnur in dein Fensterkreuz und alle, die sich in diesem Haus befinden, werden überleben! Wenn du dich an dieses Zeichen hältst, bist du sicher. Und tatsächlich wird ihr Glaube an die Zusage der Kundschafter belohnt.

Viele Jahre später hat Gott der ganzen Welt ein Zeichen aufgerichtet: das Kreuz, an dem Jesus starb. An einem bestimmten zukünftigen Tag wird er jeden danach richten, in welchem Verhältnis er zu seinem Sohn Jesus Christus steht – konkret: ob er glaubt, dass der Sohn Gottes am Kreuz für seine Schuld bezahlt hat. Wer auf diesen Mann am Kreuz sein ganzes Vertrauen setzt, für den ist das Kreuz ein sicheres Zeichen dafür, dass er gerettet wird. *mm*

? Wofür steht für Sie das Kreuz?

! Jesus starb am Kreuz, damit wir (ewig) leben können.

1. Korinther 1,22-31

Und die Hälfte ihrer Kinder redete aschdodisch, keines von ihnen konnte jüdisch reden, sondern nur in der Sprache des einen oder des anderen Volkes.

Nehemia 13,24

Eine tote Sprache wird wieder lebendig

Man kann sagen, dass er von der Idee besessen war, die hebräische Sprache wiederzubeleben und zu einer alltagstauglichen Sprache zu entwickeln. Eliezer Ben-Jehuda (1858–1922) war Journalist. Angeregt durch den gleichaltrigen Theodor Herzl nach Erscheinen seines Buches »Der Judenstaat« faszinierte ihn die Idee vom Wohnen der weltweit zerstreut lebenden Juden in einem eigenen Staat. Er sagte: »Die Wiedergeburt Israels auf dem Boden seiner Ahnen! Je mehr das nationale Konzept in mir wuchs, desto mehr kam mir zum Bewusstsein, was eine gemeinsame Sprache für eine Nation bedeutet.« Ein flammendes Plädoyer für die hebräische Sprache unterschrieb er daher nicht mit seinem Geburtsnamen Eliezer Perlman, sondern mit »Ben-Jehuda – Sohn Judäas«, und zwar auf Hebräisch.

Eliezer Ben-Jehuda sah das größte Problem darin, dass die Juden keine einheitliche Sprache hatten, sie gebrauchten jeweils nur ihre Heimatsprache: Deutsch, Französisch oder Russisch. Nun sah er seine Lebensaufgabe darin, die jüdische Sprache zu neuem Leben zu erwecken. So wurde er der Herausgeber des ersten hebräischen Wörterbuchs. Für ihn war klar: Hebräisch musste zu einer Alltags- und Muttersprache werden. Seine sieben Kinder lernten außer Hebräisch kein Wort einer anderen Sprache.

Bis heute wird dieser Sprache weltweit höchste Aufmerksamkeit gezollt, indem nämlich die Auslegung des Alten Testamentes für unzählige Christen auf dem Studium dieser Sprache und ihrer Eigenheiten gegründet ist. Wenn man das Alte Testament richtig übersetzen, verstehen und anwenden will, dann ist die Kenntnis seiner Ursprache unerlässlich. Nicht zuletzt ist das ein schöner Fingerzeig dafür, dass Gott sein Volk Israel nicht vergisst und ihm eine Zukunft bereiten wird. *li*

? Was bedeutet es Ihnen, die Bibel in Ihrer Muttersprache lesen zu können?

! Wer die Bibel versteht, kann auch immer mehr von Gott verstehen.

Psalm 119,65-72

**Wie ein Feuer rast dein Zorn über mich hin,
deine Schrecken vernichten mich.**
Psalm 88,17

Flammenmeer

Wegen Nahrungsknappheit läuft ein Junge vormittags von zu Hause los, um für seine kleine Schwester Milch von einem Bauern in 20 km Entfernung zu bekommen. Hätte seine Mutter gewusst, dass dieser Tag mit Brand und Tod in die Siegener Geschichte eingehen würde, hätte sie ihren Sohn mit Sicherheit nicht losgeschickt. Am 16. Dezember 1944 fliegen 92 Lancaster-Bomber über Siegen (NRW), werfen ihre todbringende Fracht ab und drehen dann ab. Der rote Feuerschweif schnürt der Mutter die Kehle zu. Wo hatte sie ihren Jungen hineingeschickt? Rennt er? Brennt er? Stirbt er? Stirbt sie? War der Krieg nicht am grausamsten zu Mutterherzen? Hätte sie es doch nur gewusst! Niemals hätte sie ihn dann losgeschickt, nie!

Diese Geschichte bewegt mich sehr. Der große Bruder, der für seine kleine Schwester durch die Flammen taucht, um die Milch zu holen. Er hat es geschafft. Er gehörte nicht zu den 348, die an diesem Tag ihr Leben verloren. Mich hat das daran erinnert, dass der himmlische Vater seinen Sohn für die Rettungsaktion seiner »kleinen Geschwister« in das Flammenmeer geschickt hat. Er wusste, was passieren würde, wenn er ihn senden würde. Gott wurde nicht überrascht von der Kreuzigung. Jesus Christus kam auf diese Erde, weil er wusste, dass wir sonst umkommen würden. Er nahm unsere Schuld auf sich. Dort auf Golgatha, an dem Ort, an dem er in den Tod ging, starb er in dem Flammenmeer des göttlichen Zorns. Er alleine. Stellvertretend für alle anderen.

Die kleine Schwester in der Geschichte ist meine Großmutter, und ich bin ihrem Bruder noch heute sehr dankbar. Meine Großmutter wiederum hat viel investiert, damit ich verstehe, dass Jesus Christus mich liebt und sein Leben für mich gegeben hat. *jsa*

Wie werden Sie in Gottes Zorn bestehen?

Jesus Christus war für Sie im Flammenmeer. Das können Sie glauben, um dem Zorn Gottes zu entfliehen.

1. Thessalonicher 5,8-11

**Fürchtet euch nicht, denn siehe,
ich verkündige euch große Freude.**
Lukas 2,10

Von der Traurigkeit zur Freude

Vor einigen Jahren errichtete das *Metropolitan Museum of Art* in New York zur Adventszeit einen gigantisch großen und wundervoll geschmückten Weihnachtsbaum. Die Tanne wurde mit etwa 200 verschiedenen, wertvoll handgearbeiteten Figuren aus dem 18. Jahrhundert behangen. Neben den Engeln fanden sich dabei die Weisen, die Hirten, etliche Dorfbewohner und eine Vielzahl von Tieren, die alle in freudiger Erwartung auf die Krippe ausgerichtet waren. Abseits von den übrigen Schnitzereien aber baumelte eine Figur, die so ganz anders war als der Rest. Ein barfüßiger Mann, der eine ihn beugende, schwere Last auf dem Rücken trug, hatte seinen Blick nach unten gesenkt. Seine Augen erfassten nicht den von der Krippe ausgehenden hellen Schein, sondern verloren sich traurig im Dunkel der Zweige.

Wie viele Menschen tragen auch heute eine schwere Last auf den Schultern, die ihren Blick traurig nach unten drückt! Eine festliche Stimmung will da gar nicht erst aufkommen. Drohende Arbeitslosigkeit, wirtschaftliche Engpässe, Krankheit, familiäre Zwistigkeiten und weltumspannende Auseinandersetzungen bestimmen den Alltag. Ist die Weihnachtsfreude da nicht eher eine nicht in Zeit passende Zumutung, mehr ein Missfallen als ein Wohlgefallen?

Doch damals wie heute, ergeht der göttliche Ruf in das Dunkel aller Traurigkeiten: »Habt keine Angst, ich verkündige euch große Freude.« Euch, den Verachteten und Nichtgeachteten; euch, den Ausgestoßenen und Ausgegrenzten; euch, die ihr von euren Lasten in den Staub gedrückt werdet. – »Euch, gerade euch, ist heute der Heiland geboren« – der, der alles heil machen kann; der eure Lasten auf sich nimmt; der euren Blick nach oben lenkt. »Gloria in excelsis Deo!« – »Ehre sei Gott in der Höhe!« *vdm*

? Was überwiegt bei Ihnen gerade – Furcht oder Freude?

! Richten Sie Ihren Blick auf den, von dem ein helles, göttliches Licht ausgeht – Jesus!

Lukas 2,8-18

Hierin ist die Liebe Gottes zu uns offenbart worden, dass Gott seinen einzigen Sohn in die Welt gesandt hat, damit wir durch ihn leben.

1. Johannes 4,9

Starker Gott zerbrechlich klein

Schon wieder steht Weihnachten vor der Tür. Nicht mehr lange, die Lichterketten stimmen schon zur Besinnlichkeit ein, der vorweihnachtliche Geschenkekauf floriert, und man freut sich auf ein paar freie Tage, gutes Essen und das Ende der stressigen Adventszeit. Das ist es doch, was Weihnachten ausmacht, oder? Es ist das Fest der Liebe, der Familie – und irgendwo kommt das Jesuskind vor. Wenn man heutzutage Menschen fragt, wieso jedes Jahr so ausgiebig Weihnachten zelebriert wird, dann geben die meisten Befragten an, dass es ein Zusammenkommen der Familie und eine schöne Tradition sei. Schon 2002 hat die FAZ festgestellt, dass mehr als jedes dritte Kind nicht mehr weiß, wieso Weihnachten eigentlich gefeiert wird. 2015 haben nur 18 % der Schweizer an Jesu Geburt gedacht, als sie nach dem Sinn von Weihnachten befragt wurden.

Es wäre sehr schade, wenn wir – auf der Straße darauf angesprochen – auch nur an ein schönes Familienfest denken würden! Je älter ich werde, desto mehr liebe ich Weihnachten wegen seiner tiefen, eigentlichen Bedeutung. Während ich als Kind die Geschenke wichtig fand und die Liebestat Gottes noch nicht verstand, sehe ich diese jetzt umso deutlicher. Wie unvorstellbar ist es doch, dass der Schöpfer der Menschen genauso wurde wie wir – Gott in einem Baby! Uns Menschen nahe zu kommen, das war sein Plan.

Letztes Jahr habe ich dazu ein Lied verfasst, weil ich so beeindruckt bin von der Liebe Gottes, die in dem Kind von Bethlehem überdeutlich wird. Am Ende des Refrains heißt es: »Gottes Sohn in Herrlichkeit, / wurde Kind in Niedrigkeit. / Kann noch Liebe größer sein? / Starker Gott zerbrechlich klein.«

Jesus Christus ist DER Grund für Weihnachten! *aco*

Was macht für Sie Weihnachten aus?

Weihnachten kann der Beginn für jeden Menschen sein, eine echte Beziehung zu Gott zu bekommen.

Lukas 2,1-20

**Gewöhne den Jungen an seinen Weg,
dann bleibt er auch im Alter dabei.**
Sprüche 22,6

Enkeltag

Lilly, unsere Enkelin, ist jetzt fast 2 Jahre alt. Sie ist ein Goldschatz, sie lacht ständig und macht uns wirklich viel Freude. Jeden Mittwoch kommt sie mit ihrem 4 Jahre alten Bruder zu uns: Enkeltag. Wir freuen uns immer, wenn sie kommen, aber wir freuen uns auch, wenn sie wieder gehen. Warum? Nun, die kleine, süße Lilly kann, wenn sie ihren Willen nicht bekommt, richtig böse sein. Dann weint sie und schreit, als hätte sie furchtbare Schmerzen. Hat sie nicht, sie hat nur ihren Willen nicht bekommen. Das haben ihr die Eltern durchaus nicht beigebracht. Ihr größerer Bruder geht in der Regel auch immer liebevoll mit ihr um. Und wir Großeltern geben zudem unser Äußerstes, ihr das Leben so schön wie möglich zu gestalten. Es scheint von innen herauszukommen, diese Eigenwilligkeit, Bockigkeit, dieser Eigenwille. Und wir kennen keine Eltern, die nicht damit herausgefordert wären. Wir waren es auch. Was ist da zu tun?

Nun, die Bibel rät uns im Tagesvers, das Kind »an seinen Weg« zu gewöhnen. Wir setzen den Kleinen Grenzen, wir zeigen ihnen auf, dass über ihnen Autoritäten sind, die sie lernen müssen zu achten. Menschsein bedeutet, in Grenzen zu leben, sonst gibt es keine Freiheit. Aber es wäre auch sehr weise, ihnen klarzumachen, dass in uns allen, selbst in diesen kleinen Wesen schon, eine Wurzel steckt, die voller Rebellion gegen das Gute und Gott ist. Die Bibel sagt schon gleich zu Beginn der Menschheit: »Das Sinnen des menschlichen Herzens ist böse von seiner Jugend an« (1. Mose 8,21).

Wir sollten handeln wie der König David: »Ich tat dir meine Sünde kund und habe meine Ungerechtigkeit nicht zugedeckt. Ich sprach: Ich will dem HERRN meine Übertretungen bekennen; und du hast die Ungerechtigkeit meiner Sünde vergeben« (Psalm 32,5). *lü*

Wie bewerten Sie das manchmal böse Verhalten bei kleinen Kindern?

So geduldig wie Gott mit uns umgeht, sollten wir auch mit unseren Kindern sein.

Sprüche 4

Dein Wort ist Wahrheit.
Johannes 17,21

Die Bibel

Der Begriff »Bibel« ist nicht geschützt. Es gibt z. B. die »Do it yourself Heimwerkerbibel«. Nach der Werbung wird darin alles erklärt, was man als Heimwerker wissen muss. Keinen geringeren Anspruch erhebt die »Grillbibel«: Ganz gleich, ob Fisch, Fleisch, Gemüse oder was auch immer; wer wissen will, wie man es am Grill richtig macht, kommt (wie die Autoren versprechen) an diesem Buch nicht vorbei. Oder die Auto-Bibel: Hierin finde man alles zum Thema Motorsport und Tuning. Man kann noch viele Beispiele nennen: die Wein-Bibel, die Koch-Bibel, die Strick-Bibel, die Biker-Bibel, die Foto-Bibel usw. All diesen Werken ist gemein, dass sie verlässliche Auskunft über alle wesentlichen Fragen in ihrem jeweiligen Spezialgebiet geben wollen.

Doch warum nutzt man hierzu den Zusatz »Bibel«? Würde nicht »Enzyklopädie«, »Das große Buch vom ...« oder »Almanach« ebenso genügen? Offenkundig vermittelt das Wort »Bibel« den Eindruck, dass das so bezeichnete Werk besondere Autorität beansprucht, ein Buch, das man unbedingt haben muss, um sich auf dem jeweiligen Gebiet wirklich auszukennen.

Damit drücken all diejenigen, die das Wort »Bibel« als Zusatz zu ihren Ratgebern nutzen, eine interessante Erkenntnis zu der *einen* Bibel aus, die tatsächlich keinen Zusatz braucht. *Die* Bibel, die sich aus dem Alten und dem Neuen Testament zusammensetzt und in über 700 Sprachen vollständig übersetzt wurde und rund 5,7 Milliarden Menschen zur Verfügung steht, besitzt nämlich tatsächlich eine einzigartige Autorität. Sie mag nichts zum Thema Heimwerken, Grillen oder Stricken sagen. Doch sie enthält die wahren Antworten zu den grundlegenden Fragen des menschlichen Lebens. Und deswegen ist sie schlicht »Die Bibel«!

mm

? Welchen Bezug haben Sie zur Bibel?

! Bibelleser wissen mehr.

Psalm 119,129-136

Gott ist Liebe.

1. Johannes 4,8

Eine außerweltliche Eigenschaft

Die Bibel hat die griechische Sprache um ein neues Wort für *Liebe* bereichert: Agape. Aus der Zeit vor der griechischen Übersetzung des Alten Testamentes (Septuaginta, ab 250 v. Chr.) gibt es keinen sicheren Beleg für die Verwendung des Wortes in der heidnischen Literatur. In der Septuaginta scheint das Wort eine Neuschöpfung zu sein und wird 18-mal verwandt. Das Bedeutungsspektrum ist ähnlich wie beim deutschen Wort *Liebe.*

Im Neuen Testament jedoch bekommt das Wort einen neuen Bedeutungshorizont. Es bezeichnet neben anderen Nuancen vor allem eine Haltung der liebevollen Zuwendung, die nicht in den Eigenschaften des Geliebten, sondern in dem Liebenden seine Ursache hat. Dadurch wird der Begriff zu einer passenden Beschreibung der Liebe Gottes. Der Theologe Thielicke hat den Sachverhalt auf den Punkt gebracht: »Gott liebt uns nicht, weil wir so wertvoll wären, sondern es ist genau umgekehrt: Wir sind so wertvoll, weil Gott uns liebt.«

Diese Liebe zeigt sich an der Bereitschaft zu geben. Seinen höchsten Ausdruck fand sie darin, dass Gott seinen einzigartigen Sohn gab. Im Leben Jesu Christi wird sie deutlich, indem er auf Ablehnung und Anfeindung mit einer Fülle von Wohltaten reagierte. Sir Walter Scott erzählt, dass er einmal einen Stein nach einem streunenden Hund warf, und zwar so fest und so gezielt, dass er dem Tier damit ein Bein brach. Als Scott nun dastand und sich Vorwürfe machte, hinkte der Hund zu ihm hin und leckte die Hand, die den Stein auf ihn geschleudert hatte – eine sehr schwache Veranschaulichung der Liebe Christi. Es ist nicht erstaunlich, dass mit der Menschwerdung Gottes ein neuer Begriff für *Liebe* erforderlich wurde, denn so eine Liebe hatte die Welt noch nicht gesehen.

ga

Wie würden Sie Gottes Liebe beschreiben?

Gott liebt uns nicht, weil wir so wertvoll sind, sondern wir sind wertvoll, weil Gott uns liebt!

1. Johannes 4,7-21

Weil er an mir hängt, will ich ihn erretten.
Ich will ihn schützen, weil er meinen Namen kennt.
Psalm 91,14

Anker in der Zeit

Bei der Zeitrechnung gibt es verschiedene Ausgangspunkte, an denen sich die Menschheit orientiert. So geht z. B. die neueste wissenschaftliche Schätzung davon aus, dass das Alter der Erde bei 4,44 Milliarden Sonnenjahren liegt. Der jüdische Kalender wiederum legt den aktuellen Stand der Zeitrechnung bei 5782 Jahren, beginnend im Jahr 3761 v. Chr., fest. Ähnlich ist es bei der christlichen Zeitrechnung, hier sind wir ca. bei 6000 Jahren. Der Rhytmus von 7 Tagen, den Gott bei der Schöpfung festlegte, wird wie im Judentum auch beim christlichen Kalender als Maßstab zur Berechnung genommen. Der jüdische Tag Null richtet sich nach dem von ihnen errechnetem Schöpfungszeitpunkt, wohingegen im Christentum der Punkt Null bei Christi Geburt festgelegt wurde. Im Buddhismus und im Islam gibt es teilweise andere Zeitrechnungen als in der christlichen Welt. Dennoch ist der christliche Kalender die weltweit am meisten verbreitete Form der Zeitrechnung.

Es ist sehr beachtlich, dass bei geschichtlichen Zeitangaben auf der ganzen Welt, der Name des Sohnes Gottes in den Mund genommen oder schriftlich fixiert wird (*vor* oder *nach Christus*). Tatsächlich ist Jesus Christus der *Anker in der Zeit,* an dem sich die Menschheit seit seinem Kommen auf diese Erde orientiert. Das ist sicherlich kein Zufall. Er ist der Fixpunkt, an dem sich die Welt zeitlich ausrichtet. Doch tun wir es auch persönlich?

Gott machte den Anfang aller Zeiten, und er bestimmt auch, wie lange und wozu es die Zeit gibt. Und wir nutzen unsere Zeit auf dieser Erde am besten, wenn wir ihr Ende bedenken und die Tatsache, dass das Leben in der Ewigkeit davon abhängt, ob wir Jesus in der Lebenszeit hier zu unserem persönlichen Fixpunkt gemacht haben. *gah*

Wie gehen Sie mit Ihrer Zeit um? Wer ist Ihr Anker in der Zeit?

Unsere Zeit steht in Gottes Händen. Und unser ewiges Heil müssen wir in Jesus verankern.

Psalm 91

Jeder nun, der sich vor den Menschen zu mir bekennen wird, zu dem werde auch ich mich bekennen vor meinem Vater, der in den Himmeln ist.

Matthäus 10,32

Empörend?

Freitag vor Heiligabend, 1985. Es hätte so ein friedlicher Morgen werden können, als ich den Vorstand eines großen Kreditinstitutes aufsuchte. Es galt in dieser Vor-Weihnachtswoche die Jahresumsätze zu besprechen. Anstatt meine freundliche Begrüßung zu erwidern, brummte mein Gesprächspartner übellaunig: »Mir wäre heute beim Frühstück fast ›der Draht aus der Mütze gesprungen‹, als ich Ihren christlichen Spruch zum Fest und zum Jahreswechsel in der Zeitung lesen musste! Geld und christlicher Glaube, das hat ja wohl nichts miteinander zu tun! Das ist empörend! Was haben Sie sich dabei gedacht?!«

In diesem Moment war ich innerlich erst mal »angezählt«. Eine derartige Attacke hatte ich selten erlebt. Aber sollte ich nun ausweichen oder etwa die Hilfe Gottes in meinem Leben verleugnen? Nein! Ich sprach ihn frontal an: »Das sehe ich anders! Der Glaube an Jesus Christus durchzieht mein Leben und prägt meinen Alltag – und selbstverständlich auch meinen Beruf! Christliche Werte bestimmen mein Handeln. Ich möchte nicht nur sonntags ein Christ sein.«

Wie oft wurde Jesus in seiner aktiven Zeit als Mensch auf dieser Erde angegriffen! Bedroht, beschimpft, umschmeichelt, verleumdet – er hat alles erlebt. Leider besonders oft von den Amtsfrommen jener Zeit, den Schriftgelehrten und Pharisäern. Sie vernachlässigten ihre schützende Hirtenaufgabe, weil sie nicht mutig für die Gedanken Gottes eintraten, weil sie nicht lehrten, dass die Liebe Gottes jeden Lebensbereich durchzieht. Jesus Christus dagegen sieht bis heute, wie ängstlich und haltlos wir sind, »wie Schafe, die keinen Hirten haben« (Matthäus 9,36). Jesus weiß, dass wir alle ein Fundament brauchen, einen festen Halt, der unseren Alltag durchzieht und auch unser berufliches Handeln prägt.

sp

Durchzieht der Glaube an Jesus Christus Ihr Leben?

Stellen Sie sich auf die Seite Jesu, denn er hat sich auch auf Ihre Seite gestellt!

Johannes 9

Und siehe, du wirst schwanger werden und einen Sohn gebären; und du sollst ihm den Namen Jesus geben. Dieser wird groß sein und Sohn des Höchsten genannt werden. Lukas 1,31-32

Der »englische Gruß« in Nürnberg

Es war eine unruhige Zeit, als der Bildhauer und Schnitzer Veit Stoß von dem vermögenden Patrizier Anton Tucher aus Nürnberg den Auftrag erhielt, die Geschichte der Verkündigung der Geburt Jesu durch den Erzengel Gabriel (als »englischer Gruß«, also »Gruß eines Engels«, bezeichnet) in einem großen Schnitzwerk herzustellen. Als Veit Stoß sich mit dem Thema befasste, ließ es ihn nicht mehr los: Ein Engel spricht mit einem Menschen! Wie kann man das als Künstler in der aufgewühlten religiösen Atmosphäre seiner Zeit in ein Bild umsetzen?

Nachdem das Kunstwerk vollendet war und eine weit über Menschengröße hinausgehende Darstellung der Verkündigung zeigte – Maria und Gabriel waren fast 2,20 m groß –, waren die Stadtväter Nürnbergs, das 1525 die Reformation angenommen hatte, in einem ziemlichen Dilemma: Das wunderbare Kunstwerk sollte zwar in der Lorenzkirche aufgehängt werden, aber eine Anbetung der Maria musste ausgeschlossen sein. So entschied man, dass die großen Gestalten, der Erzengel Gabriel und Maria, verhüllt werden sollten. Eine wahrlich ungewöhnliche Aktion, etwas zu verhüllen, dass eigentlich stolz allen Gottesdienstbesuchern präsentiert werden sollte.

Auf unfreiwillige Weise wurde das nun zum Zeichen, worum es bei dem Geschehen rund um Jesu Geburt eigentlich geht. Alles sollte zurücktreten, ja, gar nicht wahrgenommen werden, angesichts der einzigartigen Person, die im Mittelpunkt der Gedanken Gottes im Blick auf das Heil und Erlösung für verlorene Menschen steht: Jesus Christus, Gottes Sohn. Um ihn allein geht es auch heute, wenn wir von unseren Sünden gerettet und als Kinder des Höchsten für ewig in die himmlische Herrlichkeit Gottes aufgenommen werden wollen. *li*

? Wie groß ist Ihnen der von Gott gesandte Erlöser?

! Tun Sie einmal alles beiseite, was Ihnen den Blick auf ihn verstellt!

Lukas 2,25-33

Öffne meine Augen,
damit ich Wunder schaue in deinem Gesetz.
Psalm 119,18

Ein verstecktes Geschenk

In einer Dresdner Schatzkammer lag zwischen vielen wertvollen Juwelen auch eine eiserne Kanonenkugel. Sie war das Geburtstagsgeschenk ihres Verlobten für eine Prinzessin. Die ärgerte sich über den plumpen Spaß. Sie ließ die Kugel fallen und trat mit dem Fuß danach, wobei sie sich verletzte. Da sprang die Kugel auf, und eine silberne Kugel kam zum Vorschein. Auch die konnte man öffnen. Sie enthielt eine goldene Kugel, und als die Prinzessin diese öffnete, fand sie einen edelsteingeschmückten Ring. Als sie ihn genauer besah, entdeckte sie die Gravur eines Bibelverses: »Mein Geliebter ist mein, und ich bin sein« (Hoheslied 2,16).

Wir wollen hoffen, dass sich die Prinzessin wenigstens ein wenig wegen ihres Kleinglaubens geschämt hat; aber viel wichtiger ist, dass wir die richtige Lehre aus der Geschichte ziehen. Der Berichterstatter sagte dazu, dass es vielen Menschen mit der Bibel genauso ginge. Auch heute noch gibt es hier und da Leute, die vielleicht Sonntag für Sonntag oder sogar täglich etwas aus der Bibel hören, ohne dass sie auch nur den geringsten Eindruck auf sie macht. Da muss erst Gottes Licht in unser Herz dringen, ehe sie »aufspringt« und etwas von ihrem wahren Wert preisgibt. Dann entdecken wir nach und nach immer wertvollere Schätze in dem Buch, das der allmächtige Gott für uns Menschen hat aufschreiben lassen.

Ausgehend von der oben erzählten Geschichte sind das ihre Schätze: Das *Silber* redet von dem Preis, den Gottes Sohn für unsere Befreiung aus den Ketten des Teufels bezahlte, und das *Gold* und die *Edelsteine* reden von seiner eigenen Herrlichkeit. Aber die *Inschrift* sagt uns, dass dieser große Gott selbst uns lieb hat. Das ist zwar völlig unverständlich; aber doch für alle Ewigkeit wahr. *gr*

? Was bedeutet die Bibel Ihnen?

! Echtes Interesse, ihren Wert zu erproben, lässt uns Gottes Liebe und Fürsorge entdecken.

Psalm 119,161-168

Er erniedrigte sich selbst und gehorchte Gott bis zum Tod – zum Verbrechertod am Kreuz.
Philipper 2,8

Selbstverleugnung

Neulich las ich von einer Influencerin, die gefragt wurde, ob sie sich nach ihrem Baby, das sie letztes Jahr bekommen hatte, noch weitere Kinder wünschen würde. Ihre Antwort war eindeutig: »Auf keinen Fall!« Ihre Begründung war, dass sie doch immer noch eine Frau sei mit Bedürfnissen und mit Sehnsucht nach Freiheit. Ihre jetzige Lebenssituation würde sie sehr einschränken, so sehr sie ihr Kind auch liebe. »Ich kann überhaupt nicht nachvollziehen, dass man sich mehrere Kinder wünscht!«, so ihre Antwort.

Ich möchte nicht über diese Frau urteilen oder ihre Aussage bewerten, ich wurde einfach nachdenklich darüber. Ich habe selbst mehrere Kinder, und es ist in der Tat so, dass ich mit jedem weiteren Kind ein kleines Stück mehr von mir selbst »abgegeben« habe. Man hat plötzlich so viel Verantwortung und muss sich um kleine Menschen kümmern, Tag und Nacht zur Verfügung stehen; und man hat oft nur wenig Zeit für sich selbst. Es ist tatsächlich eine Art Selbstverleugnung, wenn man Kinder hat, denn man lebt nicht mehr nur für sich selbst.

Bei diesen Gedanken wurde ich an Jesus erinnert, der sich noch ungleich mehr selbst verleugnet hat. Er kam als der Sohn Gottes aus der Herrlichkeit des Himmels und wurde ein winziges Baby. Er wuchs heran mitten in dieser Welt und diente später den Menschen oft bis zur Erschöpfung, obwohl ihn viele schon während seines Dienstes ablehnten. Er heilte, predigte und kümmerte sich um viele Einzelne. Doch der Höhepunkt der Erniedrigung war sein grausamer Tod am Kreuz, den er freiwillig auf sich nahm, damit wir ein Leben in Fülle haben und nach unserem Sterben und Auferstehen bei ihm sein können. Jesu Vorbild spornt mich an, mich auch in Selbstverleugnung zu üben. *aco*

? Können Sie sich vorstellen, was es Jesus gekostet hat, auf die Erde zu kommen?

! Der Höhepunkt von Jesu Selbstverleugnung geschah am Kreuz auf Golgatha.

Philipper 2,1-11

**Sterben müssen alle Menschen;
aber sie sterben nur einmal,
und darauf folgt das Gericht.**
Hebräer 9,27

Ein Planet zieht Bilanz

Als ich vor einiger Zeit beim Autofahren Radio hörte, traute ich meinen Ohren kaum. In einer Reportage berichtete ein erfolgreicher Unternehmer von seiner Einsicht, jahrelang mit seinem opulenten Lebensstil ein »Ökorüpel« gewesen zu sein. Begeistert erzählte er dann von seiner radikalen Kehrtwende hin zu einer konsequenten Minimierung seines ökologischen Fußabdrucks. Sein Antrieb dafür: die Befürchtung, dass der Planet nach seinem Tod sagen könnte: »Gut, dass der weg ist.« Dank vieler Kompensationsmaßnahmen wird er jetzt aber voraussichtlich mit Mitte 70 eine ausgeglichene Ökobilanz vorweisen können. Das wird ihn »extrem beruhigt sterben« lassen.

Mich bewegt, dass Menschen aus Angst vor dem Urteil eines leblosen Planeten bis an ihr Lebensende an ihrer ökologischen Lebensbilanz arbeiten. Ist eine grüne Null aber tatsächlich entscheidend an der Schwelle zur Ewigkeit? Und ich frage mich, wie *Gott* das Leben des Unternehmers beurteilen wird, wenn er diesen Planeten verlässt. Ist *sein* Urteil nicht das alles Entscheidende?

Ich bin froh, dass ich in Bezug auf meine Lebensbilanz vor Gott wissen darf, dass ich aufgehäufte Schuld nicht abarbeiten muss – was tatsächlich aussichtslos wäre. Weil ich mein Leben Jesus Christus anvertraut habe, weiß ich, dass seine Gerechtigkeit alles aufwiegt, was ich als sündiger Mensch angerichtet habe. Meine Lebensbilanz ist dadurch in Gottes Augen nicht nur gerade so eben auf Null ausgeglichen, sondern unendlich weit ins Positive gesteigert. Ich muss nach meinem Tod keinen Planeten fürchten, der stöhnt: »Gut, dass der weg ist«, sondern darf mich auf die Begegnung mit meinem Herrn im Himmel freuen, der sagt: »Gut, dass du hier bist.« Das kann mich beruhigt sterben lassen.

kaa

? Was wird Sie beruhigt sterben lassen?

! Nehmen Sie sich noch heute Zeit, über Ihre Lebensbilanz vor Gott nachzudenken!

1. Timotheus 1,12-17

Am Tag des Glücks sei guter Dinge, und am Tag des Unglücks bedenke: Auch diesen hat Gott ebenso wie jenen gemacht. Und was nach ihm kommt, kann der Mensch nicht wissen. Prediger 7,14

Wer ist schuld am Leid?

Im Dezember 2004 wütete in Thailand und anderen Ländern des indischen Ozeans ein Tsunami, bei dem ca. 230.000 Menschen starben. Viele Hungersnöte und Katastrophen, bei denen unzählige Menschen sterben, beherrschen unser Weltbild. Immer noch geschehen auf der Welt Kriege, bei denen unfassbar viele Menschen zu Tode kommen. Wir sitzen derweil bei uns vor dem Bildschirm, schauen zu und sind betroffen, aber insgeheim froh, dass es uns nicht trifft. Dabei verbirgt sich hinter jedem einzelnen Schicksal großes Leid.

Bei alledem kann man fragen: Wo ist Gott? Früher habe ich auch so gefragt. Bevor ich zum Glauben an Jesus kam und mich mit der Bibel auseinandergesetzt habe, habe ich die Existenz eines liebenden Gottes infrage gestellt. Denn wenn es einen »lieben Gott« gibt, wozu dann all dieses Leid? Ich kann auf diese Frage keine abschließende und vollkommene Antwort geben, aber persönlich hilft mir Folgendes: Gott lässt in seiner Souveränität Dinge geschehen, die wir nicht verstehen. Gottes Wege und Gedanken sind völlig anders als unsere Wege und Gedanken. Hiob, einem gottesfürchtigen Mann der Bibel, wurden Kinder und Wohlstand auf schreckliche Weise genommen. Und dennoch kam er zu dem Schluss: »Das Gute nehmen wir von Gott an, da sollten wir das Böse nicht auch annehmen?« (Hiob 2,10).

Das soll keine »billige« Ausrede sein oder die »einfache« Erklärung für Gottes Handeln. Ich habe aber Frieden gefunden, mich in Gottes Anordnungen und Zulassungen zu fügen. Ich darf guter Dinge sein, wenn es gut läuft, und ich will mich unterordnen, wenn schlechte Tage anstehen. Gott hat für jeden von uns einen Plan. Wir dürfen unser Herz im Glauben öffnen und Gott wirken lassen, damit er diesen Plan mit uns ausführen kann. *schn*

Zweifeln Sie auch an Gott, weil es viel Leid auf dieser Welt gibt?

Es ist immer leicht, in Gott den »Schuldigen« zu suchen. Doch eigentlich will er uns zu Hilfe kommen.

Jesaja 55,6-11

Seht doch: Jetzt ist die Zeit der Gnade!
Begreift doch: Heute ist der Tag der Rettung!
2. Korinther 6,2

Die Zeit läuft

Das Jahr neigt sich wieder dem Ende zu. Nur noch zwei Tage bis Silvester. Dann beginnt ein neues Jahr, und wir fassen wieder neue Vorsätze, was wir im neuen Jahr anders und besser machen möchten. Aber was ist aus den Vorsätzen des alten Jahres geworden? Jetzt sind gerade noch zwei Tage Zeit, das umzusetzen, was wir uns vorgenommen hatten. Um uns daran zu erinnern, wurde im Jahr 2003 der weltweite Tick-Tack-Tag eingerichtet. Tick, Tack, Tick, Tack – die Zeit läuft, sie verrinnt unerbittlich und ist schon gleich wieder um. Der Tick-Tack-Tag soll uns daran erinnern, dass jetzt die Zeit ist, Dinge anzupacken, Absichten umzusetzen und Träume zu verwirklichen. Wenn man es vor sich her schiebt, wird nichts daraus.

Zeit ist schon eine faszinierende physikalische Größe. Sie ist eine der wenigen Größen, die keine Richtung hat. Bei der Zeit gibt es kein Rechts oder Links und schon gar kein Zurück. Zeit geht einfach immer nur weiter. Die Vergangenheit ist vorbei und nicht mehr beeinflussbar. Die Zukunft ist noch nicht geschehen und liegt auch nicht in unserer Hand. Es ist lediglich der momentane Augenblick, die Gegenwart, in der wir handeln und entscheiden können. Die Zeit läuft weiter und sie läuft ab, wie das vergangene Jahr.

Auch die Zeit unseres Lebens läuft ab und damit auch die Gelegenheit, etwas zu erreichen, Ziele umzusetzen und Schiefgelaufenes wieder in die Reihe zu bringen.

Es ist auch höchste Zeit, sich mit dem Gedanken an Gott auseinanderzusetzen. Er hat alles für unsere Rettung vor dem ewigen Tod getan. Er bietet uns Leben an. Jetzt ist die richtige Zeit, darauf einzugehen. Jetzt ist der Tag der Rettung. Schieben Sie es nicht hinaus. Die Zeit läuft.

vb

Neigen Sie auch dazu, Dinge, die man schon längst einmal machen wollte, auf die lange Bank zu schieben?

Gott ist interessiert an Ihnen und wartet darauf, dass Sie sich ihm zuwenden. Jetzt ist die Zeit. Heute.

Matthäus 24,42-51

Wenn wir unsere Sünden bekennen, so ist er treu und gerecht, dass er uns die Sünden vergibt und uns reinigt von aller Ungerechtigkeit.

1. Johannes 1,9

Müllabfuhr

Vor unserer Haustür stehen vier Mülltonnen: Eine für »Grünabfälle«, eine für Papier, eine für »Gelbsackmüll« und eine für den Rest. Man rechnet, dass pro Kopf und Jahr etwa eine halbe Tonne Müll anfällt. Gut, dass die Müllabfuhr regelmäßig kommt und den ganzen Dreck entsorgt. Denn was wäre, wenn das nicht funktionierte? Wenn wir selbst für den Verbleib unseres Mülls sorgen müssten? Pro Person und Tag sind das immerhin 1-2 kg. Anfangs würden wir noch Platz auf dem eigenen Grundstück finden, etwa in der Garage. Bei dem Volumen allein von Verpackungsmüll wäre die Kapazität jedoch schnell erschöpft. Den Papiermüll könnten wir vielleicht noch verbrennen, aber der ganze Rest? Wir könnten unser Konsumverhalten ändern, aber hilft das dauerhaft gegen all den Unrat, den wir produzieren? Ich habe Bilder aus Ländern gesehen, in denen die Müllabfuhr streikte. Innerhalb weniger Tage waren ganze Straßenzüge vermüllt. Eine schreckliche Vorstellung!

Kurioserweise tun wir uns mit unserem Seelenmüll nicht so schwer, obwohl sich auch hier pro Tag und Kopf eine Menge ansammelt. Jedes böse Wort, jeder anzügliche Gedanke, jedes egoistische Verhalten bleiben irgendwo. Die Bibel nennt das Sünde. Die Menge dieses geistlichen Unrats wächst ständig. Anfangs kann man ihn vielleicht noch gut verstecken, aber irgendwann quillt er unter der Seelendecke hervor und bedrängt uns. Was hilft? Wie kann ich diesen Müll entsorgen? Der Tagesvers verdeutlicht, dass es nur einen Weg gibt: Bekennen! Seine Sünde beim Namen nennen und Gott bringen. Wer diesen Weg beschreitet, wird erleben, dass sogar der giftigste Sondermüll der eigenen Seele in den Tiefen von Gottes Vergebungsbereitschaft endgültig entsorgt wird. *mm*

Wie gehen Sie mit Ihrem »Seelenmüll« um?

Gott will nicht nur vergeben, er will sogar unserer Sünden nicht mehr gedenken (Jesaja 43,25).

1. Johannes 1

**Das, was gewesen ist, ist das, was sein wird;
und das, was geschehen ist, ist das, was geschehen wird.
Und es gibt gar nichts Neues unter der Sonne.**

Prediger 1,9

Zeitenwende

Das Jahr neigt sich dem Ende zu. Dankbar, und vielleicht auch etwas verwirrt, schauen wir zurück. Die Höhen und Tiefen des Alltags haben sich abgewechselt. Je älter man wird, umso kürzer scheinen die Jahre zu werden. Die Zeit vergeht wie im Flug. Die Ewigkeit wird zeigen, wie Gott alles bewertet, wie unser Leben, unsere Erfolge und Misserfolge einzuordnen sind. Krisen machen häufig offenbar, was wirklich in uns steckt.

Viele Menschen in der Bibel haben auch zurückgeschaut und ihr Leben resümiert. Kurz bevor **Mose** starb, stellte er fest: »Deine Zuflucht ist der Gott der Urzeit, und unter dir sind ewige Arme« (5. Mose 33,27). Das würde ich *Urvertrauen* nennen, das wir in solchen Zeiten wie heute dringend brauchen! **Josua** stellte am Ende seines Lebens klar: »Ich aber und mein Haus, wir wollen dem HERRN dienen!« (Josua 24,15). Darin bestand seine *Lebensversicherung*, egal, wie die Menschen um ihn herum sich entwickeln würden! **Paulus** schrieb in seinem Testament: »Ich habe den guten Kampf gekämpft, ich habe den Lauf vollendet, ich habe den Glauben bewahrt; fortan liegt mir bereit die Krone der Gerechtigkeit« (2. Timotheus 4,7-8). Was für ein Ausblick: hier Mühe, dort Lohn; hier Kampf, dort Ruhe. Mehr *Besitz* gibt es kaum zu erwerben! **Petrus** wünscht sich zum Schluss: »Wachst aber in der Gnade und Erkenntnis unseres Herrn und Heilandes Jesus Christus« (2.Petrus 3,18). Etwas *Wesentlicheres* kann man seinen Kindern nicht weitergeben.

Jesus Christus beendet sein Leben mit den Worten: »Es ist vollbracht!« (Joh 19,30). Seine Lebensleistung ist unsere *Zukunftssicherung!* Sein Gehorsam Gott gegenüber hat uns das ewige Leben erworben. *lü*

Wie schauen Sie auf das vergangene Jahr zurück?

Was wirklich bleibt, sind nicht materielle Dinge.

Prediger 1

5 Schritte

Wenn Sie wissen wollen, wie man ein Leben mit Jesus Christus beginnt, nennen wir Ihnen hier:

Fünf Schritte zu einem neuen Leben

1 Wenden Sie sich an Jesus Christus und sagen Sie ihm alles im Gebet. Er versteht und liebt Sie.

»Kommt her zu mir, alle ihr Mühseligen und Beladenen, und ich werde euch Ruhe geben.« *(Matthäus 11,28)*

2 Sagen Sie ihm, dass Sie bisher in der Trennung von Gott gelebt haben und ein Sünder sind. Bekennen Sie ihm Ihre Schuld. Nennen Sie alles, was Ihnen an konkreten Sünden bewusst ist.

»Wenn wir unsere Sünden bekennen, ist er treu und gerecht, dass er uns die Sünden vergibt und uns reinigt von jeder Ungerechtigkeit.« *(1. Johannes 1,9)*

3 Bitten Sie den Herrn Jesus Christus, in Ihr Leben einzukehren. Vertrauen und glauben Sie ihm von ganzem Herzen. Wenn Sie sich dem Herrn Jesus Christus so anvertrauen, macht er Sie zu einem Kind Gottes.

»So viele ihn aber aufnahmen, denen gab er das Recht, Kinder Gottes zu werden, denen, die an seinen Namen glauben.« *(Johannes 1,12)*

4 Danken Sie Jesus Christus, dem Sohn Gottes, dass er für Ihre Sünde am Kreuz gestorben ist. Danken Sie ihm, dass er Sie aus dem sündigen Zustand erlöst und Ihre einzelnen Sünden vergeben hat. Danken Sie ihm täglich für die Gotteskindschaft.

»In ihm haben wir die Erlösung und die Vergebung der Sünden.« *(Kolosser 1,14)*

5 Bitten Sie Jesus Christus, die Führung in Ihrem Leben zu übernehmen. Suchen Sie den täglichen Kontakt mit ihm durch Bibellesen und Gebet. Der Kontakt mit anderen Christen hilft, als Christ zu wachsen. Jesus Christus wird Ihnen Kraft und Mut für die Nachfolge schenken.

»Wenn jemand mir dient, so folge er mir nach! Und wo ich bin, da wird auch mein Diener sein. Wenn mir jemand dient, so wird der Vater ihn ehren.« *(Johannes 12,26)*

Wenn Sie weitere Fragen haben, dann schicken Sie uns einfach eine E-Mail: **info@lebenistmehr.de** oder schreiben Sie uns: **Redaktion »Leben ist mehr«, Am Güterbahnhof 26, 35683 Dillenburg**

Themenindex

Themenindex

Themenindex

Themenindex

Themenindex

Leitverse

Altes Testament

Leitverse

Sprüche 27,5-6	ELB	13.08.
Sprüche 28,1	SLT	28.06.
Sprüche 31,19	ELB	13.06.
Prediger 1,9	ELB CSV	31.12.
Prediger 1,14	SLT	14.06.
Prediger 3,11	SLT	25.11.
Prediger 5,3	NEÜ	9.10.
Prediger 7,14	NEÜ	28.12.
Prediger 7,21-22	SLT	12.07.
Prediger 9,10	NEÜ	3.01.
Prediger 11,6	ELB	28.05.
Jesaja 1,18	ELB	22.01.
Jesaja 1,18	SLT	25.09.
Jesaja 1,18	LUT	30.11.
Jesaja 30,15	NLB	28.01.
Jesaja 38,17	ELB	2.11.
Jesaja 40,8	ELB	10.08.
Jesaja 40,15	ELB CSV	5.11.
Jesaja 40,28	ELB CSV	7.05.
Jesaja 42,4	SLT	14.03.
Jesaja 43,4	ELB CSV	6.05.
Jesaja 44,2	SLT	3.12.
Jesaja 44,6-7	ELB	1.10.
Jesaja 44,22	GNB	7.10.
Jesaja 45,12	ELB	4.04.
Jesaja 45,22	SLT	18.08.
Jesaja 49,15	ELB	19.01.
Jesaja 49,16	ELB	27.02.
Jesaja 49,16	ELB	10.11.
Jesaja 53,3	ELB CSV	23.10.
Jesaja 53,5	SLT	14.08.
Jesaja 54,10	ELB	1.11.
Jesaja 55,6	MENG	13.05.
Jesaja 59,2	SLT	13.03.
Jesaja 59,2	NEÜ	19.09.
Jesaja 59,10	NEÜ	3.09.
Jeremia 3,19	NEÜ	12.10.
Jeremia 8,11	SLT	1.09.
Jeremia 29,12-14	ELB	23.09.
Hesekiel 18,23	ELB	4.02.
Hesekiel 36,26	GNB	1.04.
Daniel 9,9	ELB	7.12.
Daniel 9,23	ELB	25.08.
Hosea 13,10	ELB	10.06.
Micha 6,8	ELB	5.02.
Micha 7,18	ELB	7.07.
Micha 7,19	ELB	11.03.

Neues Testament

Matthäus 1,21	LUT	11.12.
Matthäus 4,23-24	LUT	24.04.
Matthäus 5,3	SLT	1.01.
Matthäus 5,12	ELB	14.04.
Matthäus 5,13	ELB	25.07.
Matthäus 6,12	LUT	21.03.
Matthäus 6,19-20	MENG	6.09.
Matthäus 7,3	SLT	14.05.
Matthäus 7,11	SLT	26.05.
Matthäus 9,4	ELB	17.02.
Matthäus 10,32	ELB	23.12.
Matthäus 11,26	NEÜ	22.11.
Matthäus 11,28	ELB	26.03.
Matthäus 11,28	HFA	17.09.
Matthäus 12,34	SLT	31.03.
Matthäus 14,28	ELB	5.03.
Matthäus 15,19	ELB CSV	5.08.
Matthäus 16,26	NLB	15.11.
Matthäus 23,37	ELB CSV	24.11.
Matthäus 24,10-12	ELB	24.06.
Matthäus 24,11	NGÜ	14.11.
Matthäus 24,35	LUT	31.10.
Matthäus 26,2	NEÜ	3.04.
Matthäus 26,56	MENG	28.09.
Matthäus 27,66	ELB CSV	18.04.
Matthäus 28,20	NEÜ	12.02.
Markus 1,15	ZB	2.08.
Markus 2,17	NEÜ	7.04.
Markus 2,17	ELB CSV	23.08.
Markus 5,36	ELB	26.10.
Markus 6,2	ELB	5.04.
Markus 9,47-48	NEÜ	4.05.
Markus 10,16	ELB	20.11.
Markus 10,27	ELB	13.01.
Markus 10,45	SLT	10.09.
Markus 12,42	MENG	22.06.
Markus 13,31	NGÜ	30.10.
Lukas 1,31-32	SLT	24.12.
Lukas 1,76-77	ELB	16.06.
Lukas 2,10	ELB	17.12.
Lukas 4,40	NLB	7.09.
Lukas 6,12	ELB	21.07.
Lukas 12,6	NEÜ	20.03.
Lukas 12,6	HFA	1.08.
Lukas 13,34	NGÜ	6.02.
Lukas 15,18	ELB	27.07.
Lukas 16,10	NGÜ	6.12.
Lukas 19,5	SLT	25.04.
Lukas 19,41	ELB	13.10.
Lukas 24,6	ELB CSV	19.04.
Lukas 24,18	ELB	20.04.

Leitverse

Lukas 24,27	ELB CSV	10.04.
Lukas 24,32	ELB	21.04.
Lukas 24,45	ELB	27.09.
Johannes 1,1	LUT	6.03.
Johannes 1,1	ELB CSV	21.10.
Johannes 1,12	NGÜ	19.07.
Johannes 1,17	ELB	5.07.
Johannes 2,5	ELB	3.05.
Johannes 3,16	SLT	4.09.
Johannes 3,16	ELB	11.11.
Johannes 3,17	SLT	17.10.
Johannes 4,10	NLB	3.08.
Johannes 4,14	ELB	30.03.
Johannes 5,6	ELB CSV	22.03.
Johannes 5,24	ELB	4.07.
Johannes 6,38	LUT	30.09.
Johannes 6,40	ELB CSV	10.01.
Johannes 8,12	NGÜ	10.02.
Johannes 8,12	ELB	27.11.
Johannes 8,31-32	SLT	7.03.
Johannes 8,32	ELB	17.05.
Johannes 8,36	ELB	20.06.
Johannes 8,36	ELB	18.10.
Johannes 8,52-53	ELB	26.07.
Johannes 10,9	ELB CSV	25.03.
Johannes 10,10	ELB	20.02.
Johannes 10,11	ELB	27.08.
Johannes 10,27	ELB	2.10.
Johannes 10,27-28	ELB CSV	26.08.
Johannes 11,25	ELB	16.09.
Johannes 11,35	NGÜ	14.09.
Johannes 12,24	ELB CSV	16.11.
Johannes 12,25	ELB	30.01.
Johannes 14,2	SLT	29.10.
Johannes 14,6	NEÜ	2.07.
Johannes 14,6	ELB	17.08.
Johannes 15,5	SLT	10.05.
Johannes 15,11	ELB	11.08.
Johannes 15,16	ELB	1.02.
Johannes 16,13	NEÜ	23.01.
Johannes 16,33	ELB CSV	2.06.
Johannes 17,1	ELB	3.10.
Johannes 17,3	ELB	30.07.
Johannes 17,3	ELB CSV	12.09.
Johannes 17,17	ELB	11.04.
Johannes 17,21	ELB CSV	20.12.
Johannes 19,16	ELB	13.04.
Johannes 19,19	ELB CSV	15.04.
Johannes 21,9	HFA	12.08.
Apostelgeschichte 1,21	SLT	22.05.
Apostelgeschichte 2,40	ELB	21.09.
Apostelgeschichte 4,12	ELB	15.06.

Apostelgeschichte 4,12	SLT	12.12.
Apostelgeschichte 10,38	ELB	8.04.
Apostelgeschichte 16,31	ELB CSV	12.06.
Apostelgeschichte 17,30-31	ELB	22.04.
Apostelgeschichte 24,13	ELB CSV	23.05.
Apostelgeschichte 26,14	SLT	18.07.
Apostelgeschichte 27,25	SLT	1.06.
Römer 1,16	ELB	19.06.
Römer 1,17	ELB	17.07.
Römer 3,10	ELB	28.02.
Römer 3,12	ELB	22.02.
Römer 3,22-24	ELB	2.02.
Römer 3,23	ELB CSV	26.04.
Römer 4,8	ELB	9.02.
Römer 4,8	NLB	4.06.
Römer 6,16	NLB	2.12.
Römer 6,22	ELB	20.07.
Römer 7,24	SLT	22.07.
Römer 8,1	NEÜ	29.03.
Römer 8,1	NGÜ	21.11.
Römer 8,14	LUT	13.12.
Römer 9,20	ELB	31.01.
Römer 11,34	LUT	9.01.
Römer 11,36	ELB CSV	9.06.
Römer 12,12	SLT	22.09.
Römer 15,7	LUT	15.05.
1. Korinther 2,9	NGÜ	13.11.
1. Korinther 6,20	ELB	29.09.
1. Korinther 7,29	ELB	7.01.
1. Korinther 9,24	ELB	10.12.
1. Korinther 12,12	HFA	14.01.
1. Korinther 14,8	ELB	9.09.
1. Korinther 15,17	NGÜ	17.04.
1. Korinther 15,42-43	LUT	7.06.
1. Korinther 15,57	ELB CSV	3.02.
2. Korinther 1,3-4	ELB	12.11.
2. Korinther 1,19	ELB	12.05.
2. Korinther 4,18	NEÜ	23.03.
2. Korinther 5,8	NEÜ	9.04.
2. Korinther 5,17	NEÜ	25.02.
2. Korinther 6,2	NGÜ	29.12.
2. Korinther 6,18	NLB	16.08.
2. Korinther 8,9	SLT	19.08.
2. Korinther 8,9	NGÜ	11.09.
2. Korinther 9,15	SLT	6.11.
2. Korinther 12,7	ELB	29.01.
Galater 1,23	ELB CSV	19.10.
Galater 2,16	LUT	30.04.
Galater 3,16	ELB	2.03.
Galater 4,4	ELB	4.12.

Leitverse

Epheser 1,13	ELB	17.06.
Epheser 1,18	NEÜ	15.10.
Epheser 2,8	NGÜ	8.08.
Epheser 2,8-9	ELB	8.11.
Epheser 3,11	LUT	4.01.
Epheser 5,20	ELB	18.11.
Philipper 1,6	ELB	17.01.
Philipper 2,7-8	SLT	23.07.
Philipper 2,8	NEÜ	26.12.
Philipper 3,13-14	NEÜ	19.03.
Philipper 3,20	ELB	6.01.
Philipper 3,20	ELB CSV	9.05.
Philipper 4,8	ELB	12.03.
Kolosser 1,12-13	ELB	16.03.
Kolosser 1,18	LUT	27.05.
Kolosser 1,20	ELB	29.05.
Kolosser 2,14	NLB	30.06.
Kolosser 3,13	ELB	8.02.
1. Thessalonicher 5,9-10	ELB	18.06.
1. Thessalonicher 5,23	LUT	26.02.
1. Timotheus 1,15	ELB CSV	6.08.
1. Timotheus 2,5-6	LUT	26.11.
1. Timotheus 4,1-2	ELB	24.01.
2. Timotheus 2,1	ELB	13.02.
2. Timotheus 2,15	andere	25.05.
2. Timotheus 3,1-2	ELB CSV	5.01.
2. Timotheus 3,16	ELB	12.04.
Titus 2,11	ELB	5.06.
Titus 2,14	ELB	24.07.
Hebräer 2,3	ELB	17.03.
Hebräer 2,3	SLT	7.11.
Hebräer 2,18	SLT	29.07.
Hebräer 3,7-8	ELB	15.07.
Hebräer 3,15	SLT	13.07.
Hebräer 6,13-14	ELB	1.03.
Hebräer 6,17	SLT	8.07.
Hebräer 9,27	NGÜ	3.11.
Hebräer 9,27	NGÜ	27.12.
Hebräer 11,16	ELB	2.04.
Hebräer 11,31	NGÜ	5.10.
Hebräer 12,11	ELB	10.10.
Hebräer 12,16	HFA	19.11.
Jakobus 1,2	ELB	27.03.
Jakobus 1,4	NEÜ	4.08.
Jakobus 3,16	ELB	31.08.
Jakobus 4,14	ELB CSV	2.05.
Jakobus 5,12	ELB	11.05.
1. Petrus 1,3-4	NEÜ	21.06.
1. Petrus 1,9	GNB	6.07.
1. Petrus 1,18-19	ELB	4.11.
1. Petrus 1,24	SLT	31.07.
1. Petrus 2,22-23	ELB	22.10.
1. Petrus 5,5	ELB CSV	11.01.
2. Petrus 1,16	ELB	5.12.
1. Johannes 1,7	NGÜ	7.02.
1. Johannes 1,9	NLB	25.01.
1. Johannes 1,9	LUT	16.02.
1. Johannes 1,9	ELB	4.03.
1. Johannes 1,9	ELB CSV	30.12.
1. Johannes 2,17	LUT	10.03.
1. Johannes 3,19-20	SLT	25.10.
1. Johannes 4,8	ELB CSV	21.12.
1. Johannes 4,9	ELB	18.12.
1. Johannes 4,14	ELB	16.05.
Offenbarung 3,1	ELB	14.10.
Offenbarung 3,20	NGÜ	23.06.
Offenbarung 3,20	ELB	16.10.
Offenbarung 21,1	NEÜ	14.07.

Erläuterung zu den Abkürzungen der Bibelübersetzungen

ELB — Elberfelder Bibel. Wuppertal/Dillenburg: R. Brockhaus/Christliche Verlagsgesellschaft.
ELB CSV — Die Heilige Schrift. Aus dem Grundtext übersetzt. Hückeswagen: Christliche Schriftenverbreitung (CSV).
GNB — Gute Nachricht Bibel © 2000 Deutsche Bibelgesellschaft, Stuttgart.
LUT — Lutherbibel. Deutsche Bibelgesellschaft, Stuttgart.
NEÜ — bibel.heute. Neue Evangelistische Übersetzung 2010. Karl-Heinz Vanheiden.
NGÜ — Neue Genfer Übersetzung 2009. Genfer Bibelgesellschaft.
NLB — Neues Leben. Die Bibel © der deutschen Ausgabe 2002 / 2006 / 2017 SCM R.Brockhaus in der SCM Verlagsgruppe GmbH
SLT — Schlachterbibel (Franz Eugen Schlachter). Revision 2000. Genfer Bibelgesellschaft.
ZB — Zürcher Bibel © Verlag der Zürcher Bibel beim Theologischen Verlag Zürich

Für Textvergleiche siehe www.bibleserver.com.

Bibellese

Einmal im Jahr das ganze Neue Testament lesen! (Bereits gelesene Abschnitte können zur besseren Übersicht jeweils in dem Kästchen abgehakt werden.)

Januar

- ☐ Matth.1
- ☐ Matth.2
- ☐ Matth.3
- ☐ Matth.4
- ☐ Matth.5,1-26
- ☐ Matth.5,27-48
- ☐ Matth.6
- ☐ Matth.7
- ☐ Matth.8
- ☐ Matth.9,1-17
- ☐ Matth.9,18-38
- ☐ Matth.10,1-23
- ☐ Matth.10,24-42
- ☐ Matth.11
- ☐ Matth.12,1-21
- ☐ Matth.12,22-50
- ☐ Matth.13,1-32
- ☐ Matth.13,33-58
- ☐ Matth.14,1-21
- ☐ Matth.14,22-36
- ☐ Matth.15,1-20
- ☐ Matth.15,21-39
- ☐ Matth.16
- ☐ Matth.17
- ☐ Matth.18,1-20
- ☐ Matth.18,21-35
- ☐ Matth.19,1-15
- ☐ Matth.19,16-30
- ☐ Matth.20,1-16
- ☐ Matth.20,17-34
- ☐ Matth.21,1-22

Februar

- ☐ Matth.21,23-46
- ☐ Matth.22,1-22
- ☐ Matth.22,23-46
- ☐ Matth.23,1-22
- ☐ Matth.23,23-39
- ☐ Matth.24,1-22
- ☐ Matth.24,23-51
- ☐ Matth.25,1-30
- ☐ Matth.25,31-46
- ☐ Matth.26,1-19
- ☐ Matth.26,20-54
- ☐ Matth.26,55-75
- ☐ Matth.27,1-31
- ☐ Matth.27,32-66
- ☐ Matth.28
- ☐ Mark.1,1-22
- ☐ Mark.1,23-45
- ☐ Mark.2
- ☐ Mark.3,1-21
- ☐ Mark.3,22-35
- ☐ Mark.4,1-20
- ☐ Mark.4,21-41
- ☐ Mark.5,1-20
- ☐ Mark.5,21-43
- ☐ Mark.6,1-32
- ☐ Mark.6,33-56
- ☐ Mark.7,1-13
- ☐ Mark.7,14-37
- ☐ Mark.8,1-21

März

- ☐ Mark.8,22-38
- ☐ Mark.9,1-29
- ☐ Mark.9,30-50
- ☐ Mark.10,1-31
- ☐ Mark.10,32-52
- ☐ Mark.11,1-19
- ☐ Mark.11,20-33
- ☐ Mark.12,1-27
- ☐ Mark.12,28-44
- ☐ Mark.13,1-13
- ☐ Mark.13,14-37
- ☐ Mark.14,1-26
- ☐ Mark.14,27-52
- ☐ Mark.14,53-72
- ☐ Mark.15,1-26
- ☐ Mark.15,27-47
- ☐ Mark.16
- ☐ Luk.1,1-23
- ☐ Luk.1,24-56
- ☐ Luk.1,57-80
- ☐ Luk.2,1-24
- ☐ Luk.2,25-52
- ☐ Luk.3
- ☐ Luk.4,1-30
- ☐ Luk.4,31-44
- ☐ Luk.5,1-16
- ☐ Luk.5,17-39
- ☐ Luk.6,1-26
- ☐ Luk.6,27-49
- ☐ Luk.7,1-30
- ☐ Luk.7,31-50

April

- ☐ Luk.8,1-21
- ☐ Luk.8,22-56
- ☐ Luk.9,1-36
- ☐ Luk.9,37-62
- ☐ Luk.10,1-24
- ☐ Luk.10,25-42
- ☐ Luk.11,1-28
- ☐ Luk.11,29-54
- ☐ Luk.12,1-34
- ☐ Luk.12,35-59
- ☐ Luk.13,1-21
- ☐ Luk.13,22-35
- ☐ Luk.14,1-24
- ☐ Luk.14,25-35
- ☐ Luk.15,1-10
- ☐ Luk.15,11-32
- ☐ Luk.16,1-18
- ☐ Luk.16,19-31
- ☐ Luk.17,1-19
- ☐ Luk.17,20-37
- ☐ Luk.18,1-17
- ☐ Luk.18,18-43
- ☐ Luk.19,1-27
- ☐ Luk.19,28-48
- ☐ Luk.20,1-26
- ☐ Luk.20,27-47
- ☐ Luk.21,1-19
- ☐ Luk.21,20-38
- ☐ Luk.22,1-30
- ☐ Luk.22,31-53

Mai

- ☐ Luk.22,54-71
- ☐ Luk.23,1-26
- ☐ Luk.23,27-38
- ☐ Luk.23,39-56
- ☐ Luk.24,1-35
- ☐ Luk.24,36-53
- ☐ Joh.1,1-28
- ☐ Joh.1,29-51
- ☐ Joh.2
- ☐ Joh.3,1-21
- ☐ Joh.3,22-36
- ☐ Joh.4,1-30
- ☐ Joh.4,31-54
- ☐ Joh.5,1-24
- ☐ Joh.5,25-47
- ☐ Joh.6,1-21
- ☐ Joh.6,22-44
- ☐ Joh.6,45-71
- ☐ Joh.7,1-31
- ☐ Joh.7,32-53
- ☐ Joh.8,1-20
- ☐ Joh.8,21-36
- ☐ Joh.8,37-59
- ☐ Joh.9,1-23
- ☐ Joh.9,24-41
- ☐ Joh.10,1-21
- ☐ Joh.10,22-42
- ☐ Joh.11,1-17
- ☐ Joh.11,18-46
- ☐ Joh.11,47-57
- ☐ Joh.12,1-19

Juni

- ☐ Joh.12,20-50
- ☐ Joh.13,1-17
- ☐ Joh.13,18-38
- ☐ Joh.14
- ☐ Joh.15
- ☐ Joh.16,1-15
- ☐ Joh.16,16-33
- ☐ Joh.17
- ☐ Joh.18,1-23
- ☐ Joh.18,24-40
- ☐ Joh.19,1-22
- ☐ Joh.19,23-42
- ☐ Joh.20
- ☐ Joh.21
- ☐ Apg.1
- ☐ Apg.2,1-13
- ☐ Apg.2,14-47
- ☐ Apg.3
- ☐ Apg.4,1-22
- ☐ Apg.4,23-37
- ☐ Apg.5,1-16
- ☐ Apg.5,17-42

Bibellese

☐ Apg.6
☐ Apg.7,1-19
☐ Apg.7,20-43
☐ Apg.7,44-60
☐ Apg.8,1-25
☐ Apg.8,26-40
☐ Apg.9,1-22
☐ Apg.9,23-43

Juli

☐ Apg.10,1-23
☐ Apg.10,24-48
☐ Apg.11
☐ Apg.12
☐ Apg.13,1-24
☐ Apg.13,25-52
☐ Apg.14
☐ Apg.15,1-21
☐ Apg.15,22-41
☐ Apg.16,1-15
☐ Apg.16,16-40
☐ Apg.17,1-15
☐ Apg.17,16-34
☐ Apg.18
☐ Apg.19,1-22
☐ Apg.19,23-41
☐ Apg.20,1-16
☐ Apg.20,17-38
☐ Apg.21,1-14
☐ Apg.21,15-40
☐ Apg.22
☐ Apg.23,1-11
☐ Apg.23,12-35
☐ Apg.24
☐ Apg.25
☐ Apg.26
☐ Apg.27,1-26
☐ Apg.27,27-44
☐ Apg.28,1-15
☐ Apg.28,16-31
☐ Röm.1

August

☐ Röm.2
☐ Röm.3
☐ Röm.4
☐ Röm.5
☐ Röm.6
☐ Röm.7
☐ Röm.8,1-18
☐ Röm.8,19-39
☐ Röm.9
☐ Röm.10
☐ Röm.11,1-24
☐ Röm.11,25-36
☐ Röm.12
☐ Röm.13
☐ Röm.14
☐ Röm.15,1-21
☐ Röm.15,22-33
☐ Röm.16
☐ 1.Kor.1
☐ 1.Kor.2
☐ 1.Kor.3
☐ 1.Kor.4
☐ 1.Kor.5
☐ 1.Kor.6
☐ 1.Kor.7,1-24
☐ 1.Kor.7,25-40
☐ 1.Kor.8
☐ 1.Kor.9
☐ 1.Kor.10,1-13
☐ 1.Kor.10,14-33
☐ 1.Kor.11,1-15

September

☐ 1.Kor.11,16-34
☐ 1.Kor.12
☐ 1.Kor.13
☐ 1.Kor.14,1-20
☐ 1.Kor.14,21-40
☐ 1.Kor.15,1-32
☐ 1.Kor.15,33-58
☐ 1.Kor.16
☐ 2.Kor.1
☐ 2.Kor.2
☐ 2.Kor.3
☐ 2.Kor.4
☐ 2.Kor.5
☐ 2.Kor.6
☐ 2.Kor.7
☐ 2.Kor.8
☐ 2.Kor.9
☐ 2.Kor.10
☐ 2.Kor.11,1-15
☐ 2.Kor.11,16-33
☐ 2.Kor.12
☐ 2.Kor.13
☐ Gal.1
☐ Gal.2
☐ Gal.3
☐ Gal.4
☐ Gal.5
☐ Gal.6
☐ Eph.1
☐ Eph.2

Oktober

☐ Eph.3
☐ Eph.4
☐ Eph.5
☐ Eph.6
☐ Phil.1
☐ Phil.2
☐ Phil.3
☐ Phil.4
☐ Kol.1
☐ Kol.2
☐ Kol.3
☐ Kol.4
☐ 1.Thess.1
☐ 1.Thess.2
☐ 1.Thess.3
☐ 1.Thess.4
☐ 1.Thess.5
☐ 2.Thess.1
☐ 2.Thess.2
☐ 2.Thess.3
☐ 1.Tim.1
☐ 1.Tim.2
☐ 1.Tim.3
☐ 1.Tim.4
☐ 1.Tim.5
☐ 1.Tim.6
☐ 2.Tim.1
☐ 2.Tim.2
☐ 2.Tim.3
☐ 2.Tim.4
☐ Titus1

November

☐ Titus2
☐ Titus3
☐ Philemon
☐ Hebr.1
☐ Hebr.2
☐ Hebr.3
☐ Hebr.4
☐ Hebr.5
☐ Hebr.6
☐ Hebr.7
☐ Hebr.8
☐ Hebr.9
☐ Hebr.10,1-23
☐ Hebr.10,24-39
☐ Hebr.11,1-19
☐ Hebr.11,20-40
☐ Hebr.12
☐ Hebr.13
☐ Jak.1
☐ Jak.2
☐ Jak.3
☐ Jak.4
☐ Jak.5
☐ 1.Petr.1
☐ 1.Petr.2
☐ 1.Petr.3
☐ 1.Petr.4
☐ 1.Petr.5
☐ 2.Petr.1
☐ 2.Petr.2

Dezember

☐ 2.Petr.3
☐ 1.Joh.1
☐ 1.Joh.2
☐ 1.Joh.3
☐ 1.Joh.4
☐ 1.Joh.5
☐ 2.Joh.
☐ 3.Joh.
☐ Judas
☐ Offb.1
☐ Offb.2
☐ Offb.3
☐ Offb.4
☐ Offb.5
☐ Offb.6
☐ Offb.7
☐ Offb.8
☐ Offb.9
☐ Offb.10
☐ Offb.11
☐ Offb.12
☐ Offb.13
☐ Offb.14
☐ Offb.15
☐ Offb.16
☐ Offb.17
☐ Offb.18
☐ Offb.19
☐ Offb.20
☐ Offb.21
☐ Offb.22

Mitarbeiter

acb	Ann-Christin Bernack	mgr	Martin Grunder
aco	Ann-Christin Ohrendorf	mm	Markus Majonica
ahe	Annegret Heyer	mn	Marcus Nicko
ap	Arndt Plock	mtz	Martin Reitz
awa	Andreas Wanzenried	pg	Peter Güthler
bgr	Bernd Grünewald	pj	Joachim Pletsch
bo	Gerald Bott	rr	Robert Rusitschka
bwe	Beatrix Weißbacher	ruk	Rudolf Koch
cn	Carolin Nietzke	sa	Anna Schulz
dbe	Daniela Bernhard	schn	Axel Schneider
dr	Andreas Droese	sew	Sebastian Weißbacher
ek	Erwin Kramer	sg	Günter Seibert
eli	Elisabeth Weise	sh	Stefan Hasewend
fe	Andreas Fett	slü	Sebastian Lüling
fr	Joschi Frühstück	sn	Stefan Nietzke
ga	Gerrit Alberts	sp	Klaus Spieker
gah	Gabriel Herbert	spi	Hanna Spina
gi	Werner Gitt	sst	Sabine Stabrey
gr	Hermann Grabe	st	Stefan Taube
hj	Hartmut Jaeger	str	Alexander Strunk
hl	Herbert Laupichler	tcb	Thomas Bühne
hs	Hias Schreder	tip	Tim Petkau
ht	Manfred Herbst	tk	Thomas Kröckertskothen
jb	Joachim Boshard	tl	Thomas Lange
jsa	Jannik Sandhöfer	tp	Thomas Pommer
kaa	William Kaal	ty	Tony Keller
kem	Heiner Kemmann	uhb	Uwe Harald Böhm
koh	Karl-Otto Herhaus	vb	Bernhard Volkmann
kts	Kathrin Stöbener	vdm	Martin von der Mühlen
kw	Karen Wieck	wä	Markus Wäsch
li	Eberhard Liebald	wd	Willi Dück
lü	Peter Lüling	wj	Joel Wjst
md	Markus Ditthardt	za	Daniel Zach